바람속정열㉾

과분한 사랑에 감사했습니다.

Tarantella

타란텔라

바람속정열
장편소설

Tarantella

타란텔라

1

바람속정열
장편소설

D&C BOOKS

Tarantella

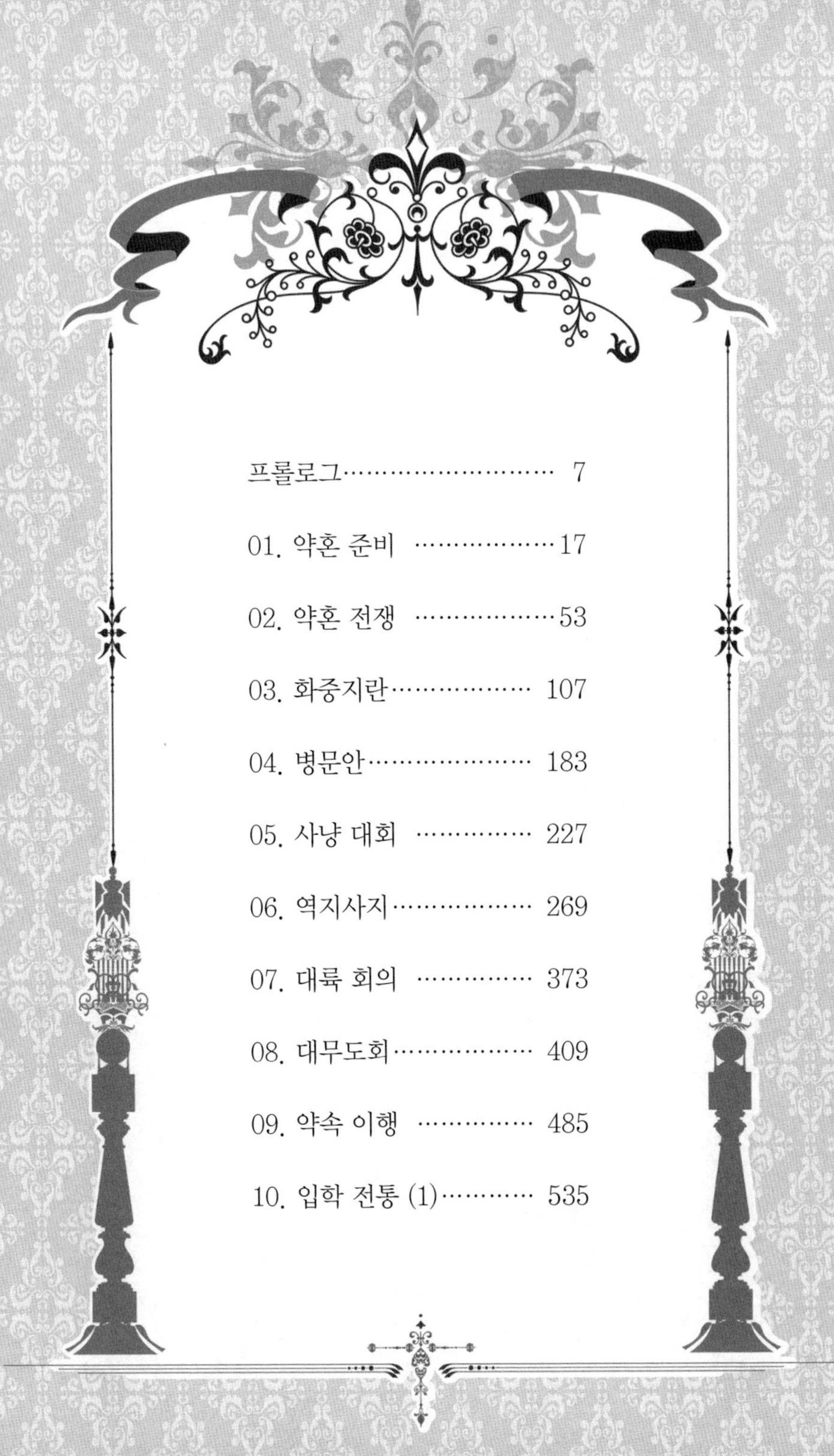

프롤로그

프롤로그

분해서 돌아 버릴 것 같다.

한때는 윤기가 흘렀던 긴 백금발을 뒤로 확 넘기면서 편지를 천천히 다시 읽어 보았다.

편지를 전한 하녀는 이미 사라진 지 오래. 어쩌면 이 편지의 내용을 이미 짐작했을지도 모른다. 소문이나, 그녀 스스로 보고 들은 것을 통해서 말이다.

하필 이럴 때 그의 서명과 법관의 인장이 찍힌 편지가 도착하다니……. 아마 지금쯤 근래 최고의 가십거리 주제를 가장 먼저 알아내서 터트리는 재미를 누리고 있을지도 모른다.

잠시 허탈한 마음에 눈시울을 붉히다가 다시 편지로 눈을 돌리니 눈물은 사라지고 그 자리에 분노가 차올랐다.

"젠장."

대대로 외교관의 명맥을 이어 온 베이야드 공작가의 장남으로서 역시 뛰어난 외교관인 그는 타인에게 충분하고 적절한 매너를 취하는 데에 대단히 능한 사람이었다.

하지만 그 모든 친절함이 나에게는 예외였다. 그냥 예외도 아니고 절대 예외.

나는 그가 키우는 사냥개보다 못한 취급을 받는 사람이었다.

호흡이 불안하게 흐트러지며 무의식중에 손이 떨리고 있었다.

어느 순간부터 기대하지 않게 되고, 마음 주지 않게 됐다고 생각했는데. 막상 외면하던 진실이 그 역겨운 몸체를 모두 드러내니 그것도 아니었다.

그럼에도 불구하고 오기였을까, 아집이었을까.

나 보기가 역겨워 가실 거라면 말없이 고이 눌러 밟고 가시라고 패악 같지도 않은 패악을 부렸건만 밟는 것도 성가신지 편지 한 장이 전부다.

형식과 절차를 제법 중요시 여기던 사람이니, 형식적으로 편지라는 절차를 밟아 보냈을 수도 있겠다는 실없는 생각도 얼핏 들었다. 편지를 한 줄로 요약하자면 다음과 같다.

[이혼 요구. 다른 여자와 결혼하고 싶다. 더 이상은 한계이니 이혼에 속히 동의하라.]

꽃다운 23살. 지난 5년간의 위태로운 결혼 생활 끝에 이혼이라니.

무소불위의 권력과 명예를 모두 가진 내가 그저 그런, 궁색한 남작가의 막내딸에 밀려 이혼녀가 되려고 한다.

천생 여자라는 그 여자는 내 명예에 기생하여 유명해졌는데, 그 실체는 한 마리 영악한 여우라고 할 수 있겠다.

남자의 마음에 능숙하며 남자를 홀리기 위한 모든 조건…… 사교

댄스, 악기, 패션, 화장술 등등을 연마한 고단수의 여자. 결혼 생활 시작과 동시에 그 여자에게 남편을 반 이상 뺏기고 종국에는 남아 있던 가정에 대한 의무까지 뺏기니 이혼이란 결말이 아주 의외는 아닌 것 같다.

나보다 5살 위, 남편과 동갑내기인, 그 약아빠지고 원숙한 여자를 단순한 진실성으로 대적하려 했던 것. 그것이 처음 내 남편을 만났던 그 여자의 나이에 닿은 지금에서야 웃긴다고 느껴진다.

이 얼마나 순진하고 안일한 생각인가.

사실 결혼 전, 약혼식을 올릴 때에 이미 남편과 그 여자 사이에 심상치 않은 일들이 있었다는 정황을 포착했었다. 하지만 당시 남편에게 첫눈에 반한 나는 혹여나 그 문제로 결혼이 성사되지 않을까 두려워 조용히 묵인했었다.

순진하고 바보 같던 어린 시절의 내가 가여우면서도 한 대 쥐어박고 싶게 밉다. 현실을 보고 싶지 않아 진실을 외면한 채 결혼 전 가벼운 바람 정도라고 포장했었다. 시간이 지나면 자동으로 흐려질 그런 유의 바람이라고.

어머니 없이 부친의 손에 투박하게 크면서도 온전히 잘 자랐다고 생각했는데, 주변에 나에게 여자로서 어떻게 해야 하는지를 알려 줄 여자 일가 피붙이가 없는 게 이제야 아쉬웠다.

변명을 해 보자면, 당시의 나는 황실 기사단에 막 입적한 애송이에 역사책에서나 겨우 찾아볼 수 있는 그런 여기사였다.

한마디로 상당히 고지식했다. 여자라는 성별은 한순간에 장애물이 되어 버릴 수 있는 그런 것이었기에, 나는 기사는 여자가 아니라고 여기며 남자 기사들보다도 더 고루하게 굴었다.

그것이 어쩌면 모든 일이 엇갈리기 시작한 시초일지도 모른다.

그녀를 과소평가했던 게 문제였을까. 내가 그와 결혼한 것을 기적이라 할 정도로, 두 사람의 관계는 가벼운 바람 그 이상이었다.

물론 이것도 시간이 흘러 더 이상 외면할 수 없는 상황이 돼서야 알게 된 사실이었다.

결혼까지 했으니 그럴 리 없다고 믿었는데…… 상처에 감았던 붕대를 무자비하게 뜯어내어 거기서 돋아나던 새살까지 뜯긴 것 같은 고통을 겪었다.

그렇게 고통에 점차 무뎌지던 나는 한 가지 결론을 지었다. 결혼이 성사된 데에는 제국 내의 양대 산맥 중 하나인 공작가의 아들인 그와 같이, 내가 공작가의 무남독녀라는 점이 크게 작용하였노라고.

어쨌든 결혼이 성사됐으니 최소한 결혼 생활의 신의는 보여 줄 것을 기대했건만…… 내 남자의 여자는 보통 인물이 아니었다.

뒤에서 상황을 교묘히 조종하여 스스로를 보호함과 동시에 그가 나를 희대의 악녀로 여기게 만든 것은 기본이요, 끔찍한 대상으로 인식하게 된 것은 옵션이었다. 심지어 민심이나 대중의 시선까지도 교묘하게 통제하였다.

결코 그러한 역량이 있어 보이는 여자가 아니었으나 결과적으론 그러한 역량이 있으니 그러한 일들이 가능했겠지……? 그토록 완전히 아닌 척할 수 있다는 것도 재주이자 능력이었다.

그럼에도 불구하고 나는 진실은 통한다는 일관된 태도로 그 여자와 남편을 대했다.

하지만 진실, 그따위 것은 지나가던 개도 안 물어 갈 고루한 정설이었다.

한번 악화되기 시작한 관계에 내 융통성 없는 태도까지 겹쳐진 극악의 오해 속에서 내 결혼 생활은 이렇게 막을 내리려 하고 있었다.

관중이 모두 떠나고 다른 주인공들도 모두 무대를 내려왔으나 혼자 미련스럽게 무대 위에 덩그러니 서 있는 셈이다.

나는 아직도 그 남자를 애정하고 있다. 어쩌면 애증일지도 모른다.

한 사람만 바라보는 데 익숙한 기사의 성정 때문일까, 아니면 달리 눈에 들어오는 이성이 없어서일까. 한눈팔 생각 없이 그저 의무인 양 내내 내게 등을 보이는 그 남자만 바라보았다.

생각을 정리한 나는 자리에서 천천히 일어나서 방구석에 자리한 전신 거울로 걸음을 옮겼다.

"……할 말이 없네. 진짜 엉망이로군. 머리카락은 뭐야. 언제 이렇게 갈라졌대. 얼굴색이 짙어진 것 같은데 기분 탓은 아니겠고. 이건 뭐 땀 냄새 풀풀 날리는 기사 수련생이랑 다를 게 없네. 멀끔한 마구간 지기라고 해도 믿겠어."

여전히 예쁘장한 외모지만 가장 아름다워야 하는 시기를 엉망으로 보낸 탓에, 그 가치가 예전의 절반도 되지 않음은 확실했다. 타인을 평가하듯 신랄하고 가벼운 어조로 표현된 것은 스물셋의 나였다.

열일곱, 제국의 꽃이라는 영예로운 호칭을 거머쥐고 정식 기사단에 입적해, 내내 바지를 입고 태양 아래서 생활해 온 나는 약혼과 결혼을 연달아 겪었다.

그 과정에서 제국의 꽃은 시들고 사그라졌다. 초반엔 아름답고 다능한 공작가의 금지옥엽이 당하는 수모에 많은 사람들이 함께 분노하며 공감해 줬다. 하지만 뒤로 갈수록 고지식한 기사에 볼 것은 가문뿐이니 남자가 질릴 만했다고 여겨지기 시작했다.

만약 다시 18살 봄, 그와의 약혼식으로 돌아간다면…….

근 5년의 세월을 허투루 보낸 것은 아니었다. 이미 지나간 상황에서 내가 취했어야 했던 행동이 치밀하게 떠올랐다. 무디고 둔하여라 훈련받은 성정도 환경에 따라 예민해지면서 제법 여자 귀족들이 하는 모습을 흉내 낼 수 있게 되었다.

덕분에 어느 순간부터는 그 여자를 완전히 눌러 버릴 방법들이 생각났지만 결국 한 번도 실천하지 못했다. 스스로의 아성에 익숙해져 있어서 실제로 적용할 엄두도 내지 못하고 지나갔던 것이다. 쭉 그래 왔는데 이제 와서 새삼.

그런 면구함이 나를 계속해서 멈추게 하였다. 아, 생각하니 화나네.

만약 내가 마음속으로 생각한 대책을 하나라도 실행했다면, 그가 그 여자 이상으로 나를 사랑하지 않았을까?

그랬더라면 나는 뭔가 문제가 있는 여자로 구설에 오를 필요도 없었을 것이고 이 다재다능한 능력 또한 나를 불쌍하게 만드는 요소가 아닌 완전하게 만드는 요소가 되었을 것이다. 입맛이 쓰다.

"……아니, 그 이전에 그냥 그 여자를 쓱싹해 버린다든가 더 나은 남자를 찾는 데에 시간을 좀 더 들여 본다는 쪽으로?"

나는 인상을 찡그리며 어느 정도의 진심을 담아 혼잣말을 중얼거렸다. 그간 괜히 도덕적으로 굴었나 싶기도 하다.

남작 영애 따위, 한동안 구설에는 오를지라도 깔끔하게 끝냈어야 했는데…….

호흡을 진정시키려 노력하며 잠시 밑으로 내렸던 편지를 다시 들어 올려서 편지 봉투에서 편지지를 꺼내 들었다.

그 직후 터져 나온 말은 이런 죽일 놈. 그의 서명 옆에 그 여자의 것으로 추정되는 분홍빛 입술 자국이 분명하게 새겨져 있었다.

진짜 박수라도 쳐 주고 싶다, 그 여자의 뺨에 대고.

나를 조롱하는 것이 분명한 저 분홍빛 자국이 진심으로 분하다. 제대로 한 번 붙어 보지도 못하고 안일하게 대처한 탓에 이렇게 이혼녀가 되는 건가.

이혼에 대해서는 추호도 생각해 보지 않았던 스스로가 바보 같을 정도로 이혼이 쉽게 거론되고 있었다. 최선의 방어는 공격이란 전술이 더 옳았을 뻔했다. 잡생각에 머리가 멍해졌다.

아무것도 보지 않은 것으로 외면하고 싶은 마음에 나는 편지를 허공에 던졌다. 그리고 이것이 나풀나풀 바닥으로 떨어지기 전에 벽에 걸려 있던 장식용 레이피어를 뽑아 이를 갈기갈기 분해시켰다.

완벽하게 일정한 크기로 종이가 조각나며 바닥에 늘어지는 꼴을 보니 새삼 그간 얼마나 기사로서만 살아왔었나 하는 회의도 든다. 이러한 무위에 만족을 얻고 위안을 얻는 단계는 이미 예전에 지나왔기 때문이다.

그래도 조금 허무하긴 하다. 문득 시선을 조각난 편지로 돌리니…….

"……입에다 뭘 발라 찍었기에 칼부림을 해도 잘리질 않냐."

유독 칼자국 없이 곱게 잘려 떨어진 입술 자국을 노려보던 나는 화풀이라도 하듯 그것을 구둣발로 지그시 문댔다.

한 번쯤 그 입을 직접 밟아 주고 싶었는데 유사하게나마 소원을 이룬 셈이다. 이런 걸 소원이라 생각하다니. 자조적인 기분이 들었다.

그런 생각을 하던 순간 어지럽다는 느낌과 시야가 흐려지는 감각이 온몸을 엄습했다. 너무 화를 내서 순간 혈압에 문제가 생긴 건가? 그간 혈압에 이상이 온 적은 없었는데……

혼란을 넘어 뿌옇게 흐려지는 시야를 느끼며 생각을 포기한 채 그대로 눈을 감았다.

눈을 감자 전신이 거대한 심장으로 변한 것처럼 박동하는 것이 느껴진다. 화끈화끈하면서 어지러운 박동에 전신이 압박되는 것 같았다.

나는 눈을 감은 채로 힘겹게 침대로 가 몸을 눕혔다. 몸이 터져서 흩어져 버릴 것만 같아 두려웠지만 그럭저럭 이렇게라도 잠시 쉬면 나아지겠지.

이 침대도 이혼당하면 영원히 안녕이겠지. 세상이 공평하다면 나에게 다시 기회를 줘야 한다. 이건 말도 안 된다.

창피해서 내뱉지 못했던 밑바닥의 감정이 새어 나온다. 그와 동시에 육신과 감정의 고통에서 비롯된 눈물이 흘러 베개로 스몄다.

그러는 와중에 잠이 들었던 것도 같다.

정신을 차려 보니 중요한 사실이 변해 있음을 알았다.

나는 지금 그와 약혼 직전인 18살, 내가 주로 잠들던 침대에서 눈을 떴다. 한마디로 상황을 설명해 보자면 이렇다. 브라보. 물론 이렇게 외치기까지는 많은 시간이 걸렸다.

01. 약혼 준비

01. 약혼 준비

이혼 서류를 받고도 잠이 왔다니.

그냥 서류도 아닌 이혼 서류를 받은 그 엄청난 날, 하루를 잠으로 어영부영 보내 버린 나는 스스로도 믿을 수 없는 상황에 잠시 멍한 상태로 침대 천장을 바라보았다.

대체 이게 무슨 상황이지?

한동안 재혼은 물 건너갔다. 당연히 할 생각도 없지만, 안 하는 것과 못하는 것의 차이는 크다. 뭐, 이미 벌어진 일, 아침 수련을 거를 수는 없는 법이니 침대에서 몸을 일으켰다. 그리고 그와 동시에 심한 멀미를 느꼈다.

혹시 내가 어제 술을 마셨나? 하도 처먹어서 마신 것도 까먹고 그냥 잤다고 기억하는 건가?

정신 나간 가정을 해 가며 침대 기둥에 머리를 기댄 채 다시 기억을 떠올려 봤지만 완벽한 백지 상태였다.

"……뭐야, 정말로 어지럽잖아."

몸을 잠시 트는 순간 시야가 빙글빙글 흔들리면서 어제와 같은 압박감이 신체를 엄습했다. 순식간에 이완된 압박감이었지만 그 찰나의 압박감에 한동안 속이 뒤집어지는 느낌이 계속되었다.

거참, 몸이 비련의 여주인공을 연기하고 싶었던 건가.

낮게 투덜거리면서 감았던 눈을 서서히 떴다. 약간 초점이 잡히지 않던 시선을 방의 한쪽 구석에 고정하고 차분히 기다리다 보니 서서히 형태가 분명해지기 시작했다.

"뭔가, 낯이 익은데…… 내 방은 아니고, 어디지, 여기?"

미묘하게 친숙한 방과 그 방의 침대에 걸터앉은 나라니. 음, 이불 패턴이 참 내 취향일세.

응? 작은 나뭇잎을 수놓은 이불 패턴을 한참 눈여겨보던 나는 이것이 내가 어릴 적 사용하던 침구 세트와 상당히 흡사하다는 결론을 내렸다.

그러한 결론이 내려지기 무섭게 고개를 들어 방을 훑어보자 낯익은 물품들과 그 배치들이 눈에 들어왔다.

화장대라든가, 장미목 탁자라든가, 내가 십 대 때 쓰던 검과 흡사한 저 검이라든가, 결혼 전에 쓰던 가문의 문장이라든가, 내가 약혼식에 입었던 기사 예복이라든가, 거기에 새겨진 내 이름이라든가…… 응?

"뭐, 뭐야?"

얕은 비명이었지만 그 정도는 나올 만한 상황이었다. 내가 평민이었다면 이름이 겹치는 것 따위는 흔한 일일 것이다. 평민 여자 열 사람 중에 세 사람이 앤이라고 해도 과언이 아니니까.

하지만 제국에 공작가는 고작 둘. 게다가 영애는 한 명뿐이었으니, 이름이 겹치는 것은 불가능에 가까운 일이었다. 이름이 겹치려면 적어도 한쪽이 천 년의 영생을 누리고 있어야 가능한 일이니까 말이다.

그가 납치를 사주해서 친정으로 되돌려 놓은 것인가 하는 가정도 어느 정도 신빙성이 높아지고 있었다.

“납치, 납치라…… 어제 내 상태가 아무리 엉터리였다지만 전혀 느끼지 못했다는 건 터무니없지. 그리고 감히 베이야드가 폰디체리의 담벼락을 넘어? 토끼가 곰 뺨따귀를 후려쳤다는 말이 더 설득력 있을 수준이란 말이지. 게다가 이 방…… 가문을 나오면서 인테리어를 바꾼 게 언젠데 결혼 전 상태로 돌려져 있을 리가. 설마…….”

손등을 입술에 눌러 비비며 추론을 시작해 보았다. 하지만 기껏 해낸 추론이라곤 어제 그 편지에 수면 가루 같은 일종의 약품 처리가 되어 있던 것이 아닌가 하는 의심 정도였다.

만약 그것이 사실이라면 역사서에 남을 정도로 지독하게 비겁한 처사다. 그거로도 부족하여 조롱할 목적으로 이런 방으로 옮겼단 말인가? 내가 결혼 전에 어떤 방에서 어떤 물건을 두고 살았는지는 어떻게 알고? 가문의 누군가가 개입한 건 아니겠지?

나름대로 이유를 추론해 가면서 차오르는 분노를 느끼고 있는데 누군가가 방으로 다가오는 기척이 느껴졌다.

그래, 와라. 누구든 황족만 아니라면 산목숨이 아닐 줄 알아라. 안에서 눈에 불을 켜고 기다린다는 사실을 아는지 모르는지 다가온 인기척이 마침내 방문을 가볍게 두드렸다.

몸을 추스르며 침대에서 일어나 들어오라는 말을 하려다가 방금 막 잠에서 깼다는 사실을 기억해 냈다.

난 이래서 안 됐나 보다. 이게 왜 지금 기억나지. 보나 마나 꼴이 말이 아닐 게 뻔했다.

젠장. 적진(?)에서 그런 꼴을 보일 순 없지.

추한 꼴은 면하기 위해 복장 점검 차 근처의 전신 거울로 걸음을 옮겼다. 결혼 전에 사용하던 방과 구조가 완전히 일치해 거울을 찾는 것은 전혀 어려운 일이 아니었다. 혹시 대답이 없다고 문을 열고 들어올까 싶어 기다리라고 이르는 것도 잊지 않았다.

아아, 제발 단시간에 수습 가능할 만큼만 엉망이기를. 지친 표정으로 급하게 전신 거울 앞에 서서 거울을 노려보는데…… 보다 보니 뭔가 이상하다. 얜 누구야?

"응? 초상화였나?"

전신 거울인 줄 알았던 것이 사실은 실물 크기의 초상화였다니. 허무한 표정으로 초상화를 노려봤다. 그럼 그렇지, 복원에도 한계가 있다고. 그것은 찬란한 백금발이 엉덩이까지 내려오고 홍채 부근이 금적(金赤)색으로 일렁이는 몽환적인 녹색 눈이 매혹적인 소녀의 초상화였다.

정확히 말하자면 저 소녀는 10대 후반의 나임이 분명했다.

크고 호소력 있는 눈동자와 도도하고 기품 있는 콧대. 완벽한 장밋빛을 띄는 도톰한 입술이라든가, 눈밭과 같은 흰 피부라든가…… 지금의 나와는 현저히 다른 과거의 나이기에 자화자찬이라는 느낌도 들지 않았다.

실크 잠옷을 입은 형태의 초상화라는 점이 색다르긴 했지만 워낙 인물이 인물인지라 그 정도의 예외는 당연한 것 같기도 했다.

그런데 내가 저런 초상화를 그렸었나? 과거의 나보다도 한층 더 매력적인 외양이다. 하기야 초상화가 미화되는 것은 놀랄 일도 아니니까. 한숨을 푹 쉬며 거울을 찾아 고개를 돌렸다.

"어째, 초상화가 움직인 것 같기도……."

이상한 느낌에 다시 초상화로 고개를 돌려 머리를 갸웃거리던 나는 초상화 속의 내가 같이 고개를 갸웃거리는 것을 포착하고 새된 비명을 질렀다.

뭐, 뭐야! 저주? 오컬트? 꿈? 악몽?

내가 식겁한 표정으로 초상화와 거리를 벌리며 초상화에 대고 삿대질하자 초상화도 똑같이 움직였다. 내가 지른 비명 소리가 의외로 크게 울렸는지 밖에서 다급하게 문을 열고 들어오는 소리가 들렸다.

"아기씨! 괜찮…… 으신 건가요?"

다급하게 문을 열고 들어와 나를 부른 중년의 여자가 삿대질을 하던 나를 보고 말꼬리를 흐렸다.

얼핏 보면 충분히 미쳐 보이는 광경이긴 하지. 속으로 중얼거리던 나는 들어온 여자의 얼굴을 보고 화들짝 놀라 감탄사를 터트렸다.

"유모! 유모야? 왜 여기 있는 거야? 어떻게 그간 하나도 변한 것이 없어?"

그 말에 의아한 표정을 지은 유모가 천천히 내 옆으로 다가와서 흐트러진 침구를 정리하며 걱정스럽게 쳐다봤다. 갑작스러운 유모의 등장에 반가운 마음이 앞서서 기괴한 초상화는 뒷전으로 밀려나 버렸다.

"오늘은 해가 서쪽에서 떴던가? 우리 아기씨가 농담을 다 하시네요. 호호. 어제저녁, 잠자리를 봐 드렸었는데 그사이에 변해 봐야 얼마나 변하겠어요? 무슨 꿈이라도 꾸셨어요?"

유모의 말에 순간 생각이 멈췄다. 아직 꿈인가? 그사이 침구 정리를 마친 유모가 이내 내 곁으로 다가와 내가 삿대질하던 것을 힐끗 보더니 대뜸 마른 수건을 들어 올렸다.

그림에 수건은 좀! 아니, 그 전에 그림이 이상하다니까? 질겁하는 표정을 짓는 내게 여전히 평안한 태도의 유모가 말을 건다.

"근데 아기씨, 거울에 뭐 문제라도 있나요? 거울을 보고 그렇게 놀라실 것이 무어 있다고요. 안 그러시던 분이 밖에서 기다리라질 않나, 갑자기 비명을 지르시질 않나. 이 늙은 유모가 얼마나 놀랐다고요. 평소 큰 소리 한번 안 내시던 분이."

"……거, 울? 이게?"

유모의 다른 말들은 모두 허공으로 사라지고 거울이라는 단어만 귓가에 남는다.

거울? 저게? 하지만 저기 비친 모습은 아직 베이야드 공작가로 시집가기 전 폰디체리 공녀로 살던 무렵의 내 모습인데…….

혼란스러운 표정으로 유모가 거울이라 칭한 것을 바라보니, 유모가 마른 천으로 그것을 천천히 닦아 냈다. 그러자 들어오는 아침 햇살에 반사광이 이는 것이 보였다. 정말 거울? 하지만 어떻게? 혹시 젊어 보이는 거울? 고민 끝에 습관적으로 머리카락에 손을 뻗었다.

부드러운 감촉이 심적 안정을 돕…… 는 게 아니라! 부드러울 리가? 황당함에 부드러운 머리카락을 손가락으로 빙글빙글 돌리다 못해 양손으로 쥐어 잡는데도 유모는 말을 계속했다.

"아이고, 우리 아기씨. 벌써 열여덟 살이 되어 약혼식을 앞두고 계시다니……. 세월 참 빠르네요. 마님께서 그렇게 되신 것이 아직도 어제 일 같은데, 그때 다섯 살이던 아기씨가 언제 이렇게 자라셔서는……."

감정이 북받쳐 오르는 듯, 손으로 흐르는 눈물을 황급히 훔치는 유모를 혼란스러운 눈으로 살피던 나는 이내 상황을 정리하기 시작했다.

몸이 어려졌다. 아니, 몸만 변한 것이 아니다. 세월이, 변했다. 역행한 것이다. 그 증거로는 사용하는 방, 당시와 변함이 없는 유모, 결혼하고 새로 지급받아 명찰이 바뀌어 지금은 더 이상 존재하지 않는 내 처녀 시절 기사 예복 등이 있다. 베이야드라는 성에서 다시 폰디체리로 돌아온 것이다.

이혼당해서 벌어진 일이라기엔 정황이 맞지 않는다.

결론은 내가 무려 5년 전, 아직 약혼 직전의 나로 돌아왔다는 거다.

서서히 파악되는 상황에 천천히 회심의 미소를 지었다. 그것도 잠시, 자리에서 펄펄 뛰며 기쁨의 환호를 지르고 싶은 마음을 참으며 은근한 미소를 짓던 나는 유모의 갑작스러운 애원에 생각을 멈춰야만 했다. 아, 깜짝이야.

"아기씨. 정말 저 옷을 입고 약혼을 하셔야 하나요? 물론 아기씨가 여성으로서 황실 기사단에 입적하신 일은 정말, 조금 가슴 아프긴 해도 영광스러운 일이지만…… 그렇다고 굳이 여자로서 한 번밖에 없는 약혼식에 저런 바지 차림이라니. 아직 일주일이나 시간이 남았는데…… 지금부터 드레스를 맞춘다면 빠듯하겠지만 충분히 완성시킬 수 있답니다. 아기씨, 이 가엾은 유모를 생각해서라도 다시 생각해 주셔요. 네? 마님께서 살아계셨더라면 분명 속상해하셨을 거예요. 이 미천한 유모, 마음만 같아서는 콱 죽고 싶은 심정이랍니다."

이번에 약혼식을 하면 약혼만 두 번 하는 건데? 그럼 재혼인가? 아, 대상이 같으니까 아닌가?

유모의 엄살과 충심 섞인 한탄에도 그런 엉뚱한 생각만 들었다. 그러다 문득 과거의 일이 떠올랐다.

기사의 경우 정식 예식에 참여할 때 기사 예복을 입게 된다. 물론 결혼식이나 약혼식에는 어느 정도 예외를 인정해 주는데, 막 기사가 되어 기사 정신으로 무장한 당시의 나는 무려 여자임에도 약혼식에 기사 예복을 입고 등장하는 일을 벌였다. 귀족 남자들도 잘 입지 않는 기사 예복을, 내가 입었다. 내가!

미쳤었나 보다. 덕분에 충성심은 세 배로 인정받아 지난 결혼 생활 내내 황태자 전하를 직접 보필하는 기사로, 다르게 말하면 다음 대 황제의 직속 기사를 약속받았었다.

하지만 지금 생각해 보면 좀 민망한 과거이기도 하다. 젊음의 패기란.

물론 그렇게 황태자 전하며 타인들에게 인정받아 봐야 내 남자가 날 길거리에 널브러진 분변과 동급으로 봤을 테니 씁쓸할 뿐이다.

거기에 화룡점정으로 내가 바지를 입고 나타난 예식에 그 여자는 붉은색 칵테일 드레스를 입고 나타났었다.

하객이라면 무채색 예복을 입고 참석하던 것이 상식이던 그 약혼식 연회에 붉은 드레스를 입은 미천한 여자와 역사에 기록될, 기사 예복을 입은 희귀한 여기사 신부.

그러한 명백한 대비 때문이었을까, 내 남편은 그 여자의 붉은색에 완전히 홀렸던 것 같다. 아니, 홀림의 증거로 주어진 붉은 드레스라고 해야 할까.

나중에 듣기로는 그 붉은 드레스가 내 남편이 그 여자에게 준 선물이라나 뭐라나. 뭐가 되든 좋다. 내가 거기에 또 당하면 폰디체리가 아니다.

한참 흐느끼며 혼절하려는 시늉까지 하던 유모가 내 단호한 결심의 표정을 읽고 단념하는 눈빛을 띠었다. 여자가, 그것도 제국에 딱 둘 있는 공작가의 무남독녀 고명딸이 기사가 되기까지 얼마나 독한 고집과 결단력이 있었겠는가.

수년간 옆에서 수발을 들어온 유모이니 내가 한번 고집이 섰다 하면 꺾을 수 없음을 익히 아는 것이다.

맞는 말이다. 나는 결심을 했다. 하지만 그런 결심은 아니야, 유모.

나는 씩 웃었다. 이번 판은…… 복수, 그리고 자존심 회복을 위한 판이다. 그러니까 미리 손수건을 꺼내 눈물 닦는 퍼포먼스는 좀 과하지 않겠어?

"아기씨, 정말이지 이 유모는 눈물이 다 나네요. 너무 가슴이……."

"아무래도 너무 경솔했던 거 같아. 당연히 드레스를 입어야 하지 않겠어?"

"……이 너무 뛰네요! 아기씨, 아기씨가 직접 말씀하셨어요? 분명 제일로 아름다운 드레스로 입으시겠다고 말씀하셨어요?"

아니, 그렇게까지 말하지는 않았는데.

내 말이 끝나기 무섭게 가슴이 아프다고 말하면서 가슴팍을 쥐어뜯던 유모의 손이 양 뺨을 수줍게 감싸는 광경은 저절로 웃음이 날 정도로 재미난 광경이었기에 내 말에 다소 살을 붙여 되풀이하는 걸 모르는 척 넘겼다.

활짝 웃는 유모의 표정에 덩달아 씩 웃으면서 계획을 빠르게 정리했다. 이렇게 과거로 돌아오다니, 이건 어쩌면 신이 나에게 주는 두 번째 기회일지도 모른다. 한순간도 놓치지 않고 유용하게 사용해 주리라.

내 앞에서 어떤 드레스를 누구에게서 주문할 것인지 안달복달 난리가 난 유모를 불러 세운 나는 화사하게 웃으며 원하는 드레스를 간단히 설명했다.

"난 해바라기색 드레스가 좋을 것 같은데."

내 말에 어안이 벙벙한 표정을 짓는 유모에게 한마디 더 보탰다. 내가 말하는 그 색이 본인이 떠올리는 그 색이 맞는지 어안이 벙벙한 표정이다.

이건 좀 아닌가? 눈치를 살피며 유모가 좋아할 법한 조건을 던져 분위기를 상쇄하고자 다시 입을 열었다.

"음, 꽃은 큰 걸로 달아도 되고."

그러나 내 계산과는 다르게 만족스러운 표정을 지어야 할 유모는 세상 무너진 표정으로 '헉' 소리를 내며 털썩 주저앉았다.

유모, 그렇게 대놓고 그러면 나라도 상처받아.

미묘한 시선으로 유모의 눈치를 살피니 이때다 싶었는지 '아이고, 마님!' 하고 눈물을 흘리며 신세 한탄을 시작했다.

나는 대체 뭐가 문제인지 영문을 몰라 더 큰 꽃, 더 큰 장식, 더 화려한 색상의 디자인을 말하며 유모를 달래려 들었다. 그럼에도 통곡하기 시작한 유모를 보고 내 미적 감각이 영 다른 방향으로 흘렀음을 깨달았다.

아니, 울지 말고 말로 했으면 나도 골치 아프게 살면서 봤던 모든 드레스 장식을 말할 필요는 없었을 텐데, 인생 참 어렵게 산다 싶다.

내 드레스 묘사에 통곡하며 우려를 표명하던 유모는 이러다 내가 그냥 기사 예복을 입겠다고 나올까 봐 걱정이 되었는지 일단 디자이너들을 부르고 보자며 밑의 식솔들을 들들 볶기 시작했다.

그러나 나는 내 나름대로의 생각이 있었던 터라 딱 한 명의 디자이너만을 부르길 희망했다. 최근 이름이 들리기 시작하는 봉뒤프베 부인이 그였다.

과거로 돌아오기 전 최고의 디자이너로 유명세의 정점을 찍던 봉뒤프베 부인은 그 여자가 입었던 드레스들을 제작하고 유행시킨 장본인이었다.

다만 지금으로선 별다른 유명세랄 것도 없는 디자이너인지라 불만을 표하려던 유모는 이내 포기한 표정으로 봉뒤프베 살롱에 파발을 보냈다. 그것으론 불안한지 다른 구두, 모자 등 온갖 상점으로 파발을 보냈다.

하긴, 말이 일주일이지 보통 약혼 드레스만 해도 준비하는 데 반년 이상 시간을 투자하는 것이 통례이다. 천 재질을 고민하는 데만 일주일이 넘는다고 하니, 말 다했다.

게다가 어머니들은 딸이 자랄 때부터 혼수로 쓸 만한 것들을 차차 모은다고 하니, 약혼이나 결혼에 대한 준비는 평생에 걸쳐 이루어지는 것이라 해도 과언이 아닌 셈이다.

나야 어릴 적 어머니를 잃고 아버지 슬하에서 자랐으니 아버지가 간간이 사 주신 덩치 큰 보석들 외에는 사전 준비라고 부를 만한 것이 전혀 없었다. 그 보석들도 원석만 덩그러니 보관되어 있고 세팅해 둔 것도 없었다.

생각해 보면 과거의 나는 꽤 안일했던 것 같다. 과거의 시어머니이자 미래의 시어머니, 베이야드 공작 부인의 무시나 핍박이 따지고 보면 전혀 근거 없는 행동이 아닌 것 같다는 생각에 어쩐지 서글퍼졌다.

어머니를 일찍 떠나보낸 데다, 아버지는 국방부 장관직을 역임하시는 전형적인 기사이시니 당시 관련 지식이나 경험이 전무했던 내가 그 높은 공작가 안주인의 입맛을 만족시켰을 리 없었겠지.

심지어 아버지는 무남독녀 외동딸이 기사의 길을 가겠다고 했을 때, 쌍수 들고 환영하셨던 분이다. 아마도 내가 딱히 여성으로서의 정도를 걸어야 한다는 생각 자체가 없으셨을 거다.

매년 생일에 새롭고 희귀한 무구를 친히 골라 선물하실 정도였으니 말이다. 게다가 아버지는 애초에 그 녀석과의 결혼을 열렬히 반대하였었다.

아버지는 녀석과의 혼인을 반대하실 때 그렇게 말했다. 외교부 놈들은 다 음흉한 뱀이라고.

결과적으로 그 말은 정답이었다. 그는 그저 뱀이라고 부르기에도 간교한 독뱀이었습니다, 아버지. 여하튼 그러한 이유로 약혼이 성사된 뒤 반년의 기간 동안 일말의 준비도 하지 않았으니…… 이제 와서 무슨 수를 쓰던 허술함을 벗어나기 힘들 것이다.

그래도 최소한 기사 예복만은 입지 않겠다. 한번 입었으면 충분하다. 솔직히 말하자면 또다시 그런 만용을 부릴 용기가 부족하다.

다르게 말하면, 창피해서 못하겠다. 십 대의 나는 대체 얼마나 얼굴 가죽이 두꺼웠던 건지. 생각만으로도 얼굴이 홧홧해지는 기분에 다른 생각을 하려 시선을 이리저리 옮기는데 봉뒤프베 부인이 도착하였다는 소식이 들려왔다.

잠옷에서 가벼운 실내복으로 갈아입은 지 얼마 되지 않아 머리는 달리 어찌하지 못하고 길게 늘어트린 채로 손님 맞을 준비를 하였다. 도착 소식에 손님을 맞이하러 나섰던 유모의 목소리가 방 밖에서 들린다.

"아기씨! 봉뒤프베 부인이 도착했습니다."

"좋아, 들어와. 들어와요, 부인."

유모와 함께 등장한 중년의 여자는 길고 두툼하게 부풀려진 드레스를 입고 있었다. 상당히 화려하고 고급스러운 느낌의 드레스는 당시에 한창 유행하던 디자인으로 당시 내 약혼식에 참석한 여성 하객들의 다수가 택했었던 디자인이었다.

물론 그 여자도 저 디자인을 택했었다. 심지어는 봉뒤프베 살롱에서 구입했었다지?

내가 묘한 웃음을 지으며 환영하자 부인이 노련한 태도로 인사를 건넨다. 아마 과거의 소문이 확실하다면 최근에 그 여자에게 그 드레스를 팔았을 거다.

쳇, 회귀하는 김에 한 한 달쯤 더 과거로 회귀하면 좀 좋아.

"아펠리아 폰디체리 님, 처음 뵙습니다. 평안하신지요."

"네, 평안합니다. 유명하신 분을 이렇게 만나니 감회가 새롭습니다. 진작 청할 것을 제가 늦었군요."

진정하고 겸양과 호의를 담은 대답을 돌려주자 제법 의외라는 표정을 잠깐 지은 부인이 빙긋 웃는다. 하긴, 당연한 반응이다. 이 무렵의 나는 상당히 절제된 대답만을 고수했으며 사치를 멀리하는 소녀였으니까.

그 덕에 귀족 부인들이라는 든든한 입담꾼들을 놓치고야 말았었다. 미끼도 없이 어찌 고기를 잡겠는가. 타고나기를 손꼽히는 부자로 났는데 드레스 몇 벌이 사치일 리 없었다. 그러나 굳이 그러지 않았던 것은 기사로서의 긍지 때문이었다.

화려하고 반짝이는 것을 싫어하는 것은 아니라 절충안으로 장신구를 수집하던 취미는 있었지만 기사의 이미지를 위해 차마 욕심껏 사지는 못했었다.

아마 내 욕구대로 사 모았더라면 내 개인 재산은 물론 내 남편의 재산까지 파산시켰을 거다. 생각하다 보니 갑자기 아쉽네. 놈이 파산했어도 그 여자가 붙어 있었을까?

흥, 그냥 파산시켜 버릴걸. 그랬다면 이제 돈이 없어 싫다고 냉담하게 뿌리치는 여자와 통곡하는 그를 볼 수 있었을 텐데 말이다. 아니면 가난해진 남자에도 변하지 않는 사랑으로 간통계의 새 역사를 남기던가.

그만 생각하자. 생각이 자꾸 그 녀석에게 흐르자 영 표정 관리가 되지 않는다.

아무튼 이제는 욕구대로 다 사고 즐기고 살기로 다짐했다. 어차피 바빠서 살 시간도 없다. 시간 날 때, 기회 닿을 때마다 마구잡이로 사들여도 흔들리지 않을 재정임은 하늘도 알고 땅도 알 것이다.

내가 계속해서 딴청을 피우며 이야기를 시작하지 않자 디자인 북 같은 널찍한 종이 묶음을 들고 준비 자세로 앉아 있던 봉뒤프베 부인이 얕게 헛기침을 뱉었다. 그제야 정신이 돌아와 최대한 서두르는 기색을 숨기며 입을 열었다. 하마터면 실수할 뻔했다.

"간단히 말씀드리죠. 저는 제 약혼식 드레스를 부인이 디자인하기를 원합니다."

"영광입니다, 영애. 한데 알기론 식이 멀지 않은 것으로 아는데 이미 제작된 드레스의 수정을 말씀하시는 건가요?"

봉뒤프베 부인은 내 요구에 화사한 미소로 응답하면서도 미심쩍은 표정으로 되물었다. 그래, 상식적으로 약혼식 일주일 전에 아예 드레스를 새로 맞추는 경우는 기껏해야 평민이었고, 그마저도 도둑 결혼에서나 찾아 볼 수 있을 정도로 드문 경우였다.

그녀의 표정에도 나는 멈추지 않았다. 부인의 의도는 뻔했다. 혹시 경쟁자가 제작한 드레스를 잘못 수정하다 시비가 붙거나 오명을 쓸까 해서 그러는 거겠지.

전혀 그런 것이 아니었기에 상관 않고 말하기로 했다.

일단 요구 조건을 말하기 전에 확인할 사항이……. 흐음. 봉뒤프베 부인이 쇼크에 약한 여자였던가? 그러면 진정제라도 준비해야 하나.

무슨 말만 하면 가슴을 부여잡고 기절할 준비를 취하는 기억 속의 귀족 부인들을 떠올리자니 좀 걱정스럽기는 하다. 그래도 기절하면 깨우지, 뭐. 만일의 사태를 각오한 내가 조건을 꺼냈다.

"잘못 알고 계시는군요. 사정이 있어 아예 새로 제작하려 합니다. 기한은 아시다시피 일주일. 적어도 돌아오는 여섯 번째 날 저녁까지는 반드시 완성해 주셔야 합니다."

"하겠습니다."

불가능에 가까운 어려운 요구였기에 회유와 조건을 걸 각오를 했건만 싱거울 정도로 단호하게 하겠다고 응수하는 부인의 태도는 예상 밖이었다.

사실 그녀를 굳이 고른 이유는, 만년 2인자인 그녀가 주목받기 위해 뭐든 할 의지가 있을 것이라 짐작했기 때문이었는데.

굳이 이 일의 장점을 읊어 주지 않아도 그녀는 이미 이 일이 자신에게 안겨 줄 것들을 알고 있는 것 같았다. 알고도 모르는 척 우위를 점하려 들지 않는 담백한 부분이 마음에 들었다. 예상대로 부인은 솔직하게 말을 이었다.

"다른 사람이었다면 단번에 거절했을 만큼 촉박한 기간을 요구하신 것만은 알아주세요. 단지 영애의 약혼 드레스를 디자인할 수 있는 영광이라면 그 정도쯤은 감수할 마음에 모험을 하는 것이죠, 호호. 이러니저러니 말들이 많지만, 영애께선 제국에서 제일가는 미인이신 데다 미혼 여성으로 오를 수 있는 최고의 지위를 보유하셨지 않나요? 제 일들 중 가장 의미가 깊은 일이 될 거란 믿음으로 기꺼이 감수하겠어요."

"그렇게 생각해 주신다니 더 편하게 말씀드리도록 하죠. 괜찮나요?"

봉뒤프베 부인의 호의적인 태도와 적극적인 응수에 살짝 미소를 머금던 나는 본론으로 들어가기 위해 포석을 놓기 시작했다.

내 표정에서 웃음기를 읽은 부인이 가볍게 고개를 끄덕이며 동의를 표하자 나는 말문을 열기 시작했다.

"저는 해바라기색 드레스를 입을 생각이랍니다."

"……물론, 영애라면 무슨 색이든 완벽하게 소화하시겠지만. 통상적으로 약혼식 드레스는 거의 무채색을 고르시는 터라……."

"조화로 드레스를 장식하고 싶고요."

"조……화라면, 가짜 꽃을 말씀하시는 것이겠군요. 그 정도라면 작은 패턴으로 집어넣을 수 있겠네요."

봉뒤프베 부인이 손수건을 꺼내 이마의 식은땀을 닦으며 계속해서 합의점을 제시했지만 나는 그것을 무시하고 활짝 웃으면서 말을 계속했다.

부인, 미안하지만 합의점은 단 하나일 거예요.

내가 하는 제안이 그 합의점이 될 것이고. 지금 제안하고 있는 디자인은 이 시기 봉뒤프베 부인의 경쟁자인 프리실라 부인이 다음 해 봄에 발표해 대히트 치는 디자인이다.

초반엔 괴상하다는 평가를 받았을 정도로 기존의 형식을 철저히 파괴한 드레스였지만 그 특유의 매력이 너무나도 강렬했기에 큰 유행을 끌기 시작하며 드레스의 새 지평을 열었다는 평가를 받기도 하였다.

더군다나 패션의 완성은 얼굴이라고 하지 않던가. 나중에는 이 일로 나한테 엄청 고마워하겠지. 이런 확신을 가지고 말하는 줄은 꿈에도 모르는 부인은 내 말이 계속될수록 점점 더 하얗게 질려 갔다.

"조화는 가급적 화려하고 색감 있게 장식됐으면 하고, 드레스는 무릎까지 내려오는 길이에 세미 튀튀(발레리나가 입는 옷과 같이 여러 겹의 천으로 드레스를 부풀게 하는 스타일)면 좋겠군요."

"……영애, 물론 독특한 디자인이 되겠지만 저는 분명 영애께서 약혼식 드레스를 주문하신다고 알고 있는데요."

"제대로 알고 계십니다. 계획대로라면 저는 제 약혼식에 제가 디자인한 드레스를 입는 영예를 누리게 되겠지요. 제 믿음이 잘못된 걸까요?"

내가 진하게 웃었다. 분명 찬란한 얼굴일 텐데, 눈앞의 봉뒤프베 부인은 하얗게 질린 낯으로 날 바라본다. 마치 검 앞에서 사그라진, 혹은 칼끝에 선 '상대'처럼.

"부인?"

여전히 사교적이지만 다소 경고성이 실린 물음에 부인은 이제 미미하지만 손까지 떨고 있다. 아아, 이런. 겁주려는 의도는 아니었는데…….

하기야 그녀가 말한 것처럼 미혼 여성 중 최고 지위에 있는, 그리고 곧 기혼 여성 중에서도 손꼽히는 지위에 올라설 폰디체리 공녀가 나다.

속으로 혀를 찼다. 기사로 평생을 보낸 탓에 상하 관계에 대한 고압적 복종법이 정신에 새겨져 있나 보다.

그래도 기사 생활 5년 차, 다른 기사단과 어울리며 능글맞은 중년의 기혼 기사들과 동료애를 다지다 보니 빳빳하던 성격도 많이 물러졌다. 단체 생활에서 얻은 장점이랄까.

모처럼 얻은 기회이니 잘 활용해야겠다. 아무래도 저번 생의 실수인 고압적 복종을 사교계로 끌고 들어와서 부인들을 기함시킨 점도 회피할 수 없으니까, 일단은 조심해야 하는데 그로써 피곤해지는 것은 어쩔 수 없다.

그냥 이번엔 내가 먼저 이혼 서류 내고 정리해서 평생 기사로 살까? 하지만 그건 곧 폰디체리 공작가의 멸문이나 다름없으니 안 될 말이다. 아니면 아예 결혼식을 엎어? 약혼식이야 지척이라 파혼이 어렵지만 결혼식 무렵이면 무슨 수가 생길지도 모르잖아?

그런데 이거 주군께서 주선하신 결혼인데 그렇게 할 수 있나? 잠시 동안 여러 가지 가정이 머리를 스쳤지만 금세 단념했다.

나도 참, 고작 작심 삼 초라니. 여자가 칼을 뽑았으면 하다못해 남편이라도 찔러야지. 한심한 나, 반성해라.

어찌 됐든 봉뒤프베 부인을 조금은 달래 놓아야 훗날 잘 어울릴 수 있을 것 같아 표정을 풀고 달콤한 미소와 함께 그녀를 어르기 시작했다.

"이런, 제 기대로 부인을 겁먹게 할 의도는 없었는데…… 저는 그저 새로운 시도를 보다 믿음직한 솜씨를 지닌 부인과 함께하고 싶었던 것뿐이랍니다."

그 말에 그녀가 다소 불안하고 떨떠름한 표정으로 나를 마주 보았다.

잘못된 시도는 그 의상을 입은 당사자보단 그것을 제작한 사람에게 더 큰 여파를 몰고 오는 것이다. 안 좋은 전례를 남기는 일은 최대한 피하고 싶을 터였다.

하지만 이 시도가 불발로 돌아가지 않을 것이란 확신을 가지고 있는 나는 최대한 그녀를 설득하고 싶었다. 그리고 이 얼굴이면 뭘 입어도 유행이다. 예전에는 왜 몰랐을지 모를 정도로 무르익기 시작한 미모는 과장을 좀 보태, 불을 꺼도 자체 발광할 수준이었다.

"저는 제 부군 될 분께 보다 소녀답고 발랄한 인상을 남기고 싶답니다. 아시다시피, 저는 기사인지라 엄중하고 딱딱한 인상을 주죠. 남들과 같은 형식을 따르기엔 저 자체가 조금…… 다르니까요. 사실, 어찌할 바를 몰라 그냥 기사 예복을 입으려 했으나 아무래도 한 번뿐인 약혼식이라 한참을 망설이다 늦게야 부인께 청한 것인데……."

쓸쓸하고 씁쓸한 표정으로 시선을 밑으로 내리자 눈앞의 부인이 동요하는 것이 느껴졌다. 하긴, 꽤 오랜 기간 동정표를 살 수 있었던 점도 내 출신 배경이나 성장 배경 때문이니까.

그간 동정을 받을 만큼 스스로를 나약하다 평가하지 않았기에 이용하지 않은 카드였지만 덕분에 독한 여자라는 이미지를 얻었었다.

하지만 벌어질 미래이자 벌어졌던 과거를 아는 이상, 사용하지 않을 이유는 없다. 속으로 그런 셈을 하며 나지막한 한숨을 내쉬자 결국 봉뒤프베 부인이 고개를 끄덕였다.

내 그럴 줄 알았지. 기사 예복 입을까 했다고 말했을 때에 경기를 일으키려 했던 모습에 가능성을 걸었던 것이 옳았다.

"……죄송합니다, 영애. 제가 생각이 짧았네요. 확실히 일반 여성들과는 다르시니 그 정도의 드레스는 입어야 곧 약혼자 되실 에카이트 님께 강한 인상을 남길 수 있겠어요. 게다가 다른 영애와는 다르게 운동을 하신 몸이라 그런지 아주 완벽하군요."

내 외관을 꼼꼼히 살피던 봉뒤프베 부인이 이내 밝아진 표정으로 말을 이었다.

"호호호, 이거 다시 생각해 보니 흥미롭군요. 확실히 영애라면 실례되는 말이지만 누더기를 입어도 아름다우실 테니까요. 제가 이 의뢰를 꺼릴 이유는 없겠군요."

"그렇다면 이 김에 누더기를 입고 약혼하는 최초의 역사를 세워 부인을 즐겁게 해 드리는 것도 나쁘지 않겠군요. 아, 물론 농담이니 새겨듣진 마시고요."

시답잖은 농담으로 놀리면서 미소를 짓자 부인도 미소로 답했다.

아아, 훈훈하여라. 나름대로 불안한 분위기에 신경이 곤두섰다가 긴장을 풀자 어깨에 들어갔던 힘이 느슨해진다.

차라리 남자로 태어났으면 이렇게 피곤한 일은 하지 않아도 되었을 텐데. 이미 돌아가신 어머니께 짧은 순간이나마 불만을 성토했다. 그래도 예쁘게 낳아 주셨으니 큰 불만은 없다. 예쁘지도 않았으면 최소 3년간은 원망했을 것 같네요, 어머니.

그런 실없는 생각을 하며 애써 웃음을 끌어 올리자 만족스러운 표정의 봉뒤프베 부인이 말을 받는다. 미소 짓기 성공.

"호호, 암요. 농담이셔야죠. 그렇게 하시면 아마 몇몇 실속 없는 아가씨들은 정말로 약혼식 예복을 누더기로 맞추려 들 걸요? 분명 영애가 착용하셨을 때에는 아름다워 보일 테니. 호호. 제 말은, 옷이야 볼품없겠지만 영애의 아름다움에 속아 어리석은 짓을 벌이는 아가씨들이 생길 것이란 말이지요."

금세 웃음을 터트리는 봉뒤프베 부인을 마주 바라보며 웃던 나는 과찬이라고 칭찬을 반쯤 돌려주었다. 거참, 다른 사람이 할 가상의 바보짓을 상상하면서 웃다니. 당신도 상당히 악취미네.

여하튼 서로 호의를 가지고 있음을 확인한 우리 둘은 금세 이야기를 진전시켜 나갔다. 봉뒤프베 부인이 가져온 상자에서 다양한 종류의 천과 리본들이 빠르게 모습을 드러냈다가 사라졌다.

우리는 어느 정도 시간을 보내고서야 적당한 천과 리본들을 추려내는 데에 성공했다. 들락날락하는 구두상과 다양한 장인들에게는 내 드레스 색이 어떤 계열일지를 설명해 주고 어울릴 법한 것들은 모두 준비해서 내일 오후에 다시 오라는 주문을 내렸다.

다들 밝은 노란 계통의 드레스라는 말에 약간 의아한 표정을 지었지만 당연히 약혼식용 드레스가 아닌가 보다, 하고 넘어가 버렸다. 의외라는 표정이 스쳐 지나갔지만 금세 납득하고 물러나는 상인들을 본 봉뒤프베 부인이 애매하게 웃으며 말했다.

"확실히, 의외는 의외인가 보네요. 다들 약혼식 드레스라고는 생각도 못하는 눈치인 것을 보면요. 호호, 이거 우리가 생각보다 큰일을 벌이고 있는 건가 본데요?"

"그거 듣던 중 반가운 소리군요. 그게 제가 바라는 점이니까요."

내가 진하게 웃으며 답하자 부인이 살짝 뺨을 붉히며 다시 스케치로 시선을 돌렸다. 확실히 이맘때의 나에겐 미모라는 특혜가 있었다.

기사들처럼 검을 뽑아 들고 덤비라고 외치기 전에 말이나 행동만으로 복종시킬 수 있으니, 이런 점만 보면 여자들이 남자들보다 고등동물인 것 같기도 하다. 힘으로 안 되니 다른 방향으로 진화한 걸까?

아는 분야에 대입해 생각하고 분석하다 보니 사교계에도 공격과 방어가 있으며 이곳도 일종의 전장처럼 느껴졌다. 재미있네, 사교계도. 새로운 분야의 무예를 접하는 기분이다. 확실히 레이디로서 사교계를 인식하는 시선은 틀렸지만, 모쪼록 재미를 느꼈다는 점에 의미를 두자.

아무리 그렇지만 이건 정말 여러모로 손이 많이 간다. 아, 진짜 그냥 아예 약혼을 안 해 버리는 것도 방법이 아닐까? 아예 경기에 불참하면 패자고 승자고 없는 것이니.

순식간에 귀찮은 현실과 타협하려는 이성을 간신히 붙잡고 건너편에 앉은 부인이 신중하게 그어 만드는 스케치를 보며 회심의 미소를 지었다.

그러다가 문득, 나보다 먼저 붉은 드레스를 주문한 '그' 여자가 떠올랐다. 그 여자는 뭐라고 하고 어떻게, 왜 그 드레스를 주문했을까 하는 궁금증이 솟아올랐다. 디자인에 집중하는 부인의 시선을 가벼운 박수로 돌리고 최대한 호기심 가득한 표정을 지어 보였다.

"영애, 뭐 궁금한 점이라도?"

"아, 제가 부인을 방해했군요. 갑자기 최근 들었던 소문이 떠올라서……."

"네? 어떠한……? 요즘 세간의 소문은 아름다우신 영애와 에카이트 님께 집중되어 있는걸요. 대개가 좋은 소문이고……."

그 말에 진심으로 쓰게 웃었다. 사실, 그와 나는 이 시점에서는 아직 제대로 만나지도 못한 사람들이다. 이 약혼은 내가 막 곁에서 보필하게 된 황태자 전하가 주선하신 약혼일 뿐이니까.

내용이 어떻든 일단 제국 권력의 양대 산맥인 폰디체리 공작과 베이야드 공작이 손을 잡는 최대의 행사가 아닌가.

물론 그 약혼식에서 내가 그에게 반한다는 불상사만 없었더라면 결혼까지 이어질 인연도 아니었을 것이다. 아버지의 강렬한 반대도 있었으니 분명 그랬을 것이다.

확실히 다시 과거로 돌아왔다지만 황태자 전하에 대한 충성도는 변함이 없음이니 그분께서 하라고 명하시면 지금이라도 따를 것이다. 하지만 원망하지 않겠다는 말은 왜 안 나오는지 모르겠네.

일부러 잡생각까지 끌어와 길게 시간을 끌며 봉뒤프베 부인의 호기심을 자극하자 결국 부인이 채근하기 시작했다.

이쯤 되면 무슨 화제를 꺼내도 그 책임은 나를 채근한 봉뒤프베 부인에게 있게 된다. 나는 회심의 미소를 지었다. 사교계를 책과 소문으로 뒷북치며 배웠는데 제법 잘 먹히는 기분이다. 물론 아직까지는 말이다.

"영애, 대체 어떤 소문을 들으셨기에 그리 말을 아끼시나요? 제가 아는 소문이라면 아는 선까지 알려 드릴게요. 영애가 그러한 것을 물으셨다는 점은 절대 발설치 않겠어요."

부인의 재촉에도, 소문이 나면 어쩌나 하는 걱정스러운 표정을 쥐어짰다. 솔직히 나는 이 순간 내 약혼식에서 베이야드 공작님, 과거의 시아버지를 호박파이로 공격한 아버지를 떠올렸다.

호박파이에 맞아 근엄한 표정으로 쌍코피를 흘리던 시아버지의 모습은 세 번을 고쳐 죽어도 기억에서 사라질 것 같지 않았다. 이번에는 꼭 호박파이를 제외해야지.

여하튼 아버지, 제발 부탁이니 그냥 얌전히 참석해 주세요. 그때 정말 너무 난감하고 당황해서 그다음 날 일어나서도 그게 꿈인지 아닌지 한참 고민했었습니다.

속으로 간절히 빌면서 짓는 표정이라 나름대로 진실하게 보였던지 봉뒤프베 부인이 마침내 부채를 꺼내 들고 사교계의 맹세를 읊었다.

"칼라한 제국 레이디로서의 교양과 명예를 걸고 약속을 지키겠어요."

"……부인이 제 고민을 덜어 주고자 이렇게 맹세까지 해 주시니 말해야겠지요."

앞서 말한 사교계의 맹세란, 귀부인들의 명예로운 절차로 자신의 부채를 펴서 거기에 약속을 맹세하는 것이다.

이미 오래전부터 자리 잡은 이 맹세는, 남자들이 보기에 부질없어 보이겠지만, 여자들에게 가장 무서운 맹약이다. 일단 제국 칼라한을 외치며 자신의 이름과 명예를 건 맹세이니 어길 시 사교계에 다시는 발도 붙일 수 없는 망신을 당하는 셈이다.

부채에 새겨진 이름이 많다는 것은 그 사람에게 중대한 비밀을 담아 둔 사람이 많다는 것이며, 동시에 그 사람이 그만큼 너른 인맥과 중요성을 띠고 있다는 반증이기도 했다.

맹약이 성사됐음을 증명하는 부채의 서명은 두 사람의 친밀한 관계를 나타낸다. 어쩌면 봉뒤프베 부인은 내가 무슨 엄청난 질문을 하든 내 서명을 부채에 담는 것이 소문내는 것보다 더 높은 가치가 있다고 믿는 것이 분명했다.

그녀는 단순히 드레스를 디자인하고 제작, 판매하는 재능 있는 하급 귀족이라기보다 사교계의 소식통이자 구심점 중 하나였다. 본인은 정작 중심에 서지 않으면서도 지지하는 누군가를 중심에 서게 만드는 그러한.

아무쪼록 새어 나가도 상관없을 질문이라지만 나름대로 비밀 유지를 보장받는다면 나쁠 것도 없다. 지금이라면 답해 주어도 괜찮겠지.

나는 안타까운 한숨을 쉬면서 백조 깃펜을 뽑아 부채에 귀퉁이에 작은 서명을 새겼다. 아펠리아 에스프리 레지아 드 폰디체리. 자, 이제 이야기의 막이 오를 때다.

최대한 사심이 없는 어조로, 하지만 사실은 신경 쓰고 있는 부분이라는 것을 강조하기 위해 일부러 시선을 봉뒤프베 부인의 옆쪽에 둔 채 말을 시작했다.

아마 상대방의 시선에 비친 나는 아직 사교계에 익숙하지 않은 어수룩한 소녀에 불과할 것이다. 그것이 바로 내가 노리는 점이었다.

그 여자가 사교계에 도가 터서 능숙한 여자란 인상을 남겨 왔다면, 나는 사교에 능숙하지는 않지만 진솔하고 고결하다는 인상을 남겨야 했다.

"저는 사실, 부인이 펠튼 남작가의 리디아 양에게 근래 근사한 드레스를 디자인해 줬다는 소문을 들었답니다."

"네, 사실이에요. 요 근래에 붉고 화려한 드레스를 요청하더군요. 그래서 그렇게 제작해 전달한 기억이 나네요. 조금 부끄러운 소문이기는 하지만 그렇다고 전례 없는 일도 아니지요. 궁금하셨던 것이 그 일인가요?"

다소 의아한 표정의 부인이 나에게 되물었다. 응? 그럼 뭐지? 아예 목적을 숨기고 드레스를 제작한 건가? 아니면 그 드레스를 내 약혼식에 입은 것이 단순히 우연이라고?

나름대로의 추정을 계속하던 나는 그녀의 표정에서 미묘한 거짓을 읽었다. 열여덟의 나라면 읽지 못했을, 그런 미묘한 표정 말이다. 거짓된 초식으로 자신을 감추며 다른 곳으로 검을 흘리는 검투사의 미묘함이 그녀의 표정에도 남아 있었다.

"그런 것에 집착하는 것은 좋지 않지만 부끄럽게도 그 드레스 값을 제 약혼자 될 에카이트 님께서 치렀다는 소문을 들었답니다. 그래서인지 마냥 무시할 수는 없더군요."

그 말에 눈에 띄게 당황한 봉뒤프베 부인이 나를 망연히 바라보았다.

어라, 이거…… 진짠가? 단순히 떠보는 질문이었는데, 점점 의혹이 확신으로 변하기 시작했다.

이번엔 정말로 곤란해진 나는 감정을 그대로 내보이는 것이 이롭다고 판단해 일부러 심중을 담은 표정을 그대로 내보였다.

그런 날 잠시 응시하던 봉뒤프베 부인이 결국 시선을 피하며 그 입을 열었다. 부인의 얼굴에 스친 표정에는 내가 대체 이 소문을 어디서 들었는지에 대한 의문이 가득했다.

전생에서 들었다고 답하면 아마 이번 주 내로 공녀가 실성했다는 소문이 돌겠지. 그래서 나는 모른 척 입을 닫았다.

"일단 결론부터 말씀드리자면 그럴 수도, 아닐 수도 있어요."

애매한 대답에 내가 다시 복잡한 표정을 짓자 봉뒤프베 부인이 부연 설명을 더하기 시작했다. 성질 급한 사람은 듣다가 숨넘어갈 속도다.

"일단 이건 대금을 직접 수금을 한 제가 보증할 수 있는 내용이랍니다. 그 드레스값은 펠튼 양이 지불한 것이 맞아요."

"그렇다면 왜……?"

내 질문에 부인이 애매한 미소를 지으면서 서명이 완전히 마른 부채를 조심스레 흔들어 바람을 일으켰다.

상당히 신중하게 말을 고르는 투를 봐서는 단어 선택을 신중하게 할 정도로 예민한 사항인 것 같았다. 암, 신중해야지.

"하지만 펠튼 양에게 그 돈을 준 것은 에카이트 공이지요."

"……차이를 잘 모르겠군요, 부인."

그게 그거 아닌가? 그 여자가 드레스를 산 돈이 내 남편이 준 돈이면 그놈이 사 준 거 아니야? 그러니까 이 정신 나간 놈이 약혼 전부터 외도를 했었다는 건가? 역시 칼을 뽑았으면 남편이라도 찔러야 하나?

대체 무슨 차이가 있는 건지 도통 감을 잡지 못하자 봉뒤프베 부인이 작정한 듯 차분한 목소리로 천천히 설명을 시작했다.

"2주 전 일이지요. 에카이트 님께서 한 사교 파티를 참석하셨는데 공교롭게 펠튼 양의 드레스를 상하게 하셨답니다. 사실, 펠튼 양의 과실이 더 높기는 했지만…… 에카이트 님은 신사이시니 보상을 약속하셨답니다. 하지만 분명 금액으로 보상하시겠다 말씀하셨어요. 이건 제가 직접 들은 것이니 장담할 수 있겠군요."

풉. 나는 그 여자가 당한 굴욕에 속으로 웃음을 참았다. 오르던 혈압이 푹 하락하는 느낌이었다.

칼라한 제국 내에서는 연인 선언의 수단으로 흔히 의복을 사용한다. 미혼 남녀가 의복을 주고받는 것은 공식 연인임을 선언하는 것과 다를 바 없었는데, 이 때문에 많은 미혼 남녀들이 호감을 표시하는 수단으로 관심 있는 상대가 자신의 옷을 상하게 하게끔 유도하는 것이다.

이를 통해 새 의복을 선물받아 세간에 연인 관계를 증명하게 된다. 그러니까 상황을 정리하자면…… 그 여자가 은유적으로 꼬리를 쳤는데 공개적으로 퇴짜를 맞았다는 거지?

하지만 봉뒤프베 부인은 그게 전부가 아니라는 듯 말을 계속 이었다.

"그 소문은 펠튼 양의 계략에 의해 만들어진 것이겠지요."

"계략이라니…… 뭔가 달리 수를 썼다는 말씀인가요?"

살짝 한숨을 내뱉은 봉뒤프베 부인이 아까와는 다르게 약간 빠른 어조로 말을 시작했다. 빨리 이 불편한 주제에서 벗어나고 싶은 것인지, 아니면 그 여자의 만행에 불쾌한 것인지는 잘 구분이 가지 않았다.

"확실히 펠튼 양은 노련한 여자예요. 에카이트 님이 드레스의 밑단을 상하게 하셨는데, 그것부터가 의도된 일이 아닐까 짐작하고 있어요, 저는."

"의…… 도된 거라니요?"

봉뒤프베 부인의 말에 호기심이 이는 표정으로 호응해 대화를 독촉하자 부인이 기억을 되살려 그날의 일을 세세하게 설명해 주기 시작했다.

사교계의 주목받는 인재답게 부인은 뛰어난 말솜씨로 이야기를 풀어 나갔다. 나는 금세 그 자리에 앉아 그 장면을 함께 관찰한 것과도 같은 느낌을 받을 수 있었다.

"어느 오후였었죠. 펠튼 양이 하녀를 거느리고 제 살롱에 와서 붉고 화려한 드레스를 주문했답니다. 아시다시피 붉은 드레스는 연인의 상징이자 유혹의 상징 아니던가요? 물론 아시겠지만, 붉은 드레스를 여자가 스스로 주문해 가져간다면 천박하거나 급 없는 여자로 낙인이 찍힌답니다."

은근히 경멸을 내비치는 봉뒤프베 부인의 표정을 보며 앞으로 이어질 이야기가 제법 기대되기 시작했다. 뭔데 저렇게까지 질색을 하는 걸까. 내 채근하는 표정에 봉뒤프베 부인이 가볍게 목을 가다듬고 말을 이었다.

"펠튼 양도 이제 스물셋, 결혼엔 늦은 나이니까 마음이 다급해져서 유혹의 색이라도 걸쳐 입고 공개 구혼에 나설지도 모르는 일이니 일반적으로 비난할 수는 없었죠. 하지만 분명 펠튼 양이 그 드레스를 입고 사교계에 모습을 비추면, 다들 저에게 물어보게 되겠죠. 펠튼 양에게 저 드레스를 선물한 신사분이 누구냐고요."

……아하. 그러니까 붉은 드레스에 저런 의미도 있었던 거구나. 내가 근 오 년간 모르던 사실을 이렇게 알게 되는 것에 회의를 느끼던 찰나 의아해졌다. 분명 저기까지만 보면 결혼이 시급한 노처녀의 발악인데 말이지.

내가 고개를 끄덕이며 대화에 집중하자 부인이 다음 구절을 이어 말하기 시작했다. 봉뒤프베 부인은 다소 질린 표정이었다.

그 펠튼이라는 여자가 한 짓이 얼마나 간사했으면 사교계의 온갖 모습을 다 본 봉뒤프베 부인이 저런 표정을 짓는 건지.

"펠튼 양의 드레스를 자세히 보니, 무려 전에 에카이트 님이 상하게 하셨던 드레스였지 뭐예요. 나중에 알아보니 영애들과의 사교 모임에 그 드레스를 입고 참석했다가 뒤늦게야 그 드레스 밑단이 상한 것을 기억해 내고 양해를 구해 바로 저희 살롱으로 왔다더군요. 물론 그 '모르고 입었다.' 라는 말을 믿는 귀부인은 없지요. 아무리 곤궁하다 하여도 시중드는 하녀가 몇은 될 터인데 아무도 발견하지 못했다니…… 앞뒤가 맞지 않아 믿지 않는 분위기예요. 하지만 일단 그런 변명을 들었으니 어쩌겠어요. 다들 동의해 줄 수밖에. 그렇게 그녀가 한참을 드레스 디자인을 고민할 때에 에카이트 님의 시종이 살롱에 도착했답니다."

"……네?"

한창 집중해서 듣던 와중 남편의 시종이 등장했다는 구절에 의문을 표했다. 여기서 남편 시종이 왜 나와?

그러자 부인이 고개를 절레절레 흔들며 인상을 찌푸렸다. 그녀의 영악함에 질려 하는 기색이 역력했다.

대체 어떻게 해야 녀석의 시종이 거기로 가지? 아무리 생각해도 답이 나오지 않아 부인의 다음 말을 기다렸다. 다행히 그녀는 바로 말을 이어 나갔다.

"나중에 수소문해 보니 그날은 에카이트 님이 보상금을 보내시기로 말씀하셨던 날로, 펠튼 양이 외출하면서 이후 찾아오는 방문객은 봉뒤프베 살롱으로 보내 달라고 지시했다더군요. 그래서 에카이트 님의 시종이 제 살롱으로 와 보상금을 전달한 것이죠. 우습지만 그 보상금을 전해 받기 무섭게 마치 기다렸다는 듯 저에게 드레스 금액을 물었답니다. 상당히 화려한 디자인이었기 때문에 금액이 제법 높았죠."

여기까지만 들어도 대충 무슨 상황인지 알 것 같아 낮게 한숨을 내쉬었다.

리디아 펠튼, 좀 더 철저했어야지.

내 한숨에 더욱 경직된 표정으로 변한 봉뒤프베 부인이 내 눈치를 살피며 말을 잇는다. 그녀의 기운을 북돋기 위해 애써 친근한 미소를 지어 보였다. 그러니까 이게 대체 무슨 경우래?

"……처음엔 펠튼 양이 하녀에게 소지금이 얼마냐고 물어봤어요. 하지만 물어보기 무섭게 파우치를 저택에 두고 왔다고 답했죠. 제대로 찾지도 않고 바로 대답해서 수상하긴 했어요. 이럴 때 펠튼 양의 평소 행실을 생각하면 분명 하녀의 뺨을 때린다든가, 뭔가 어떤 즉흥적인 체벌이 있어야 했는데……."

"그냥 넘어갔다, 그 말이로군요. 분명 미심쩍은 일이네요."

내가 고개를 끄덕이며 동의하자 봉뒤프베 부인 또한 고개를 끄덕이며 동의를 표했다. 펠튼은 사교계에서 유명하고 세력도 확실한 편에, 특유의 여우 짓으로 대외적인 평가도 높은 편이었다.

하지만 아랫사람을 대하는 태도에 있어서는 잔혹한 면이 있어, 몇

몇 온건한 귀부인들과 영애들의 비난을 샀었다.

"펠튼 양이 간단히 그럼 어쩔 수 없다는 식의 태도를 취해서, 저는 펠튼 양이 드레스를 바로 주문하지 않을 거라고 생각했답니다. 아니면 지불을 미룬다든지요. 하지만 펠튼 양은 자신의 파우치가 없다는 사실을 전해 듣기 무섭게 시종에게서 받은 보상금을 달라고 하더군요. 그러곤 거기서 바로 금전을 꺼내서 드레스값을 전액 지불했답니다. 보통 착수금으로 절반 정도 금액만 지급하는 것이 통례인데 말이에요."

"……그렇다면 경우에 따라서는 그 드레스를 에카이트 공이 계산했다 말할 수도 있겠군요."

내가 결론짓자 봉뒤프베 부인이 조용히 고개를 끄덕였다. 저 여자, 보통내기가 아니잖아? 물론 알고는 있었지만 이 정도인 줄은 몰랐다. 주어진 조건과 상황을 이용해 자신이 원하는 그림을 만들어 낸 것이다.

건조하게 마른 목에 침을 삼키며 테이블에 놓인 찻잔을 내려다보니 완전히 비어 있었다. 무의식중에 꽤 차를 마신 것 같다.

속이 타기는 탔었나 보다. 그와 동시에 무인 특유의 호승심이 샘솟는다. 조용히 종을 흔들어 밖에 대기 중이던 하녀를 불렀다.

"차가 더 필요한 것 같은데. 그리고 봉뒤프베 부인의 마차를 돌려보내도록."

하녀가 조용히 읍하고 나가는 것을 확인하고 봉뒤프베 부인에게로 시선을 돌렸다. 그녀가 약간 의외라는 표정으로 화사한 웃음을 지었다.

누군가의 집에 초청되었을 때, 초청한 주인이 마차를 돌려보내라 이르는 것은 머물러 달라 청하는 것이다. 반발하지 않는다는 것은 수락한다는 것. 이는 사교계에서 두 사람의 관계가 그만큼 돈독하다는 것을 의미한다.

"어머, 호호. 영광입니다, 영애. 영애의 약혼식 전까지 최대한 협력하겠어요."

"별말씀을. 지내시는 동안 불편이 없도록 신경 쓰겠어요."

"불편할 리가요. 오늘의 우정은 최고의 드레스로 보답하겠어요. 자, 시작해 볼까요?"

그녀가 어느 정도 기초 스케치가 끝난 그림을 내밀자 나는 그를 가볍게 받아 들며 미소를 남겼다. 고지식해 보이는 외모와는 다르게 내 의견을 충분히 수렴한 디자인들이 종이 위에 선연하게 남아 있었다. 심지어 몇몇은 말한 것 이상으로 파격적인 디자인이었다.

벌써 만족스러운 디자인들이 눈을 사로잡았다. 이번엔 질 수 없다. 약 일주일. 고군분투하며 전쟁과도 같은 엄청난 드레스 가봉을 거치고 장신구들을 고르려면, 패션 감각이 뛰어난 봉뒤프베 부인의 도움이 절실했다.

그중에서 마음에 드는 디자인 몇을 골라내자 고개를 끄덕이고는 필요한 천이나 재료 목록을 빠르게 작성하기 시작했다.

잠시 후엔 유모까지 가세해서 일에 속도를 높였다. 그리고 그 와중에 나는 조용히 휴가 신청서를 작성했다. 저번 생에는 약혼식 전날까지 출근했었지만 이번엔 절대로 못한다.

아마 내가 기사단에 출근하겠다고 선언하면 저 앞의 봉뒤프베 부인과 유모에게 비정하게 살해-육체적이라기보다 정신적으로-당할지도…….

이것이 내 공식적인 변화의 첫 시작인 것도 같아 온몸에 전율이 흐르는 것 같았다.

몸을 살짝 떤 나는 휴가 신청서의 잉크가 마른 것을 확인한 뒤 책상 서랍에서 밀랍을 꺼내 마나로 열을 가하기 시작했다. 마나로 적당히 녹은 밀랍을 편지 봉투 위에 떨어트리고 목걸이 끝에 달린 장식을 이용해 밀랍 위에 눌렀다. 밀랍이 눌리면서 가문의 인장이 선명히 각인되며 봉투가 완전히 밀봉되었다.

나는 조용히 시종을 불러 편지 전달을 지시하고는 작업에 열중한 두 사람을 불렀다.

"전 볼일이 있어서 실례를 좀. 중요하게 상의할 것이 있다면 정원 곁에 있는 제 연무장으로 사람을 보내 주세요."

내가 그렇게 말을 전하자 유모가 의혹을 가득 담은 표정으로 나를 노려봤다. 저기 유모, 내가 뭘 어쨌다고……? 상처받은 시선으로 쳐다보았지만, 유모는 굴하지 않고 나를 노려봤다. 뭐, 뭐지? 봉뒤프베부인 쪽으로 시선을 돌리자 마찬가지로 날카로운 시선이 돌아온다.

"왜, 왜들?"

"아기씨! 연무장에서 또 검술 수련하시려고 그러시죠! 어림도 없으니 다시 앉으셔요!"

"맞아요, 영애. 지금부터 집중 관리를 시작해도 늦은 감이 있는데 햇빛 아래에서 수련이라니! 제가 온 이상 절대 그 꼴은 못 봐요!"

……누가 뭐 수련하러 간댔나? 겸사겸사 간 김에 시간이 되면 수련을 좀 할 수도 있겠지만, 결단코 수련이 일차 목적은 아니라고.

결백을 주장하는 표정으로 열심히 다른 목적이 있음을 설명했지만 씨알도 먹히지 않는 두 사람을 보며 결정을 내렸다. 연무장으로 도주하기로.

어차피 그곳에 간 나를 강제로 돌아오게 할 수는 없는 법이다. 그리고 가서 정말 수련을 하려는 것도 아니니까, 아마도?

장난스럽게 웃는 모습에서 내 의도를 쉽게 간파한 유모가 허겁지겁 내 곁으로 다가왔다. 하지만 난 벌써 테라스라고, 유모.

"그렇게들 기겁을 하니 수련은 자제할게. 그럼 여러모로 부탁하겠어요!"

가볍게 뒤로 텀블링을 하며 난간을 잡아 몸을 돌려 허공으로 몸을 틀어 가볍게 착지했다. 돌아오기 전과 같은 신체 능력치는 아직 아니지만, 이 정도 재간을 낼 정도는 되는 셈이다.

그런고로 2층 정도야 뛰어내려도 아무렇지도 않다. 적당히 몸을 틀어서 충격만 완화시켜 준다면, 낙하하는 기분이 마치 하늘을 나는 새와 같아서 도리어 기분이 좋기까지 했다.

안전하게 착지한 내가 위를 올려다보니 나를 망연하게 내려다보는 유모가 보였다. 간편한 실내 드레스 차림이라 가능했던 도주였다. 아마 봉뒤프베 부인은 그 자리서 얼어붙어 있을 것 같다.

얌전하고 강단 있는 아가씨의 모습 뒤에 곧바로 제 맘대로 날뛰는 망아지 같은 모습을 보여 주었으니, 그 차이에 충격을 받았을 부인에게 애도의 마음을 전하는 바이다.

유모의 뒤늦은 비명 소리를 뒤로하고 연무장을 향하다 보니 점점 낯익은 풍경들이 다가온다. 왠지 모를 그리움에 금세 차오른 눈물이 뺨을 타고 흘러내린다.

드디어 실감이 났다. 나는 돌아왔다, 모든 것이 시작하기 전으로.

한번 잃었기에 더 소중한, 그 모든 것들이 아직 내 곁에 남아 있던 그때로 말이다.

변화는 벌써 시작되었다. 일주일. 나는 그 기간 동안 거울을 보며 스스로조차 홀릴 표정을, 그러한 표정을 찾을 계획이다.

다소 실없게 웃는 표정을 짓고 있지만 마음속의 칼날은 날카롭게 전의를 다진다. 더 어려운 일들도 해 왔거늘 이런 일에 무릎 꿇지 않으리라.

연무장에 딸린 작은 방의 문이 닫힌다. 에카이트 뮈제 레자무흐 드 베이야드. 이번에는 네 차례란다. 어디 한번 나한테 푹 빠졌다가 이 혼당해 보렴. 그리고 리디아 실버 펠튼. 너도 이번엔 쉽지 않을 거다.

02. 약혼 전쟁

02. 약혼 전쟁

시간은 정신없이 흘러 마침내 약혼식 당일이 되었다.

기존에 주문했던 해바라기 색상의 드레스는 화려한 자태로 마네킹에 걸려 있었으며 아침 연회를 위해 함께 준비한, 심플하면서도 고급스러운 드레스를 기존 가봉 선에 맞추어 최종 마무리하느라 넓은 방이 이른 아침부터 부산했다.

한마디로, 아침부터 목욕재계를 하고 이것저것 찍어 바르느라 바쁘다는 얘기였다. 유모가 다가와 이런저런 시중을 거드는 와중 봉뒤프베 부인이 최종 가봉을 막 마친 진녹색 실크에 프린세스 라인의 드레스를 가져왔다.

긴 소매가 밑으로 내려갈수록 점점 통이 넓어지는 단정한 드레스였다. 목선이나 소매 끝자락에 금사로 섬세하고도 자잘한 장미를 수놓아서 단조로움을 피한 이쪽이 약혼식 드레스보다 더 취향이었다.

이 드레스가 상대적으로 눈에 띄게 단조로운 이유는 오후 약혼식에서 입게 될 옷이 충분히 파격적이라는 점에 있었다. 화려한 오프

닝을 위해 오전에 열리는 가든파티에선 다소 간소한 의상을 입기로 합의했던 것이다.

솔직히 말하자면 약혼식 드레스에 시간을 모두 투자한 덕분에 따로 뭔가를 만들 시간이 부족했다는 것이 주된 이유였다. 봉뒤프베 부인은 현실을 더 외면할 수 없는 지경에 이르러서야 반나절 동안 슬픔에 빠져서 음울한 표정을 짓고는 했다.

일단은 코르셋조차 입을 필요가 없는 단조로운 드레스인지라 본래 착용하고 있던 장신구들을 건네주고 드레스에 어울리는 장신구들을 건네받아 직접 착용했다. 물론 옆에서 유모가 대충이나마 거들어 모양은 제대로 잡히고 있었다.

애초에 별다른 몸치장을 하지 않았기 때문에 저택에는 이러한 치장을 돕는 일에 익숙한 하녀가 한 명도 없었다. 그런 이유로 공녀인 내가 이렇게 직접 치장하고 있었다.

이래저래 의상을 맞추니 벌써 해가 중천에 가깝게 솟아 있었다. 가든파티는 점심시간 즈음 시작해 해가 질 무렵 파장할 예정이다. 약혼식의 주인공인 나는 파장하기 전 일찍이 자리를 떠서 해가 진 후에 있을 약혼식을 대비하게 되는 것이다. 막 의상 정돈을 마친 내가 화장대로 천천히 걸어가 앉았다.

"이제, 화장이랑 머리 차례네요. 부탁해도 되겠죠?"

거울을 통해 뒤쪽에 기립한 봉뒤프베 부인과 유모에게 시선을 맞추자 두 사람이 비장한 표정으로 고개를 끄덕였다.

첫 전투가 벌써 임박해 있었다. 다 죽었어.

떠오르는 목표물들을 향해 살심 가득한 표정을 짓던 나는 적극적으로 준비에 임했다. 하지만 약혼식 오전부터 열리는 가든파티에 만반의 준비를 하고 등장했을 때, 에카이트 녀석은 아직 도착하지 않은 상태였다.

서신을 받아 알게 된 사실인데, 요즘 외교부가 새롭게 국교를 튼 나라가 있어서 서류 작업이 엄청나게 밀려 있는 상태라고 했다. 동양의 무역 강국이었는데 전생에서 들어 본 적 있는 국가도 아니었고 해서 세세한 기억은 없다.

나 역시 수백에 가까운 하객들에게 정식으로 약혼을 알리며 선물을 받는 일을 하는 중이니 녀석만 일을 더 한다고 좋아할 일은 아니었다. 하지만 서류라는 더 골치 아픈 일에 묶여서 나오지 못한다니 조금은 고소해서 실실 웃음이 나왔다. 그러는 중에도 다른 무리의 사람들이 다가와 선물을 건네고 짧은 인사를 교환했다. 익숙한 얼굴인데…… 기사인가?

"아펠리아 님께 남작 베논이 인사 올립니다. 이처럼 좋은 날에 더 좋은 일만 있으시기를 기원하옵니다."

"아, 베논 남작이시로군요. 이렇게 참석해 주시니 그저 감사할 따름입니다. 본래는 이렇게 간소히 하는 것이 경우가 아니지만……."

"아닙니다, 어찌 그런 말씀을! 에카이트 님과 아펠리아 님 두 분 다 우리 칼라한 제국의 기둥과도 같으시니, 그 업무가 과하신 점, 그 누가 모르겠습니까. 아펠리아 님이 어디 그저 영애이시기만 하신가요. 오히려 불편을 감수하시면서까지 하루 만에 약혼식을 마무리하시려는 점이나 오전 연회에 참석해 주는 점까지…… 그저 영광, 또 영광입니다."

지금까지 수식어만 약간씩 바꿔 가며 무려 수백 번 반복한 인사말을 다시 읊으며 어색한 미소를 짓자 남작이 얼굴을 붉히며 고개를 돌리더니 우물쭈물거리며 답례 인사를 읊는다.

일단 나나 에카이트나 신분이 신분인지라 하객은 당연지사 많았고, 한꺼번에 인사를 받으려면 사실 하룻밤의 약혼식으론 터무니도 없는 일이었다. 통상 일주일까지도 약혼 파티를 지속하는 일반적 귀족들에 비해 고작 하루를 약혼식으로 잡은 이유는 아까 말했듯이 간단했다. 업무 마비.

아마 일주일간 파티를 하고 돌아가면 그달은 나나 놈이나 밀린 업무로 빈사 상태가 될 것이 분명했다. 그런 이유로 하루 안에 해결을 봐야 하는 나와 그의 사정상 오전의 가든파티까지 감행하는 강행군으로 하객들의 인사치레를 받아넘기고 있는 것이다.

그러고 보니 오늘 참석한 인원들 거의 대부분이 남자였다. 그간 사교계에 발걸음을 끊은 지 오래라 당장 귀부인들 중 누군가를 초대할 만큼 인맥이 형성되지 못해서였다.

남자 귀족들이야 거의 의무로 참석해야 하는 거지만…… 대부분이 내 얼굴이나 실루엣에만 눈길을 주…… 그놈의 눈들을 그냥 콱! 내가 표적을 노리는 눈으로 남작의 눈을 바라보자 그의 얼굴빛이 점점 붉어진다. ……왜?

"너무 좋은 말씀만 해 주시니 알아서 가려 들어야겠네요. 그래도 남작께서 그렇게 생각하신다니 감사할 따름이죠. 그럼, 좋은 시간 보내시기를."

지루하고 호전적인 속마음과는 달리 적당히 겸양의 말을 남기고 마무리 인사를 하자 남작은 황급히 허리를 굽혀 인사를 했다. 그를 뒤로하고 다시 천천히 몸을 움직였다. 그리고 내 자리가 마련된 상석으로 이동하면서 들리는 말소리들을 찬찬히 곱씹었다.

대부분 내 드레스 차림이 의외라는 말과, 평소의 이미지나 소문과는 달리 적절히 잘 웃으며, 화법 또한 예상외로 상냥하다는 것이다. 거기에 내가 오전 연회에 참석할 줄은 몰랐다는 이야기가 대부분이라 혼자 속으로 미소를 지었다.

저번 생에서는 잠시 참석하여 선서를 하는 것처럼 '약혼식에 참석해 주셔서 감사합니다. 잘 살겠습니다.' 같은 딱딱한 말로 마무리했었다.

변명 같지만 기사들은 약혼이든 결혼이든 하게 되면 자연스럽게 저 수순을 밟는다. 물론 그런 예식을 생략하는 기사들도 드물게 있기는 했다. 하지만 그들은 '남자' 기사였기에 그랬던 것이고 그래도 됐던 것이다.

이 시대가 남자에게 요구하고 기대하는 종류의 행동 양식, 그것이 기사의 행동 양식인 것이다. 참된 사내만이 기사가 된다고 선전할 정도이니 말이다.

하지만 당시 새내기 기사에 융통성이라고는 마이너스였던 나는 깊은 생각 없이 기사의 일반적 덕목을 따랐다. 그때 이래로 내 공식적인 이미지는 무뚝뚝하고 정나미 떨어지는 냉혈한이 되어 버렸다. 기사 임용 준비나 시험 시기가 겹쳐 명문가의 영애로서 으레 거쳐야 하는 제대로 된 사교계 데뷔도 없었던 터라 더욱 그랬다.

그래서 에카이트의 외도 관련 소문이 점점 사실처럼 들릴 때에, 대개의 남자 귀족들이 '오죽하면.'이라 반응했던 것이 기억에 남는다.

그런고로 이번에는 친히 이미지 관리 중이다. 무려 두 시간째 접객이라니. 얼굴에 근육 경련이 일어나서 눈물 콧물 쏟기 일보 직전이다. 그 와중에 또 한 남자가 다가온다. 순간적으로 기억을 더듬어 그가 자작임을 떠올렸다.

사방에서 폰디체리 공녀님, 공녀님, 영애, 폰디체리 경-아버지 또한 폰디체리 경인지라 매우 드물게 불리는 호칭이기도 하다-, 아펠리아 경, 아펠리아 님 등 다양한 호칭으로 나를 지칭한다. 나름 자신의 직급이나 소속에 맞춘 호칭인지라 상대가 나를 어떻게 부르느냐로 상대를 짐작하여 응대할 수 있었다.

나를 공녀라 부르는 것을 보니 왕궁에 소속되지 않아 중앙에 아무 적(籍)이 없는 귀족인 것 같았다.

"아, 자작께서 오셨군요. 준비가 미흡하지만 즐거운 시간 보내시기를."

격식을 차려 인사를 건네는 자작에게 화답하며 다시 자리를 옮겼다. 그래도 사교계에 익숙하지 않은 몸으로 출전한 것치고 시작이 나쁘지 않은 듯해 마냥 기분이 나쁘지만은 않았다.

나는 지금 계산적으로 표정 관리를 하고 있었다. 말 그대로 사교계 초심자라 표정 따로 감정 따로는 아직 무리였다. 그런고로 원하는 표정이 있으면 그 표정을 만들 감정을 불러일으키는 번거롭고 지치는 방법을 택하는 중이었다.

장점은 효과가 확실하다는 점이고 단점은 감정 소모가 너무 커서 지친다는 점이다. 그 예로 지금 나만 이 혼란 속에 버려둔 에카이트를 상상으로 패는 중이니 말 다했다. 어쩌면 지금 내 표정, 무진장 흐뭇해 보일지도 모른다.

다가와 인사만 나누곤 금세 멀어지는 사람들을 애써 미소로 배웅하기를 한참 반복하니 이젠 이골이 난다.

이 상황에서 문득 먹이를 뿌리면 몰려드는 연못 속 잉어를 떠올렸다. 그 잉어들도 먹이를 꾸준히 주지 않으면 모여들지 않는다. 게다가 생각보다 연못은 넓고, 먹이를 주려는 사람도 많다. 즉, 잉어도 선택할 수 있다는 말이다. 그들이 질리지 않고 기다릴 법한 먹이. 지금 필요한 건 그런 것이다. 본능적으로 느낄 수 있었다.

"……거참. 짐승도 아니고 이제 별걸 다 본능으로 느끼네."

나는 공녀이자 황태자 직속 호위 기사 중 하나이니 권도로 따지면 부러울 것이 없음이다. 뒷배로 삼든 동지로 삼든 최고의 조건이 아니던가. 생각보다 사교계 속에서 호의를 얻는 것이 어렵지 않음을 느끼자 왠지 허탈한 마음이 들어 공연히 헛웃음이 나왔다.

난 저번 생에 대체 뭘 한 거지? 뭘 하기는 한 걸까? 그런 생각을 하던 중, 누군가가 등 뒤로 다가오는 기척이 느껴졌다. 분명 일반 하객의 걸음은 아니었고, 보다 은밀한 습격에 가까운 기척이었다.

조용히 허리 아래로 수도(手刀)를 나지막이 세운 채 몸을 틀었다. 그곳엔 익숙하지만 마지막 기억보다 한결 어려진 어떤 인물의 얼굴이 있었다. 황태자 전하다.

"호오. 일주일씩이나 휴가를 내기에 게으름 병이 들었나 싶었더니, 정진이 있었군. 반응이 더 신속해졌어."

목덜미를 덮은 벌꿀과도 같이 짙은 금발과 푸른 눈동자가 선명한 외견은 여전하셨다. 단지 아직 나이가 나이인지라 저번 기억보다 작은 키와 체격을 가지고 계셨다. 하지만 그 자체만 놓고 보면 또래에서뿐만 아니라 남성으로서도 발군이셨다.

화려한 차림으로 등장한 황태자를 보고 수도를 스르륵 풀었다. 황태자를 수도로 후려쳐서 골로 보낸다면 아무리 사고이고 내가 공녀라고 해도 즉결 처분이다. 몸 보존하려면 알아서 잘해야지.

아니, 그 이전에. 분명 전생에선 황태자는 이 연회에 참석을 안 했던 거 같은데? 순간 떠오른 기억에 당황하는 것도 잠시, 한쪽 무릎을 꿇고 오른쪽 주먹을 왼쪽 가슴 위에 두며 인사를 올리자 황태자 전하가 묘한 표정으로 나를 내려다본다.

견디기 어려운 묘한 시선이었지만 그 시선보다는 약혼식 오전 연회에 황태자 전하가 참여했다는 사실이 머릿속을 복잡하게 만들고 있었다. 원래대로라면 잠시 후에 진행될 약혼 언약에 허겁지겁 들어와서 미간을 문지르는 에카이트와 내 앞에 나타나셔야 하는데.

내가 잡념으로 어지러운 표정을 그대로 드러냈는지 황태자의 표정이 더욱 묘하게 변했다.

"호오. 간만에 보는 절경이네만은 손의 위치가 조금 틀렸군."

"……예?"

"경은 지금 자신이 무슨 의상을 입은 건지 자각하고 있는 건가?"

물론 드레스죠. 이건 대체 무슨 취조 작업인가 하는 심정으로 올려다보자 황태자는 웃긴다는 표정을 감추지 않은 채 내 가슴팍으로 시선을 돌렸다. ……응?

"일반적으로 드레스를 입고 인사를 할 땐 한 손으로 가슴 쪽을 가리지. 그대처럼 주먹을 심장 위에 대는 것이 아니라. 뭐, 그 이전에 드레스를 입고 무릎을 꿇다니 참으로 엄청난 예법이로군."

아! 당황하는 바람에 실수를 저질렀다. 황당한 마음으로 무릎을 탁탁 털면서 몸을 일으키는데 황태자가 흰 장갑을 낀 손을 내밀어 일어서는 것을 도와주었다. 감히 주군의 손을 빌려 일어나는 것은 도리가 아니었지만 내밀어 주신 손을 무시하는 것이 더 큰 실례인지라 어영부영 잡고 일어설 수밖에 없었다.

대체 일이 어떻게 돌아가는 거지. 일이 어떻게 돌아가고 자시고 내가 돌아 버리겠다. 창피함에 얼굴이 홧홧 달아오르는 것 같다. 아니, 분명 달아올랐을 거다. 벌겋게. 아, 망신.

"거기에 표정도 시시각각 변하고. 무표정으로 유명하던 경이 심중을 그대로 드러내다니, 혹시 그 휴가가 정말 병가였던 건가?"

"……아닙니다, 전하. 제가 당황하여 실수했습니다."

사죄의 말씀을 올리자 황태자가 여전히 흥미로운 표정으로 나를 훑어보며 간간이 진한 미소를 지었다.

지금의 황태자는 18살로, 나와 동갑내기였으며 23살까지 살아 본 내 정신연령보다는 무려 다섯 살 밑이다. 게다가 평소에도 장난기라면 둘째가라도 서러울 분이라, 더 미칠 노릇이었다. 아, 두통아.

"그나저나 경이 드레스라니. 이거, 보통 일이 아니로군? 분명 알기로는 기사 예복을 입는다 들었는데 말이지?"

대부분의 하객이 수군거리던 이야기를 결코 허투루 넘기지 않는 황태자를 애매한 시선으로 바라보며 양해를 구하기로 했다. 주변의 하객들이 나와 황태자의 대화를 지켜보며 수군대는 소리가 귓가에 울린다.

황태자는 이런 약식 가든파티에 등장할 사람이 아니었다. 이 자리에 참석한 다수는 약혼식 이후 홀에서 치러질 정식 약혼 파티에 초대받지 못한 이들이다. 즉, 하급 귀족들과 중급 귀족들 중에 세가 약한 이들이었다.

사교계 인맥이 없어 여성 귀족들을 직접 초대하지 않았기에, 어중간한 하급 관리들의 모임이 되어 버린 셈이다.

통상적으로 약혼식 주인공들은 잠시 얼굴만 비추는 그런 자리였다. 그런 자리에 황태자가 등장하다니. 계획에 없던 완벽한 오차라 당황스러운 마음이 쉽게 진정되지 않았다. 그래서 다소 어수룩하지만 솔직한 대답을 뱉었다.

"……마음이 바뀌었다고 한다면, 요……?"

"그것참 마음에 드는군. 특히 그 가슴 쪽이라든가, 목선이 말이야."

……아, 그래, 이런 분이셨지. 큼큼, 그때 황태자 뒤에 부복한 기사 패트릭이 헛기침을 하며 주의를 요구했다.

패트릭은 나와 같은 기사단에 속한 기사로 아마 지금 30대 초반 정도일 것이다. 우리 둘 모두 황태자 호위 기사단이었다.

이 기사단은 황실 소속 기사단 중 가장 고지식한 기사들의 모임이라고 할 만큼 절제와 규율 준수에 탁월했다. 그 원인이 아마 황태자 전하의 장난기의 반작용인 것만 같아서 입 안이 쓰다.

반사 작용이랄까. 조금만 틈을 보이거나 뭐 작은 거 하나만 상황을 봐 드려도 순식간에 엄청난 장난의 포석으로 이어지니까. 전에 황태자의 장난으로 마을 한가운데가 내려앉았던 것을 말했던가?

아…… 말하다 보니 슬퍼진다. 그때 살면서 처음 삽질을 해 봤었지. 그때 패트릭도 옆에서 묵묵히 삽질을 했던 기억이 나서 괜히 묘한 기분이 들었다.

개탄하는 내 표정에도 뻔뻔한 표정의 전하가 태연히 이르기 시작한다.

"장난이니 에카이트 녀석한텐 이르지 말도록. 그 녀석은 고지식한 귀족이라 충성심이 부족하다니까. 쯧쯧. 내가 장난을 좀 쳤기로서니 집무실에 자물쇠가 뭔가, 자물쇠가. 내가 내 신하 집무실에 들어갈 때에 노크를 해야 한다니. 이게 말이 되는가?"

어떤 장난을 쳤을지 안 봐도 보이는 것 같다. 차마 대꾸할 말을 찾지 못해 어색하게 시선을 낮추자 황태자가 여전히 여유로운 표정으로 농담을 가장한 언어폭력(?)을 행사했다. 내 변함없는 충성심이 경이로워지는 순간이다.

"아아, 정말이지. 그간 그저 단정하지만 흐릿한 생김새라 뭣하면 암살자로 써도 좋겠다고 생각했었는데. 경은 머리 색이나 눈 색이나 둘 다 흐리잖나. 흐음. 그래도 역시 꾸미기 나름이군. 확실히 눈이 부셔. 내가 이런 곳에 올 사람이 아니라는 것 정도는 알고 있겠지? 경이 드레스를 입는다는 소식에 일정을 다 취소시키고 온 거라네.

이런 일엔 당연히 에카이트보다 먼저 와서 봐야지."

"……대체 이 드레스 차림이 뭐 그리 대수라고 먼저 보시려고 하십니까. 워낙 바쁘셔서, 이런 것쯤 코앞에 서서 보여 준다 해도 나서서 보실 분이 아니지 않습니까. 이러다 업무가 밀리면 나중에 고생하십니다, 전하."

기억을 살려 예전의 나와 같은 말투로 자연스럽게 답하자 황태자가 진하게 웃었다. 아마 회귀 전의 나라면 저 웃음의 의미를 모르겠지만 약 5년간 전하의 표정을 가까이서 겪은 후라 바로 감이 왔다.

이건 말꼬리를 잡고 장난치기 직전의 표정이다. 내가 뭐라고 했더라? 식은땀이 찔끔 나는 것 같았다.

"호오. 뭔가 에카이트 녀석이 심기를 꼬이게 했나 보군? 방금 그 말은 에카이트를 향한 원망으로 들려. 그가 경의 어느 부분을 건드린 것일까? 아직 만난 지 얼마 되지 않은 걸로 알고 있는데, 아닐 수도 있다는 건가? 이거, 이거. 아주 궁금하군. 자세히 들어 볼 필요가 있겠는데?"

망했다. 순간 낭패라는 생각이 뇌리를 확 스치고 지나갔다.

무의식적으로 놈을 안다는 것처럼 말해서 나와 그가 초면이고, 아직 어떠한 감정도 발생하지 않은 단계라는 점을 부정해 버린 것이다.

황태자가 이곳에 있다는 것 자체가 워낙 큰 이슈인 데다가 목소리도 연극조로 크게 말한 덕분에 주변의 시선은 이미 몰릴 대로 몰려 있었다. 겉으론 무덤덤한 표정을 유지하면서 상황을 모면하고자 입을 열었다. 아이고, 골치야.

"……착각이십니다."

"내 착각? 호오. 그건 더 흥미롭군. 패트릭 경. 경은 어떻게 생각하나? 내가 평소 이런 종류의 착각을 자주 하는 유형이던가? 특히 사람 관계에서?"

착각이라는 말에 더 신난 표정으로 말꼬리를 끄는 모습을 보니…… 내가 지난 생에 어떻게 반역도의 반열에 오르지 않았던가 하는 작은 회의도 든다. 물론 악의는 없고 나름대로 진실한 분이시니 충성을 바침에 후회는 없지만. 없어야겠지만. 그때 패트릭이 입을 열었다.

"아닙니다."

"호오. 그렇다는데? 어떻게 생각하나?"

"그저! 그저, 제가 심통이 났었나 봅니다."

마음이 급해서 아무 말이나 냅다 집어 던지듯 말했더니 황태자가 더욱 입꼬리를 올려 웃었다. 다소 유치한, 변명이 미숙한 아이 같아서 귀 끝부터 저절로 달아오르는 것 같다. 하지만 그와 동시에 내 머리도 활발하게 돌아가기 시작했다.

아예 에카이트에게 반한 척을, 혹은 하다못해 호감이 있는 척을 해 보는 건 어떨까? 나중에 녀석이 외도를 하든 뭘 하든 나는 도리를 다했다는 증빙이나 여론이 필요했다. 지금의 이 소녀다움과 합치면, 그간 결여됐던 인간적인 모습을 충분히 보충할 수 있는 좋은 기회가 될 것이다.

민망하고 체면이 깎이는 짓이지만 필요한 짓이기도 했다. 즉흥적으로 짜낸 것치곤 나쁘지 않은 것 같아 고의로 대답을 유보하자 확신을 얻은 황태자가 채근하기 시작했다.

"경이 왜 심통이 났을까? 설마 아침 연회에 혼자 참여했다고 심통이 났을 리는 없고. 아, 그렇다고 거짓말할 생각은 하지도 말게. 에카이트 공이 지금 업무 과다에 사망하기 직전인 걸 경이 모르는 것도 아니고. 그런 유치한 이유로 심통 낼 사람이 아닌 건 내가 알지. 그럴 리가 있나. 설마 내가 내 수하조차 제대로 판단하지 못한다고 말하진 않겠지?"

농담조로 말을 끌다가 마지막 말은 감히 시선을 올릴 수 없을 정도로 위압적인 어조로 뱉어 내는 황태자 전하의 앞에서 감히 다른 대답을 할 수는 없었다. 답은 정해져 있고 넌 대답만 하면 돼. 뭐 이런 것이다.

이럴 때는 다른 대답을 원하는 것이 아니다. 말 그대로 진실. 황태자가 '원하는' 진실로 응답하고 그것을 진실로 만들어야 한다. 이제 다른 선택은 없다. 더 이상 변명은 통하지 않을 거란 생각에 스스로 판단을 내렸다. 장하다, 나.

"……아닙니다, 전하. 실로 바르게 고하기 민망한지라 감히 주저했습니다."

"그래서, 바르게 고한다면?"

그제야 황태자는 만족한 표정을 지으며 나른한 어조로 되물었다. 사방은 수백 명이 있다고 생각할 수 없을 정도로 조용했다. 하급 귀족들을 앞에 두고 이게 무슨 희극인지. 젠장. 제대로 걸렸구나.

그러나 소문을 퍼뜨리기 좋아하는 그들이 오늘 본 일을 이리저리 퍼 나를 것을 생각하니 희극의 대가가 제법 달콤할 수도 있다는 계산이 들었다. 대가는 내 창피함인 것인가.

나는 한숨을 쉬듯이 황태자가 원하는 대답을 뱉었다. 내가 죽는다면 창피해서 죽은 거다, 분명.

"……고대하던 약혼자가 곁에 없으니까요. 제 입장에선 당연히 마음이 좋을 수 없습니다, 전하."

"어머, 그것참 대단하군요."

내가 말을 끝내기 무섭게 뒤쪽에서 등골을 서늘하게 만드는 목소리가 들려왔다. 리디아 실버 펠튼. 애교가 질척하게 묻어 있는 교성에 가까운 목소리에 그녀라는 것을 직감할 수 있었다. 이 연회에도 있었나 보군. 생각보다 이른 조우와 예상치 못한 격돌에 손끝과 발끝이 차갑게 식는다.

흥미로운 표정으로 일관하는 황태자를 천천히 등지고 고개를 돌리자 그 여자가 서 있었다. 아직은 붉은 드레스 차림이 아닌, 하얀 드레스를 입고 있었다. 새하얀 드레스를 입고 나를 바라보는 모습은 관능적이었다.

그녀의 새하얀 드레스를 바라보고 있자니 지금 당장 저 드레스를 갈기갈기 뜯어내 붉게 만들고 싶은 욕구가 뱃속에서 울렁거렸다.

나는 마음을 다잡기 위해 숨을 고르며 천천히 눈을 내리감았다.

먼저 흥분하는 쪽. 즉, 먼저 평정을 잃는 쪽이 지는 게임이 시작된 것이다. 선공은 나다. 일단 먼저 치고 반응을 살펴 두드려 패야지. 저 여자가 원흉이잖아? 잘하자. 잘해야 한다. 자기 최면으로 내면을 고요하고 예리하게 다지며 응수하기 시작했다.

"리디아 실버 펠튼 양. 그대가 온 줄 몰랐습니다. 한데 이런 결례라니. 황태자 전하께서 발언 중이셨습니다."

내가 서늘한 표정으로 그녀의 잘못을 지적하자 그녀가 다소 놀라는 표정을 지으며 황급히 황태자를 향해 허리를 굽혔다. 그녀의 짙은 초콜릿색 머리카락이 허공에서 흔들렸다가 내려앉았다.

그 표정이 작위적이라는 것을 눈치챈 나는 인상을 굳혔다. 무슨 속셈인지 얼추 감이 온다. 선행 학습의 효과는 실로 대단했다.

"저, 전하! 황공하나이다. 전하를 직접 뵐 일이 없으니, 감히 알아보지 못하고 결례를 범하고 말았습니다. 무지한 저를 벌해 주시옵소서!"

"그럼 사양하지 않겠네. 성의를 봐서 내 친히 벌을 주지."

풉. 여자의 화려하고 극적인 연기는 황태자의 한마디에 쉽게 붕괴

됐다. 아아, 저런 방법이. 호오, 나중에 써먹어야지. 그런 생각을 하며 리디아를 쳐다보니 얼굴이 창백하게 질려 있었다.

하긴, 나름대로 신선한 만남을 주도하고 싶었을 텐데, 예상 밖의 반응이라 당황했겠지.

신선한 만남도 상대방의 호응이 있어야 하는 일이다. 아니 잠깐. 그럼 에카이트 녀석은 했단 말인가, 그 호응을?

"흠. 감히 나와 아펠리아 경의 대담을 방해하다니. 사형에 처하도록 할까?"

헉. 주변에서 숨을 들이켜는 소리가 들렸다.

저기, 전하. 지금 죽이시면 제가 과거로 돌아온 이유가 없어져요. 엉겁결에 돌아오긴 했지만 과거로 돌아와서 이 여자랑 저 남자에게 복수하겠다고 칼을 간 지 일주일밖에 안 됐는데 바로 무산시키시면 곤란해요. 제가 드레스 왜 입었는지…… 아, 모르시겠네요.

허무맹랑한 전개에 목덜미를 쓰다듬는데 리디아 펠튼이 눈물을 흘리기 시작했다. 이 여자, 연기에 정말 소질이 있나 보다. 어떻게 삼 초도 안 돼서 구슬픈 울음소리랑 눈물이 나와?

자세히 바라본 그녀의 눈은 무서울 정도로 차분하게 가라앉아 있었다. 저 당황하는 표정이나 우는 소리가 모두 상황을 수습하고 새로운 수법을 전개하기 위한 과정에 불과하다는 건가?

"전, 전하, 무슨 벌이든 달게 받겠습니다. 다만 제 마음의 정인이 주신 드레스 한 번 입어 보지 못하고 이리 죽는다 생각하니, 흑. 저를 가엾게 여기시면 부디…… 흑흑."

눈동자 속의 고요와는 다른 말에 소름이 돋았다. 예전의 나라면 분명 몰랐을 것이다. 아니, 그 이전에. 저게 낮술을 했나, 그 드레스가 어떻게 받은 거야? 그냥 갈취한 거지. 이 사기꾼.

리디아의 말을 곱씹다가 순간 화가 나 살짝 인상을 찌푸렸다. 아무리 좋게 봐주려고 해도 봐줄 수가 없어, 저건. 속으로 툴툴거리는데, 황태자가 대뜸 피식 웃고는 리디아의 나이를 물었다.

아아, 파격적이어라. 여자에게, 그것도 대충 봐도 결혼 적령기는 지난 것이 분명한 여자에게 나이를 물으시다니. 하지만 상황이 상황이고 상대가 상대이니 만큼, 리디아는 순순히 스물셋이라고 답했다. 그리고 나이를 답하기 무섭게.

"노처녀로군. 노처녀를 죽여 봐야 처녀 귀신밖에 더 되겠나. 내세에 덕이나 세울 겸 관두도록 하지."

……네, 거참 간단하시군요. 노처녀라는 금기어를 쉽게 내뱉을 수 있는 전하의 대범함에 경의를 표합니다.

말 한마디로 사람들을 휘어잡으며 우월함을 자랑하던 황태자가 말이 끝나기 무섭게 나를 바라본다. 새파란 눈동자가 나를 내려다보니 감히 고개를 들어 눈을 맞추기도 황공하여 시선을 피하자 전하의 만족스러운 기운이 느껴진다.

복종받는 것에 보람을 느끼시는 덕분에 복종하는 맛이 난달까. 아, 조금 위험한 발언인가? 그 와중에 황태자는 신나게 할 말을 계속했다. 평소 쌓인 스트레스도 없어 보였지만 만약 있었다면 오늘로 다 해소됐을 것이다, 분명.

"내 자비로 한 목숨이 사는군. 그 은혜, 꼭 갚도록. 그럼 난 이만 가 보지. 일을 다 못 끝내면 약혼식 주례도 못 서게 될 정도로 어마어마한 서류가 남았거든. 잠시 후에 보지."

"이곳까지 친히 발걸음 해 주시니 감사합니다. 가시는 길 살펴 가십시오."

70도로 허리를 굽혀 배웅 인사를 하는 내 모습에 황태자가 다시 웃음을 터트리며 멀어졌다. 아차. 이게 아니라 무릎을 굽혀서 살짝, 이었지. 속으로 살짝 당황한 나는 묵묵히 자세를 유지하다가 몸을 폈다. 갑자기 화들짝 바꾸면 실수한 티가 나니 최대한 자연스럽게 움직여야 한다.

몸을 펴기 무섭게 주변이 서서히 소란스러워진다. 하기야 이런 오전 연회에 황태자가 온 것도 놀랄 일인데, 리디아 펠튼, 그 여자가 제대로 격침당한 직후이니 할 말이 많을 수밖에. 나는 사람들이 수군거리는 말에 웃음을 지으며 리디아 펠튼을 향해 말을 건넸다.

"황태자 전하께서 너그러우시니 다행입니다. 하마터면 큰일을 겪으실 뻔했습니다."

"아니, 제가 부덕해서 실수를 했어요. 영애께 사과드려요."

내 미소에서 비웃음을 읽은 것이 분명한 표정이다. 분한 표정을 숨긴 리디아가 나름의 사과를 한다. 말이 사과지 잘하면 사과로 한 대 칠 기세다. 네가 사과로 치면 난 수박으로 친다.

전의를 불태우며 더 진한 웃음을 짓자, 다소 산만했던 주변에서 탄성이 터진다. 지난 일주일 동안 거울만 죽어라 보면서 스스로를 홀릴 때까지 웃음 연습을 한 성과가 나오는 순간이었다.

예상 밖이라는 표정을 미처 감추지 못하는 리디아를 향해 먼저 입을 열었다. 지금 미소를 통해 사과를 겸허하고 따스하게 받아들이는 이미지로 각인됐을 것이 거의 확실했다.

"사과라니, 당치 않습니다. 제가 공연히 나서서 리디아 양의 실수를 지적한 탓에 도리어 화를 부른 것은 아닌지……. 미안하게 됐습니다."

"아닙…… 니다. 당연히 기사 된 도리로 그러셔야죠. 조금 전의 예법은 정말 인상 깊었답니다."

분한 어조와 은근히 비꼬듯이 말하는 그녀의 응대에 일부러 수줍고 부끄럽다는 미소를 띠면서 배시시 웃었다. 이런 간지러운 감정은 아직 느껴 본 적 없어 그냥 감으로 웃으며 연습했는데, 아주 틀린 표현은 아니었는지 참석한 귀부인들이 귀엽다는 듯이 낮게 웃는 소리가 들렸다.

아마 남편들을 따라 참석한 극소수의 부인들일 것이다. 일단 가산점을 확보한 것을 확인하고 수줍은 어조로 말문을 열었다. 내 목에서 이런 목소리가 올라오다니, 민망해서 별다른 노력을 더 하지 않고도 얼굴이 확 붉어졌다.

"아…… 저, 제가 아직 이러한 예법에 어색합니다. 하지만 황태자 전하가 계실 때에는 저는 레이디가 아니라 전하의 기사에 불과하답니다. 그러니 어떠한 복장이든 직위에 맞게 처신해야겠죠."

"……네에, 듣던 대로 훌륭한 분이시로군요. 그래도 아직 레이디의 예법에 미숙하신 것처럼 보여서요. 소문을 들으셨다면 아시겠지만 제가 그러한 쪽에는 제법 견문이 있답니다. 황송한 얘기지만 나중에 제가 도와드릴 수도 있겠네요."

부드럽게 내가 여자들의 예법에선 자기보다 한 수 아래라는 사실을 부각하며 수줍게 가르침을 준다 제안하는 리디아를 보며 속으로 피식 웃었다. 누가 누굴? 옛날 같으면 대충 동의하든가 딱 잘라 거절하면서 독박을 썼겠지만 이번엔 그냥은 안 넘어간다. 나 너랑 정신연령 동갑이다, 이 여자야.

속으로 전의를 다진 나는 다음 말을 천천히 골랐다. 서두르면 진다. 그런 해괴망측한 짓을 벌여서 목숨이 간당간당했던 주제에 감히 누구 걱정을 하는 건지. 생각하면 할수록 황당해서 살짝 웃자 리디아의 눈매가 다소 위협적으로 번뜩였다.

얼씨구나. 잘하면 치겠네? 내가 평소 기사로서 사용하던 언행과는 다른 어조를 사용하기 위해 고심하다 입을 열었다.

“말씀만으로도 감사합니다. 다만 인사치레로만 받겠습니다. 가르침의 얘기가 나와서 하는 소린데…… 공녀로서 영애에게 먼저 가르침을 드리려 합니다. 예법대로라면 우선 전하께 인사를 올린 후, 황태자 전하께서 먼저 말하신 뒤에야 답할 수 있답니다. 만일 정말로 황태자 전하를 몰라보셨다고 해도 제게 먼저 인사를 올리는 게 맞고요. 우리 언제 다시 만날 기회가 있다면 이렇게 서로 가르침을 나누며 친하게 지내도록 해요. 비록 오전 연회나마 이렇게 내 약혼을 축하하러 왔는데. 그것만으로도 얼마나 고마운 일인지. 지금은 진정이 좀 됐나요? 많이 놀랐죠.”

내가 은근히, 그리고 노골적으로 잘못을 후벼 파는 동시에 오전 연회에나 참여할 수 있는 그녀의 낮은 신분을 돌려서 꼬집자 그녀의 표정이 미미하게 굳었다. 리디아의 눈동자에 싸늘한 기운이 가득하다. 게다가 바로 다음 화제로 넘어가 다시 그 얘기를 꺼내지 못하게 단속하자 그녀의 눈썹이 미미하게 떨리기 시작했다.

심기가 불편하다 이건가? 하긴 내가 멋대로 이야기를 마무리 지었으니, 반문을 제기하며 끼어들 수 없게 된 것이다. 하지만 리디아는 프로 여우답게 금세 표정을 갈무리하고 다음 주제를 선정했다. 쳇, 아쉽다. 울컥해서 약점을 잔뜩 보여 줄 줄 알았더니…….

“염려해 주시니 감사합니다. 한데…… 카이 님은 어디 가셨나요? 안 보이시네요.”

카이? 그게 누구지? 그게 누군지 도무지 연상되지 않아 의문스러운 표정을 노출시킨 순간, 리디아가 회심의 미소를 짓는다.

알고 보니 더 무섭고 징그러운 여자, 리디아 실버 펠튼. 근데 대체 카이가 누구지? 내 인맥 중 여기에 있을 법한 카이?

"아, 어머. 호호, 죄송해요. 서로 부르던 애칭이니 모르시는 것이 어쩌면 당연하겠군요. 카이 님은 에카이트 님의 애칭이랍니다."

내가 약간 표정을 굳히자 아까부터 뒤에 물러나 기다리고 있던 봉뒤프베 부인이 다가와 귓속말을 했다. 저 여자가 드레스를 받은 것을 핑계로 혼자 연인 관계를 정립시키고 그 상황에 맞춰 오해를 야기하는 것일 거라는 말이었다. 어투가 날카롭고 빠른 것이, 리디아에 관해 상당히 화가 난 모양이었다.

그러거나 말거나, 나는 황당하단 심정이 더 강했다. 언제부터 놈이 카이래?

나름대로 사교계에 관록이 있는 부인의 말이니 어느 정도 신빙성은 있다고 판단해, 다시 표정을 정리하고 직전에 지었던 것보다 더욱 화려한 미소를 지었다.

약혼 전에 제기된 내 약혼자 에카이트와 다른 여자와의 스캔들에 소란스럽던 주변이 다시 탄성을 터트렸다. 결혼 전, 심지어 결혼 후에도 남성의 애인에 대해서 공공연하게 용인되는 분위기인 세태에 비추어, 저런 관계에 대한 과시는 곧 약혼하게 될 약혼녀 앞에서 과격한 도발이기는 해도 있을 수 없는 도발까지는 아니었던 것이다.

눈에 보이는 도발에 약간의 반전을 통해 시선을 모은 나는 가볍게 각오를 다졌다. 이대로 이 상황을 넘기면, 훗날 나는 애틋하고 신분 차이 나는 두 연인을 높은 신분을 이용해서 강제로 갈라놓고 남자를 독차지한 여자로 회자될지도 모른다. 마치 저번 생처럼.

화려한 미소 뒤에 감춰진 내 눈동자에 담긴 싸늘함을 읽었는지 리디아가 표정을 마주 굳혔다.

그래, 너. 본능 하나는 정말 봐 줄 만하구나. 하지만 살고 싶으면, 내 앞에서 꼬리를 내리렴. 내가 속으로 살의를 돋우면서 리디아의 눈동자를 마주 보았다. 리디아의 깊은 곳 어디선가 미약한 동요가 읽힌다. 그래, 너도 결국은 사람이니까. 조금이나마 만족감을 느낀 나는 저절로 환한 표정을 지었다.

“어머, 맞아, 에카이트 님 얘기가 나와서 말인데요. 에카이트께서 당신에게 아름다운 붉은 드레스를 선물했다는 말이 들리던데. 대단히 화려하고 낭만적인 디자인이라고……. 저도 나중에 한 벌 마련해야겠군요. 드레스에 큰 관심은 없지만 그 정도로 황홀한 것이라면 수집 목적으로라도 사야겠어요.”

내가 꾸며 낸 천진한 표정으로, 마치 붉은 드레스의 의미를 모르는 듯 화사하게 웃으면서 부럽다는 표정을 짓는 대목에서 주변 귀부인들과 귀족들의 안타까운 한숨 소리가 들려왔다.

성공이다. ‘기사 직무에 워낙 바쁘다 보니 저런 관행을 모르는 것 같다.’, ‘안타까워서 어떡하나.’ 등등 여론이 빠르게 형성되는 것을 즐기며 천천히 다음 말을 골랐다.

애칭을 부른 점에 대해서는 일말의 언급도 하지 않았다. 아마 그 부분을 지적하면 기다렸다는 듯이 리디아가 제게 유리한 여론을 만들 게 뻔하니 조급할 필요는 없었다. 나한테 유리한 점만 부각시켜 대화를 돌리면 모든 집중이 나에게 올 것이다. 그러한 규칙에 통달했을 여자의 눈동자가 일그러지는 것으로 보아 내 판단이 사실인 것 같다.

의기양양한 웃음을 지으려던 나는 금세 뇌리를 관통하는 사실에 미소를 멈췄다. 지금까지의 대화에서 승기를 한 번도 잡은 적이 없음에도 리디아는 속내를 완전히 숨기는 데 단 한순간도 실패하지 않았다. 전부터 느껴지던 위화감은 바로 여기서 온 것이다.

묘한 투기가 스멀스멀 치고 올라오는 기분이 들어 허리를 더욱 곧게 폈다. 예상외로 그녀는 내 생각보다 더 대단했던 것이다. 몇 번이고 싸워 꺾고 싶을 만큼. 그래서 나는 더욱 순진한 웃음을 지으며 말을 이었다. 꽃 속에 검날을 감춘다. 그래, 바로 그거다.

"듣자 하니 그이가 리디아 양의 드레스에 실수를 했다죠? 세상에 어떻게 숙녀의 드레스에……. 그이가 보상으로 드레스를 선물하지 않았더라면 제가 선물했을 거예요. 리디아 양, 상심이 크겠어요. 혹시 아끼던 것인가요?"

친근하게 그녀를 부르며 걱정의 말을 건네자 주변에서 내 귀족 화법에 대해 논하기 시작했다.

상급 귀족이 상대를 이름으로 부르는 것은 그만큼 호의를 보이고 있다는 말과 같다. 즉, 하급 귀족도 이름으로 불러 낮은 사람에게 관용을 베푼다는 것을 보여 주는 것이다.

전생에서 나는 무조건 상대를 성으로만 불러 딱딱한 인상을 남겼었다. 지금이라면 0점이었던 내 사교도도 조금 올라갔을 것이다.

여하튼 상대를 이름으로 부르는 각고의 노력 끝에 만들어진 호의적인 분위기를 즐기며 그녀를 바라보자, 씩 웃는 것이 아닌가. 그 웃음에서 섬뜩한 기운이 느껴졌다. 쯧쯧. 과도도 안 들어 본 몸으로 독살스럽기도 하다. 눈빛으로 보내는 예기에 나는 혀끝에 예기를 모아 결정적인 한 방을 날렸다. 이러다 혓바닥 소드 마스터가 될 것도 같다.

"그래도 리디아 양이 원하는 색상과 디자인으로 선택할 수 있게 보상금을 주어 다행이에요. 혹시 모자라면 제게 말해 주세요. 충분히 보상하겠어요. 남자인 그가 잘 모르고 혹시 충분하지 못한 금액을 변상했을 수도 있으니……. 아, 그러고 보니 정인이 선물한 드레스도 있다 했죠? 저는 그다지 드레스가 많지 않아서 부럽네요. 얼마나 예쁠지 꼭 한번 보고 싶어요."

내 말이 끝나기 무섭게 눈앞에 선 리디아의 표정이 확 일그러졌다.
그래, 바로 그거야. 네 밑바닥을 드러내.
나는 마침내 드러난 그 표정을 만족스럽게 응시했다. 만만하게 봤던 내가 예상외로 역공을 펼치니 그러는 것일 터. 모자라면 더 보상하겠다고 마음에도 없는 말까지 하느라 힘들었다. 정말 모자란다고 하기만 해 봐라. 돈 통에 빠트려서 확 그냥.
기습 공격에 페이스를 잃고 표정을 일그러트린 리디아를 보니, 거울을 보고 그간 연습한 것에 대해 충분히 보상받는 것 같았다.
호오. 에카이트 소유권 주장이 효과가 있는 건가? 한 가지 대응 방안을 학습한 것 같다. 거기에 호의가 가득한 미소까지 유지하자 주변이 점점 소란스러워진다.
주된 내용은 외도로도 보이는 행동에 도리어 예절을 내세워 관용 있게 받아 준 점, 약혼자의 잘못을 같이 책임지려 하는 점, 그리고 외도의 상대자라고 자처한 상대에게도 관용으로 미소를 짓는다는 점이었다.
그리고 얼마나 뻔뻔하면 사고로 드레스가 상한 것임에도 보상금을 받아 냈으며, 또 받은 돈을 드레스, 그것도 붉은 드레스를 맞추는 데 썼는지에 관한 비난이었다. 소문과 정황이 이끌어 낸 통쾌한 장면이었다.
리디아 펠튼이 그 드레스를 입고 나타나 계략을 펼치기 전에 먼저 사실과 전후 사정을 알려 차후 벌어질 오해를 막자는 시도는 거의 성공한 셈이었다. 게다가 대놓고 정인이 준 드레스를 언제 한번 보고 싶다고 말하면서 리디아가 감히 에카이트를 자신의 정인이라고 주장할 기회를 차단한 셈이다.
즉, 에카이트가 제 정인이라고 말하려던 리디아의 술수에 '너 혼자

꾸민 일이라면서요.'라고 대놓고 망신을 준 것이다.

아무리 뻔뻔한 사람이라도 약혼자가 이렇게 말하는데 도덕과 염치가 있다면 맞아도 아니라고 답해야겠지, 아무렴.

내가 한 말 때문에 이제 와서 '사실은 그 붉은 드레스가 에카이트의 선물이었다.'고 주장할 수도 없게 되었다. 그렇게 말하는 순간 연인이 선물한 드레스가 사실은 에카이트가 준 보상금으로 자기가 자발적으로 구입한 드레스와 같다는 것이 되어 버리니까.

가뜩이나 뻔뻔하다는 시선을 받고 있으니, 지금 당장 진위를 가려 답할 수 있는 상황이 아닌 것이다. 아직까지 찡그린 표정을 미처 수습하지 못한 모습을 봐서는 확실했다.

그래, 이쯤이 네 바닥이구나. 내가 다시 미소를 지으며 그녀를 향해 쐐기를 박았다. 아, 고소해라.

"리디아 양, 표정이……. 제가 불편한 분을 잡아 둔 건 아닌지 모르겠어요. 그만 쉬러 가셔야겠군요."

"……염려해 주셔서 감사합니다. 갑자기 현기증이 돌아서 그만 실례를 범하고 말았네요. 그럼 저는 이만 물러가겠습니다. 평안한 하루 보내시길."

마무리로 그녀에게 '이만 졌으니 물러가라.'는 의미를 담아 말하자 리디아가 그저 찡그린 것에 불과했던 표정을 순식간에 아파 보이는 안색으로 구사해 냈다. 영악한 것.

속으로 혀를 차며 자리를 빠져나가는 리디아를 바라보고 있자니 뒷자리에 물러서 있던 봉뒤프베 부인이 다가와 낮은 목소리로 말을 걸었다.

"정말이지 보통내기가 아니군요. 벌써 몇몇 사람들은 동정하고 있어요. 마치 영애의 말에 충격을 받아 현기증이 일었다는 것처럼 꾸미다니……. 그래도 다들 눈치가 빠른 편이랍니다. 다들 저 여자가 말한 '그' 드레스와 영애가 말한 '그' 드레스가 같다는 걸 짐작하고 있을 때 하필 그런 말을……. 어쩐지 일이 이걸로 끝날 것처럼 보이지 않아 걱정스럽네요."

봉뒤프베 부인의 걱정스러운 말에도 나는 여전히 미소를 띤 얼굴로 주변 사람들과 눈인사를 나눴다. 마치 토너먼트 경기장 한가운데에 서서 입장하는 상대방을 관전하는 기분이 들었다. 뭐, 정 안 되면 눈이라도 찔러야 하나 했는데 그럴 필요도 없었으니 잘 해결한 거다. 생각을 정리하고는 냉담하게 말했다.

"기대되는군요. 그게 바로 제가 원하던 바이니까요."

지금부터 전쟁 시작이다.

유모는 내가 기억하지 못하는 아주 어린 시절의 나를 기억하고 있다. 덕분에 유모는 내 사소한 습관, 특히 정숙한 레이디와 거리가 있는 행동에 대해 망설임 없이 잔소리를 퍼부어 댔다. 그래서 나는 지금 잔소리를 듣는 중이다. 뭔가 큰일을 치르고 나서일까? 현실감을 잃은 나머지 방에 돌아온 이후로 내내 멍한 상태인 내가 걱정스러운지 유모와 봉뒤프베 부인이 불안한 표정으로 눈치를 살핀다. 서로 이 침묵을 어떻게 할 것인지 시선을 교환하던 두 사람이 느껴졌다. 결국 나선 것은 유모였다.

"아기씨! 그 여자한테는 잘 대처하셨어요. 황태자 전하를 뵐 때 예법 실수를 하셨지만, 나쁘지 않았고요. 그런데 갑자기, 대체 왜 그러시는 거예요?"

"맞아요, 영애! 도대체 이유라도 말해 주세요. 혹시 드레스가 마음에 안 드시는 건가요?"

아주 잘못 짚은 것은 아니다. 그 여자도 적절히 퇴치했겠다, 그 엄청나게 화려한 드레스를 입을 이유도 이젠 사라진 것 같다. 솔직히 말해 지금이 꿈인지 생시인지도 잘 모르겠다.

물론 내 설득으로 싫다는 사람 고생시켜 만든 호사스러운 드레스를 두고 안 입겠다고 하기에는 꼴이 우스워질 것이 뻔해 딱히 입 밖으로 내지는 않았다. 하지만 내 무거운 분위기와 침묵이 오해 아닌 오해를 불러일으킨 것 같아 난감함에 어색한 웃음을 지었다.

화려하고 아름다운 것을 사랑하는 취향을 가졌다고 했지만, 앞서 말했듯이 오전 연회에 입었던 드레스가 더 취향이었다. 일단 크게 눈에 띄지 않으니까 말이다. 레이디들의 주목받고 싶어 하는 욕구야 말로 가장 존경받아야 하는 덕목이 아닐까.

당시에는 심기일전으로 기왕지사 일을 하려면 크게 해야 한다는 생각에 사로잡혀 앞뒤 가리지 않고 일을 벌였지만, 실제 드레스를 입어 보니 그제야 정신이 드는 기분이었다.

과거로 돌아오기 전, 즉 이미 그러한 유행이 시작되어 누가 해도 별다를 것도 없는 때에는 이 드레스를 입는 것이 그리 이목을 끄는 일이 아니었다. 안 하던 내가 하니 약간 화제가 된 정도? 지금은 말 그대로 내가 유행의 선두에 서야 한다는 것인데.

……이렇게 엄청난 드레스를 대체 왜 주문한 거지? 울고 싶다. 내가 제일가는 미인이니 유행하는 것을 입기만 하면 내가 가장 주목받을 것이라는 자신감에 시작한 일인데 생각해 보면 아직 유행 전이니까…… 이 일을 어찌해야 하나.

망하면 중간도 없이 확 망할 것 같다는 불안함 때문일까, 멍하던 정신이 갑자기 현실로 돌아왔다. 내 불안한 시선이 무릎 위를 팔랑이는 짧은 기장의 해바라기를 연상시키는 드레스에 고정됐다. 시선을 교환한 두 사람이 잠정적으로 내 묘한 분위기의 원인을 드레스로 확신한 것 같았다. 왜냐하면 두 사람의 말투가 투정부리는 아이를 달래듯 노곤해졌기 때문이다.

"영애, 이토록 어여쁜 드레스를 입은 모습을 에카이트 님께서 보시면 얼마나 황홀해하실까요. 처음엔 반대했지만, 만들어 놓고 보니 왜 망설였나 싶을 정도로 모든 면에서 완벽한 드레스가 아니겠어요? 거기에 영애의 미모까지 더해지면 이 드레스는 단박에 유행의 중심에 서게 될 거예요. 영애도 화제의 중심에 우뚝 서실 것이고요."

가면 갈수록 열정과 영혼이 듬뿍 담겨 있는 말로 변했다. 나는 눈을 가늘게 뜨며 생각했다.

물론 내가 제안한 일이기는 하지만 봉뒤프베 부인은 눈앞에 있는 행운을 두고도 알아보지 못할 만큼 아둔한 사람은 아니었으며 이 행운이 달아나는 것을 그냥 두고 볼 사람도 아니었다.

남의 입으로 화제의 중심에 설 것이라는 말을 들으니 부끄러워 그대로 양손에 얼굴을 파묻어 버렸다. 죽어 버려라, 일주일 전의 나.

"……입기 싫다고 한 적은 없는데요."

내가 힘없이 중얼거리자 봉뒤프베 부인이 울컥한 표정으로 뭔가를 말하려다가 꾹 눌러 참았다. 처음 자신이 그렇게 만류하던 드레스를 디자인해 달라고 협박까지 해서 촉박한 시간 내에 열과 성의를 다해 완성했다. 완성하고 보니 그렇게 예쁠 수가 없다. 입는 순간 유행이 될 것 같은데, 이제 다 됐는데, 왜 저렇게 시큰둥한가 싶은 표정인 것이다.

억울한 표정도 보이는데, 괜히 내 표정에 말려들어가 짧은 시간이지만 마음고생한 것이 원인인 것 같았다.

당시 만류하던 두 사람의 얼굴이 떠오르자 그 드레스를 입는 것을 망설인 스스로가 창피해졌다. 민망해진 내가 시선을 피하자 유모가 은근한 표정으로 허를 찌르고 들어온다.

"아기씨, 갑자기 화려하게 하고 사람들 앞에 나타나는 것이 부담스러우셔서 그렇지요?"

"음…… 그것 때문에 그런 것은 아닌데. 물론 아니라곤 할 수 없겠지."

그래, 그것 때문이었구나. 멍한 기분 뒤로 뭔가 망설여지는 감정을 정의하지 못했는데 명쾌해진 기분이다. 속으로 크게 동의하면서도 겉으로는 미온적인 동의를 표하자 유모와 봉뒤프베 부인의 안광이 번뜩인다.

이제 와서 하는 말이지만 아침에 참여했던 연회에서 입었던 드레스도 수수한 디자인이었는데 뭔가 모르게 부끄러웠다고 해야 할까. 물론 그것을 입었을 때의 나는 분명 아름다운 모습이었다. 하지만 그것이 나와 어울리는지에 대해서는 끊임없는 의구심이 들어 오전 내내 몸이 긴장했던 것이다.

무의식중에 입은 의복과는 다른 예법이 불쑥불쑥 튀어나오니, 속으로 얼마나 식은땀을 흘렸던가.

그랬는데…… 그 드레스의, 과장하자면 최소 백배는 화려한 디자인에, 심지어 전례를 두드려 박살 낼 정도의 색상에 파격에 가까운 짧은 기장까지 겹친 드레스이니 망설임이 없는 게 더 이상한 상황이다.

내가 그런 이유로 동의했다는 것을 벌써 간파한 것인지 유모가 은근한 표정을 짓는다. 불길하다.

"아기씨. 그러면 이 드레스는 입으시되 여기 꽃을 떼요. 그리고 리본으로 허리를 묶는 걸로 마무리하면 지금보다 훨씬 수수할 거예요."

"어머, 꽃이 포인트인 데다 저걸 저렇게 표현하려고 얼마나 고생을 했는데 그걸 떼면-!"

반대 의사를 표명하던 봉뒤프베 부인이 유모의 다급한 눈짓에 말을 멈추고 애써 웃는 표정으로 고개를 끄덕였다.

음. 확실히 꽃이 빠지면 덜 화려하겠지. 흔들리는 내 표정을 본 봉뒤프베 부인이 쐐기를 박는다.

"화장에는 더 크게 손대지 않을게요. 조금 번진 것만 수정하게 허락하시면요."

"아니, 아무리 그래도 화장만은 꼭…… 아니, 아니에요. 아기씨, 그렇게 해요. 그러니까 제발 저 어여쁜 옷을 안 입는다고 투정하지 말아 주셔요."

이번엔 유모가 울컥하다가 금세 단념한 표정을 짓는다.

휴. 나는 작게 한숨을 내쉬었다. 사실 처음 이 드레스를 고집할 때에 전혀 각오도 없이 조른 것은 아니었다. 제대로 정신을 차리고 보니 생각보다 더 큰 각오가 필요했다는 사실을 깨닫고 무언의 거부권을 행사한 것이지만 말이다.

아침에 리디아와 벌였던 신경전은 사실상 비긴 것이다. 확실한 쐐기가 필요했다. 내가 다시 한숨을 쉬자 두 사람이 불안한 시선을 교환한다. 내가 죄인이다, 죄인. 전쟁 선언을 했으면 하다못해 남편이라도 찔러야 하지 않겠는가.

"화장을 어떻게 이 정도밖에 안 할 수 있겠어? 봉뒤프베 부인, 유모. 미안해요. 갑자기 낯선 짓을 하려니까 긴장했나 봐. 부인, 제가 아직 이리 어립니다. 흉보셔도 할 말이 없네요."

내 한숨과 미소에 봉뒤프베 부인과 유모가 긴장으로 내내 올라가 있었던 어깨에 힘을 빼 늘어트리며 안도의 숨을 내쉬었다.

저번 삶에서 느낀 것이라면, 하려면 제대로 해야 한다는 것과 '척'의 중요성이었다. 누구였는지 잘 기억할 수는 없지만 먼저 앞서 이 드레스를 유행시키며 주목을 끌었던 영애와 이 드레스에 새로운 치장 방법을 더해 주목을 받았던 영애에게도 사과의 말을 건네고 싶다.

새로운 치장 방법을 위한 재료가 아직 도착하지 않은 것 같아 유모를 불렀다. 말을 기다리던 유모가 반색하며 고개를 끄덕인다.

"정원사에게 부탁했던 것 좀 받아다 줘, 유모. 부인은 옷 갈아입는 것을 좀 도와주시고요. 물론 잘 해 주셨겠지만 가봉 때와 치수가 바뀌었을 수도 있을 테니까요. 해 주실 거죠?"

내가 희미하게 웃으며 자리에서 일어나자 유모와 봉뒤프베 부인의 얼굴이 더욱 환하게 핀다.

기사단이든 어디든 계급 사회란 이런 것인가 보다. 아무쪼록 무책임한 모습을 보였다는 생각에 잠시 인상을 찌푸리던 나는 이내 방을 빠져나가는 유모를 바라보다 시선을 봉뒤프베 부인에게로 돌렸다.

이 짓거리를 최대한 단기간에 멈출 방법은 곧 있을 약혼 언약식에서 내가 누구인지를 귀족들에게 제대로 각인시키는 것이 최고겠지. 다시 활기를 찾은 내가 진하게 웃자 부인이 볼을 살짝 붉히면서 눈을 빛낸다.

"좋아요, 부인. 일단 일을 벌인 이상 제가 이곳에서 가장 화려한 아가씨가 됐으면 좋겠는데. 역시 부인을 초대해서 다행이로군요. 제 기대가 헛되진 않겠지요?"

"물론이죠, 영애! 자신 있답니다."

생각 이상으로 자신감이 폭발할 것 같은 부인의 모습에 내가 도리어 움츠러드는 기분이다. 그렇게까지 자신 있어 하지 않아도 되는데 말이죠. 왠지 엄청 피곤해질 것 같은 건 착각이 아니겠지. 불과 5분도 지나지 않아 그것은 착각이 아닌 것으로 판명 났다.

순식간에 시녀들이 붙어 치장을 시작한 지 얼마 안 되어 약혼 드레스를 차려입고 거울 앞에 섰다. 서늘하게 짧은, 당초의 주문과 같이 무릎까지 오는 풍성한 치마가 움직임을 섬세하게 표현한다.

내가 요청했던 대로 해바라기색이 선연한 드레스는 오후의 나른한 햇살을 받아 마치 태양처럼 화사했다. 상체는 가슴골을 은은하게 내비치면서 날렵하게 달라붙어 몸매를 살려 주고 있었다. 소매가 없는 튜브톱 디자인이 다소 파격적이었지만 단아하고 길게 자리한 쇄골을 완벽히 부각시키면서 도리어 기품 있는 분위기를 자아냈다.

시선을 밑으로 내리니 오른쪽 허리 밑 선을 따라 섬세한 천이 양 갈래로 갈라지는 곳에 일렬로 장식된 손바닥 크기의 꽃이 무려 세 개나 보였다.

“음, 영애. 아주 좋아요. 손 위치를 조금 더 옆으로. 네, 완벽해요.”

봉뒤프베 부인의 지시에 따라 자세를 정정하고 손을 들어 묵직해진 목을 살짝 더듬었다. 무거워 죽겠다. 지금 내 목에는 주홍색 보석을 중심으로 3줄 진주로 장식된 초크 목걸이가 그 특유의 고급스럽고 단아한 자태를 자랑하고 있었다.

꽃 장식으로 드레스가 상당히 화려해져서 다른 장신구는 간소하되 값어치가 높은 것들로 골라 조화와 균형을 맞추는 쪽으로 방향을 정했다.

애쉬우드 대공께서 약혼 선물로 친히 배달해 주신 것이다. 친필 서명으로 아리아의 약혼을 축복하며, 라는 글귀가 담긴 편지도 함께였다.

전생에서, 즉 5년 전에 봤던 목걸이를 다시 감개무량하게 바라보면서 이번에는 대공께 변변한 답례 선물을 준비해야겠다고 생각했다.

그러고 보니…… 곧 만나겠구나. 전생의 기억이 어렴풋이 떠올랐다. 내 기억이 틀리지 않았다면 다가오는 대륙 회의에서 뵙게 될 것이다. 저번 생에는 의미를 알 수 없는 엄청난 크기의 항아리를 답례품으로 보내서 영상석으로 연락한 대공이 자지러지게 웃었던 기억이 있다.

목걸이까지 점검을 마치고 시선을 돌려 반들거리는 주홍빛 단화를 내려다보며 낮게 웃음을 흘렸다.

소녀다움과 순수함, 발랄한 생기를 표현하기 위해 일부러 굽이 높은 신발들을 모두 거절한 결과였다. 봉뒤프베 부인은 내 몸매가 기사 수련으로 균형 잡힌 탄탄한 체형이라는 것을 이유로 본래의 신장보다 커 보일 수 있다는 점에서 이러한 결정에는 십분 동의했다.

추가로 굽이 높은 신발을 신으면 다소 위협적이고 권위적인 인상을 줄 수 있다는 것이 결정적인 이유가 되었다. 굽을 신고 발을 혹사시키지 않아도 된다는 점에서는 대단히 다행이었기에 솔직한 감상평을 내렸다.

"단화라서 확실히 부담이 적네요. 아침처럼 굽이 높았다면 적응하는 데에 시간이 좀 걸렸을 것 같아서요."

"어머, 아침에 신으신 건 높은 굽도 아닌걸요. 그간 그 정도 구두도 신지 않아 불편하시기는 했겠어요."

내 솔직한 감상에 부인이 고개를 끄덕였다. 그럼에도 불구하고 문득 죄책감이 들어 가슴을 살짝 쓸어내렸다.

이번에도 통상 굽 높은 구두를 채택하던 약혼식 관례 중 하나를 박살 내고야 만 것이다. 이렇게 전례를 박살 내고 전통을 깨부수니 마치 반역도가 된 것만 같았지만 전쟁에는 수단과 방법을 가려서는 안 된다는 가르침에 힘입어 스스로를 위안하는 중이다.

이 정도면 그 여우 같은 여자가 종전의 붉은 드레스를 입고 같은 시간대에 플로어에서 막춤을 춘다고 해도 사교계의 화젯거리도 되지 못하리라. 이쪽으로 시선이 모이면 자연스레 그쪽으로 가는 시선이 줄기 마련이니까.

아무쪼록 만전을 기해 골려 줄 계획을 다양하게 구상하느라 지난 일주일간 그런 꿈만 꿨었다.

꿈 속의 그녀는 비참하게 흐느끼고 있었으며 그 옆에서 에카이트는, 에카이트는…… 뭘 하고 있었더라? 흐릿한 꿈의 기억을 지우며 현실로 돌아왔다. 지금쯤 리디아는 분에 못 이겨 하녀의 뺨을 수십 대쯤 때려 가며 화풀이하고 있을지도 모른다. 가엽게 부어오르고 있을 사용인의 뺨에 애도를 표하고 싶을 따름이다.

화병으로 방방 날뛰고 있을 그녀를 떠올리니 웃음이 비죽 새어 나왔다. 내 웃음소리를 들은 유모와 봉뒤프베 부인이 옷 시중을 들던 중 의아한 시선을 던졌다. 아아, 일단은 자제. 우선 숨을 가다듬고 만족스러운 표정을 지으며 두 사람을 바라보았다.

"아아, 정말이지. 너무나 완벽해서 더 표현할 말이 없네요."

"아기씨도 참, 스스로 그런 말씀을 하시다니. 남들이 들으면 공녀가 오만하더라고 욕할 거예요. 그래도 제가 본 그 누구보다 찬란하시니 틀린 말은 아니네요."

"어머, 무슨 그런 섭섭한 말씀을. 오늘 영애의 모습은 그 이상의 말로 표현해도 사치가 아니랍니다! 지금도 너무 겸손한 발언인걸요. 저는 지금 영애가 움직일 적마다 마치 예술품이 움직이는 것만 같아서 경이롭답니다. 아침에도 너무나 황홀했었는데 지금과 같이 화려하게 치장을 하고 나니. 아아, 정말이지 영애는 제 경력을 통틀어 가장 만족스러운 모델이랍니다. 호호호."

내 드레스 가봉을 시작한 이래로 내내 호감을 표시하고 있는 봉뒤프베 부인은 그때보다 엄청난 칭찬을 눈 하나 깜빡하지 않고 늘어놓으며 나를 당혹스럽게 만들었다.

두 사람의 칭찬을 양껏 즐기며 화장대로 천천히 다가가 자리를 잡곤 싱긋 웃으며 주위를 환기시켰다.

"부인의 칭찬이 오늘따라 따스하네요. 제 약혼식에 이렇게 덕담에 칭찬의 말씀까지 전해 주시니, 뭐라고 감사를 해야 제 마음이 다 전해질지⋯⋯ 벅찬 일정을 잘 감내해 주시고 투정을 부리는 것까지 이해해 주신 부인께도 감사하고, 또 무엇보다 유모. 곁에서 손을 보태줘서 정말 고마워."

유모의 공 또한 잊지 않고 챙기자 유모가 결국 눈물을 글썽였다. 그런 유모와 나를 바라보는 봉뒤프베 부인의 시선은 매우 따뜻했다. 대부분의 귀족이 자신의 유모에게 다소 안하무인으로 대하는 편인 것에 비해, 그녀가 있던 내내 유모를 인간적으로 대하는 내 태도가 마음에 든 것 같았다.

원래 이맘때의 나도 고용인들에게 너그러운 편이었지만, 기사 임용이 되기 무섭게 기사라는 위치가 걸려 예법을 다해 대한 탓에 나름대로 상냥하고 의롭던 아가씨에서 딱딱하고 정 없는 얼음 같은 영애가 되었던 것이다.

나름의 변명을 하자면 이렇다.

기사는 세세히 자신의 고마움이나 증오 등을 말로 표현하는 것을 수치라고 배운다. 오직 행동만이 생각과 마음을 증빙하는 길이었다. 물론 고지식한 정론대로 따지면 그렇다. 그러나 전생의 경험으로 이제는 안다. 여자와 남자의 예법에는 차이가 있다. 기사는 남성을 위한 가장 이상적인 법도를 제시하는 것에 가까웠다. 공작 영애면서 기사의 예법을 따랐으니⋯⋯.

그래서 이번 삶에서는 원칙을 편의대로 받아들이기로 했다. 원칙이 정해진 배경에 유의해 행동 양식을 정하겠다는 것이다. 애초부터 여기사는 일반적 법도에 없는 일이니까, 그 정도 예외는 인정돼야 한다고 생각하며 화장대에 앉았다. 이미 시간이 꽤 많이 지나 있었다. 두 사람이 서두르는 모습이 눈에 선했다.

"영애, 눈을 좀 더 살살 감아 보셔요. 네, 좋아요!"

"아기씨, 머리 움직이지 마세요. 아, 다 되어 가요."

예상대로 앉기 무섭게 정신없이 꾸며지고 치장되는 중이다. 정원사에게 다양한 생화를 받아 온 유모는 머리와 생화를 정신없이 꼬아서 장식하느라 신경이 잔뜩 곤두서 있었고, 봉뒤프베 부인은 화장에 온 정신을 집중하고 있었다. 나는 기절하지 않기 위해 정신을 집중하는 중이고.

화장에 치장에 드레스까지. 삼중고도 이런 삼중고가 없다. 대체 누구 좋으라고 이 고생을 하냐며 마음속으로 질문하고 있는데, 문득 에카이트의 이름이 떠올라 인상을 찌푸렸다.

곧바로 봉뒤프베 부인의 핀잔이 날아왔다. 역시 그 자식은 도움되는 일이 없다. 핀잔을 듣고 억지로 웃는 표정을 취하면서 조금 더 버티니 두 사람의 손이 천천히 느려진다.

"전 다 된 것 같군요."

"저도…… 네, 아기씨. 마무리 끝났어요. 이제 눈 뜨셔도 돼요."

두 사람이 거의 동시에 끝을 알려 와 천천히 눈을 떴다. 조금만 더 이 간질거리고 성가신 명상의 시간을 가졌더라면 바로 칼 뽑아 들고 결판을 내러 에카이트에게 달려 나갔을지도 모른다.

눈을 뜨고 앞을 바라보는데 어떤 여자가 날 멀뚱히 바라보고 있다. 왠지 모르게 웃는 것 같은 부드러운 눈매와 주홍빛이 은은하게 감도는 입술 덕에 한층 얼굴이 화사하게 보이는, 소녀가 보였다.

"화장 기술이 이 정도로 발전했다니, 정말 놀랍군요."

늘 절제하는 표정을 짓던 내 얼굴이 부드러운 미소를 짓고 있는 소녀의 얼굴로 변하다니 민망함과 감탄을 숨길 수가 없었다.

하지만 내 민망함과 감탄은 봉뒤프베 부인과 유모의 감탄에 묻혀 버려서 감히 표현 한번 제대로 못해 봤다. 심지어 눈물을 훌쩍이는 유모를 보고 있자니 그간 즐겨 입던 기사 수련복이라든가, 드레스와 거리가 먼 의복들이 떠올라 미안한 감정이 생길 지경이었다.

긴 백금발은 뒤로 곱게 말아서 틀어 올렸는데, 만개한 꽃들이 옅은 금발 사이에 자리 잡은 모습이 마치 금빛 화원과 같았다. 앞머리는 수확을 앞둔 벼 모양으로 굵게 땋아서 마치 머리띠를 한 것처럼 꾸미고 이마를 시원하게 드러냈다.

이마는 그간 수련을 하느라 밖에서 나가 지낸 것에 비하면 백옥이라고 불러도 될 정도로 반짝이는 흰빛을 띄고 있었다. 전생의 난 살이 좀 탔었는데…….

문득 전생에 뙤약볕 아래에서 경계근무를 서던 것이 생각났다. 그때도 하얀 편이기는 했지만 누구도 따라오기 힘들 정도로 투명하게 하얀 지금과는 분명 달랐다.

이마에서 이어져 아름답게 곡선을 그리는 코까지. 미인이라 불릴 만한 조건은 다 갖췄다. 아아, 솔직히 방금은 좀 위험했다.

내가 주문했던 디자인대로 완성된 해바라기색의 화사한 드레스. 무릎 높이에서 부풀려진 치맛단이 발랄하다. 가슴골로 미끄러지는, 정오를 지나가는 햇빛조차 찬란했다.

거울을 보니 '사랑해 주세요.'라고 말하는 듯한 얼굴의 아가씨가 보인다. 꽃과 빛에 둘러싸인 내 모습은 요정이라 하여도 모두 믿을 만큼 이 세상에 속하지 않은 것 같았다.

멍하니, 계속해서 거울만 바라보았다. 내가, 이 정도였어? 감탄을 연발하는 두 사람을 외면하며 스스로의 아름다움을 넋을 잃고 바라보기만 하던 찰나 방문을 가볍게 두드리는 노크 소리가 났다.

정확한 강도로 두드리는 두 번의 노크. 아버지다. 노크 소리만으로 상대가 아버지임을 확신한 내가 유모와 봉뒤프베 부인에게 살짝 고개를 끄덕이며 가벼운 미소를 지었다. 그러자 두 사람이 뒤로 살짝 물러나 거리를 벌려 주었다. 나는 마지막으로 옷차림을 정돈하고 문밖에 계실 아버지를 불렀다.

"아버지. 들어오셔도 됩니다."

"……용케도 아는구나. 한데 준비가 왜 이리—."

준비가 늦다고 지적하며 들어오던 아버지가 거울 속의 나와 눈을 마주치기 무섭게 입을 딱 닫고 경직된 표정을 지었다. 아버지, 아무리 놀라셔도 그렇지. 그렇게 대놓고 정색하시면…… 아무리 저라도 상처받는답니다. 내가 속으로 장난스럽게 중얼거리는 와중 금세 정신을 차린 아버지가 우뚝 멈췄던 걸음을 다시 옮겨 내 곁으로 다가왔다.

아, 설마 꾸중이라도 들으려나? 생각하지 못했던 상황에 당황스러워 몸이 살짝 튀어 오르듯 움직였다.

"……기사 예복이 아니로구나. 나는 네 어머니가…… 네 어머니가, 아니. 이건 실언이니 잊어라. 황태자 전하가 주도하시는 식이다. 늦겠다. 가지."

최소 드레스 디자인이나 전례를 깬 복식을 지적할 줄 알았던 아버지는 그에 대해선 한마디도 하지 않으셨다. 그저 무뚝뚝한 어조로 팔을 뻗어 에스코트를 청하고는 얼굴을 정면으로 돌려 내 시선을 피했다.

나를 바라보진 않으셨지만 그 비껴간 시선에서 뭔가가 느껴졌다. 그것은 아마도 그리움이리라. 초상화로만 봐서 실제로 내가 어머니를 닮았는지는 확신할 수 없다. 사람 특유의 분위기까지는 그림에 담지 못하니 말이다.

진실 여부를 떠나 내 모습이 아버지의 마음을 자극했나 보다. 두 분의 사랑 이야기는 세계적으로 유명할 정도였다 하니 이해가 안 되는 것도 아니다. 내가 천천히 레이디의 예법을 되살려 에스코트에 응하자 아버지가 낮은 한숨을 쉬고 나를 밖으로 인도했다.

"용케 저인 줄 바로 아십니다."

에스코트를 받아 방을 벗어나며 말했다. 화장 덕분에 나도 내가 누군가 잠깐 헷갈릴 지경이었는데. 설마, 식장에 갔는데 아무도 못 알아보는 거 아냐? 그런 황당한 상황을 상상하며 피식 웃는데, 옆에서 아버지가 내 말과는 전혀 상관없는 말을 내뱉으신다. 왠지 딴생각하는 것 같더라니 역시나.

"내 딸을 그 망할 놈의 뱀 구덩이에 보내야 하다니."

"네?"

"아무것도 아니다."

천천히 건물 밖으로 빠져나와 마차에 오르기 직전, 낮게 중얼거린 아버지의 의미심장한 분노의 말. 아버지는 내 질문에 아무 말도 하지 않은 양 화제를 돌리고 마차에 올랐다.

저기, 아버지…… 다 들었거든요. 특히나 씹어뱉는 어조가 참 인상 깊었어요. 하지만 그래도 거기다 대고 '네, 완전 국가 공인 철저히 검증받은 뱀 새끼 같은 놈을 당장 잡아 뱀탕을 끓여 드리겠다.'고 할 수는 없다.

마차는 침묵 속에서 한참을 달려 나가 폰디체리 가문의 부지를 벗어나 신전으로 향하기 시작했다. 우리 가문의 문양이 찍힌 마차가 거리를 통과하자 사방에서 환호 소리가 들리며 폰디체리 공작 가문

만세를 외치는 소리가 울려 퍼졌다.

약속 시간보다 일찍 움직여 신전에서 시간을 보내며 식을 기다리는 것이 격식에 맞았지만 아버지는 전혀 서두를 의사가 없어 보였다. 평소 빠르고 절도 있는 걸음이 느리고 절도 없는 걸음으로 변모하는 모습을 보고 있자니 더욱이 그랬다.

"……아버지. 탐탁지 않으십니까?"

맞은편에 앉아 창가에 시선을 고정한 채, 시종일관 무표정을 고수하는 아버지를 조용히 불러 물었다. 이맘때의 나는 질문이 잦은 사람이 아니었기에 아버지는 다소 의외라는 표정으로 나를 바라보다가 다시 창가에 시선을 고정했다. 그렇게 한 박자를 쉬더니 퉁명스러운 답이 돌아왔다.

"……오래간만에 마차를 타서 그런다."

아버지. 그런 핑계밖에 없으셨나요. 아버지는 핑계에 가까운 답을 내뱉고는 다시 시선을 창가에 고정시키고 입을 꾹 다물었다. 황태자가 주도한 혼례니 감히 반대하고 불복할 수는 없었을 거다. 아버지의 충성심은 대단하니까. 그런데다 답답하게도 하나 있는 딸이 들뜬 듯 얼굴을 붉히는 모습을 보니 딸을 귀애하며 십여 년 키운 아버지로서 그 마음을 모를 수가 있으셨을까.

그 답답한 심정을 지금에서야 완전히 느낀 나는 아버지를 조용히 응시했다. 나는 이 약혼의 끝이 무엇인지를 보았다. 변화를 시작했다고 믿으면서도 같은 결과가 나오게 될지도 모른다는 것이 두렵다.

아, 이게 두렵다는 감정이구나. 그간 나를 불편하게 하고 심지어 기껏 주문한 드레스마저 피하게 만든 감정의 이름이 두려움이라니. 자존심과 기사로서의 긍지에 살짝 금이 간다.

흠. 자, 허리 펴고! 숨을 가라앉혔다. 흐트러졌던 호흡이 깊게 가라앉는다. 만약 금이 가면, 더 단단한 것으로 막으면 된다. 나는 살벌하게 웃었다.

"……꼭 사냥 가는 사람 같구나. 재작년 사냥 때 곰을 잡겠다고 기세등등하던 때가 기억나는구나."

"그런 때도 있었지요. 제 마음이 그때와 같은가 봅니다."

내 웃음을 힐끗 보시고는 사냥 가냐고 묻는 아버지를 향해 그렇다고 답하자 아버지가 시선을 돌려 나를 제대로 바라보았다. 말이 곰이지 마물에 가까운 그리즐리를 사냥하겠다고 들떴던 어린 시절의 기억이 순간 떠올랐다 사라진다.

지금의 시간으로는 불과 몇 년 전의 일일지라도 스물세 살까지 살았었던 나에겐 빛바랜 어린 시절의 추억이었다. 듣고 보니 그 말이 맞다. 이건 사냥이었다. 사냥감을 먼저 쟁취하는 것이 주목적인.

"사자라는 맹수는 작은 동물을 사냥할 때도 최선을 다한다 합니다. 그래서 사냥에 실패가 없다고 하더군요. 저도 최선을 다하겠습니다."

"……음. 아펠리아. 확실히 맞는 말이긴 한데, 말하는 작은 동물이 설마 내가 생각하는 '작은 동물'은 아니겠지. 내 기억으론 확실히 작은 동물 축에 드는 크기는 아니었는데."

그 작은 동물이 에카이트 맞습니다, 아버지. 실제 크기가 뭐 중요한가요. 우리가 만약 동물로 변한다면 녀석은 작고 비열한 여우 정도일 것이며 나는 비죽 웃고 있는 호랑이일 텐데.

미묘한 표정으로 나를 바라보는 아버지를 향해 다시 미소를 지으며 전의를 다졌다. 속도를 줄이던 마차가 마침내 멈췄다. 벌써 신전에 닿은 것이다. 아버지가 먼저 문을 열고 내려서 나를 향해 손을 뻗었다.

그 손을 잡으며 생각했다.

리디아 펠튼. 내가 저번 생에는 너무 안일했었지. 너는 지금 자신을 사냥을 시작하는 맹수로 알고 있겠지만, 지금의 나에게 있어서 너는 그저 안일하고 한심한, 남의 것에 침 흘리는 추접한 짐승에 불과하단다.

그리고 에카이트, 네놈은 대체 어쩌다 엉뚱한 짐승한테 사냥당한 거니. 그 이유는 조금 이따 차차 대화로 알아보자고.

아, 표정 관리. 내가 흠칫해서 아버지 쪽으로 시선을 돌리자 아버지는 뭔가 달관한 표정을 짓고 있었다. 신전 뒤편 대기실로 나를 에스코트하는 내내 그 표정인지라 마음이 영 불편했다. 대체 이 잠깐 사이에 뭐에 대해서 해탈한 거지?

우리의 도착을 알리는 시종들에 의해 부산하게 식이 시작됨을 알리는 음악 소리가 들리기 시작한다. 식장 앞을 가린 베일 너머 황태자 전하의 음성이 어울리지 않게 근엄하시다. 아아, 실례. 그 위용에 어울리게 매우 근엄하다고 정정하겠다.

아차, 전하의 검으로서 해선 안 될 생각이다. 내가 마음속으로 정정을 마치기 무섭게 아버지가 한쪽 팔을 내게 내미셨고, 나는 그 위에 손을 올렸다.

손을 얹으며 내가 살짝 웃자 아버지가 고개를 끄덕이신다. 응? 왜? 뭔가 묘한 반응에 아버지를 불러 봤다.

"아…… 버지?"

"아까 그 사자. 분명 좋은 마음가짐이었다. 나도 참고하도록 하마."

아버지, 설마. 가볍게 넘기기엔 표정이 너무…… 의미심장함을 넘어 비장하십니다. 그러고 보니 내가 무도회에 그 호박파이 빼라고 했었던가.

"폰디체리 공작가의 레오퍼트 로하스 칼 드 폰디체리 공작 전하와 아펠리아 에스프리 레지아 드 폰디체리 경께서 입장하십니다!"

아버지가 던질 호박파이에 대해 심도 있는 우려를 표명하기 전, 입장을 알리는 말에 천천히 발을 옮겼다. 주홍빛 에나멜 단화가 천천히 나를 앞으로 이끌어 준다. 대기실과 약혼식장을 나누는 베일이 천천히 옆으로 벌어지며 참석한 사람들의 모습이 보였다.

예상은 했지만, 베일 밖으로 나타난 나를 본 참석자들 사이에 영원과 같은 적막이 흐르며 얼굴 위로 바보 같은 표정들이 떠올랐다.

아버지의 에스코트를 따라 천천히 움직이기 시작하자 참석자들이 비명에 가까운 찬탄을 쏟아 내다 시끄럽게 웅성거렸다. 심지어 황태자 전하마저 그거 참 대단하다고 큰 목소리로 외쳐 주신 덕분에 주변은 더욱 시끄러워졌다.

대체 내가 어쩌다 저분께 충성을 맹세했던 거지. 혹시 내가 목숨으로도 다 갚지 못할 채무가 있었는지 기억을 되짚어 보았다. 드레스의 색과 길이, 디자인에 대한 소란이 계속됐다.

등에 식은땀이 흐르고 손이 차갑게 식자 옆에서 곁을 지키며 에스코트해 주던 아버지가 반대편 손을 들어 내 손을 가볍게 쓸어 주셨다. 장갑 너머로 따뜻함이 전해져 한결 마음이 가라앉았다. 덕분에 긴장으로 올라가던 어깨가 다시 편안하게 내려왔다.

점점 커지던 소란이 비난에 가까운 말들로 변하는 것을 느낀 나는 아버지의 팔을 잠시 당겨 걸음을 멈췄다.

여기서 흐름을 바꾸지 못하면, 이 분위기에 잠식당하고 말 것이다. 식은 길다. 긴 주례사와 기도, 그리고 맹세를 지나는 내내 부정적 여론이 형성되면 상황이 어려워진다.

그렇게 판단한 내가 입장을 멈추자 식장도 천천히 조용해졌다. 천천히 주변을 둘러보며 차례로 눈을 맞추니 이제는 사소한 숨소리마저 벅차게 들릴 만큼 조용해지는 것이다. 자, 아펠리아. 웃어.

"어머, 어머. 세상에 저런 얼굴도 있었군요."

"……확실히 미인이기는 했소."

"크흠. 에카이트 공은 운이 좋군. 거참."

사방에서 터져 나오는 감탄사를 천천히 음미하면서 다시 천천히 주변을 둘러봤다. 시선이 마주치는 사람들마다 덩달아 미소로 답하는 상황을 즐기는 스스로에 다소 놀라긴 했지만, 뭐, 즐길 만한 반응이었다. 즉각적인 반응에 자신감이 고양되는 기분이었다.

아침에 리디아 그 계집도 처음으로나 제대로 반박하여 박살을 냈지. 생각이 거기에 닿자 기분이 좋아져 미소가 더욱 깊어졌다. 주변이 다시 소란스러워졌지만 아까와는 달리 호의적인 소란이었다. 흐름이, 바뀐 것이다.

"많은 축하의 말씀이 들립니다. 많은 축하, 반드시 기억해 보답하겠습니다. 참석해 주셔서 굉장히 감사합니다."

주변을 향해 웃는 얼굴로 인사말을 읊자 환호와 박수가 쏟아졌다. 일반적으론 입장할 때 정숙하고 조용한 분위기로 주례자 앞까지 이동하여 식을 진행하는 것이 맞지만, 이례적인 상황들의 연속인지라 한번 정도는 정리를 하는 게 좋겠단 순간의 판단으로 인사말을 내뱉었다. 혹시 반응이 나쁘지 않을까 걱정했는데 걱정이 무색하게 반응이 뜨거웠다.

왠지 낯간지러운 행태라 잠시 고개를 숙이는데 앞으로 뭔가 다가오는 기척이 들었다. 뭐지? 살짝 그림자가 드리워진 앞을 향해 고개를 들자, 그곳엔 5년 전의 에카이트가 있었다.

단정한 스타일에, 어두운 검은색에 가까운 진녹색 머리카락과 짙은 금색이 섞인 호박색 눈동자는 시간을 초월한 아름다움을 지니고 있었다. 모든 것이 지성과 절도로 반짝이고 있다.

너 잘났다. 그래, 누구는 누구랑 다르게 검만 반짝였었겠지.

순간 과거의 모습을 떠올리며 살짝 이를 갈았다. 다행히 들은 사람은 없었는지 관련된 별다른 말은 없었다.

잠시 과거 회상에 빠져 넋을 놓고 녀석을 보던 나는 이내 정신을 차리고 뭐냐는 시선을 보냈다. 지금 녀석이 벌인 짓은 내가 입은 드레스만큼은 아니어도 전례에 없는 기괴한 행동이었기 때문이다.

본래는 주례가 있는 단상까지 아버지의 에스코트를 받고, 거기서 약혼자와 만나는 것이 정례였다. 시선에 담긴 의미를 읽었는지, 그가 아버지께 먼저 가벼운 인사를 올리고 입을 열었다.

"여기서부터는 제가 데려가겠습니다."

"싫네만."

에카이트 녀석의 정중한 제안에 씨알도 안 먹히는 표정을 지은 아버지가 딱 잘라 거절했다. 아무리 미운 놈이라지만 뻗은 손이 민망해하는 모습에 조금 미안한 마음이 들었다.

대중 앞에서 망신을 당했던 과거의 쓰라린 기억에 미묘한 동질감을 느끼며 녀석의 손을 바라보는데 잉크 자국이 아직도 남아 있었다. 보나 마나 서류에 불붙게 사인을 하다 뛰쳐나왔겠지. 아무리 바빠도 좀 씻고 다녀라, 자식아.

한심함에 고개를 들어 녀석을 보니 확실히 눈가라든가 미간에 피곤한 기색이 남아 있었다. 얼씨구, 그대로 자글자글 주름이나 잡혀버려라. 내가 속으로 악담을 퍼부으며 고개를 살짝 뒤로 돌려 참석한 사람들의 분위기를 살피려던 그 순간. 한 여자와 눈이 마주쳤다. 리디아 펠튼. 저 계집이 어떻게 여기까지 들어온 거지?

경악에 가까운 감정을 진정시키느라 손끝이 미약하게 떨렸다. 리디아 펠튼이라니. 절대로 이 장소에 있을 수 있는 인물이 아니다. 친분이 있어 직접 초대한 것도 아니고, 그렇다고 자연히 초대받을 위치에 있지도 않다. 어째서 저렇게 태연한 표정으로 이 장면을 지켜보고 있는 거야?

역시 술책이 보통이 아닌 여자인 것 같다. 오전 연회에서 그만큼 안 좋은 꼴을 당하고도 금세 이 자리에 낄 만큼 회복력이 뛰어나며 동시에 이 자리에 아무렇지도 않게 끼어들 수 있는 수단을 가진 여자. 분명 뒷배가 되어 주는 묵직한 놈이 있을 것이다.

누구일까. 짧은 순간, 그녀의 주변을 다시 날카롭게 훑어 내리며 의심 가는 인물을 탐색했다. 하지만 쉽게 들킬 만큼 허술한 여자는 아니라 한 번에 찾을 순 없었다. 나는 그저 뒷배를 봐주는 귀족이 있다는 점을 알았다는 사실에 만족해야 했다.

그 여자에 관한 생각을 대략적으로나마 정리하기 무섭게 오전부터 그토록 고심했던, 약혼자를 사랑해 마지않는 어린 아가씨를 연기해야 한다는 사실이 떠올랐다. 그것도 하필 바로 이곳에서, 바로 지금. 그런 의미로 아버지, 죄송합니다.

아무리 그렇다고 이번에도 호박파이를 던지시면 곤란합니다.

애써 소름으로 닭살이 오르기 시작하는 팔을 익살스러운 상상으로 누르며 아버지의 팔에서 손을 뗐다. 여전히 에카이트와 대치 중인 아버지와 그의 시선이 집중됐다.

말. 말을 해야 한다. 욕이 아니라 쑥스러운 한마디. 그래, 욕이 아니라 쑥스러운 한마디다. 스스로에게 주문을 외우며 입을 열었다. 아, 거참 힘드네.

"그저 말로만 데려가겠다 하시는 건가요?"

내가 저런 낯간지러운 말을 하다니! 온몸의 털이 거꾸로 서는 기분을 애써 무시하며 그를 향해 부끄러운 미소를 지으니, 주변에서 훈훈한 웃음소리들이 터져 나왔다. 어리다면 어린 공녀의 아양이 그만한 자녀가 있는 중견 귀족들의 눈에 퍽 귀엽게 보인 탓이었다.

나는 그가 다시 에스코트를 위해 팔을 내밀길 기다리며 그의 눈을 멀뚱히 바라보았다. 이렇게 녀석의 눈을 자세히 본 적은 없었는데, 확실히 아름다운 눈이었다. 한번쯤 찔러 보고 싶게 생겼다니깐. 가장자리에 핏줄이 선 지쳐 보이는 상태 덕분에 차마 불쌍해서 찌르지 못하겠지만.

잠 좀 자 가면서 일하라고, 좀. 보는 사람 입장에서 시각 공해라고. 내가 그를 빤히 올려다보는데 그의 눈 속에서 미묘한 웃음기가 느껴졌다. 얼씨구, 웃기냐?

"설마. 그럼, 실례하지. 폰디체리 공작 전하, 여기서부턴 제가 데려가겠습니다."

에카이트가 낮고 명확한 목소리로 일방적으로 통보하고는 예상과는 달리 내 손을 낚아채어 앞으로 걸어 나갔다.

저기요? 이보셔요? 내가 네 팔에 손을 올려서 가는 거지 네가 내 손을 잡아서 질질 끌고 가는 게 아니거든요?

황당함과 어이없음의 경계에서 녀석에게 끌려 황태자가 있는 단상 앞으로 나아가는데 주변은 재미있다는 웃음소리와 훈훈하다는 반응뿐이었다. 이게 아닌데 싶다가 바로 이거야 싶다가…… 마음속은 오락가락 난리도 아니다.

"약혼자가 마음에 들긴 하나 보지, 에카이트?"

황태자는 순식간에 자신의 앞으로 돌격(?)한 나와 에카이트를 바라보며 재미있다는 표정으로 이죽거렸다. 아, 창피해. 전생의 삶을 통틀어 이만큼 창피한 기억은 없다. 너무 많이 창피하면 죽는 병이 있었으면 좋겠다.

에카이트, 너 이 자식. 반드시 복수한다. 잠시 후 무도회에서 보자, 저 망할 놈.

속으로 전의를 다지는데 에카이트는 공적인 자리인 만큼 평온한 표정을 고수하며 동의를 표한다. 가증스럽기도 하지. 흥이다.

"전하가 친히 주선하신 약혼에, 약혼자마저 이리 사랑스러우니. 여기서 이리 서서 오기를 기다리자니 다른 사람이 중간에 낚아챌까 걱정이 들어서 말입니다. 제가 늦게 잡았다가 요정계로 돌아갔더라는 설화로 끝나면 어찌합니까. 전례를 깨 결례를 범해 송구합니다."

그의 매끄러운 언변에 가소롭다는 표정으로 에카이트를 내려다보던 황태자가 갑자기 허리를 굽혀 머리를 낮추더니 그의 귀에 입을 가깝게 대고는 빈정거리는 말을 했다. 나는 바로 옆에 있었던 덕에 그 내용을 모두 듣고 말았다.

"에카이트. 업무가 남았나 보지? 엄청?"

"……전하가 중간에 외출해 주신 덕분에 무척."

그러니까 지금, 중간에서 내 손을 잡고 끈 것이 식을 빨리 끝내자고 한 짓이라 이거냐. 미묘하게 느껴지던 호감이 확 반감으로 돌아서면서 한 대 치고 싶은 마음이 간절해졌다.

표정 관리를 위해 못 들은 척 화사한 웃음을 지으니, 이내 자세를 원상태로 돌린 황태자가 식의 시작을 알렸다.

그와 동시에 나는 그의 손을 조용히 내팽개쳤다. 옆에서는 낮은 웃음소리가 짧게 울렸다. 뭐야, 미쳤나?

"칼라한 제국의 베이야드 공작 가문과 폰디체리 공작 가문의 두 자녀가 이토록 훌륭히 성장하였다. 해서 이 자리에서 이 둘의 혼례가 성립됨을 선포하려 한다. 이 약혼은 나, 키마 프라우테 레지스 칼라한, 이 칼라한 제국의 유일한 황태자인 내가 보증하며 이에 대해

이의를 제기할 경우엔 내가 직접 개입하게 됨을 공언한다. 식을 시작하기 전, 이 약혼에 이의가 있는 자나 물의가 될 만한 것을 아는 자는 지금 고하라. 만약 여기서 고하지 않는다면 그에 관한 사실은 모두 가슴에 심고 무덤까지 가져갈 것을 명한다."

황태자 전하의 선언에 다들 침묵을 유지했다. 하지만 나는 강렬한 불안감에 온 신경을 곤두세웠다. 리디아 실버 펠튼. 그녀가 와 있다. 과연 침묵을 지킬 것인가.

하지만 사실 이런 경우 침묵을 지키는 것 이외에는 할 수 있는 선택이 없었다. 두 공작 가문과 보증을 서는 황태자. 완벽한 권력의 피라미드 최상위 포식자가 아닌가.

고래 싸움에 새우 등 터진다고 했다. 황태자와 두 공작 가문 앞에서 다들 새우가 되고 싶진 않을 것이다. 그렇게 생각하니 어깨에 들어갔던 힘이 풀린다.

하지만 저 여자가 아침의 굴욕을 딛고, 어떠한 수를 썼는지는 모르나 감히 얼씬도 하지 못해야 할 이곳에 나타났다. 간사한 혓바닥이 무슨 간교한 술수를 부릴지 모른다. 확실히 해 두는 것이 좋다. 황태자가 다시 식을 진행하는 것을 흘려들으며 계속 생각했다.

일단 나와 에카이트의 관계가 우호적이고 서로 호감을 가지고 있다는 것을 보여야 한다. 분란은 여지가 있을 때 일어난다. 일단 긍정적 관계라는 것을 보이기 위해 다정하게 모습으로 화기애애한 대화를 나누는 것이 지금으로선 최고였다.

결단을 내린 나는 행동을 개시했다. 살짝 발을 들고 그에게 고개를 기울여 귓속말을 했다. 물론 내용까지 다정하고 긍정적일 필요는 없었다.

"저의가 뭡니까."

"무슨 뜬금없는 소리지."

"지금 미쳤습니까? 남의 손은 왜 잡아끈답니까?"

말투는 신경적이지만 표정은 화사하게 유지하자, 그가 가소롭다는 어투로 말을 받아넘긴다. 영애의 말투와 기사의 말투가 섞인 희한한 어법에도 당황함이 없다. 아, 맞다. 저 녀석 고단수였지. 그것도 외교부에서 묵은.

"복화술인가. 표정이랑 말이 따로 놀잖나."

"남이 뭘 하든."

"미안하지만 그 말은 정정해야겠군. 잠시 후에 '네.'라는 대답만 하면 남이 아니거든."

에카이트는 내 말에 한마디도 지지 않고 즐거운 기색을 보이며 낮게 귓속말을 이어갔다. 내 질문에 대한 답변을 묘하게 피해 가면서 말을 진행시킨다. 뭐, 무슨 저의냐고 물었을 때 답하기 어려운 쪽은 내 쪽일지도 모른다.

무엇보다 중요한 점은 이 녀석. '처음'엔 나에게 우호적이었나? 전생의 에카이트는 내가 약혼식장에 걸어 들어오는 모습을 무감각하게 응시했고 조용히 식을 마무리했다. 녀석이 약혼식 중 입을 열었던 적은 약혼 서약에 대한 동의를 위한 '네.'라고 말하기 위해서였다.

단순히 내가 말을 걸지 않아서? 아닐 것이다. 이러한 식에서 말을 거는 것은 일반적으론 기대할 수 없는 이상 행동이다.

변화는 대체 어디에서 시작된 걸까. 아니, 그 이전에. 전생에 녀석이 나에게 '처음'부터 무감했던 이유는 뭐지. 기억과 현실 간의 괴리가 너무도 컸다. 머릿속이 혼란스러워 잠시 입을 닫자 이번엔 에카이트가 먼저 말을 건다. 도둑질도 손발이 맞아야 한다더니, 타이밍 참 못 맞춘다. 난 혼자 생각도 못하냐.

"설마, '아니요.'라고 답할 건 아니겠지."

"……그건 내 마음이죠."

"그거 참 마음에 드는 대사로군! 아펠리아 공녀. 그대의 마음이라니."

에카이트의 도발에 나도 모르게 그만 황태자가 들을 정도로 큰 목소리로 대답을 뱉었다. 결국 주례사를 읊던 황태자가 말을 멈추고 끼어드는 사태가 벌어지고야 말았다.

아까부터 둘이 서로 속삭이는 내용에 반짝반짝 눈을 빛내며 지대한 관심을 보이던 분이니 그럴 법했다.

하필이면 내가 말한 차례에 걸리다니. 녀석이 먼저 걸렸더라면 신나게 비웃어 줬을 텐데, 마음속으로나마. 뭐라고 변명하면 좋지. 내가 속으로 맹렬하게 머리를 굴리는데 뒤쪽, 하객들이 앉은 자리에서 나지막하게 흐느끼는 소리가 들린 것 같았다. 그리고 회장을 빠져나가는 약한 발소리가 이어진다.

기사로서 수련을 게을리하지 않은 덕에 그러한 작은 소음까지도 잡아낼 수 있었다. 리디아 펠튼. 이번엔 무슨 술수지. 본능적으로 그 소리의 주인을 감지한 내가 잠시 표정을 굳혔지만 아직 황태자가 면전에 계신다. 고개를 돌릴 수는 없다. 내가 고개를 돌려 그녀임을 확인하는 순간, 사람들 또한 그 장면을 확인하게 될 것이다.

그런 이유로 리디아가 흐느끼다 나간 것을 사람들이 알아채기 전에 시선을 사로잡으려 입을 열었다.

표정은 여전히 부끄러우나 단호한 소녀의 얼굴을 유지해 냈다. 일주일간 거울로 표정을 단련한 성과는 정말이지 탁월했다.

"제 마음을 이미 결정했는데……. 안타까워 저도 모르게 중얼거렸습니다. 식이 길어지는 와중 누군가 이의를 제기하고 이 사람을 훔쳐 가 버리면 어떡한답니까. 그러나 무엇이 되었든 전하께서 친히 식을 진행하고 계신데 혼잣말이라니, 이는 큰 불충인지라 면목이 없습니다."

"……들은 것보다 영특하군."

옆에서 작게 속삭이는 에카이트의 발을 남들 몰래 밟고 싶었으나 드레스가 짧다. 젠장. 긴 드레스 입을걸. 거기에 높은 힐을 신었다면 녀석의 발등에 구멍을 내는 것은 일도 아니었을 거다.

내가 속으로 이를 갈면서도 화사하게 웃는 모습에 황태자가 화통하게 웃었다. 거참, 아무리 주군이시라지만 너무 격식을 따지지 않으신단 말이야.

"호오, 거참 대범하군. 거기에 여자, 천생 여자야. 이거 내가 중매를 아주 제대로 선 것 같군. 벌써부터 두 사람의 결혼식이 기대돼, 기대된다고. 흐음. 그렇다면 서로 약혼을 받아들이겠냐는 질문도 무의미한 것 같고."

아니, 전하. 그 질문은 하셔야 할 것 같은데요. 급작스러운 전개에 당황해 눈을 굴리다가 이내 지금 상황이 어떤지 떠올리고는 조용히 입을 닫았다.

리디아 펠튼이 울음소리를 내고 급하게 회장을 빠져나간 상황이다. 그 계집이 뒤쪽에 앉아 있었던 덕분에 알아챈 사람은 드물지만, 분명 그걸 알아챈 사람들도 있다. 그에 대해 말을 늘어놓을 시간을 줘서는 안 된다. 최대한 빨리 화제를 전환시켜 이 자리를 파해야 했다.

귀족들이 작정하고 입을 맞추면 탄탄한 배경과 신빙성을 지닌 치명적인 소문이 탄생하는 것은 일도 아니었다.

나와 에카이트가 아무런 반발도 없자 그럴 줄 알았다는 얼굴을 한 전하가 엄중한 표정을 지으며 입을 열었다. 어쩌면 황태자 역시 리디아를 봤을지도 모른다. 만약 그렇다면 지금 이렇게 전개되는 상황도 이해가 된다.

황태자는 그 심중을 알기 어려운 분이지만 상황 판단은 확실히 빠른 분이셨다. 만족스러운 표정으로 나와 녀석을 번갈아 바라보던 황태자가 이윽고 마지막 구절을 위해 입을 여신다. 아…… 내 약혼은 번갯불에 콩 구워 먹듯이 끝나 가는구나.

"지금 이 시간부터 아펠리아 에스프리 레지아 드 폰디체리와 에카이트 뮈제 레자무흐 드 베이야드의 약혼이 성립되었음을 선포한다! 칼라한 제국의 영광이 두 사람에게 있기를!"

"칼라한 제국, 만세!"

황태자의 선포가 끝남과 동시에 하객들이 제국의 영광을 외쳤다. 이로써 이번 생에서도 그와 완전히 약혼하고야 말았다.

03. 화중지란

03. 화중지란

기사가 검을 놓고 전쟁터에 나가면 과연 이길 수 있을까? 동네 꼬마들끼리 싸우듯 머리채 잡고 흔들고 눈을 찔러 가면서 이길 수 있는 싸움이라면 그렇다. 하지만 진짜 전쟁에서는 검을 들고 나가도 그 승률이 절반 정도밖에 되지 않는다.

조용히 한숨을 쉬었다. 같은 원리로 약혼 무도회를 앞둔 내 승률은 현재 반 미만이다. 준비했던 생화야 당연히 시들어서 더 이상 사용할 수 없는 지경이었고, 덕분에 생화와 엮여 있던 머리카락을 풀어 내리자 말 그대로 산발이었다. 뒷일은 생각하지 말고 단단히 묶어 고정하라는 내 말을 너무도 충실히 이행한 유모의 솜씨 덕분이었다.

언제 꽃으로 장식을 해 봤어야 알지. 예상치 못한 꽃의 진액 때문에 머리카락이 서로 엉겨 붙어 가관이다. 퇴폐적이고 위험한 매력이 흐르는 모습이기는 했지만 이러고 공식 석상에 나갈 수야 없는 법이다.

약혼 예식이 끝나기 무섭게 에카이트는 집무실로 마차를 몰았고,

나는 다시 아버지의 에스코트를 받아 집으로 돌아왔다.

벌써 해가 질 무렵. 이 진액을 다 없애기엔 시간이 부족했다. 리디아 펠튼. 그 재수 없는 여자의 수작 뒤엔 무엇인가 있음이 분명하다.

그 여자는 그 붉은 드레스를, 반드시 입을 것이다. 전생의 약혼 무도회. 그때가 전생에서 그녀를 처음 발견했을 때였다. 그때 붉은 드레스로 갈아입고 에카이트와 동행했었지.

이번에는 절대 그 꼴 못 본다. 아니, 입장만 해 봐라. 꽃 피게 만들어 주마. 땅에 파묻혔더니 이듬해 무슨 꽃이 폈다는 신화가 있다지. 아, 이게 아니었던가?

하긴 산 채로 그러는 것은 오히려 생매장에 가깝다. 내가 가정에 가정을 거듭하던 와중에도 봉뒤프베 부인과 유모는 내 머리 때문에 정신이 없었다.

"음, 올림머리는 어떨까요?"

"너무 엉켜서 될까 모르겠네요. 어쩜 좋아요, 아기씨. 제가 너무 억척스럽게 머리를 땋아서……."

내 머리카락들을 뒤집어 가면서 수를 강구하는 두 사람을 향해 어색한 미소를 지었다. 그러자 안 그래도 죄책감에 어쩔 줄을 모르던 유모의 눈에 그렁그렁 눈물이 차올랐다.

하긴. 딱히 수도 없으면서 이런 웃음이 나오다니. 무도회까진 2시간 정도가 남았다. 아무리 주인공이라 늦게 입장한다 하여도 3시간을 넘어서까지 뻗댈 수는 없다. 게다가 에카이트와 무도회장 입구에서 만나 에스코트를 받기로 한 상황이라 늦을 수도 없었다.

마음 같아선 눈보라 몰아치는 한겨울에, 밑바닥에서 새싹이 돋을 때까지 기다리게 하고 싶었다.

차라리 일찍 나가서 '이 멍청아, 기어서 오냐!'고 면박을 주고 싶었다. 에카이트 생각에 신경질적으로 머리를 쓸어 올리다 진액에 엉킨 부분에 손가락이 걸려 저절로 신음 소리를 흘렸다.

"……으, 두피는 제가 아직 단련을 못한 것 같네요."

"영애도 참. 이 상황에 농담도. 사람이 어떻게 두피까지 단련하겠어요. 그나저나…… 꽃 향유로 살살 풀어서 물로 헹구고 하면 올림머리는 할 수 있을 것 같은데. 어떻게 생각하세요, 영애?"

내 말에 긴장을 조금이나마 내려놓은 봉뒤프베 부인이 할 수 있는 최선의 방법을 제안하자 내가 고개를 끄덕였다. 하긴 별다른 방법도 없지 않은가. 그리고 뭐, 사람들이 내 얼굴 보기도 바쁠 텐데 머리까지 보겠나. 아니, 일단 이 미친 자신감은 좀 자제해야 할 텐데…… 툭툭 튀어나오는 스스로의 외모에 대한 찬양이 걱정스러운 것이, 이대로 잘못하면 병세로 발전할 것 같기도 하다.

"명안이네요. 그럼 다시 부인의 손을 빌려야겠군요. 부탁드려요?"

'똑똑똑-!'

내가 부탁의 말을 건네기 무섭게 대답 대신 두드려진 문을 황당하게 보다가 봉뒤프베 부인과 유모를 바라보았다. 혹시 누구 올 사람이 있었던가? 내 그러한 시선을 받은 두 사람 다 의아한 표정으로 고개를 저었다. 대체 누구야, 바빠 죽겠는데.

"누굽니까, 밖에?"

"에카이트 님께서 보내셨습니다."

누가 뭘 보내? 내가 황당하다는 시선으로 문을 노려보는데, 반색을 한 유모가 달리다시피 문으로 다가가 육중한 문을 활짝 열었다. 유모, 힘 좋네. 문이 열리자 잔뜩 피곤한 표정의 남자가 작은 비단 주머니를 들고 서 있는 모습이 보였다.

입고 있는 의상으로 보아 외교부 소속이다. 생김새가 낯이 익은 것이, 에카이트의 부관이었던가? 내가 그를 바라보자 그가 어두침침한 눈가를 가볍게 비비더니 유모에게 그 작은 비단 주머니를 넘겼다. 뭐지?

"안녕하십니까, 폰디체리 공녀 저하. 이렇게 예고 없이 찾아뵙는 실례를 범해 송구스럽습니다. 저는 멜빈 코브델 자작으로, 에카이트 님의 직속 부관입니다. 에카이트 님은 아직 급히 처리해야 할 서류가 남아 처리 중에 있으신지라 제가 대신 물건을 전하러 오게 되었습니다. 부디 양해해 주시면 감사하겠습니다."

말 한번 매끄럽게 잘한다. 외교부 소속이면 다 혓바닥에 기름칠을 하나? 순간 드는 의문을 애써 잠재우고 기대된다는 표정으로 환하게 웃으며 그의 인사를 받았다. 하지만 그 와중에도 저것이 과연 저상 폭발 유형의 폭탄일 것인가 고공 폭발 유형의 폭탄일 것인가에 대해 머릿속이 빠르게 회전했다.

저상이면 파묻어 버리고, 고공이어도 파묻어 버려야지. 그래도 하인이나 사용인을 부리지 않고 부관에게 전달을 맡긴 것에 1점 추가 점수를 주겠다. 그 나름대로 존중을 보인 게 아닐까? 그래서 바쁜 와중 고생했을 자작에게는 친절하기로 결심했다.

"아아, 멜빈 코브델 자작이시군요. 제 약혼자가 바쁘시다면 분명 그 부관이신 자작께서도 무척 바쁘실 터. 그런 와중에도 짬을 내어 제 약혼자의 부탁을 이렇게 들어주시니 제가 다 감사합니다."

내 매끄러운 답례 인사에 피곤한 눈으로도 의외라는 표정을 지어내던 남자가 다시 허리를 숙여 인사했다.

살짝 아쉬운 미소를 지어 보이자 그 표정은 당연히 현재 대화와 맞물려, 에카이트가 직접 오지 못한 것을 아쉬워하는 어린 소녀의 모습이 되었다. 가증스럽다, 진짜. 어휴. 쉬운 게 없다.

"약혼자께서 직접 오지 못하시고 에스코트를 시작하는 장소도 회장 앞이 되어 여러모로 섭섭하시겠습니다."

그래, 그 질문. 간지러운 곳을 긁어 주듯 물어봐 줬으면 하는 것들을 물어봐 주니 고마울 지경이다. 그런고로 여기도 추가 점수다. 한 마리 매처럼 질문을 잽싸게 낚아채고는 들켰다는 표정을 자아냈다.

이번 생에는 내가 그를 충실히 사랑하고 있다는 것을 드러내기로 작정한 상태였다. 뭐, 둘만 있을 때야 뭘 하던 상관없을 테니 그런 연기도 제법 참을 만할 것이다.

"아니라면 거짓이겠죠? 그래도 일이 바쁘다는 것은, 그만큼 능력이 뛰어나다는 뜻이니 나름대로 기쁩니다. 저 또한 귀족이자 기사, 일이 바쁠 수 있음을 왜 모를까요. 하지만 사람 마음이 간사하게도 한편으로는 서운하고 또 그러네요."

그렇게 답하면서 쓸쓸한 표정을 자아내자 멜빈 자작이 말을 해야 하나 말아야 하나 고민하는 표정으로 나를 바라본다. 뭐지. 그 미묘함을 잡아낸 나는 쓸쓸한 표정을 지으며 질문을 이었다.

"뭔가…… 제게 위로가 될 말이 무엇인지 아시는 눈치이십니다."

"이거, 참. 제 표정이 그렇게 쉬웠나 봅니다. 걱정하실 것을 생각하면 모르시는 편이 나을 것이라 생각하여 말씀드리지 않으려 했거늘, 아시는 편이 나으실 것도 같아 말씀드립니다. 사실, 지금 에카이트 님께선 다소 기력이 없어 쉬고 계시는 중입니다."

뭐가 뭐라고? 내가 다소 이해가 가지 않는다는 표정으로 바라보자 그가 난처한 표정을 지었다. 왜? 내가 여전히 답을 찾지 못해 추측을 계속하려는 찰나, 그가 업무가 밀렸음을 빙자하여 자리를 뜨겠다는 양해를 구했다.

엉겁결에 고맙다는 인사로 그를 배웅하고 보니 그가 남긴 작은 비단 주머니가 눈에 들어왔다. 내가 그 비단 주머니를 일단 검으로 뒤집어 보고 내용물을 꺼내어 조심히 확인해 봐야 하나 고민하던 찰나에 봉뒤프베 부인과 유모의 웃음이 터져 나왔다.

"어머, 에카이트 님 의외로 귀여우시네요."

"정말, 진짜로 그러네요. 호호호. 역시 우리 아기씨 때문이겠죠?"

"당연히 그렇겠지요. 후후, 아무리 근력이 중요한 직군이 아니라고는 해도 곧 남편 될 입장이니까요."

응? 내가 전혀 감을 못 잡는 표정으로 두 사람을 번갈아 보자 못 말린다는 표정의 봉뒤프베 부인이 웃음을 참으며 설명을 내놓았다.

"아아, 영애. 잘 이해를 못하신 표정이로군요. 후후, 순진하시기도 하셔라. 에카이트 님께서 일이 바쁘다며 자리를 자꾸 피하신 것이 어쩌면…… 영애 보기 창피하거나 면구스러워서 그런 것일 수도 있겠어요. 호호호, 지금으로서는 거의 확실하지만요."

"네? 무엇에 창피할 것이 있다는 건지 저는 이해가 좀 힘듭니다."

대체 어디가 창피한 것인지 진지하게 의문을 표시하는 것을 보고 겨우 진정된 유모가 설명을 이었다.

"그러니까 아기씨. 에카이트 님은 외교관이시잖아요. 우리 아기씨는 기사이시고요. 일반적으론 남자 쪽이 육체적으로 강인하거나 의지가 될 위치에 서지만, 애초에 그 자격을 박탈당하셨고요. 하기야, 아기씨가 워낙 손꼽히는 검의 귀재시니 어떤 사내가 그 앞에서 맥을 쓸 수 있을까요. 그런데 그러한 상황에 일이 힘들다고 몸에 병이 났다면 얼마나 민망하시겠어요. 그러니 당연 일 핑계를 대시면서 조금이나마 쉬어 보시려는 것이겠죠. 잠시 후 무도회에서 아기씨는 말짱히 서 있는데 혼자 쓰러지시면 그건 또 무슨 망신이겠어요."

"맞아요, 저도 유모와 생각이 같아요. 정상 컨디션으로 나타나야 체면이 서잖아요. 호호호, 남자들이란."

……아니, 그쪽보다는. 아픈 척을 해서 시간을 벌고 그 와중에 업무를 처리할 것 같은데, 그놈은. 에카이트가 아프다는 설을 완전히 무시한 나는 그가 보냈다는 주머니를 천천히 열어 보았다. 연다고 폭발하진 않겠지. 폭발하면 죽일 거다. 반드시 죽일 거다.

속으로 독하게 다짐한 내가 주머니를 열어서 안을 보니 작은 향수병 같은 것이 들어 있었다. 내가 그것을 손으로 집어 꺼내니 봉뒤프베 부인이 반색을 한다. 뭐지?

"어머나, 고래 향유! 그래요! 이거라면 바로 해결할 수 있겠어요. 세상에나, 어쩌면 이렇게도 섬세하실까!"

고래 향유가 뭐 어떻다는 거지? 전혀 이해하지 못한 표정으로 이미 감격해 반쯤 정신을 놓은 두 여인들을 바라봤다. 그리고 뭘 물어보기도 전에 봉뒤프베 부인이 고래 향유라는 것을 손에 듬뿍 바르고는 내 머리카락을 만지기 시작했다. 아, 그러고 보니 아직 산발이었지. 이 꼴을 보고도 태연자약했던 에카이트의 부관에게 박수.

속으로 시답잖은 생각을 하는 것을 아는지 모르는지, 유모와 봉뒤프베 부인은 고래 향유를 내 머리에 덕지덕지 바르고 있었다. 냄새가 보통이 아니다. 독한 향과 진한 기름 향이 어우러져 코끝이 찡하다.

"저, 고래 향유가 어떤 건데요?"

내가 조심스럽게 물어보자 봉뒤프베 부인이 아예 향유를 머리에 쏟아 가며 대답을 이었다.

"고래 향유는 이러한 진액에 탁월하답니다. 보통 정원 가꾸는 취미가 있으신 영애들 중에서도 상급 귀족 영애들이 구해서 쓰는 것이지요. 닿기만 하면 꽃 진액이 저절로 떨어져 나가고, 잘 가공된 것들은 그대로 말라서 증발해 버리니까 따로 수건으로 처리할 필요도 없죠. 에카이트 님이 전해 주신 것인 만큼 확실히 최상품이네요. 바르기 무섭게 꽃 진액을 없애 버리고 증발하는군요. 향도 이만하면 고급이고. 호호호, 공녀를 아주 아끼시나 봅니다."

그러게. 무섭게 왜 이렇게 친절하대? 내가 떨떠름한 표정을 지으나 마나 두 사람은 신나서 머리를 정리하고 있었다. 응? 극성스러운 두 사람을 내버려 두고 주머니에 손을 넣었는데, 그 안에 작은 쪽지가 들어 있다. 뭐라고 쓰여 있는 거야?

[꽃은 참으로 볼 만하더군.]

내가 그 작은 쪽지를 앞뒤로 뒤집어 가면서 내용을 더 찾아봤지만 그게 다다. 고작 그 말이 다더냐. 왠지 모르게 놀리는 어조가 들리는 것 같다.

한참 머리가 이리저리 당겨지다 보니 이제 슬슬 엉켜진 부분이 풀어지는 느낌이 든다. 그래도 효과는 좋네. 근데 내가 이 머리를 할 줄은 꿈에도 몰랐을 텐데 어떻게 저렇게 준비를 했지? 꽃 진액 때문에 이 꼴이 날지는, 머리를 해 준 유모나 나도 몰랐는데 대체 어떻게 안 거야. 약간은 두려워지던 찰나, 유모가 안도의 한숨을 내쉰다.

"어휴. 정말 공작님 덕분에 살았어요. 이제는 엉키지 않네요. 그런데 이게 좀……."

유모의 석연찮은 목소리에 거울로 시선을 돌린 나는 난감한 미소를 지었다. 거울 속의 나는 굵은 웨이브가 진 머리카락을 하고 무표정을 고수하고 있었다. 아직까진 별 의식이 없으면 저절로 무표정이 나오는구나.

조심해야겠다는 생각을 하면서 굵은 웨이브가 진 머리카락을 천천히 손으로 쓸었다. 향유 특유의 미끈거림이나 꽃 진액은 없었지만 구불거리고 있었다. 아마 아까 꽃을 엮으면서 머리를 땋았던 것이 흔적으로 남은 것 같았다. 단정하게 떨어지던 스타일과는 다르게 조금 더 부드럽고 성숙한 인상이 남는다.

음, 나쁘지 않은 것 같은데. 내가 뒤쪽의 봉뒤프베 부인을 거울로 바라보자 부인이 부드럽게 웃는다. 역시 나쁘진 않은 것 같다.

"한결 나아 보이네요. 이대로 가도 될 것 같은데, 혹시 제가 잘못 판단하는 걸까요?"

내가 그렇게 말하자 봉뒤프베 부인이 고개를 저으며 내 판단을 지지했다. 잠시 약간 고민하는 표정을 짓던 부인은 끝자락에 꽃이 수놓아진 노란색 얇은 천을 꺼내 왔다. 내가 알아서 하라는 태도로 가만히 있자 그녀가 내 머리를 조금 잡아서 뒤로 모아 그 천으로 리본을 솜씨 좋게 묶어 냈다.

반 묶음으로 스타일을 바꾸니 확실히 발랄한 얼굴이다. 화장을 조금 손보고 자리에서 일어서니 벌써 약속한 시간이 되어 있었다. 여자들은 한평생 꾸미고 살아도 시간이 부족하다던데, 틀린 말은 아닌 것 같다.

"두 사람 다 수고했어요. 유모는 일찍 쉬어. 내가 내일 어땠는지 바로 얘기해 줄 테니. 아, 그리고 봉뒤프베 부인. 부인이 동행해 주면 좋을 것 같은데……. 너무 급작스러워 실례되는 제안이 아닐지 모르겠네요."

제법 무도회에 어울리게 차려입은 모양새가 혹시 모를 참석도 염두에 둔 것 같아 눈치를 보며 청하였는데, 아니나 다를까 부인의 표정이 확 밝아졌다.

"어머나, 저녁 무도회에 초대될 자격이 없다고 생각했지만…… 공녀께서 이리 저를 감동시키시는군요. 저야 항상 준비된 상태랍니다. 그럼 가실까요? 정말이지 기대되는군요."

방을 빠져나가다가 순간 드는 생각에 걸음을 멈췄다. 내가 걸음을 멈추자 의아한 표정으로 봉뒤프베 부인도 걸음을 멈췄다. 아까 봉뒤프베 부인이 내 약혼 선물로 유행하는 힐을 한 켤레 준비했다고 했다.

얼핏 보기로는 흉기에 가까울 정도로 높고 가는 굽이 특징적이었다. 한창 바쁠 때 받은 선물인지라 구두가 든 상자는 약혼식이 끝나고 제대로 보기 위해 방에 그냥 두었다.

지금 그 구두가 떠오르는 이유는 두 가지였다. 하나, 생각보다 큰 에카이트와 눈높이 맞추기. 그가 나를 내려다보는 시선에 기분이 묘했다. 묘하게 더럽다는 뜻이다. 둘, 혹시 모를 붉은 드레스에 대한 대비.

"부인, 경황이 없어 제대로 감사 표시도 못했습니다. 준비해 주신 선물 잘 받았어요."

"네?"

"제가 지금 그걸 신는 영광을 누리겠군요. 잘 어울릴 거라 믿어 의심치 않는답니다."

내가 진하게 웃자 부인도 덩달아 어색하게 웃기 시작했다. 약혼식에 입었던 드레스는 여전히 노란빛 찬란함으로 빛난다. 다행히 약혼식에 입었던 드레스를 무도회에서도 입는 것이 전통이었다. 하지만 구두까지 그러라는 법은 없으니까. '머리 하나는 더 큰 그와 키 차이를 줄이기 위해 신는다.'라는 건 거짓말이고, 꼭 한번 지르밟아 보고 싶었거든. 그놈의 발을.

급작스러운 내 부탁에 유모가 상자를 들고 왔고, 나는 상자를 열었다. 연한 노란빛이 군데군데 장식된 베이지색 힐에 발목을 녹색 리본으로 묶는 형태였는데, 발목에 작은 인조 꽃들이 달려 있다. 옷이랑 완전 딱 어울려. 내가 환하게 웃었다.

마차에 오르기 무섭게 약혼식 무도회장으로 이동한 덕분에 계산보다는 금방 도착해 버렸다. 뭐, 약속보다는 조금 늦은 것이 되어 버렸지만 좀 기다릴 줄도 알아야 된다. 물론 나도 사람인지라 크게 도움이 되었던 향유를 통째로 털어 쓰고 다소 양심에 걸리는 면은 있어 늦은 것이 아예 안 미안한 것은 아니었다.

무도회는 벌써 입장객을 어느 정도 받은 모양인지 멀리까지 음악소리와 사람들의 웅성거리는 소리가 들린다. 봉뒤프베 부인까지 아버지의 도움을 받아-그녀는 거의 황송해 죽으려고 했다- 내려 에카이트를 찾으려 고개를 돌리는데.

"……저 망할 놈이 감히 어디서."

옆에서 중얼거리듯 나오는 말에 담긴 살기가 엄청나서 돌아보니 역시나 아버지다. 아버지의 이글거리는 시선을 따라가 보니 에카이트가 리디아와 함께 있었다.

전생에도 딱 이랬었지. 완전히 잊고 있던 전생의 장면이 툭, 어떻게 잊고 있을 수 있냐는 듯 기억 속에서 튀어나왔다. 어떻게 잊고 있었을까. 당시의 나는 그 둘을 못 본 것으로 하고 그들을 피해 무도회장에 혼자 입장했었지. 나서서 말다툼을 벌일 힘도 없었고, 차라리 모르는 척 넘어가는 편이 자존심이 덜 상한다. 아니, 덜 상할 것이라고 생각했었다.

하지만 이번엔 다르다. 작은 꼬투리만 잡아도 빌미로 삼아 공격을 가할 계획이다, 이번 생의 나는. 나는 살짝 웃으며 분노한 아버지와 염려의 표정이 가득한 봉뒤프베 부인을 바라보았다. 전 차라리 공공연하게 맞붙을 건수가 생겨서 만족스럽답니다. 진정하세요, 두 분 다.

"아버지, 저도 아는 이니 너무 그러지 마십시오. 부인도 염려 마시고 두 분 먼저들 가세요."

"저도 아는 영애인지라 염려가 전혀 아니 될 수는 없지요. 그래도 뭐…… 영애께서 분명 무슨 수가 있으니 그리 말씀하시는 것이겠지요. 하지만 공작 전하와 입장하는 것은 사양하겠어요. 어떤 소문이 돌지 두렵습니다. 그럼, 회장에서 기다리겠어요. 건투를 빌어요, 영애. 후후."

"……잠시 개인적으로 해결해야 할 볼일이 생긴 것 같군. 그럼 잠시 후에 보지."

아버지의 '볼일'이 무엇일지 새삼 두려워졌지만 일단 멀찍이서 나를 힐끔 보고는 비련의 여주인공처럼 뛰어서 사라지는 리디아가 우선이었다.

곁의 두 사람이 멀어지는 것을 확인하고 천천히 에카이트에게로 다가갔다. 내가 다가가자 금세 낌새를 알아챈 녀석이 시선을 돌려 나를 발견하고 다가왔다.

"생각보다 시간에 너그럽군."

"덕분에. 향유는 일단, 유용하게 사용했어요. 고마워요?"

에카이트 주제에 내가 늦었다고 이렇게 비꼬다니. 그 말에 약간 날을 세워 답하고 향유에 대해 고맙다는 인사를 어설프게 건네자 녀석이 피식 웃는다. 나는 멀어지는 리디아를 힐끔 보고는 에카이트를 향해 가까이 다가가 녀석의 눈을 바라보았다. 그러나 당황한 기색조차 없이 그대로 내려다보는 것이 아닌가. 그 모습에 질려 고개를 몇 번 젓고선 다시 멀어졌다.

"저 여자가 뭐랍니까?"

"아까는 잘못 들었나 싶었는데, 정말 화법 한번 화려하군. 뭐, 일단 자신이 리디아 실버 펠튼이라더군. 알까 모르겠지만, 펠튼 자작의 딸이지."

녀석의 얄미운 대답에 순간 찡그려질 위기에 처한 표정을 애써 다잡고 미소를 지었다. 내가 설마 그걸 모르겠니. 그리고 내가 지금 얄미운 너를 위해 힐을 신었다는 사실을 명심하길 바란다. 물론 알 리 없겠지만. 일단 접근이 필요하다.

내가 화사하게 웃으며 녀석을 바라보자 녀석이 탐색하는 시선으로 나를 본다. 내가 웃는 게 수상쩍던가.

"용건은?"

'네 발등에 구멍 뚫는 거다, 이 자식아.'라고는 차마 말하지 못하고 손을 내밀었다. 그가 내 손을 보더니 피식 미소를 지으며 팔을 내민다. 오냐, 너 잘 걸렸다.

"앗!"

내가 비명을 흘리며 다리에 힘을 풀자 자동으로 몸이 앞으로 기운다. 바로 앞에 있던 에카이트가 내 양팔을 잡아 넘어지지 않도록 지지대 역할을 했고, 받쳐 줄 때 오른쪽 발로 녀석의 왼쪽 발등을 내리 밟았다. 생각보다 굽이 높고 가늘어 정말로 넘어질 것 같이 몸이 기울어 예상보다 동작이 격했다.

비명이 터질 법한 격돌인지라 나름대로 미안한 마음이 울컥 솟았는데 녀석은 조용하다. 이게 또 유행하는 핀힐이라서 엄청나게 고통스러울 것이 자명한데, 약간 움찔거린 것이 다였다. 뭐야. 나는 녀석의 품에 기대다시피한 자세로 녀석을 올려다봤다.

그런데 에카이트가 대뜸 내 허리에 손을 감아 사랑하는 연인 같은 자세를 취하는 것이 아닌가.

"몸이 피곤했던가 보군. 하긴, 오전부터 사람에 시달렸으니 피곤하겠지. 내가 도와주지."

"아니, 딱히 피곤한 것은 아닌……."

“사양하지 말지. 자, 늦겠군.”

저, 저 망할 놈. 차마 일부러 당신 발을 밟아 보겠다고 작정을 했다는 말을 할 수가 없어 녀석에게 반쯤 기댄 듯한 자세로 이동하는 것에 암묵적으로 동의할 수밖에 없었다.

생각보다 너무 멀쩡해 보이는 녀석에 의아하면서도 괜히 소득 없는 짓으로 손해를 봤다는 쪽으로 결론이 나자 새삼 서글퍼졌다. 쳇. 에카이트를 속으로 욕하면서 멀리서 보이는 무도회장을 원망스럽게 노려봤다.

분명히 내가 일부러 발을 밟았다는 사실을 안 거다. 그리고 그 보복으로 내가 민망해할 것이 분명한 자세를 취해서 놀리는 것이고.

녀석은 의외로 힘이나 체력이 나쁜 편은 아니었던지, 허리를 잡아 받치는 팔이 강인했다. 확실한 힘으로 걸음을 보조하되 힘이 과해서 불편함이 느껴질 정도는 아닌. 아, 이건 예법의 문제던가?

더 예전에 보다 격한 방법으로 수련할 때에는 종종 발목이 삐거나 근육에 경련이 오곤 했었다. 그럴 때에 대개 곁에서 수련을 하던 다른 기사들이나, 대련일 경우 그 대련의 상대자에게 부축을 받았었다.

그렇지만 대개 그들은 부축받는 허리가 아릴 정도로 강한 힘을 줘서 다리 쪽의 부담만 줄어들 뿐이지, 전체적으로 느끼는 고통의 합산은 거의 비슷했다. 아무래도 몸무게가 제법 나가고 뼈대가 굵은 남자 기사들을 대하는 것에 익숙해서 그에 비해 선이 가늘고 가벼운 나를 다루는 것이 어려워서 그랬던 것 같기도 하다. 거기다 대고 난 여자라 그렇게 부축하면 척추가 경로를 이탈할 거라고 말하지도 못하고 속으로 끙끙거렸다. 음. 그럼 이건 여성 상대자에 대한 경험의 차이? 내가 잠시 딴생각을 했다 싶을 무렵 녀석이 낮은 목소리로 말을 건다.

"의외로 집중력이 별로로군."

"집중력 있는 사람으로 생각하셨다니 감사하네요. 그러나 지금 상황이 별다른 집중력을 요구하지는 않죠."

딴생각한다는 말을 은유적으로 찔러 대는 에카이트를 단박에 응대해 주니 녀석이 움찔하더니 피식 웃는다. 분명 저 발, 제대로 밟았다고 생각했는데.

지금 녀석이 하는 꼴이 지나칠 정도로 태연하니, 아마 그럴 리 없겠지만 내 착각인가 보다. 지금 걷는 모양새로 보아서 완전히 멀쩡해 보인다. 신발에 특수 처리라도 한 건가? 아니면 내가 힐을 신고 밟아 본 적이 없어서 그런가?

내가 다시 딴생각으로 빠지려는 찰나 그가 허리를 확 끌어당긴다. 덕분에 거의 껴안긴 상태가 된 나는 불만스럽게 에카이트를 올려다봤다.

"뭡니까, 지금."

"아아, 밑에."

녀석의 말에 밑을 내려다보니 바람에 날려 떨어진 꽃 몇 송이가 있었다. 저게 뭐 대수라고. 황당한 표정으로 그를 바라보자 에카이트가 내 허리를 잡았던 손을 놓고 허리를 숙인다. 그러더니 주워 올린 꽃을 정원 쪽으로 집어 던지고 다시 돌아왔다.

"밟으면 색이 물드는 꽃이라. 구두 색이 밝은 색이잖나."

아하, 그의 말대로 밟아서 물이 드는 꽃이라면 곤란했을 것이다. 물론 꽃이야 밟아 봤자 뭐, 싶었던 스스로의 안일함이 잠시나마 원망스러웠다.

세상 어느 기사가 길에 꽃이 떨어져 있다고 '어머나 꽃이 내 길을 막았어요. 치우고 가야 해요.' 이렇게 굴까. 인식의 차이였다.

내 미미한 표정 변화를 읽은 건지, 피식 웃은 에카이트가 다시 내 허리로 손을 뻗었다. 다시 그 민망한 부축을 할 생각인 모양이다. 하지만 심히 멀쩡한 상태로 부축을 받는 것은 정신적으로 힘들다. 그러니 손 훠이훠이!

"아니, 이젠 괜찮아졌으니까."

"이런. 그것참 섭섭하군."

"그것참 아쉽겠습니다?"

"제법 얄밉게 굴 줄도 아는군."

무표정으로 몸을 뒤로 빼면서 사양하자 에카이트가 아쉽다는 표정을 지으며 팔을 거둔다. 대체 왜 나에게 이런 호감인지 장난인지 구분할 수 없는 애매모호한 짓을 반복하는 것인지 전혀 모르겠다.

우직하고 성의가 가득했던 전생에서, 에카이트는 리디아 펠튼과 함께 무도회에 등장했었다. 그리고 내 실수라고 말하기엔 지금도 억울하지만 결과적으로 내 손으로 그 여자의 옷에 와인을 쏟았었다. 그 덕분에 그녀가 '어쩔 수 없이 갈아입었다.'는 가식을 떨며 입고 나타난 붉은 드레스를 보게 되었고.

절대 잊을 수 없는 전생의 기억을 되짚으며 녀석을 노려봤다. 이번에는 나와 그 여자. 이렇게 두 사람을 동시에 노리는 건가. 전생에서도 내가 만만하게 굴거나 조금이라도 여지만 보여 줬어도, 굳이 척을 져 가면서 소원하게 지내진 않았을 것이다. 그만큼 내 위치는 공고하고 거대했다.

"……이쯤 되니 내가 정말 뭔가 큰 실수를 한 것 같은데 아무리 생각해도 모르겠군. 계속 나를 경계하고 멀리하고 있어. 내가 그대에게 뭔가 잘못한 것이 있던가? 그 행동들이 자꾸 내 신경을 거슬리게 해. 아무리 생각해도 무죄인데 말이지."

에카이트가 귓가에 대고 낮은 음성으로 중얼거렸다. 그 깊이를 알 수 없을 정도로 낮은 목소리에 소름이 돋았다.

아니, 내 내면의 문제 때문인가? 뭔가 잘못한 것이 있냐는 말에 '넌 펠튼의 계집과 처음부터 외도해서 나를 괴롭게 하고 이혼까지 주도했잖아!' 같은 소리를 내뱉을 뻔했다.

무죄라니. 무죄라니! 나도 모르게 입 밖으로 툭 튀어나올 뻔했던 외마디 비명이 목구멍에서 잘도 멈췄다.

지금 기억하고 있는 것은 여기서 아직 벌어지지 않은 미래인 것이다. 현재 에카이트와 리디아의 관계는 유혹하는 여자와 적당히 방관하며 경계하는 남자였다. 아직 그 문제로는 에카이트를 비난할 여지가 없는 것이다. 한마디로 녀석의 입장에선 처음부터 불퉁하고 불만스럽게 나서는, 동시에 이중적으로 구는 내가 황당할 것이 분명했다.

하지만 아무리 그렇다고 해도 내 기억을 외면할 수는 없다. 순진하게 보이는 것만 믿고, 바보같이 의심할 줄 모르던 내가 날 죽였다. 내가 기억하는 과거는 틀림이 없었다.

저 에카이트는 리디아와 긴밀한 관계를 유지했으며, 나는 그로 인한 소문에 휩쓸리고 폄하되어 결국엔 이혼하자는 편지를 받았다. 리디아의 입술 자국이 선명한 편지를 찢어발기고 과거로 돌아왔지 않던가.

하지만 과거로 돌아와서 만난 녀석은 그래, 아직 무죄였다. 심지어 내 기억 속의 모습과도 달랐다. 대체 왜? 녀석은 처음부터 외도를 했다. 하지만 같은 순간 왜 녀석은 리디아에게 가지 않는가. 사소하게 변한 몇몇 행동 때문에? 하지만 그런 행동에 멈출 수 있는 것이었다면 대체 왜?

꼬리에 꼬리를 무는 의문에 허우적거리며 몸을 움직일 생각도 않는데, 에카이트가 한 팔로 내 어깨를 감싸 안으면서 상념에서 깨어났다.

"내가 잘못한 것이 있긴 있나 보군. 그대 표정이 장난 아니었어. 잘 생각해 보지. 하지만 아무리 내가 죄 많은 남자라 해도, 최소한 황태자 전하가 주최하는 무도회에 참여해야 한다는 점은 알아줬으면 좋겠군. 만약 참석하지 않으면 서류가 도장 대신 차로 범벅이 되어 있을 것 같아서. 서로 협조 좀 하지."

……전하. 혹시 녀석이 올리는 서류에도 차를 부으시는 건가요. 갑자기 밀려드는 연민에 그가 내민 팔을 조용히 잡은 나는 에스코트에 응해 홀로 들어갔다.

그래, 우리 서로 비즈니스 할 때는 협조해 주자.

과거와 현재를 떠올리며 고심하다 보니 침묵 속에 연회장 앞에 닿았다. 절차와 환영을 지나 홀에 입장한 지도 제법 시간이 지났는데 인사 인파가 끝이 없다. 지금도 어떤 남자가 진심과 아부를 터질 듯이 담아 인사를 건네고 있다.

"이거 참, 세상에 다시없을 미인이십니다. 폰디체리 영애도 곧 베이야드 부인이 되실 터. 결혼 전에 진즉 사교계에 얼굴을 비추셨더라면 젊은 영랑들의 끝없는 구애로 재미있는 구경거리들이 많았을 것을요."

"아닙니다. 정말로 과찬이십니다. 세상은 넓고 사람은 많으니, 아직 제 나이가 어려 싱그러운 앳됨을 좋게 보아 주시는 것이지요. 거기에 집안에 여자가 없어 이런 일에는 많이 서툽니다. 멋을 낸다고 내었습니다만 이런 차림이 어색한 터라 칭찬해 주시는 것이 그저 민망할 따름이지요. 그래도 더 가꾸어 보라 격려해 주시는 말로 듣겠습니다."

이름은 기억나지 않는 백작위의 남자가 찬탄을 계속하니 그에 맞춰 웃으며 응대를 해냈다. 그에 주변을 둘러싼 인파들이 감탄하는 표정으로 고개를 끄덕인다.

이 그룹에 적절한 시간을 투자해 응대를 해 주면서 안면을 익히고 이미지를 약간이나마 개선해 내는 데에 성공한 것이다. 일단 다시 보기 어려운 미인이 본 적 없는 독특한 디자인으로 멋을 내고 나타났으니 오죽할까.

내가 한심하다는 표정을 최대한 지우며 예의 짙은 웃음을 살짝 지어 보이자 주변을 둘러싸고 대화를 나누던 사람들이 모두 찬탄의 목소리를 낸다. 이미 몇 번이나 이런 웃음을 짓고 돌아다니느라 얼굴 근육이 경련할 지경이었다. 다들 얼굴 근육은 어떻게 훈련한 걸까.

“역시, 대단한 미모이십니다. 제아무리 에카이트 공께서 냉혈한 외교관이라도 이런 미소 앞에서는 엄한 서류에도 인장을 찍어 주실 겁니다.”

“그렇군요. 이거, 에카이트 공께 드릴 말씀이나 청탁이 있다면 이제는 폰디체리, 아니 베이야드 공작 부인을 먼저 뵈어야겠습니다.”

“천만의 말씀. 제가 아무리 보채어도 공과 사가 분명한 분으로 유명한지라 저를 뵙고 가시면 도리어 밉보이실 겁니다.”

내가 엄살을 담은 겸양의 말로 답하자 다시 웃음이 터진다. 아니, 솔직히 말해서 겸양의 말이 아니라 진담이지. 에카이트에게 볼일이 있는 치들이 다 나를 한 번씩 보고 가면 난 죽을 거다, 사람에 치여서. 가뜩이나 검 수련을 할 시간도 부족하고, 사방으로 돌아다니시는 황태자 전하 호위도 해야 하니 바쁘다.

딱 지금이 청소년기여서 그러셨던가? 이 무렵이 황태자의 활동력이 최고 정점을 찍은 때였다. 아, 이 생각은 더 하지 말자. 죽고 싶을 것 같아. 내 일을 녀석한테 넘겨도 부족할 판에 일을 넘겨받을 생각은 손톱에 앉은 먼지만큼도 없다. 그렇게 생각하는데 한 여자가 다가오는 것이 느껴졌다.

"호호호, 폰디체리 영애. 평안하시죠? 질리언 백작 가문의 장녀, 멜리사랍니다."

내가 잠시 딴청을 부리는 사이, 일행 사이로 끼어들어 내게 인사를 건넨 여자는 멜리사였다. 익숙한 얼굴이라 약간 놀라긴 했지만, 반가움이 섞인 시선으로 바라보자 상대가 만족스러운 웃음을 흘렸다.

질리언 백작 가문이라 하면 영지 끄트머리에 석탄이 풍부한 산맥을 보유한 가문이었다. 아마 저 여자는 지금 나보다 한 살 어린 17살일 것이다. 이 여자를 기억하고 있는 이유는 간단했다.

멜리사는 우리 기사단의, 현재 말은 별로 없지만 그 누구보다 성실한 기사 넬슨과 2년 후에 결혼한다. 일찍 아내를 잃고 독수공방하던 그와 귀하게 자란 백작 영애가 결혼하면서 엄청난 이슈를 몰았지. 나는 그와 교대 시간이 늘 겹쳐서 나름 친했던 터라 결혼 선물까지 했었다.

그 기억을 되살려 그녀를 향해 친근한 웃음을 지었다. 그녀와 나는 특별히 친하거나 안면이 있던 것은 아니었지만 왠지 잘 아는 사이같이 느껴졌다. 내 시선이 그녀에게로 향하자 대화하던 일행들이 눈치를 채고 자리를 비킨다. 그러자 그 빈자리에 멜리사의 일행들로 보이는 인원들이 들어찼다.

모두 젊은 영애들이다. 너무 반짝거리는 모습에 오히려 피곤해지는 기분이 들었다. 아, 집에 가고 싶다. 이런 마음의 소리와는 다르게 신속하게 화사한 표정을 지으며 인사말을 읊기 시작했다.

"아, 멜리사로군요. 반가워요. 잠깐이지만 본 적이 있지요? 내가 사교계에 무지한 채로 지내다 보니 이렇게 약혼식 밤이 되어서야 인사를 하게 되는군요."

내가 그녀를 이름으로 부르니 주변 영애들의 뺨이 발갛게 달아올랐다. 친해질 의사가 있음을 표현한 것이니 당연한 반응이었다.

예의상 한 번은 만나야 하는 상대이기는 한데 까칠하고 까다롭고 대하기 힘들다는 소문을 지닌 공녀.

서열이 제일 위인 사람이 이런 사람이라, 먼저 자리를 주선해 주길 기다리는 것도 어렵고 그렇다고 먼저 주선하는 것도 어려워 꽤 상대하기 어려운 사람이라는 인상을 주었을 것이다.

그러나 내 유연하고 상냥한 응대에 걱정은 기우였던 양 다들 만면에 웃음이 가득한 채로 서로 눈을 마주치며 기뻐하고 있었다. 멜리사의 대답에서도 그러한 마음이 잘 느껴졌다.

"어머, 세상에, 저를 기억하시는군요! 기껏해야 한번 스치듯 본 사이인지라 기대도 하지 않았어요. 물론 폰디체리 영애께서 바쁘신 것이야 당연한 일이지요. 남자분들도 어려워하시는 바깥일을 여인의 몸으로도 훌륭히 하고 계시지 않던가요. 저희야 꾸미고 치장하는 것이 일이지만 그렇지 않으신 영애께서 사교계를 잘 모르시는 것은 당연한 일이지요."

아직 허락이 없어서 나를 폰디체리 영애라 부른 멜리사가 사교계를 낮춰 말하면서 내 처지를 이해한다는 말을 흘렸다. 바쁜 내가 어디 사교계에 드나들 시간이 있겠냐는 말이었다.

맞는 말이지만 그 말을 곧이곧대로 듣고 이대로 사교계를 낮춘 발언을 감싸지 않으면 여자 주제에 바깥일이 최고인 줄 아는 거만스러운 여자로 회자되는 것은 시간문제이리라.

할 말을 곧바로 하지 않고 돌려 말하는 복잡한 말재간이 사교계의 법이었다. 그 사교계 법칙에 놀아나 지난 생에서 매장을 경험한 탓에 이번에는 확실히 알고 있다.

말과 예법에 얽힌 법칙은 상상 이상으로 섬세했다. 속으로 미치고 팔짝 뛰든지 말든지 평온한 표정을 유지해야 하는 현실에 정말 울고 싶었다. 가장 상대하기 어려운 건 미혼의 영애들로 구성된 그룹이다. 가장 예민한 사춘기 소녀들이라니, 최고 난제다.

이제 막 사교계에 발을 들였는데 너무 높은 난이도에 도전하는 것은 아닐까 살짝 고민해 본다. 그래도 얼굴만은 의연하게 유지한 채 이 세계의 법칙을 따르기로 결심했다. 최소한 지금 이 순간만이라도 말이다. 이럴 때 봉뒤프베 부인이라도 곁에 있으면 내가 잘하는지 못하는지 정도는 눈치로 알 수 있을 텐데, 하필 그녀는 다른 부인들의 부름에 잠시 공석이었다.

후, 하. 잘하자! 긴장한 내색을 감추며 부드럽고 순하게 웃으며 말문을 열었다.

"그런 말씀 마세요. 제가 능력이 부족하여 둘 다 챙기지 못하다 보니 그리된 것이지요. 더 공사다망하신 신사들께서도 저보다 자주 사교계에 얼굴을 비춰 주신 것으로 보아 모두 그간 무심했던 제 탓이 큽니다. 우리들끼리 얘기지만, 신사들의 준비가 레이디들의 준비에 비해 간편하다는 것은 모른 척 넘어가야지요. 신사들은 절대 모를 겁니다. 레이디들이 미모를 위해 얼마나 큰 노력을 하고 있는지!"

나야 고작 하루만 경험한 것이라 잘 모르겠지만 전생에서 귀족 영애들이 수시로 이야기하는 주제를 경험에서 우러나오는 것처럼 말하니 나를 둘러싼 영애들이 까르르 웃으며 정말 그렇다고 맞장구를 치며 우르르 동의를 표한다.

화기애애한 분위기에 주변 사람들까지 의외라는 표정으로 이쪽을 돌아보는 것이 느껴진다. 쉽고도 어려운 이 관계의 미학이란.

속으로 혀를 차며 나는 당신들과 매우 친하게 지내고 싶으며 당신들을 무시하지 않는다는 것을 어필하기 위해 최선을 다하기로 했다. 어떻게 보면 전생의 내가 보인 태도는 일반적인 여자들과 남자들을 자극하는 그런 존재였을 수도 있겠다는 생각이 문득 들었다.

"이제부터는 조금 더 신경을 쓰도록 하겠습니다. 매번 참석한다고 약조는 못 드리지만, 살롱에 초대해 주신다면 가끔은 시간을 내 보도록 하겠어요."

웃으며 그렇게 말하자 영애들이 더욱 화사하게 웃었다. 처음이 다소 인위적이고 예의를 차리는 미소였다면 지금은 진실로 만족한 미소로 보였다. 바깥일을 하는 기사들이 사교계를 쉽게 폄하하는 바람에 민감한 것인데, 내가 그러한 폄하를 부정하니 기분이 좋은 것이리라.

거기에 무려 공녀다, 나는. 딱 둘밖에 없는 공작 가문에 제국을 통틀어 단 하나뿐인 공녀. 재수가 없어 에카이트와 결혼까지 하게 된다고 쳐도 나는 여전히 공작 부인인 셈이다.

기껏 공녀로 태어나서 고작 공작 부인으로 끝나기엔 타고난 외모와 재능이 아까웠지만 하늘과 같은 주군의 명이니 달리 생각해 본 적은 없었다.

이번 생에는 좀 달리 생각해 봐야지.

내가 자신들의 살롱에 단 한 번이라도 얼굴을 비추기만 한다면 그 영애의 지위는 수직 상승이다.

황태자 직속 기사단, 즉 차기 황제를 보필할 기사단에 속한 공녀. 그리고 그 공녀와 밀접할지도 모르는, 혹은 밀접해질 기회를 가질 수 있다면 자신의 배우자의 지위 역시 수직 상승하는 것이다.

디자이너로서 사교계에 오래, 또 깊게 관여해 온 봉뒤프베 부인이 친히 늘어놓은 설명이니 거의 확실할 것이다. 내가 속으로 계산을 하면서도 영애들과 눈을 하나하나 차례로 맞추며 웃어 주자 영애들이 다시 한번 더 호감 어린 미소를 짓는다. 좋은 신호다.

"공녀님이 무뚝뚝하고 사교엔 소질이 없으셔서 사교계에 정식 데뷔도 않고 기사단에만 가신다는 낭설이 있었는데, 이 자리서 모두 거짓임이 밝혀지네요. 분명 이토록 아름답고 다재다능한 공녀님께 질투가 난 사람이 있었나 봅니다. 호호호, 정말이지 공녀님의 웃는 모습은 따라갈 영애가 없어요."

"맞아요. 그리고 분명 수련을 하시는 기사라 딱딱하고 엄하시기만 할 줄 알고 잔뜩 긴장했는데, 아까 대화를 나누며 웃으시는 모습을 보고 용기를 내 인사를 올리러 온 것이랍니다. 혹시 저희가 너무 늦게 인사를 올려 불쾌하셨다면 사과드려요."

혹시라도 오해를 살까 두려웠는지 영애들이 한번씩 사과의 말을 쏟아냈다. 사과란 게 남들 하는 김에 같이 해야 하는 것도 중요하지만 잘 지내고 싶다는 마음도 제법 크게 작용한 것처럼 보여서 기분이 좋았다.

아무리 무덤덤하고 신경 쓰지 않는다곤 해도 호의를 받는 것이 싫을 수 있을까. 좋게 지내자고 서로 화목을 다지는 분위기라 너그럽게 그들의 사과를 받았다.

"사과까지 하실 필요 있나요. 도리어 제가 사과드려야 할 일이 아닌지요. 제가 그간 얼마나 영애들을 겁주었는지 이제야 제대로 알 것 같네요. 나름대로 일에 충실하고자 했던 행동들로 영애들과 제 사이의 거리만 벌린 셈이니, 그저 아쉬울 따름이네요. 그러나 저는 이번 기회로 영애들과 친하게 지낼 수 있으리라 믿어 의심치 않는답니다. 이제 시작이 아니던가요, 우리들."

내가 나를 낮추는 변명을 하면서 그렇게 말하자 서로를 바라보며 삼삼오오 감탄사를 터트린다.

'공작 영애는 동경의 대상인 만큼, 작은 보답이라도 그 동경에 대한 답을 해 줘야 동경심이 유지된답니다. 만약 보답하지 않고 넘어간다면, 그 마음은 순식간에 적대심으로 돌변하고 말아요.'

순간 봉뒤프베 부인이 조언해 준 말이 떠올랐다. 덕분에 전생에서, 처음엔 그토록 호의적이었던 영애들이 나를 외면하게 되었는지 감을 잡을 수 있었다.

"정말 너무 좋으신 분이세요, 폰디체리 영애. 이토록 아름다우신데 또 겸손하시고, 능력도 좋으시니깐…… 거기에 황태자 전하 다음으로 제일가는 남편감을 얻으시고요."

"어머, 정말 그렇군요. 호호, 근데 황태자 전하의 직속 기사단에 계시다면 그분을 매일 뵈시는 건가요?"

황태자를 매일 보냐는 질문에 속으로 한숨을 쉬었다. 동화 속 왕자님의 현실판 황태자 이야기로 화제가 바뀌자 눈에 불이 켜진다. 그 반짝임 속에는 사실과는 매우 다른 것들에 대한 기대감이 가득 차 있었다.

질문에 답은 물론 '네.'이다. '네.'인 덕분에 혹사당하고 있고, 혹사당할 예정입니다. 전하는 충성을 바치기에 부족함 없는 분이셨으나, 부관들이나 보필하는 신하의 정신 건강에는 지나치게 관심이 없으셨다.

딱히 해 줄 수 있는 말이 없어 애매하게 웃는 것으로 답을 대신했다. 하지만 그러한 웃음이 호기심을 더욱 달구게 했는지, 질문이 더욱 쏟아졌다. 제대로 걸렸군, 제대로 걸렸어.

"어머, 진짜 그렇게 되네. 멀리서 뵀을 때엔 정말 가슴이 설레게

멋진 분이셨어요. 호호, 매일 뵙는다니 부럽네요."

네가 직접 만나 보세요.

"그러고 보면 정말 뵐 일이 많으실 텐데, 황태자 전하와는 별일이 없으셨나요?"

얼씨구?

"정말! 두 분 나이도 같으시고 매일 그렇게 같이 계시면 분명 아무 감정이 없으실 수 없죠!"

있죠. 감정 많죠. 저는 특히 많아요. 미래에 당한 것을 잊고 시작해야 이 삶을 살 수 있을 텐데 도무지 잊히지를 않아요.

"아아, 제국 내에 미혼 여성으로서는 가장 고결하신 데다 세기에 다시없을 정도로 아름다우신 폰디체리 영애와 황태자 전하라니. 제아무리 황태자비를 노리는 여인이라 해도 감히 두 분 사이에 낄 생각은 못 할 겁니다."

……네? 내가 부르르 떨리는 몸을 애써 진정하며 미묘한 미소를 지어 보였다. 황태자는 주군으로 모시는 것만으로도 수명이 주는 것을 충분히 느꼈다. 아마 오늘의 약혼식이 황태자와의 약혼식이었다면 할복해서라도 불충의 죄를 사하여 달라는 유서를 써야 했을 거다. 아니, 그 이전에 이거 약혼 축하 무도회라고. 대체 왜 엄한 황태자 얘기가 나오는 건지.

아마 미혼의 영애들이니 마찬가지로 미혼에 최고 직위를 보유하신 황태자에게 관심이 쏠리면서 은유적으로 관심을 표현한 것이라고 이해하고 넘어가려 했지만, 영애들의 망상이 너무 앙큼해 웃음이 났다. 로맨스 소설이 유행이라더니 이런 쪽의 소설이 유행인가? 한번쯤 알아봐 둬야 할 것 같다. 아무쪼록 영애들의 관심사가 그렇다면 그런 쪽 이야기를 알아 두는 것도 나쁘지 않을 것이다. 내가 담백하게 상황을 정리하기 시작했다.

"아뇨, 영애들이 생각하는 그런 일이나 감정은 전혀 없었고, 없을 겁니다. 저는 그저 그분을 보필하는 기사이고, 전하께서는 제 주군이시니 다른 감정이 생길 이유도, 여지도 없지요. 물론 고귀하신 분이라는 점에 의심할 여지는 없으니, 곧 짝을 찾으시겠지요. 영애들만큼 아름답고 소양 있으신 분이 그 짝이 되실 것이리라 믿고 있습니다."

내 말에 볼을 발갛게 물들이며 기쁨의 비명을 내지르는 영애들의 모습이 귀여웠다. 동시에 무진장 피곤했다. 내가 진심이라는 미소를 애써 지으며 그들을 바라보는데, 뒤통수가 서늘하다. 마치 예상에 없는 황태자 전하의 등장이 느껴진달까? 설마, 또 입장을 고하는 과정을 생략하고 들어오신 건…….

"이거, 섭섭한데? 나는 경이 업무 중이 아닐 때에도 내 부관이라고 생각했는데 말이지. 설마 우리 사이의 이 긴밀한 주종 관계가 고작 월급으로 맺어진 관계라는 건 아니겠지?"

……설마가 사람을 또 잡는군. 황태자 전하 납시셨다. 영애들의 자지러지는 반응에 다른 사람들의 시선까지 동시에 몰렸다. 사람들의 당황하는 표정을 관람하는 악취미를 가지신 분이라 종종 이런 등장을 즐기셨던 탓에 다행히 나는 다른 사람들만큼 크게 놀라지는 않았다.

그나저나 월급 얘기가 나와서 말인데, 내가 얼마를 받고 다니는 건지 알아 둬야겠다. 원체 돈이라면 넘쳐 나는 환경에서 살아왔기에 월급이 얼마인지 딱히 신경 쓴 적이 없었다. 일단 당황한 표정을 일체 나타내지 않고 조용히 돌아서서 이번에는 제대로 인사를 올렸다.

"다시 뵙습니다, 전하. 평안하셨습니까?"

"반나절도 안 되어 만나는 건데 그사이 안 평안하면 큰일이지. 이번엔 머리카락으로 날 놀라게 하는군. 곱슬곱슬. 그간 본 적 없던 사랑스러움이야. 흐음, 이거 참. 다시 보니 에카이트에게 아까운 여자란 생각이 드는데?"

뒤쪽에서 에카이트가 다가오는 것을 감지한 황태자가 노골적으로 그를 약 올리려는 의도를 담아 말했다. 전하, 저 녀석은 충성심이 부족해서 자칫 잘못하면 하극상을 불사할지도 모르니 조심하셔야 합니다.

어디서 뭘 하다 온 건지, 황태자의 등장에 그제야 나타나 내 허리에 팔을 두른 에카이트가 약식으로 전하께 인사를 올렸다. 불쾌함과 거북함이 물씬 올라왔지만 보는 눈이 많아 두드려 팰 수도 없으니 참을 수밖에. 저 녀석, 정말이지 지능범이다.

"전하, 이렇게 오후 연회에도 참석해 주시니 저희 무도회가 더욱 빛나는군요. 혹여나 저희 쪽 실례로 입장에 불편이 있었더라면 사과드립니다. 평안하셨습니까?"

"음, 거듭 말하지만 난 매우 평안해. 그나저나 아펠리아 경 말일세, 제법 사랑스럽지 않은가?"

황태자의 그 말에 주변이 웅성거렸다.

어이쿠, 이번엔 내가 외도한 쪽으로 몰리겠군. 세상 오래 살고 볼 일이야. 물론 그럴 리야 없겠지만 잘못 소문나면 위험할 대화에 약간의 위기감을 느끼며 살짝 인상을 찌푸렸다.

황태자 전하의 의도야 뻔했다. 에카이트를 골려 주는 것. 하지만 아는 사람이야 알겠지만, 모르는 사람은 오해할 법한 대화였다. 그리고 가장 큰 문제 사항은 황태자가 그러한 오해를 즐기는 분이라는 거였다.

그러나 역시, 에카이트는 그러한 도발이나 놀림이 가소롭다는 듯, 표정에 변화가 없다. 오히려 처음과 같이 온화한 웃음을 지을 뿐이었다.

독한 녀석이다. 고단수. 좀 부럽다. 내가 녀석을 부러워하는 와중 녀석이 예사로이 입을 연다.

"이런 모습을 보고도 아니라고 할 순 없지요."

"……잘났군."

녀석의 우회적이지만 직설적인 대답에 짜증스러운 표정을 짓던 황태자가 다시 내 쪽으로 시선을 돌렸다. 반응이 미비한 녀석보다는 차라리 만만하고 표정이 매우 잘 읽히는 내 쪽이 더 놀리는 보람이 있겠다 생각하신 거겠지.

적을 알면 반드시 이긴다고 한 사람 나와. 아니잖아! 속으로 투덜거리던 나는 이번만큼은 쉽게 당하지 않으리란 각오로 생각을 차분히 가라앉혔다. 황태자는 예상대로 화살을 나에게 돌렸다.

"그렇다고 하는데 어떻게 생각하지, 경은?"

"황태자 전하 앞인데 설마 거짓을 고하겠습니까. 그의 진실을 믿을 수밖에요."

내 단조로운 대답에 전하는 이마에 손을 올리고는 앓는 소리를 냈다. 갑자기 어디 아프신 것은 아닌가 싶어 급하게 다가가려는데, 허리에 감긴 손이 나를 잡아당겼다. 에카이트였다.

아무리 아닐 가능성이 백 퍼센트라도 눈으로 직접 확인을 해야 마음이 놓이는 것이 충성스러운 신하된 도리가 아닐까. 자기가 싫으면 나라도 막지 말든가. 내가 놓으라는 표정으로 그를 돌아봤지만 그는 태연한 표정으로 고개를 저었다.

"전하, 두통이 있으신 모양인데 저희가 전하를 너무 오래간 잡은 것은 아닌지 송구스럽습니다. 의사를 부르겠습니다. 아니면 잠시나마 쉴 수 있는 곳으로 모실까요?"

"아주 대놓고 그만 가라고 하는군. 내 마음은 유리처럼 여리거늘……."

정말 유리처럼 여리신가요? 되돌아온 장난스러운 반응에 본능적으로 부정형 대답이 머릿속에 떠올랐다. 유리처럼 여린 전하의 마음을 단 한 번도 느껴 본 적 없기에 나도 모르게 전하를 불신의 시선으로 바라보다 바로 정신을 차렸다.

불충도 전염이 되나 보다. 조심하자, 악덕 신하. 경계하자, 불량 가신. 정신을 바짝 차리려고 고개를 절레절레 흔들고 있는데 에카이트가 평범하지만 어쩐지 음산한 어조로 질문을 던진다.

"……상처를 논하시니 문득 떠오르는 것이 있군요. 오늘 오전에 올려 드렸던 서류들이 아주 엉망이 되었다고 하던데요."

황태자는 에카이트의 날 선 어조에도 눈 하나 깜빡하지 않고 딴청을 부린다. 이에 약이 오른 것이 분명한 에카이트가 대놓고 인상을 찌푸린다. 보아하니 오랜 시간을 투자해서 힘들게 완성한 서류들이 엉망이 된 모양이다. 그 심정을 이해하지 못하는 바는 아니나 여기서 주거니 받거니 말싸움을 할 이유는 없었다.

"전하, 서류는 중요한 업무이니 밀리지 않으셔야 합니다. 전하께선 우리 칼라한 제국의 황태자이십니다. 만인의 모범이 되시려면 보다 행동을 조심해 주셔야 합니다."

부질없다는 것을 알지만 진심을 담아 간언하자 전하가 허허롭게 웃으신다. 간언은 달게 들으시며 진심도 가려 들으신다. 받아들이지 않으실 뿐이지. 그래도 저렇게까지 말하면 며칠은 효과가 있으니 입이나 떼 보는 것이다.

"간언하는 충신이 둘이나 곁을 지키니, 나중에 즉위하면 피곤하여 돌아가시겠군. 자, 그럼 피곤으로 사망할 가엾은 나를 기리면서 오늘의 첫 곡은 나와 추는 것이 어떨까, 아펠리아 경? 이 정도는 허락해 주겠지, 에카이트 공?”

전하, 그만 놀리시죠. 한숨이 절로 나왔다. 약혼식 무도회의 첫 곡은 당연히 나와 에카이트, 두 약혼자들이 시작하는 것이 정석이다. 두 사람의 새 출발을 알리는 춤이 되는 셈이니 예외는 없다.

누구보다 칼라한 제국의 예법을 잘 아는 분이 이런 말을 하는 것은, 그저 상대방을 약 올리려는 의도인 것이다.

진심으로 그렇게 말한 것이라면 이 약혼을 반대하고 나아가 에카이트의 약혼 상대자인 나에게 다른 관심이 있다는 뜻이 되니까 말이다.

하지만 공교롭게도 이 약혼은 황태자 전하가 직접 주례를 섰으니, 그러한 논란은 배제하는 것이 옳았다.

또 전하께서 장난을 시작하셨나 하는 반응으로 흥미롭게 웃기 시작하는 인파들을 보자니 어떤 의미에선 슬프다. 물론 에카이트는 그런 정도에 약이 올라 하는 사람도, 당황하는 사람도 아니었다. 그 예로 지금도 그의 표정에는 변함이 없었다.

굳이 표정을 살벌하게 굳힐 이유가 없는 상황이니까 말이다. 일단 제국의 황태자시니 어떤 이유로든 요청에 응하는 것이 맞지 않겠는가.

가장 높으신 분의 명령이니…… 승낙의 뜻을 담아 허리를 숙이려 했다. 그러나 에카이트가 허리를 더 강하게 잡아 안아 그러지 못했다. 엥? 왜? 그리고 힘은 또 의외로 좋다. 이 자식, 운동하나?

“물론 그렇게 하셔도 좋습니다. 그럼 전하께 최대한 빨리 첫 순서를 넘겨드리기 위해 어서 ‘저희’ 첫 곡을 시작해야겠군요. 아펠리아, 이쪽으로.”

자연스럽게 약혼자의 춤 다음에 추게 될 첫 춤을 허락하는 말로 상황을 넘기는 에카이트를 보고 속으로 감탄하지 않을 수 없었다. 이것 또한 엄연한 ‘첫 춤’이니 논란이 될 것도 없어지는 것이다. 약아

빠졌네.

사소한 부분이지만 상황이 변했다. 이것이 어떤 파장을 미칠지 생각하던 나는 따가운 시선에 그의 리드를 따라 플로어의 한복판으로 나갔다.

나가기 전 황태자와 시선을 맞추어 죄송함을 전하려는데, 그가 배부른 고양이처럼 웃고 있는 게 아닌가. 뭐지? 아니, 잠깐. 나 춤 어떡하지. 왈츠겠지? 분명 왈츠일 것이라고 생각하고 춤 쪽은 아무 준비도 하지 않았는데. 왈츠 말고 다른 곡을 춰야 하는 건 아니겠지, 설마.

황태자에게서 시선을 떼기 무섭게 강렬한 위기감을 느꼈다. 나는 댄스 스텝 따위 제대로 익혀 본 적이 없다.

기본 중의 기본인 왈츠와 타란텔라 무곡. 이 두 개 외에는 제대로 보지도 듣지도 못해 봤다. 왈츠는 기본이니 어렸을 때 익혔으며 타란텔라는 여기사인 내가 쓰는 기술과 스텝의 강약이 같아 아는 수준이었다. 내 곤란을 아는지 모르는지, 에카이트가 음악을 요청했다. 흘러나온 음악은 왈츠도, 타란텔라도 아니었다.

"볼레로지."

"……모릅니다만."

기본자세를 잡고 나를 내려다보는 에카이트의 입에서 나온 낯선 곡명에 긴장감을 놓지 못하고 낮게 대답했다. 음악이 시작한 이상 춤을 춰야 한다. 시작도 하지 못하는 것은 귀족의 수치였다. 춤은 교양 필수 과목이었다.

못 추는 춤이 있다는 것은 교양의 미달을 의미한다. 눈에 힘을 줘 에카이트를 노려봤다. 내가 춤에 익숙하지 못하다는 사실을 잘 알고 있을 텐데. 거기다 왈츠를 주문했던 악공에게 볼레로를 주문하다니.

물론 사전에 왈츠를 준비시켰는지 모를 수도 있겠지만 보통 약혼식 첫 춤으로 볼레로를 선택하진 않는다. 난이도가 다소 높은 춤이니까.

그런데 약혼식 첫 춤으로 볼레로라니……. 나에 대한 배려가 전혀 없다고 봐도 무방했다.

낯선 음악에 맞춰 엉거주춤 몸을 움직이느니 솔직히 출 줄 모른다고 곡을 바꾸는 것이 나을 것 같았다. 결단을 내린 내가 오른손을 살짝 들어 올리려는 순간, 에카이트가 허리를 감싼 손을 바짝 당겨 몸을 붙였다. 갑자기 가까워진 거리에 그의 심장 뛰는 소리가 들리는 것 같았다.

"눈 감고 내 스텝과 움직임에 집중해 보지. 그대로 따라 움직이면 나머지는 내가 리드할 테니깐."

"……전혀 못 믿겠는데."

"그대 나에게 백 가지 의심을 가질지언정 내가 부르면 응답할지니."

그는 유명한 신학 구절을 읊으며 무표정을 고수하고 있다. 낮의 설전 이후로 아예 말을 편안하게 하고 계시는 이분은 네, 에카이트이십니다.

불신을 펑펑 터트리는 내가 그의 발을 따라 몸을 옆으로 옮기면서 계속해서 투덜거리는 소리에 그저 낮게 웃었다. 그리고 다음 스텝을 유도하면서 귓가로 고개를 숙였다. 소름이 확 돋았다.

"믿게 해 주지."

귓가에 들린 에카이트의 말에 내가 웃기지 말라고 응징하려던 찰나 그가 자신의 다리를 이용해서 내 왼쪽 다리를 밖으로 밀어 내보냈다. 미묘한 움직임이라 그가 내 다리를 유도해 밖으로 움직였다고는 생각하기 어려울 정도였다.

그대로 그를 따라 다리를 쭉 뻗었다가 다시 안쪽으로 다리를 감자 그가 다시 낮게 웃었다. 제대로 하고 있는 건지 아닌지 알 수가 없으니 신경이 예민해진다.

"제법 완벽하군. 내가 밀어내면 그 힘이 닿는 거리까지 밀려났다가 다시 돌아오면 되는 것이지. 시계추는 알겠지, 반드시 돌아오는. 바로 지금처럼. 좀 더 몸에서 힘을 빼고 내 리드에 완전히 의지해 주면 고맙겠군. 보기보다 무거운 것 같아서."

뭐, 이 자식아? 예를 크게 중요시하지 않는 평민 사이에서도 여자에게 무겁다는 말을 하는 것은 금기이거늘 귀족 간에, 그것도 첫 춤에서 약혼자에게 들을 말로는 적합하지 않았다.

그의 말을 다소 진지하게 듣던 스스로의 멍청함에 돌을 던지고 싶은 마음을 억누르며 울컥하는 표정을 애써 숨겼다. 여기서 성질대로 했다가 저 속을 알 수 없는 녀석이 춤추는 도중 개망신을 주고 허허롭게 웃으며 괜찮다고 위로하는 모습을 상상하니 너무 끔찍했기 때문이다. 최대한 이를 악물고 친절히 말하기로 했다.

"……날 실수하게 만들면 이 자리에서 죽일 수도 것 같습니다. 아니, 죽여 버릴 거야."

그가 '얼마든지.'라고 낮은 목소리로 대답하는 것을 들으며 천천히 눈을 감았다. 그리고 움직임에 집중했다.

왼쪽으로, 이어서 한 바퀴 돌아 오른쪽으로. 순식간에 그의 군더더기 없는 움직임과 음악에 맞춰 춤을 추었다. 밀어내는 힘에 멀어졌다가 하늘하늘 돌아왔다.

한 번도 해 본 적은 없지만 파도라는 것에 몸을 맡기면 이런 느낌일까. 느린 춤곡이지만 특유의 멜로디가 야릇하게 느껴지는 순간이었다.

왠지 낯간지러운 기분에 감았던 눈을 살짝 떴다가 나를 내려다보는 에카이트와 눈이 마주쳤다. 곧바로 다시 눈을 감아 버렸다. 웩. 눈을 감자 에카이트의 입술이 귓가로 다가오는 것이 느껴졌다. 따뜻한 입김에 소름이 돋는 와중 낮은 저음이 귓속을 파고들었다.

"왜 그냥 눈을 감아 버리는 거지?"

내가 대꾸 없이 그의 춤 동작에 맞춰 뒤로 물러나며 우아한 곡선을 만든 뒤 다시 가까워지자 그가 다시 속삭였다.

"이젠 눈을 떠도 충분히 집중할 수 있는 것 같은데."

소름이 돋아 그의 말을 한 귀로 흘려들으며 완전히 도망가려는 정신을 간신히 붙잡았다. 나를 바라보는 에카이트의 시선은 강렬했다. 마치 내 생각의 밑바닥에 숨어 있는 감정을 헤집을 정도로 강렬하게 타오르고 있었다. 아무리 감정에 둔한 사람이라도 저 눈이 말하는 것을 놓치려야 놓칠 수가 없었다.

"……공이 눈을 감으시면 제가 뜰게요. 얼굴에 불붙겠습니다."

내 빈정거림에 녀석이 피식 웃는다. 다시 몸이 밀리는 감각에 맞추어 최대한 우아한 곡선을 만들며 멀어지면서 주변을 둘러보았다. 그런 내 시야에 아버지와 베이야드 공작 전하가 들어왔다. ……눈 다시 감을까? 다시 당겨지는 힘에 녀석의 품으로 돌아가니 에카이트가 등에 손을 올리고는 바짝 당기는 바람에 친밀한 연인이 껴안은 듯한 자세가 되었다. 에카이트는 이번에도 낮은 목소리로 귓속말을 했다. 아, 귀를 단련할 방법은 정말 없을까?

"차마 안 볼 수가 있어야지. 아, 지금."

아깐 무겁다며, 이 미친놈아. 울컥하기도 전에 그가 '지금…….'이라 말하며 자신의 다리를 내 다리 안쪽으로 밀어 넣었다. 내가 뭐냐는 말을 뱉기도 전에 음악이 클라이맥스에 도달했다.

화려한 스텝으로 마지막 리드를 한 그가 거의 일곱 바퀴쯤 돌고 나서 회전을 천천히 늦추었다. 그와 동시에 마지막을 알리는 화려하고 웅장한 멜로디가 울려 퍼졌고, 허리를 뒤로 젖혔다 그의 품으로 돌아가는 동작을 끝으로 마침내 길고 길던 곡이 끝났다.

아, 드디어 끝이다. 그제야 에카이트를 가볍게 밀어내면서 안도의 한숨을 내쉴 수 있었다. 엉거주춤하게 끝나지 않은 것이 어딘가. 제법 잘 췄을 수도 있다. 춤을 추는 도중에 웃는 사람이 없었던 것만으로 만족하자.

그렇게 스스로를 안심시키며 무대에서 내려가는데, 문득 뭔가 이상하다는 것을 감지했다.

왜 플로어에 아무도 없지? 본래 오늘의 주인공인 나와 그가 춤을 추기 시작해, 곡이 중반쯤 되면 다들 합류하는 것이 정석이었다. 이상하다는 생각에 그를 올려다보니, 에카이트가 입꼬리를 씩 올린다. 뭐지. 좌중이 고요한 와중 그가 내 어깨로 손을 얹으며 다정한 자세를 취한 채 귓가로 입을 가져다 댔다.

잔뜩 긴장한 상태로 춤을 마쳐 호흡이 흐트러진 상태에서도 보는 눈이 많아 부끄럽다는 듯 얌전히 녀석의 말을 기다렸다. 귓속말에 재미가 들렸나 보다.

"춤추는 내내 생각해 봤지. 대체 누굴 미치게 만들려고 함부로 전하의 제안에 응하려 했는지 말이야. 가급적이면 행동하기 전에 내 입장도 생각해 줬으면 하는데. 당장 그렇게 해 주길 바라는 건 무리겠지. 차차 알아 가도록 하자고. 그리고 갑작스럽게 볼레로를 권했던 나를 너그럽게 용서하길 또 빌어 보지."

에카이트는 지금 상황과 동떨어진 말만 중얼거리고는 전하의 곁에 시립하고 있는 아버지께 목례로 인사를 드린다. 그리고 내 손을 넋이 나간 황태자에게 넘겨 주며 씩 웃었다. 녀석의 얼굴에서 처음으로 인간다운, 진심이 엿보이는 표정이었다. 그가 악단을 향해 가볍게 주문한다.

"왈츠!"

그와 동시에 정신이 들어온 듯, 황태자의 얼굴이 팍 일그러졌다. 그런 전하의 에스코트를 받으며 플로어로 돌아가던 중, 에카이트의 바짓단 아래로 드러난 발등을 우연찮게 보았다.

차라리 보지 않았으면 좋았을 텐데. 제법 선명한 핏자국이 보였다. 에카이트를 등지고 플로어로 나와 자세를 잡으니 경쾌한 왈츠가 시작되었다. 시작과 동시에 들려오는 경쾌하고 빠른 박자에 능숙하게 대처하며 황태자와 스텝을 맞추었다.

허리를 곧게 펴고 서로 일정한 간격을 유지하는 왈츠인 만큼, 춤추기는 확실히 편했다. 황태자가 친히 첫 곡을 춤에도 불구하고 사람들이 플로어로 쏟아져 나오기는커녕 제법 시끌벅적했다. 대충 들어 보니 나와 에카이트의 첫 춤에 대한 이야기를 하고 있었다. 어떤 평가가 내려졌을까 궁금하여 그쪽으로 청각을 곤두세우려는 순간, 황태자가 낮게 투덜거리는 소리가 들렸다.

"굳이 들을 필요도 없네. 엄청났다는 소리나 칭찬 일색일 거니까."

"아까 춤, 혹시 틀리지는 않았습니까?"

매일같이 반복되는 기사 수련에 비하면 왈츠는 가벼운 준비운동에 불과했다. 그런 춤을 추며 지쳐 숨을 헐떡이는 것은 기사 자존심이 허용하지 않았다. 왈츠를 추면서도 한 치의 흐트러짐 없는 목소리로 물어보자 황태자가 질린 표정을 지었다.

하지만 당장 중요한 것은 그것이 아니었기에 대답을 재촉하는 표정으로 황태자를 올려다보았다. 그러자 그가 툴툴거리는 어조로 대답했다.

"두 완벽주의자들이 준비한 춤이 틀릴 리가. 소름 끼치게 완전했지. 일주일 휴가 내고 춤 연습을 한 건가?"

완전한 춤? 그럴 리가. 그럭저럭 봐줄 만했다는 평가만 들어도 충분하다고 생각했었다. 형식을 전혀 알지 못하는 춤이었다. 분명 표현 방식도, 스텝도 틀렸을 텐데 소름 끼치게 완전하다는 말은 다소 이상했다. 거기에 에카이트와 내가 미리 춤 연습이라니. 말도 안 되는 소리다.

에카이트의 리드가 빛난 춤이었다. 정확히 말하자면 그의 리드와 내 본능이 더해진 결과라고 할 수 있다.

"설마 정말 그렇게 생각하시진 않길 바랍니다, 전하. 오늘 처음 안 춤입니다."

"허, 살다 보니 경이 농담하는 소리를 다 듣는군."

진지한 얼굴로 말도 안 되는 소리 말라고 고개를 젓는 황태자를 황당한 시선으로 바라보았다. 그만큼 볼 만했다는 건가, 그 춤? 정말 생각보다 잘 춘 건가?

"연인들의 춤인 볼레로를 추고는 잘도 그런 소리를 하는군. 상호간 호흡도 중요하고 신체 화합도 중요한 춤이라, 사전 연습 없이는 그렇게 잘 출 수 없다는 건, 상식 중에 상식이지 않나."

"……상식이, 그것도 대단히 많이 부족해서 정말로 죄송합니다."

새로이 안 사실이 신기해 감탄을 담아 대답했다. 그렇구나, 그 춤이 그런 춤이구나. 사교계 일 중 모르는 것이 어디 이것 하나일까. 내 대답에 황태자가 더욱 의문이라는 표정을 지었다.

내 대답에 생각할 거리가 많은 듯, 한참을 말없이 춤을 이어 가던 황태자가 다시 입을 연 것은 다섯 번째 턴이 끝난 후였다.

"그러니까, 방금 그 춤을 즉석에서 맞춰 췄단 말인가?"

"온전히 에카이트 공의 리드 덕분입니다. 저야 모르는 춤이니 그냥 방향만 맞춘 셈이지요."

그를 칭찬하고 싶지 않았지만 사실은 사실이니…… 불퉁하게 사실을 고했다. 내 말이 끝나기 무섭게 황태자의 얼굴이 똥 씹은 표정으로 변했다. 한참을 그러고 있던 황태자는 내가 빙글 한 바퀴 돌고 나서야 불만 섞인 목소리로 입을 열었다.

"어느 쪽이 더 재수 없는 쪽인지 가늠이 안 되는군."

"네?"

전하의 불퉁한 말에 바로 반문하자 전하가 툴툴거리는 어조를 숨기지 않고 설명을 잇기 시작했다.

"그 춤을 전혀 모르는 상대를 완벽히 리드하는 쪽이나, 리드당해서, 완전한 춤을 춰 낸 쪽이나. 그래, 결론이 났군. 둘 다 재수 없어. 그것도 상당히."

"억울합니다, 전하. 가급적이면 저쪽이 문제라고 생각해 주십시오. 전 결백합니다."

내가 억울하다고 답하자 황태자가 고개를 젓는다.

왈츠는 크게 원을 그리며 추다가 작은 원을 그리며 추는, 플로어를 폭넓게 활용하는 춤이어서 주변의 반응을 다양하게 들을 수 있다는 것이 장점이었다. 하지만 그만큼 움직임이 많아, 악조가 경쾌한 왈츠 곡을 따라 춤을 출 경우 숨이 꽤 차오른다는 단점이 있었다.

"경도 스스로를 좀 보라고. 숨 하나 흐트러뜨리지 않고 잘만 추잖나. 거기에 아까 그 춤. 어지간한 무희가 부럽지 않은 몸놀림이었네. 더군다나 표정도 완벽했고. 눈을 감았음에도 완벽한 자세를 취하는 모습에 다들 놀랐을 거라고 장담하지."

"하지만 전하, 정말 처음입니다. 눈을 감은 이유는 오직 춤에 집중해 리드를 따라가기 위해서였습니다."

내가 정상을 참작해 달라는 태도로 말하며 왼쪽으로 시선을 돌려 제발 믿어 달라는 간절한 어조로 말하며 플로어 밖에서 대화를 나누는 아버지를 바라보았다. 아직까지는 평안하시군. 하지만 긴장을 풀지는 말자.

"……십 년 정도 휴가를 줄 테니 좀 쉬다 오게. 이대로 정진하다간 새로운 종족을 만들어 낼 수도 있겠어."

"평소에 수련만 꾸준히 하신다면 전하도 충분히 하실 수 있습니다. 원하시면 수련 일정을—."

내가 기회를 놓치지 않고 수련 일정을 짜 드리겠다는 말을 하려는 와중, 전하가 급작스럽게 몸을 돌렸다. 물론 마지막에 다다른 곡이니 점점 빨라지면서 마무리가 되는 것도 자연스러운 전개이지만 너무 과하게 빠른 것 같다.

수련을 언급하자 황태자의 표정이 금세 찌푸려졌다.

"절대, 절대로 싫네. 난 절대로 무리니 제발 좀 그따위 일정 끼워 넣을 계획은 삼가도록. 자, 약혼자에게나 가 버리라고. 더 데리고 있으려 했더니 아주 잔소리가 수준급이로군."

빠른 회전 끝에 곡을 마무리한 황태자가 가볍게 인사하는 시늉을 하고는 플로어 밖에서 기다리고 있던 에카이트에게 휙 넘겨주셨다. 악의 소굴로 빨려 들어가는구나.

녀석의 발등 때문에 내내 마음이 불편했던 내가 애써 화사한 웃음을 지으면서 다가가자 그가 금방 사교적 미소를 지으며 손을 뻗는다.

진짜 다친 거 맞아? 너무 태연자약하게 춤을 추던 그의 모습을 떠올리자니 묘한 의구심이 들었다. 확인을 위해 바짓단을 걷어 보고자 발을 슬며시 뻗었지만 문인인 주제에 쓸데없이 예민한 그가 발을 뒤로 쓱 빼며 가볍게 속삭인다.

“이번엔 조금 무리겠는데. 제법 무거웠다고 말했지 않나.”

“……실례되는 말을.”

울컥해서 말을 받아치자, 에카이트가 내 팔을 잡아당겨 품에 안고는 웃음 섞인 목소리로 형식적인 사과의 말을 읊었다.

정말이지 속을 알 수 없는 녀석이다. 내가 녀석을 밀쳐 품에서 떨어지니 녀석이 고개를 조금 숙여 내 귓가에 낮은 목소리로 중얼거린다. 자식아, 그냥 편지로 써서 줘라. 읽고 태워 버리게. 하지만 이내 이어지는 말에 나는 입을 꾹 다물 수밖에 없었다.

“아름다운 아펠리아, 나도 고통을 느끼는 사람이라서 말이지. 너 그렇게 밟혀 줄 수도 있지만 다음에 또 밟히면 멀쩡한 척하기 힘들 것 같거든. 모르나 본데, 제법 무거워, 그대가. 아무쪼록 조금만 봐주시지요, 아름다운 영애님.”

“무거워서 대단히 죄송하네. 그래요, 그러지요. 그대 뜻대로.”

불퉁한 대답을 돌려주자 그가 피식 웃는다. 기사라 수련이 끊이지 않아 하늘하늘 나긋하고 길쭉하게 보이는 몸매라지만 실제 다른 영애들처럼 부러질 것 같은 연약함이나 말랑함은 덜했다. 거기에 근육이 지방보다 무겁다는 정설대로, 연약해 보이는 겉모습과 달리 꽤 무겁다. 인정한다.

여자인지라 반복해서 그런 말을 들으니 마음이 불편해지는 것은 어쩔 수 없었다.

하지만 워낙에 요령이 좋은 인물이니 충분히 피해 살짝 밟혔을 가능성도 배제할 수 없다. 생각해 보면 너무 멀쩡하지 않던가. 그러한 의구심에 떠오른 짜증을 감추지 않고 냉정하게 쏴붙였다.

“냉혈한 당신이 사람이라는 말을 쓰다니…… 그거 참 재미있네.”

에카이트가 대답하지 않고 묵묵히 침묵을 지킨다. 그에게서 다소 경직된 기류를 느낀 나는 만족스러운 웃음을 지었다. 어째서 그에게 그렇게 날을 세웠는지 알 것 같았다.

상처 입히고 싶다. 상처를 내서 그 속을 속 시원히 들여다보고 싶다. 에카이트의 속마음이 무엇인지 알고 싶었던 것 같다.

지금이야 과거와는 다르게 흘러가고 있지만, 나는 근본적으로 그에게 신뢰를 가질 수 없었다. 에카이트가 얼마나 이성과 예법으로 포장된 사람인지 제법 잘 알고 있기에 더욱 그러했다.

엉겁결에 녀석에게 휩쓸린 조금 전 상황이 생각나 왠지 모르게 화가 났다. 일방적으로 날 휘두르다니. 생각할 여유가 생기니 모든 일에 화가 난다. 그 감정이 표정에 고스란히 떠오른 모양인지 에카이트가 커다란 손으로 내 얼굴을 가렸다.

그 손을 쳐내려는 순간 에카이트가 조용히 입을 열었다.

“손, 치우지 말고 듣지. 다들 주목하고 있는데, 험악한 표정은 참아야지. 인내하고 들어 줄 것 같지도 않고 하니, 일단 바로 본론으로 들어가지. 나는 어째서 그대가 나를 냉혈한이라 부르는지 모르겠군, 아펠리아.”

녀석의 말에 전과 같이 말문이 막혔다. 계속해서 혼동하고 있지만, 지금의 녀석과 과거의 녀석은 다른 존재였다. 존재의 근원이 다름을 말하는 것이 아니라 지금 상황 한정으로 그랬다. 물론 완전히 다른 사람이냐는 질문에는 아니라고 답하겠지만, 그렇다고 같다고도 할 수 없는 애매한 상황이었다.

솔직히 말해서, 아직까지 전생과 현생을 구분하기 혼란스럽다. 통쾌함을 느끼던 것도 잠시, 미안한 감정이 떠올라 한숨을 쉬면서 사과했다.

"……실례. 실언이었던 것 같네."

그러자 그가 천천히 손을 내렸다. 계속되는 과거와의 괴리와 변화는 판단력 증진에는 전혀 도움이 되지 않는 것 같다. 딱히 사과하고 싶지는 않았지만, 확실히 잘못했다고 느낀 점은 정확히 사과해야 한다. 공연한 죄책감에 앞으로 녀석에 대한 대처를 제대로 하지 못하는 것이 더 큰 피해라고 스스로를 위로하니 찝찝한 마음도 사라진다.

"미안할 필요까지야. 전하와 왈츠를 추는 모습을 보니, 그대가 처음으로 왈츠를 췄던 그날의 모습이 떠오르는군."

에카이트의 말에 머릿속으로 물음표가 떠올랐다. 내가 사교계에 데뷔할 때 왈츠를 췄다는 걸 어떻게 알지? 아니, 그 이전에 약식으로 형식만 차린 자리여서 대부분의 사람들은 내가 아예 데뷔를 하지 않은 것으로 알고 있을 텐데. 뭐지? 어떻게?

혼란이 가득한 눈으로 에카이트를 쳐다보자 피식 웃으며 시선을 돌린다. 그 웃음이 혼란을 더욱 가중시켰다. 물론 사교계 데뷔에 가장 정석으로 꼽히는 춤이 왈츠지만 내가 그 춤을 췄다는 것을 기억하다니 이 정도면 그것을 직접 봤다는 것이 아닐까?

처음 왈츠를 춘 순간을 떠올렸지만 그 속에 에카이트는 없다. 일단 이 부분은 나중에 더 생각하기로 하고 현실로 돌아왔다. 악단에 왈츠로 요청했던 것이 그 기억 때문이었던 건가? 하지만 전하도 춤에는 꽤 조예가 있으신 분이다.

무슨 곡이든 적절히 리드하실 수 있으실 텐데 굳이 내가 출 수 있는 춤으로 판명된 왈츠를 선곡하다니. 나름의 배려? 그럴 리가. 아니면 또 다른 뭔가의? 끝없이 이어지는 의문에 복잡한 머리를 식히려는 찰나, 등 뒤로 뭔가 다가오는 느낌이 들었다. 황태자 전하로군. 곧바로 돌아서 예법에 맞춰 아는 척을 했다.

"전하, 오셨습니까."

"……깜짝이야. 제발 그렇게 기척 없이 갑자기 뒤로 돌지 말라고. 경과는 달리 내 심장은 연약하고 또 연약하단 말일세."

"전하가 그간 벌이신 장난이나 일을 처리하시는 방식으로 보아서는, 이 무도회장에 있는 그 누구보다도 건강한 심장을 보유하신 것으로 보입니다만."

전하의 엄살을 냉정하게 잘라 내는 에카이트. 하긴 저 정도로 담대한 사람은 없을 거란 다수의 평가를 따르자면 전하가 특대 크기의 심장을 보유하셨음에는 아무도 이견이 없을 것이다. 내가 나도 모르게 동의를 표하며 미미하게 고개를 끄덕이자 전하가 투덜거리신다. 아니, 오죽하셨어야 말이죠.

"내가 맹수를 짝 지었지. 무리 지어 나를 공격할 것들을 두고 무슨 부귀영화를 보겠다고…… 쯧쯧. 아펠리아 경만은 믿었거늘, 실망이로군."

"송구합니다."

전하의 농담을 진중하게 받아들이던 이맘때의 나를 기억해 냈지만 평범하게 사죄를 전했다. 전하가 약간 의외라는 표정으로 눈을 치켜뜨다 이내 말을 말지라는 표정으로 고개를 절레절레 흔드신다.

그때 황태자가 친히 들고 온 포도주 두 잔 중 한 잔을 나에게 권하셨다. 거절하는 것이 더 이상한 상황이라 감사히 잘 받았다. 다른 잔의 주인은 에카이트가 아닌 것은 순식간에 확인되었다. 내게 잔을 건네기 무섭게 손에 남은 한 잔을 냉큼 입으로 가져다 댔기 때문이다. 하여간, 녀석을 골려 주고자 하는 의지만은 국내 최고이심에 분명하다.

이것도 배울 만한 일이었다. 만인을 평등하게 골리고 싶어 하겠지만 그중에서 순서를 매긴다면 에카이트가 분명 제일 앞자리에 설 것이다. 나만 아니면 되지만 부분적으론 나인 것 같아 마냥 기쁘진 않다. 그래도 주신 것은 주신 것. 가볍게 잔을 들며 인사말을 보탰다.

"감사히 즐기겠습니다, 전하."

"이런 걸로 뭘. 만약 맛이 별로거든 옆의 녀석 발이나 밟아 버리자고. 베이야드 공작가에서 준비한 것 아닌가. 아, 이럴 줄 알았으면 지독한 것이나 집어 와서 베이야드 공자가 신나게 밟히는 꼴을 보는 것인데. 쯧쯧."

전하에겐 여섯 번째 감각이 있는 것은 아닐까. 저는 이미 밟았습니다, 전하. 피 좀 봤더군요. 내가 속으로 중얼거리며 포도주가 담긴 와인글라스를 코 밑에서 가볍게 기울여 두어 바퀴 가볍게 흔들었다. 은은하게 올라오는 발효된 포도주의 향취가 제법이었다. 약혼식 준비에 꽤 신경을 쓴 모양이었다. 포도주를 마시려던 찰나, 이 느슨하고 풍요로운 분위기 사이로 이질감이 느껴졌다. 등 뒤다.

"아, 리디아 양. 자주 뵙네요. 괜찮나요?"

나에게 인위적으로 다가오는 사람들을 완벽히 포착한 덕분에 적절한 대처가 가능했다고밖에 할 말이 없다. 불길한 예감에 와인글라스를 잡은 손을 몸에서 멀리 떨어뜨리면서 반대편 손으로 리디아의 팔꿈치를 잡았다. 그 잔은 리디아 쪽으로 기울어 있었다.

뻔뻔하기도 하지. 내게 부딪혀 드레스에 음료를 쏟는다. 세치 혀를 놀려 상당 부분 내 책임으로 만든다. 내 책임이 아니더라도 아량을 베풀어야 하는 상급 귀족으로서 그녀에게 이쪽에 준비된 여벌 의상이 있으니 갈아입고 오라는 제의를 해야 할 것이다.

이쪽에 준비된 여벌 의상이 붉은 드레스였다고 우기며 그 드레스를 입고 나타난다고 가정해 보자. 에카이트가 약혼 연회에서 정부를 공식적으로 인정하는 행태로 보이지 않겠는가. 그것을 노린 것이 아닐까.

추측에서 확정으로 무게가 기울었다. 전생에서 첫 춤을 황태자와 추는 사이 에카이트와 함께 붉은 드레스를 입고 나타났었지.

하나 지금 그녀의 곁엔 에카이트도 없었으며 주변의 다른 영애들과 같이 무채색 계통의 드레스를 입고 있었다. 단지 몇 가지 행동이 바뀌었음에도 모든 일의 시작이라고도 할 수 있는 큰 가닥들이 바뀐 것이 등골을 서늘하게 만들었다. 동시에 가슴이 크게 뛰었다. 애써 난감하고 부끄러운 표정을 꾸미던 리디아가 순간이지만 가소롭게 보였다.

그대로 냉정하게 펠튼을 주시했다. 흰옷에 혼자라. 과거의 내가 겪었던 외로움을 떠올리니 작은 위로가 되었다. 어찌 됐든 지금 상황은 고소하기 그지없었다.

이제는 그녀가 전혀 등장할 수 없는 곳에 등장하는 것에 대해서는 더 이상 놀라지 않기로 했다. 전생에도 이 연회에, 그것도 지금보다 더 기세등등하게 나타났던 여자였다.

거기에 지금의 나는 이 여자보다 우위에 있다! 진심에서 우러나는 진한 웃음을 지으며 동시에 다시 만나서 반갑다는 표정을 지었다. 이렇게 만나다니, 무척 반갑다. 내가 이 여자와 이런 위치에서 만날 수 있었던가. 웃음이 절로 짙어지자 리디아가 눈을 날카롭게 떴다가 이내 다시 표정을 고쳤다.

그 일련의 과정이 너무도 만족스러웠다. 하지만 이내 반갑다는 표정, 자신을 기억해 줘 기쁘다는 표정을 자아내는 그녀의 얼굴이 가소롭다. 두 번이나 속을 것 같냐!

“세상에, 공녀님. 제가 하마터면 부끄러운 실수를 할 뻔했는데, 친히 잡아 주시니 감사할 따름입니다.”

그녀의 가녀린 음성을 듣다 보니, 주변의 시선이 모이는 것이 보인다. 넘어질 것 같이 비뚜름히 서 있는 리디아를 내가 잡고 있는 모습은 특이했다. 더군다나 하나는 이 무도회의 주인공 중 하나가 아닌가. 아니, 내가 잡아 줘서 시도가 불발로 끝났으면 곱게 일어날 것이지 왜 계속 이런데.

계속 쓰러질 것만 같은 자세로 체중을 싣는 리디아를 눈 하나 깜짝하지 않고 잡아냈다. 이보셔요, 이래 봬도 당신 팔뚝만 한 검을 하루 종일 휘두르는 사람이거든요. 이걸로 내가 힘이나 빠질 거라 생각하는 것은 아니겠지?

"리디아 양, 괜찮은가요? 괜찮다면 이제 그만 똑바로 서는 게 어떠신지요. 저도 마냥 부축해 드리기가 쉽지 않아서. 만약 많이 불편하면 시종을 불러 줄까요? 아, 그보다 일행을 부르는 편이 좋겠군요."

내가 더욱 진하게 웃으며 그렇게 권하자 그 여자가 입술을 얕게 짓씹고서 아니라고 고개를 젓는다. 일행이 누군지 떳떳하게 밝힐 수 없는 뭔가가 있구나. 나는 속으로 그렇게 단정 지었다. 떳떳한 관계의 사람이라면 공개적인 자리에 데려와 존재감을 십분 드러내서 세를 과시했을 여자다. 심지어 이런 민망한 상황에서야 그런 일행들이 호들갑을 떨며 나타나 줘야 하는 것이 이치에 맞지 않는가.

하지만 그러한 기회를 친히 줬음에도 회피하는 것은, 그 동행이 자신을 입장하게 해 준 뒷배라는 것을 인정하는 꼴이다.

아직까지 공식적으론 아무것도 아닌 하급 귀족 출신의 여자가 이러한 연회에 나타날 수 있는 영애들과 돈독한 관계를 만들 수 있을까? 대답은 당연히 아니었다. 제법 친하다고 해도 공녀인 내 앞에 나서서 이 여자를 역성들어 주고 감싸주며 친분을 과시할 사람도 없을 거다.

속으로 계산을 마친 내가 그녀를 붙잡은 팔에 힘을 주어 그녀를 일으켜 세웠다. 하지만 여전히 힘을 빼고 있는 여자 덕에 손을 잡고 있어야 했다. 자칫하면 글라스를 떨어트릴 기세였으니 말이다. 이쯤 되니 뒤에서 들리는 목소리.

"에카이트 공, 맞고 살기 싫으면 말 잘 들어야겠군. 저 무거운 몸체를 가뿐하게 들어 세우다니 말이야. 힘이 아주 장사야."

"맞을 일이 있다면 그렇겠지만 맞을 일이 없다면 그렇지 않겠지요. 이유 없는 폭력은 없지 않습니까."

빈정대는 황태자의 음성과 그걸 자연스레 받아치는 태연자약한 에카이트의 목소리. 이유 없는 폭력을 행사한 것으로 보이는 나를 겨냥한 말인가. 괜히 마음이 뜨끔하다. 황태자는 호불호가 분명한 성격이라 싫은 사람에겐 대놓고 싫다고 표현해 주변을 곤란하게 만들었다.

그에 반해 에카이트는 자신의 호불호를 겉으로 드러내지 않는 성격이었다. 모든 것에 호의적인 태도를 보인 탓에 어떤 것이 진짜 호의인지 구분해 내기 힘든 사람이었다. 그런 이유로 에카이트가 늘 껄끄러웠다. 저 여자에게도 우호적, 이 여자에게도 우호적, 딱히 여자에게만 우호적인 것은 아니었지만 모두에게 우호적이니 말이다.

그 와중에 유독 나에게만 냉담하게 굴었으니 더 이해할 수 없었다. 아, 생각을 말자. 생각하면 할수록 알 수 없는 녀석이라 생각을 멈추기로 했다. 다만 한 가지 확실한 것은 녀석이 외교관으로선 최고의 성향을 가졌다는 것이다.

"전하, 레이디에게 무겁다니요. 실례입니다."

"자네가 내게 할 말은 아닌 것 같은데. 아침나절부터 나한테 목숨을 빚진 자가 아닌가. 좀 그러해도 뭐 어떤가."

내가 일부러 리디아를 감싸는 발언을 하자 전하가 딱 잘라 합당하다고 주장하신다. 나도 아까까지 무겁다는 말로 연타를 얻어맞은 상태라 어느 정도 감정 이입이 되기도 했고 말이다. 그나저나 전하께선 어지간히도 심사가 뒤틀리신 것 같다. 아침나절에 목숨을 빚졌다는 말을 대수롭잖게 툭 내던지시니 오전에 자리에 없었던 에카이트는 아는 바가 없어 약간 의문스러운 표정을 지었다.

주변에서 귀를 쫑긋거리던 고위 귀족이라는 무리들도 웅성거리기 시작한다. 하기야 고위 귀족들은 오전 연회에 나타날 일이 없으니 소문을 알 수가 있나. 소문이 퍼질 만큼 시간이 지난 것도 아니고. 아마 전하가 오전 연회에 참여했다는 사실을 지금에서야 알게 된 사람들이 대부분이 아닐까.

주변에서 작은 속삭임들이 들린다. 대개 내 의외로운 자비에 대한 찬탄이었다. 전하를 모시는 호위 기사로써 충언을 함과 동시에, 레이디로서의 우아함도 챙긴 것이다.

전생에 차가웠던 대중의 시선이 뇌리를 스치자 괜히 몸이 움츠러드는 기분이라 어깨를 더욱 곧게 폈다. 그 와중 이를 악물고 있던 리디아가 입을 연다.

"……아침에는 정말로 큰 죄를 지었습니다. 송구하옵니다."

여우답게 죄송스러운 표정을 잔뜩 지으며 말에 따라 예를 취한다. 이렇게나 굽히고 들어오는데 묵과해 주지 않을 수도 없는 위치인지라, 황태자는 고개를 돌려 시선을 피하는 것으로 대답을 대신했다. 아침에 황태자 전하의 행동 양식을 완전히 파악한 것이 분명한 리디아는 굳이 벌을 내려 달라든가 하는 가식은 참는 것 같았다

하긴 '벌을 내려 주시옵소서.' 하는 순간 '오냐, 사형.' 하고 사형을 언도하실 분이니까. 나만큼은 아니더라도 한차례 황태자의 과격함을 겪은 리디아도 이러한 장소에서 더 이상 망신을 당할 순 없다는

계산을 마친 것 같았다.

나는 펠튼의 눈동자를 다시 한 번 깊게 들여다봤다. 이상할 정도로 동요가 없다. 도리어 비장하다. 아직 꾸며 온 계략이 남았다는 소리인가. 미묘하게 움직이는 펠튼의 눈동자를 따라 눈을 돌리던 순간. 뭔가 차가운 것이 얼굴로 확 튀어 올랐다.

'촤악!'

범인은 황태자였다. 내가 여전히 여자를 잡고 있던 팔을 뒤에서 툭 친 것이다. 전하가 손을 뻗는 데에 감히 힘을 주고 버티는 양상은 할 수 없으니 자동으로 힘을 풀어 무방비가 된 팔이 가벼운 힘으로도 휘어진다.

그리고 덕분에 그 독한 셰리주가 펠튼의 계략대로 그녀의 드레스에 뒤엉켰다. 물론 내 얼굴로도 몇 방울 튀었고 말이다. 뒤에 전하가 계신데 몸을 피할 수는 없어 찰나 날아오는 것을 느끼고도 눈을 감아 그대로 맞았다. 눈을 뜨고 확인해 보니 아니나 다를까 물이 튀는 소리는 셰리주가 쏟아지는 소리였다.

황태자는 리디아가 의도적으로 잔을 엎으려 한 것을 눈치챈 것 같았다. 그러한 행동 속에 숨은 계략이 무엇인지 궁금하니, 끝까지 보고자 벌인 짓임에 분명했다.

낭패한 표정 끝에 나오는 저 표정. 그 표정을 읽기 무섭게 나도 재빠르게 포도주가 담긴 와인글라스를 휘청거리게 하고 그녀가 잔을 쏟는 반동으로 가슴팍에 음료가 쏟긴 것으로 위장했다.

미지근한 포도주가 살에 닿으니 그마저 차갑게 느껴졌다. 리디아가 내 목선과 드레스를 따라 흐르는 붉은 포도주를 매섭게 노려본다. 소란에 멀리서 봉뒤프베 부인이 빠른 걸음으로 다가오고 있었다.

에카이트가 빠르게 연회복 재킷을 벗어 내 몸을 덮어 가린다. 그러한 움직임이 멀찍이 떨어져 극을 관람하는 것처럼 느껴진다. 리디아와 시선이 매섭게 얽혔다. 그래, 좋다. 한번 붙어 보자, 리디아 펠튼. 이번 생에도 너는 여전히 미쳐 있구나. 나 역시 미쳐 버릴지언정 물러서지 않을 것이다.

"부인, 이건 못 입겠어요. 그렇죠?"

내가 심란한 표정으로 베이야드 저택의 방구석에서 전하가 보내 주신 흰색 드레스를 천천히 감상했다. '오호, 경의 옷이 상했군. 주인공이 벌써부터 퇴장할 수야 없지. 내가 약혼 선물로 드레스 한 벌은 맞춰 주려고 생각하고 있었어.'라고 외치시곤 시종을 불러 이러저러한 지시를 내리셨다. 왠지 전하가 과하게 신나셨을 때에 알아봤어야 했다.

흰색 드레스다. 하지만 동시에 붉은색 드레스다, 붉은색. 무려 붉은색! 내가 흰색임과 동시에 붉은색이라고 주장하는 이유는 간단했다. 겉감은 완벽한 흰색이되 안감이 붉은색이라서. 혹자는 붉은색이 안감이라면 입는 당사자만 알 일이 아니냐고 반문하겠지만 이 드레스는 어떻게든 안감이 밖으로 선연히 드러나는 형태다. 전하, 정말이지 대단하십니다. 나쁜 말은 잘 하지 않는 봉뒤프베 부인 역시 이 이야기를 듣고 당혹감을 감추지 못했다.

"못 입죠, 아무려면요. 아무리 겉면이 흰색이라 해도 약혼식 무도회인데…… 스캔들은 고사하고 아마 입고 나가면 그 즉시 에카이트 님께서 눈이 뒤집어지실 텐데요."

"에카이트 공은 어째서? 체면의 문제라면 뭐 그렇기는 하겠어요."

내가 드레스를 심란한 시선으로 바라보며 건성으로 물어보자 부인이 한숨을 크게 내쉰다.

에카이트야 내가 뭘 입든 크게 신경을 쓸 필요가 없는 대상이었다. 물론 약혼자이니만큼, 내가 황태자 전하의 명으로 붉은 드레스를 입는다면 위신이 깎일 수 있겠지만 말이다.

위신이 깎인다니 그거 왠지 솔깃하네. 아니, 하지만 녀석의 위신을 깎기 전에 나부터가 스캔들에 휘말리니 자제하는 편이 좋지 않을까. 금세 이성을 차리고 진지한 자세를 보이자 부인이 인내심을 가지고 설교를 시작했다.

"아까도 보셨고, 오시기 전부터 뭔가를 받으셨다면서 모르시다니요? 에카이트 님께서 영애를 무척이나 은애하는 기색이 역력한걸요. 워낙에 예법에 올바른 분이시라, 다들 의례적인 행동일 것이라고 말하기도 하지만 제가 보기에는 확실해요. 분명 영애께 호감이 있다고요. 그런 상황에서 전하가 주신 '붉은 드레스'를 입고 등장하면 에카이트 님의 마음이 어떻겠어요? 약혼식 무도회인 만큼 조심해 주셔야지요. 장차 남편 되실 분이 아니시던가요."

"……은애라기에는 조금 걸리는 점이 많지만, 뭐. 일단은 소문의 중심이 되는 건 가급적이면 사양하고 싶은 입장인지라. 하지만 내가 여기서 격이 떨어지는 의상을 입고 등장하면 어떻게 될까요?"

내가 모호한 표정을 지으며 봉뒤프베 부인에게로 시선을 돌리자 깊은 한숨을 쉬었다. 한숨 쉬면 복이 달아난다는데, 계속 한숨만 쉬게 만드니 미안하네.

내가 대답을 기다리며 주변을 살폈다. 붉은 드레스를 제외하고 비치된 드레스는 말 그대로 정원을 가볍게 산책하는 수준에서나 용납될 만한 것들이 전부였다.

다른 사람들이야 모르겠지만 나는 분명히 알고 있다. 리디아가 예의 그 붉은 드레스를 입고 등장한다는 것을. 그 판국에 저런 평범한 드레스는 터무니없었다.

가급적이면 맞불 작전을 피하고자 선택한 것이 종전의 해바라기 색상의 드레스였는데. 다른 뾰족한 수가 보이지 않는다. 이내 입을 연 봉뒤프베 부인도 앞서 내가 우려한 말에 동의하는 말로 말문을 열었다.

"확실히 좀 그렇죠. 영애께서도 짐작했겠지만, 펠튼가의 그 몰염치한 아가씨는 제가 디자인한 붉은 드레스를 입고 나올 거예요. 어쩌면 그렇게 뻔뻔스러울까. 아아, 정말이지 앞으론 고객도 가려 받아야 할 것 같네요. 공연히 제가 소란에 일조한 꼴이 되니, 지금은 영애를 보는 것도 민망하답니다."

아. 나는 봉뒤프베 부인의 말을 듣고서야 그녀가 어째서 이렇게까지 불편한 심기를 드러냈는지 완전히 이해할 수 있었다. 아무리 그녀를 돕고자 판매한 드레스는 아니라고 해도, 결과적으론 자신의 손을 거친 드레스니까.

왠지 내가 리디아와 좋지 않게 엮이기 시작하고, 그녀가 문제의 붉은 드레스를 들먹일 때부터 안절부절못하는 기색이 미미하게 느껴졌었는데 역시 신경을 쓰고 있었던 모양이다.

굳이 부인을 탓해야 할 만큼 상황이 막막했던 전생도 아니고, 지금으로선 차라리 감싸 안으며 신뢰를 다지는 편이 유리하다. 그렇게 판단을 내린 내가 괘념치 않는다는 표정으로 가볍게 그녀를 달랬다.

"이게 어찌 부인의 잘못이라고 할까요. 간교한 계략은 그 전말이 밝혀져야 계략임이 만천하에 드러나는 법일진대, 부인이 아니라 그 누구에게도 그 책임을 뒤집어씌울 수 없을 겁니다. 사실, 뭐 결혼이 늦은 가엾은 아가씨의 발작 정도로 볼 수도 있지 않겠습니까."

내가 장난스러운 미소를 지으며 말하자 부인이 안도의 한숨과 같은 얕은 한숨을 쉬었다.

머릿속으로 에카이트 녀석의 발을 성대하게 걸어 넘어트리는 상상을 하면서 애써 미소를 지었다. 녀석을 자빠트리는 계획을 실제로 실천해 볼까 잠시 고민하고 있는데, 부인이 한결 편안한 음성으로 동의를 표했다.

사실 봉뒤프베 부인은 전생에서 펠튼의 긴밀한 협조자로 알려져 있었다. 그래서 일부러 그녀를 택해 드레스를 주문했던 것이지만, 지금 상황으로 보아, 그녀는 그저 그 붉은 드레스를 디자인했다는 이유로 그런 오해를 샀던 것 같다.

적당한 친분을 유지함으로써 훗날 펠튼가와 관련된 정보나 들어볼까 하는 계획은 포기하자. 그녀 자체가 충분히 강력한 협력자가 될 수 있으니까.

봉뒤프베 부인은 단순히 내가 그녀의 상황을 이해한다고 한 점에 만족하여 그 여자에 관한 험담을 계속하고 있었다. 아마 동지라고 생각한 걸지도?

"아까 영애가 예의상 실례가 아니라면 의상을 갈아입고 참여해 달라는 말을 곤란한 듯 수긍한 것으로 봐선 분명하다고요. 보통 거기서 사양하고 돌아가는 것이 일반적인 경우인데 뻔뻔하기도 하지요."

"……정말이지, 제가 다 돌아가고 싶군요."

생각을 마무리한 내가 진심을 담아 심각하게 한탄하자 부인이 약간 웃다가 금세 다시 진지한 표정을 지었다.

이렇게 웃고 떠드는 동안에도 시간은 계속해서 지체되고 있었다. 그럼에도 불구하고 이토록 망설이는 이유는 단 하나. 저 드레스는 단순한 붉은 안감이 밖으로 드러나는 드레스가 아니다. 무려 왼쪽 허벅다리 중반부터 시원하게 트여 있는 파격적인 드레스였다.

그래서 나와 봉뒤프베 부인이 고뇌에 빠져 헤어 나오지 못하고 있는 것이다.

얼핏 보아서는 모르지만 자세히 보면 일반적인 옆트임보다 제법 더 깊이 파여 있었다. 순결한 흰색 레이스까지 사용해 제작한 드레스이지만 그 옆트임이 시작되는 쪽의 안감이 문제였다.

바로 그 안감이 화려한 붉은색이었다. 게다가 딱 떨어지는 것이 아니라 물결치듯 구불거리는 모양으로 보아, 발걸음을 떼면 더 굉장할 것이다.

나풀나풀. 한 발 한 발 뗄 때마다 자연스럽게 트임 안쪽의 붉은빛이 노출될 것이다.

상반신은 또 어떤가. 브이자로 꽤 깊이 파인 홀터넥 디자인이다. 입어 보지 않아도 눈에 선하다. 세상에나.

"그나저나 그 여우가 그 붉은 드레스를 입고 등장하면 분명 누가 줬을까 궁금해 소란이 일 텐데 곤란하게 됐군요."

잠시 수습 불가능한 드레스에 대한 생각을 접고자 다른 주제로 말을 돌리자 봉뒤프베 부인이 민망한 표정을 지으며 동의한다. 보아하니 여전히 그 문제에 관해 죄책감을 다 지우지 못한 모습이었다. 아이고, 진짜 괜찮은데. 나는 속으로 한숨을 쉬었다.

잠시 잡념을 품던 머리를 털고, 민망한 표정을 애써 감추고 있는 부인을 다독일 말을 골랐다.

"내가 또 무신경한 말로 부인을 민망하게 했군요. 아직 말이 서툴어서 그런 것이니 이해해 주면 고맙겠어요. 절대 부인을 탓할 일은 없을 겁니다."

직접적인 말로 속내를 밝히자 부인이 한결 안심한 미소로 화답한다. 아이고, 머리야. 그녀의 밝은 미소를 보면서 여자란 얼마나 섬세한 생물일까, 하고 생각했다.

"호호, 그렇게 말씀해 주시니 한결 안심이 됩니다. 일단 이 드레스로 말씀을 드리자면 펠튼 양의 드레스보다는 훨씬 화려한 디자인이에요. 펠튼 양의 붉은 드레스는 단조로운 디자인이거든요. 물론 원단이나 보석을 비싼 걸로 골라 화려한 드레스라는 말이 나오긴 했지만요."

그녀의 말에 웃음이 나왔다. 물론, 리디아의 붉은 드레스는 기억에 강하게 남아 있으니 굳이 더 설명이 필요 없었다.

확실한 것은 무엇을 하든 내가 그 여자에 비해 더 강한 임팩트를 불러와야 한다는 것에 있었다. 더 강렬하게 시선을 뺏고, 더 강렬하게 소문에 남기 위해 이 드레스는 정말 좋은 소재가 되어 줄 것이다.

사람도 그렇지 않던가. 속에 무엇이 들었는지 다 알면서도 겉모습만 보고 우선 모르는 척하는 것이다. 물론 그러한 이해관계가 형성되어 있다는 전제하에서 가능한 이야기다.

아무튼 이 드레스는 옆으로 트인 부분의 안감이 완벽한 붉은색인데다 쉽게 밖으로 드러나는 디자인인지라 붉은 드레스라고 불러도 될 것이다.

리디아가 자기 손으로 직접 주문한 붉은 드레스와, 황태자 전하께서 친히 내려 준 드레스. 시작점부터가 다르다. 왜일까? 전생에서는 이러한 드레스를 받은 적이 없었다. 내 혼란스러운 표정을 마주한 봉뒤프베 부인이 추론한 것을 설명하기 시작했다.

"일단 확실한 것은, 영애께서 이 드레스를 입고 나가면 에카이트 공은 한동안 신경이 쓰여서 영애에게서 시선을 떼지 못하리란 거예요. 다만 워낙 이성적인 분이라 어떻게 반응하실지 예측할 수 없어 참으로 애매모호합니다.”

일단 리디아가 그 드레스를 용감하게도 입고 나타난다고 치자. 문제는 에카이트였다. 녀석이 혹여나 그 여우 같은 계집의 유혹에 넘어가 버리면 앞서 바뀐 일들이 무색하게도 전생과 같은 일이 반복될 것이다.

리디아가 그렇게 화려한 차림으로 등장했지만, 그럼에도 불구하고 에카이트 공의 시선은 폰디체리 공녀에게서 떨어지지 못했노라, 라는 흐름으로 가는 것이 좋았다.

나는 아직 기사 예법에 충실한 나머지, 사교계에 무지하여 붉은 드레스의 의미도 모르는 순진하고 어린 영애로 알려져 있다. 무도회장에서 약간의 재간을 펼칠 조건은 충분한 셈이다.

마음을 굳히고 부인과 눈을 마주치자 그녀는 시선을 피하지 않고 우아하게 부채질을 하며 가볍게 고개를 끄덕였다.

부채에 남은 내 서명이 방금 한 것처럼 아직도 뚜렷하다. 지금 저 부채를 폈다는 것은 어떤 것이든, 내 제안에 동조하겠다는 선언인 셈이다.

애써 장난스러운 웃음을 지었다. 자기최면이 필요한 시점이다. 나는 즐거운 장난과 즐거운 유희에 임하고 있다!

“일단, 첫 번째로 그 여자보다 시선을 끌어야 하겠군요?”

“당연히 그렇지요, 영애. 하지만 저는 영애라면 충분히 그렇게 할 수 있으리라 믿어요.”

좋은 아군을 얻었다, 이번에는. 마음이 통했다는 의미를 담아 환하게 웃어 주었다. 이후로는 빠르게 드레스를 어떻게 할지 의견을 모았다.

“……붉은색 말고도 파격적인 디자인이 너무 많은 것 같은데. 어떻게 생각하나요, 부인?"

"음, 뒤쪽이 이 정도로 파지긴 힘들 텐데요. 이 정도로 뒤를 떼 놓고도 천이 몸에 붙어 있게 하다니, 파격이라는 말로는 부족해요. 이건 혁명이에요, 혁명."

드레스를 입고 머리를 정리하며 나누는 대화치고는 제법 암담하다. 너무 춥다. 휑하다. 다 벗은 것 같다. 자꾸 움츠러드는 몸을 애써 펴고 서 있자니 봉뒤프베 부인은 그 틈을 타 연신 신기한 표정으로 드레스를 면밀히 관찰했다.

아, 어머니. 차마 눈물 없이는 말할 수 없는 뒷모습에 한숨을 쉬며 거울을 바라보았다. 망측하게도 허리 부근까지 깊이 파진 디자인이었다. 대체 어떻게 이런 드레스를 그리도 빨리 공수해 오신 것인지. 혹시 안에 입고 계셨던 건가, 의심이 갈 지경이었다.

혼자 속으로 온갖 생각을 중얼거리며 한숨과 함께 드레스에 관한 감상을 내뱉었다.

"……엄청나게 화려하네요. 바깥 천이 흰색인 점에 감사드려야 할 것 같아요. 그마저 붉은색이었다면…… 상상만 해도 끔찍합니다."

"어머, 영애. 무슨 그런 섭섭한 말씀을. 다소 천박해 보이는 드레스를 영애가 입었기에 매혹적으로 보이는 거예요. 거기에 마침 머리카락도 굵게 웨이브가 진 상태인지라, 더할 나위가 없네요. 온통 붉은 드레스였어도 분명 훌륭하게 소화하셨을 겁니다, 호호."

내가 한탄하는 소리에 아부 섞인 반박을 하던 봉뒤프베 부인이 거울에 비친 내 얼굴을 유심히 본다. 거울 너머로 눈을 맞추자, 그녀의 시선에 담긴 망설임을 눈치챌 수 있었다.

"부인, 뭔가 문제가 있나요?"

"아, 제가 실례했네요. 사실 영애의 화장이 조금 걸려서요. 지금 화장은 조금 전까지 영애가 입던 드레스에 맞춘 화장인데, 지금의 드레스와는 스타일이 완전히 달라서…….”

어쩐지. 단조롭고 화사하게 앳된 느낌을 살린 지금의 화장은 관능과 성숙함에 포인트를 둔 드레스와 어울리지 않는 것이다. 하긴, 충분히 그럴 법도 하다.

나는 고개를 끄덕여 동의를 표했다. 하지만 화장마저 이 엄청난 드레스의 성향에 맞추면 엄청난 결과물이 나오지 않을까, 미미한 걱정이 앞선다.

나와 관능이란 단어는, 상당한 거리가 있으니까. 기사가 관능적으로 검을 움직이는 것은 있을 수 없는 일이다. 절제와 통제. 오직 그뿐이다.

“어색할 것 같기는 한데, 이 이상의 도전을 피하는 건 어리석은 걸까요?”

“그렇게 말하실 것까지는……. 다만 영애가 그리 준비해 나가시면 오늘 밤 베이야드 저택의 술이 남아나지 않으리란 것은 장담하지요.”

내가 의아한 표정을 지어 보이자 부인이 짓궂게 웃었다. 그리고 덧붙이기를.

“이런 매혹적인 아가씨가 결혼을 공표하는데, 어느 사내가 호탕하게 웃기만 할까요. 세상에, 에카이트 님이 너무 가엾어요.”

……아니, 그보다는 이 민망한 옷차림에 시달릴 나를 좀 동정해주면 안 될까요. 아마 심란한 마음과 음주량이 비례한다면 오늘 밤 술독에 구멍 낼 사람은 나다, 나. 젠장. 그래도 어쩌겠는가. 미적지근하게 하느니 확실히 하는 것이 옳으니까.

“지금 제가 믿을 분이 부인 말고 또 있을까요. 전적으로 부인을 신뢰하겠어요. 이번에도 부탁해도 될까요?”

봉뒤프베 부인이 화사하게 웃으며 화장 도구로 손을 뻗는다. 그리고 동시에 불길한 느낌이 스멀스멀 올라왔다. 오, 신이시어.

나는 지금 무도회장을 멀리서 떨어진 위치에서 바라보고 있다.

일단 봉뒤프베 부인은 내 준비를 돕고 조용히 먼저 무도회장으로 귀환한 상태다. 내가 여기서 입장을 늦춰 가면서까지 무도회장을 응시하고 있는 이유는 간단했다.

"……리디아, 이 여우 같은 계집애. 언젠가 내 손에 처참히 끝장날 아가씨야. 내 인내심이 다 없어지기 전에 빨리 입장하렴."

실제로 그렇게 할 것도 아니면서 중얼거려 봤다. 시간이 꽤 지났음에도 리디아는 아직 나타나지 않았다. 그녀가 입장한 직후를 노려 입장할 계획을 잡은 이상, 리디아가 먼저 지나가길 기다려야 했다.

지금 나는 황태자 전하가 친히 준비해 주신 흰색의 반전 드레스를 입고 매복 중인 셈이다. 어쩌다 보니 하루 종일 화려한 드레스다.

"……정말이지, 성가시고 거슬립니다. 정말 싫어요."

"어쩌겠나. 참아야지."

기둥 뒤에 몸을 숨기고 있는데, 그 앞의 통로에서 리디아와 어떤 남자가 등장했다. 예상대로, 전생대로 붉은 드레스를 입은 리디아를 에스코트해 주는 남자는 멀쩡한 정장 차림이었다.

자세히 보니 검은 머리카락에 상대적으로 짙은 피부색을 지닌 이방인이었다. 그를 면밀하게 관찰하고 있는데, 그가 나를 눈치챘다는 것을 본능적으로 느꼈다.

걷는 걸음이 일정하게 떨어지는 걸 보아 분명 검을 아는 사람의 걸음이다. 무게가 있는 걸음. 어쩌면 저 남자가 리디아 실버 펠튼의 뒷배가 되어 주는 사람일수도 있다. 동시에 타국의 첩자일 가능성도 유력하다.

증거를 남길 만반의 준비를 했어야 했는데. 후회는 반복할수록 깊어진다. 주어진 상황에서 최선을 다하는 것이 그 이후의 후회를 줄일 수 있는 최선의 방법이라는 것을 늦게나마 깨우쳤던 나는 최대한 기척을 숨기며 지금 상황을 분석하기 시작했다.

일단 당장의 칼라한 제국은 개방과는 거리가 먼 국가이다. 보수적인 현 황제 폐하의 성향이 잘 반영된 것이다. 물론 키마 황태자 전하가 보위를 물려받을 경우, 아예 국경을 폐지하실 지도 모르지만……. 그러한 이유로 폐하가 보양식에 목을 매시는지도 모른다. 자신이 죽는 순간 국가가 망할까 봐.

아무튼 보수적인 현 황제의 성향 덕분에 이러한 무도회에 참여하는 이방인은 한정적이다. 아니, 사실상 없다고 봐야 한다. 그리고 내 기억 속에 남아 있는 이방인은 없었다.

저 남자가 만에 하나 나를 기습할 경우, 방어로 거리를 벌리고 무도회장에서 멀어져야 한다. 저곳은 황태자 전하가 계시는 곳이다. 그곳에서 최대한 떨어진 후, 벽에서 무기를.

아, 여기는 아직 내 집이 아니지. 갑작스러운 적의 습격에 대비하기 위해 대귀족의 저택 벽에는 그 식솔의 기운으로만 꺼낼 수 있는 검이나 무기들이 장치되어 있었다.

폰디체리 공작가야 그야말로 유구한 무가인지라 열 걸음마다 한 곳씩 무기를 뽑아낼 수 있는 벽이 있다지만 베이야드 공작가는 몇 군데 없기도 했고 아직 식구로 받아들여지기 전이라 이용이 불가할 것이다. 무구로 변하는 아티팩트를 상시 착용했어야 했다.

대단히 귀한 유물에 가까운 물건이지만 폰디체리는 마법이 흥한 시기에도 건재했던 무가였다. 내가 쓸 만큼은 충분히 있었다. 아, 멍청이. 스스로의 무방비함에 마음의 평정이 흔들렸다. 다행스럽게도 내 시선을 느끼지 못한 리디아가 남자의 리드에 맞춰 걸어가더니 무도회장 입구에 닿았다.

“자, 붉은 아가씨. 서로의 계약을 기억하면서.”

“나는 제국 제일의 여성. 그리고 당신은 당신이 찾는 사람의 신원. 분명히 기억하고 있으니 건배는 나중에 하죠. 보기보다 바쁘거든. 그 기사 아가씨가 의외로 성가신 사람인지라 상대하기가 피곤해서. 먼저 입장해서 시선을 묶어 놓는 편이 유리하다고 해 놓고 이렇게 붙잡으면 어떡해요?”

리디아의 투덜거림에 이방인이 어깨를 으쓱여 보이고는 한 걸음 뒤로 물러선다. 그 행태를 면밀히 감시하며 속으로 비죽 웃었다.

오냐, 성가시다니 고맙구나. 이 정도가 성가신 수준이라면 전생엔 아예 가소롭다고 했겠구나. 그렇게 이죽거리며 리디아가 무도회장으로 입장하는 모습을 바라보았다.

펠튼을 감시함과 동시에 그 이방인을 향한 감시도 멈추지 않았다. 낮고 독특한 억양. 북방의 국가는 아니다. 북방 특유의 자르는 억양은 전혀 나타나지 않으니까. 천천히 여러 가능성을 떠올리고 있는데 그가 살짝 뒤로 돌았다. 옆얼굴을 확인했는데 북방과는 미묘하게 다르다, 그 윤곽이.

입꼬리를 올리며 비릿하게 웃은 남자의 모습이 순식간에 사라졌다. 하지만 이 정도는 예상하고 있었다.

정원 쪽이다! 시선을 복도와 맞붙은 정원으로 돌리니 정원수 사이를 빠르게 스쳐 지나가는 남자의 옷깃이 보였다. 역시 검을 아는 남자라고 짐작하면서 낮게 혀를 찼다. 그 이상 이어지는 기척이 없다.

혹시 숨어든 것이 아니라 아예 사라진 거라면? 그것이 검술을 배웠다고 가능한 움직임이던가. 그리고 대체 칼라한 제국의 누구를 찾는 것인지. 나중에 꼭 알아봐야겠다고 다짐하며 생각을 현재로 돌렸다.

어찌 됐든 펠튼이 입장하였으니 내가 입장할 차례다. 전생이었다면 저놈 잡으려고 드레스 차림이라는 것도 잊고 따라붙었겠지. 일단은 '열혈' 기사였으니까.

아니, 지금은 리디아와 무도회장에서 결판을 내는 것이 먼저다. 내가 이성으로 감성과 본능을 누르며 머리카락 속으로 손을 넣어 구불거리는 머리카락을 풍성하게 다시 연출했다. 그리고 혹시 벌써 뒤집어져서 벌건 속살을 내놓은 부분은 없는지 드레스도 꼼꼼히 챙겼다.

"……최소 춤추기 전까지 붉은 천이 튀어나오지 않게 하려면 아주 생고생을 해야겠네."

몸 안에 쌓인 마나의 힘을 빌려서 하는 일이 고작 사뿐사뿐 나는 듯이 걷는 일이라니 통탄할 수밖에. 하지만 확실히 큰 반향을 약속하는 드레스임에는 분명했다.

긴장에 눈 아래가 파르르 떨린다. 어찌 됐든 의도한 걸음걸이로 무도회장 입구에 도착했다. 시종이 안쪽으로 나의 입장을 고하는 것과 동시에 문이 열리기 시작했다.

여전히 마나를 순환시켜서 걸음을 옮기자 곧바로 다가와 나를 에스코트하던 에카이트가 헛웃음을 흘렸다. 웃기긴 하겠지. 등 뒤가 훤하고 가슴팍도 훤하고 여하튼 천이 심하게 부족한 드레스를 입고 헐벗은 채 등장한 약혼녀라니. 심지어 황태자 전하가 그러한 옷을 마련해 주었다는 것부터가 더욱 할 말을 잃게 만들었다.

다행히 에카이트가 한 곡 추겠냐고 바로 권유해 준 덕분에 수월하게 플로어로 이동할 수 있었다. 주변이 다소 혼잡하다. 펠튼의 붉은 드레스 차림을 언급하며 내가 어떻게 나오나 주시하는 시선들도 제법 보인다.

황태자가 아무 사심 없이 부하의 약혼 선물로 갑작스러운 드레스를 주었고, 그 드레스의 모양이 저렇다니!

평생 인연이 없어 보이던 소문의 중심에 떠밀리니 혼란스러웠다. 순간 어지럽게 흔들리는 마음을 뒤로하고 플로어에서 자세를 취하니 금세 악단이 곡의 서장을 시작한다.

타란텔라.

내가 왈츠를 제외하고 자신 있게 출 수 있는 유일한 춤곡이었다. 동시에 내가 상당히 공격적으로 추는 춤이기도 했다. 왜냐하면 나는 이 곡의 스텝을 도입한 수련을 통해 춤을 익혔으니까. 가볍게 날뛰듯 튀어 오르는 춤에 절도 있는 동작을 덧입히면 여자 기사에게 제법 어울리는 공격법이 된다.

원래 춤은 아마도 보다 경쾌하고 열정적이었던 것 같은데, 내가 추는 타란텔라는 상당히 사나운 편에 속하는 것도 그러한 배경 때문이다. 미리 에카이트의 명복을 빈다.

"……내가 지은 죄가 있다면 사죄하지."

"지은 죄가 있긴 한가 보지?"

느슨하고 경쾌하게 시작하는 춤곡을 따라 첫 스텝을 밟자, 내 몸을 감싼 에카이트가 마찬가지로 스텝을 밟으며 낮은 목소리로 속삭였다. 아까 발이 밟혔을 때에 제법 제대로 밟힌 모양이다. 두뇌 회전이 빠른 녀석인 만큼, 타란텔라가 의미하는 바를 모를 리 없다.

타란텔라는 독거미에 물린 것을 털어 내려는 듯, 독에 중독된 듯 강렬하고 폭발적으로 독특한 리듬을 타면서 추는 춤이다. 그 춤을 추는 와중에 실수로 발이 밟히면 최소 중상이니 그가 저렇게 나오는 것도 무리는 아니다. 사실 지금까지 에카이트가 나에게 지은 죄는 없다. 미안한 일이지만 정말 그랬다.

문제라면 전생에 지었던 죄의 원인인 리디아 펠튼이겠지. 이번 생에서는 리디아 펠튼이 그와의 접점을 만들 수 없게 철벽 방어를 해 왔다. 그래서 아직 에카이트가 리디아와 만나지 않은 것이라면, 내가 신경을 덜 쓴 순간 어떻게 될지 장담할 수 없다.

즉, 에카이트가 리디아와 또다시 외도를 할 확률이 아직 있다고 봐야 하지 않을까. 그리고 나는 그것에 관해 확신이 생기기 전까지는 내 태도를 바꿀 생각이 없다.

아니, 확신이 생겨도 전생의 5년간 효과는 상당히 지대한 편에 속하는지라 아마 그가 예뻐 보일 일은 없을 것 같다. 내가 다그치는 말에 스텝을 몇 번 더 밟던 에카이트가 가볍게 응한다.

"그다지 생각나는 것은 없지만. 단순히 내가 아침 연회에 불참한 것 때문에 투정을 부린다고 생각하기엔, 글쎄. 그런 걸로 투정 부릴 정도로 어리지 않다고 보는데?"

……어떻게 알았지. 하지만 전생의 업보 때문이라고 솔직하게 말할 수도 없고, 그렇다고 오전 연회 불참을 두고 그렇다고 말할 수도 없다.

한참을 고민하는데 천천히 음악이 빨라지는 것이 느껴졌다. 음악에 맞춰 마나 운용을 조절해야지.

"……잠깐, 잠깐. 방금 뭔가 이상한 색상을 본 것 같은데."

최초의 턴을 조심스럽게 마무리한 나를 향해 의혹의 시선을 던지는 에카이트. 아마 미미하게 살짝 뒤집어진 레이스 속으로 비친 붉은 천을 본 것이겠지. 조심한다고 하긴 했지만 아무래도 워낙에 나풀거리는 옷인지라 완벽하게 노출을 막을 수는 없었다.

심지어 턴을 하면서 숨긴다는 게 가능한 이야기일까. 그나마 최소로 낮추긴 했지만 마나를 운용해 옷이 몸에 압착된 상태라서 이 정도로만 보인 것이다.

그냥 마음 편히 추면서 붉은 천을 까뒤집을까 하는 마음도 절실하다. 하지만 벌써 반전을 드러내기엔 안타깝지. 본래 클라이맥스에 오르는 순간이 반전을 위해 준비된 순간인 것이다.

타란텔라는 중간에서 후반으로 몰아치는 순간 절정의 움직임을 드러내는데, 그 순간을 잘 이용하고 기를 역이용하면 완벽한 붉은 옷으로 보일 수 있을 것이 확실했다. 내가 의미심장한 미소를 감추고 샐쭉한 미소를 지어내자 녀석이 움찔거린다. 쫄지 마라, 안 잡아먹는다.

"아마 친애하는 리디아 양의 드레스를 봤겠지. 색상이 특이한데다가 본인이 선물한 거니까 눈에 오죽 잘 띄겠어?"

"방금은 농담이길 바라지. 소름이 다 돋는군."

은근히 긁어 봤지만, 에카이트는 태연자약한 표정으로 내 말을 부정했다. 아무리 리디아가 중간에서 난장을 벌여서 이뤄 낸 일이라 해도 거기에 참여한 이상 죄인이다.

멀리서 교묘한 표정으로 이곳을 주시하는 리디아의 시선이 거슬려 점점 예민해졌다.

그러다가 밟은 데만 다시 안 밟으면 상처가 터져 피가 흐른다든지 등의 불상사는 피할 수 있을 것 같다는 생각이 들기 시작했다. 하지만 남들의 시선을 피해 그 정도로 정밀한 조준을 하기는 어렵다. 적당히 겁을 줘서 우스꽝스러운 스텝을 밟게 해 봐? 거기까지 생각을 마친 나는 리듬에 맞춰 양팔을 공중으로 뻗어 가볍게 박수를 치기 시작했다.

그 리듬에 맞추어 몇몇 귀족들이 박수를 따라 친다. 분위기가 순식간에 달아올랐다. 리듬에 맞춰 복잡한 스텝을 밟으며 일부러 보란 듯이 눈짓으로 그의 발을 내려다봤다.

"또 밟을 생각인가?"

다소 웃음기가 흐르는 녀석의 말에 다시 의구심이 생긴다. 별로 안 다쳤나? 그래도 피까지 봤는데. 꾀병인지 의심하며 시선을 돌리자, 그의 뒤에 자리 잡은 리디아가 눈에 들어왔다. 내 시력은 자타가 인정할 정도로 발군인 만큼 그녀의 표정이 멀리서도 선연하게 보인다.

모두의 시선이 플로어로 향해 다소 관리가 허술해진 표정이었지만, 소름이 끼칠 만큼 평안한 표정으로 위장하고 있었다.

그래, 하지만 내가 붉은빛을 드러내는 순간. 그 순간 네 붉은빛은 저무는 석양만큼의 의미도 없어질 것이 자명하니까 애도의 표정을 준비하는 것이 좋을 거야. 내가 진심에서 우러나오는 짙은 웃음을 지으며 두 바퀴를 돌아 다시 에카이트의 품에 안겼다. 아까의 회전보다 강한 회전인지라 전보다 마나의 운용을 높여서 드레스의 원단을 안쪽으로 잡아당겼다.

목뒤로 땀이 한 줄기 흘렀다. 전생보다 아직 무위가 낮은 몸이라 가벼운 잔재주도 제법 신경을 써야 했다. 그래도 덕분에 자체로 화려한 턴이었음에도 불구하고 의상엔 별 움직임이 없었다.

그러나 워낙 화려한 턴이어서, 그런 동작에도 의상이 거의 휘날리지 않았다는 것을 눈치챈 사람이 많았다. 여러 곳에서 감탄이 터져 나왔다.

의외네. 일반 귀족들, 그러니까 기사 작위가 없는 귀족들은 사치품에만 눈이 뜨인 장님이라고 생각했는데 드레스가 휘날리지 않게 하는 기예를 알아보다니.

내가 낮은 감탄사를 흘리자 여전히 나를 안은 자세인 에카이트가 무덤덤한 목소리로 몇 마디 거든다. 이번엔 드레스가 길어서 너 좀 밟아도 티도 안 난다. 알기는 아냐? 아무리 겁만 주려는 거긴 하지만 너무 동요하지 않으면 발가락 하나를 지도상에서 지워 버리고 싶지 않겠니. 녀석은 내 마음의 소리 따위 신경 쓰지 않고 말을 계속한다.

"바보가 아닌 이상, 이 드레스에 무슨 일이 일어났다는 것쯤은 알지. 마나의 운용 능력이 정말이지 대단하군. 무예에는 별다른 조예가 없는 나도 모를 수 없을 정도야. 아, 그전에. 가급적이면 좀 얌전히 추지. 지금도 충분히 관능적이야. 거기에 전하께서는 드레스의 천을 너무 아끼셨군. 다른 것이나 좀 아끼시지 쓸데없이. 등이 그게 무슨……."

"몰라, 전하의 재정 관념 따위 알게 뭐랍니까. 내가 재무관도 아니고. 그보다 지금은 말 시키면 곤란하니까 조용히 좀 합시다. 그쪽이 그토록 찬탄해 준 마나를 컨트롤하느라 죽기 일보 직전이야."

"이런, 아름다운 약혼녀가 죽어 버리면 곤란하지."

내가 몰려오는 막대한 피로감에 쌀쌀맞게 답하자 피식 웃으며 능숙하게 답한 에카이트가 이내 침묵을 지킨다. 스텝이 화려한 춤의 특성상, 쉬지 않고 다리를 움직여야 해서 더욱 정신이 산만해진다. 집중하자, 집중! 곡은 어느덧 중반에 이르고 있었다.

슬슬 붉은 기운을 드러내도 나쁘지 않을 타이밍이었다. 나름의 판단과 계산을 마치고 행동으로 옮길 적당한 타이밍을 찾았다. 마침 한쪽 발을 앞으로 뻗은 상태로 골반을 트는 스텝을 밟을 차례였다. 이때로군. 에카이트는 어떤 반응을 보일까? 그를 향해 화사하게 웃었다. 내 의미심장한 웃음을 포착한 녀석이 예상대로 질문을 던진다.

"무슨 계획이지?"

"보면 알아."

간결하게 대답을 마치고는 드레스를 압박하던 마나를 완전히 해방시켰다. 그와 동시에 스텝을 밟을 타이밍이 다가왔다. 나는 최대한 화려한 회전을 하기 위해 골반을 틀어 올렸다. 마나에 억눌려 얌전했던 드레스가 반동 효과로 출렁거리다가 이윽고 완벽히 물결치며 붉은빛으로 물들었다.

그것을 본 사방에서 비명에 가까운 탄성들이 쏟아져 나왔다. 반응이 의외로 부정적이면 어찌해야 하나, 걱정하던 것이 무색하게 쏟아져 나오는 탄성에 흐뭇해졌다. 어중간하게 보여 주기보다 무리하게 마나를 쓰더라도 화려하게 터뜨리겠다는 계획이 완전히 성공했다.

"어머나, 세상에! 붉은 드레스였군요. 감쪽같이 모르고 있었는데!"

"정말! 화장이 드레스에 비해 다소 관능적이라고 생각했었는데, 오산이로군요. 춤과 드레스에 딱 어울려요."

"거참. 춤마저 저토록 절묘하게 출 수 있는 재간이 있다는 것을 오늘 처음 알게 되다니, 아쉽기 그지없군요. 이제 곧 기혼녀가 아닙니까? 허허, 거 진심으로 아깝군요."

당장 귀에 들어오는 소리들만 들어도 칭찬이니 미소가 저절로 입가를 맴돈다. 오전부터 이어 온 치열할 정도의 친절한 응대는 내 어떠한 태도에도 호의적 시선을 보내 줄 기반을 마련하기 위한 것이다. 고생한 보람은 있네.

이어 본격적으로 빠르게 흘러가는 선율을 따라 스텝을 옮겼다. 목적지는 녀석의 발등. 이제는 반대로 드레스를 펄럭이게 해야 하는 상황이니만큼, 마나를 다시 순환시키되 반대의 방법을 택했다.

이전에는 마나를 표면에 집중시켜 회전시키되 다른 극의 자석들과도 같이 서로 당기는 현상을 유도했다면, 지금은 같은 극의 자석들끼리 서로를 밀어내는 현상을 유도하는 것이다.

화려한 스텝과 함께 너울거리는 드레스로 에카이트 녀석을 휘감으며 녀석의 발로 스텝을 옮겼다. 조금만 더! 전혀 겁먹지 않고 태연히 발을 피하는 녀석에 나도 모르게 겁만 준다는 것에서 정말로 밟아 버린다는 것으로 목적이 바뀌고 있었다.

"착각이 아니라 확실하게 내 발을 노리고 있군."

"알면 곱게 밟히시지?"

녀석의 말에 짧게 대꾸하고는 클라이맥스 선율을 따라 격렬한 스텝을 밟기 시작했다. 이제부턴 아예 에카이트의 다리 사이를 파고들면서 발등을 밟기 위해 각고의 노력을 가했지만, 그는 엄청난 기량으로 발을 피해 가면서 스텝을 옮기기 시작했다.

어쩜 이렇게 이상할 정도로 안 밟히지? 춤에 대해 완벽한 사전 지식이 있었던지, 발을 먼저 움직여 피해 버려서 아무리 밟으려 해도 밟을 수가 없는 것이다. 곡은 점점 끝을 향해 달려가고 있었다. 덕분에 잔뜩 약이 오르기도 하고, 다급해진 마음에 그의 귓가에 낮게 투덜거렸다.

"아까는 맞을 만한 짓을 했으면 맞는다면서?"

"맞을 짓을 했다는 전제하에. 무슨 맞을 짓을 했는지부터 들어 보고 싶군. 일단 거기엔 스치기만 해도 사망일 것 같은데, 지금."

아. 마나를 외부로 뿜어내는 형식으로 운용하던 와중이었으니, 녀석의 말대로 밟히면 죽을 만큼 아플지도? 매력적인 사실을 발견한 내가 더 환한 미소를 지으며 더 깊숙이 스텝을 밟아 가자 그가 더욱 엄청난 속도로 스텝을 유도하면서 피한다.

발 다친 거 맞아? 전생을 기억하시나요, 혹은 미래를 아시나요. 당신이 거기서 지은 죄가 얼마나 강렬하고 파렴치한지 아시나요?

등등, 이런 식으로 대답해 봤자 미친 여자로 인식될 뿐이다.

다시금 현실을 직시한 내가 끝을 향해 달려가는 선율에 더욱 강렬하게 몸을 맡겼다. 허공을 밟는 것과 같은 움직임에, 새의 강렬한 날갯짓을 연상시키는 드레스는 상상 이상으로 완벽한 조화를 만들어 냈다.

주변 귀족들이 내 움직임 하나하나에 반응하며 탄성을 내지르는 것이 피부에까지 와 닿는다. 리디아 펠튼. 약 오를 거다. 약 올라라, 올라! 나는 격렬한 춤의 스텝 덕분에 상승하는 심장의 박동 수를 느끼며 속으로 이죽거렸다.

막판에 에카이트의 넋을 빠지게 하고, 그 타이밍에 콱, 하고 밟을 것이다. 최소한의 양심으로, 밟을 땐 마나를 운용하지 않는 조건으로 밟아 줄 계획이다. 일단 녀석을 정면으로 마주 보는 자세가 되었을 때, 발끝을 세워서 몸을 뒤로 휘게 해 물결치는 곡선을 표현했다.

이어지는 경쾌한 리듬에 몸을 흔들어 관능적인 웨이브를 선보이면서 시선은 에카이트의 두 눈에 고정했다.

에카이트는 뭔가 깊은 곳에서부터 어둡게 잠긴 눈동자로 내 두 눈을 마주 응시하고 있었다. 왜, 눈이라도 찌르게? 속으로 중얼거리며 물 흐르듯 유려하고 빠르게 춤을 시작하자 다시 드레스가 화려하게 유영하며 붉은색을 잔뜩 드러냈다. 그리고 기대했던 대로, 그는 내 눈을 홀린 듯이 응시하고 있었다.

에카이트의 금색으로 반짝이는 호박색 눈동자의 깊은 곳에서 어떤 감정이 느껴졌다. 그것이 무엇인지 파악하기 위해 잠시 시간을 두고 바라봤지만, 여전히 파악할 길이 없어 불만스럽게 중얼거렸다.

"그 눈은, 감추는 것이 너무 많아."

내 말을 들었는지 그가 더욱 깊어진 시선으로 나를 응시한다. 그의 시선을 사로잡은 다음 아까의 동작으로 가까워진 거리를 이용하기로 했다. 시선이 마주 얽히면서 치열한 기류가 만들어졌다. 그 길이 만들어지기 무섭게 곡의 마지막 리듬이 빠르게 시작되었다.

나는 그 길을 시선으로 따라 밟아 가며 녀석의 주위를 빠른 턴으로 뱅글뱅글 돌았다. 원래의 자리로 돌아올 때엔 녀석의 품에 안기는 것과 동시에 마무리 격인 마지막 스텝을 딱 소리가 나게 밟았다, 녀석의 발등 위로.

"……큭."

이런. 에카이트가 결국 낮은 신음을 흘린다. 이건 백 퍼센트다. 골절. 황태자 전하가 옷과 함께 전달하셨던 흰색 구두 역시 굽이 제법 예리했다. 나는 힘 조절에 실패한 것을 후회하면서 급격한 양심의 가책을 느낄 수밖에 없었다. 정말 밟으려던 것은 아니었는데 어쩌다 일이 이렇게까지 된 거지. 이 쓸데없는 승부욕이 문제다.

양심에 찔리는 표정을 감추며 곡이 끝나기 무섭게 쏟아지는 엄청난 박수 소리를 즐겁게 음미했다. 새로 약혼한 커플이 추기 적당한 경쾌하고 발랄한 춤이었지만 엄청난 드레스로 인해 색다른 반향을 불러일으킨 것 같았다.

이걸로 그에게 조금은 미안한 마음이 생긴 것도 같다. 뭐, 이 일로 그가 나를 용서하지 못할 가능성이 더 높지만.

사방을 뒤덮는 박수 소리 너머에는 리디아 펠튼이 있었다. 독기가 서린 미소로 나를 응시하고 있었다. 그래, 덤벼 봐라. 싸우지 않고 이기는 투쟁, 나도 이제는 더 이상 원치 않는다.

나는 만족스러운 미소로 그녀를 응시하면서 자세를 풀었다. 자세를 풀기 전에 조금이나마 양심의 가책을 덜기 위해, 녀석의 귓가로 사과의 말을 중얼거렸다. 이런 친밀한 모양이 리디아를 자극하길 바라면서.

"밟은 것은 고의지만 부러트릴 생각은 없었어. 실수. 미안. 병문안은 갈게."

"……그거 참 대단한 위로로군."

에카이트 녀석은 용케 그 상황에서도 한마디 반격을 가한다. 한마디도 안 지네, 진짜. 정말 딱 한 마디 반격을 가한 녀석의 표정은 완벽한 무표정에 가까웠다. 춤의 여운이 남아 있다고는 느껴지지 않을 정도로 태연자약했다. 거기에 독하게도 그 발을 가지고도 태연히 퇴장을 감행한다.

여기서 그가 넘어진다든지 아픈 기색을 보이면 대중들도 에카이트가 발을 다쳤다는 점을 눈치챌 것이다. 그리고 내 우려대로 에카이트가 첫걸음을 내딛는 순간 미묘하게 표정을 굳혔다.

젠장, 젠장, 젠장! 정말로 과했다. 뒷일을 생각하지 못한 내 실수였다. 우선 녀석이 춤추던 와중 발을 다쳤다는 것은 내가 녀석의 발을 밟았다는 말로밖에 설명할 방법이 없다. 모든 것은 내 잘못이기에, 나는 녀석이 최소한 퇴장까지는 멀쩡한 척을 할 수 있게 돕기로 결심했다.

그의 팔에 가깝게 팔짱을 끼면서 은근히 녀석을 부축하여 발로 가는 부담을 최대한 덜어 주고자 노력했다.

"……보상이 제법 마음에 드는군."

귓가로 웃음기 섞인 목소리가 내려앉았다. 연회장 구석으로 확 박아 버릴까. 내가 잠시 갈등하던 찰나, 황태자 전하가 열렬한 손가락질을 시작하신다.

"아펠리아 경! 하라는 훈련은 안 하고 춤 연습만 했나? 앞으로 제대로 지켜보겠어."

……전하. 아무리 장난이 실패하사, 에카이트 녀석을 충분히 약

올리지 못하셨다 해도 그런 억지는 좋지 않습니다. 말을 마치기 무섭게 연회장을 빠져나가는 황태자를 따라, 나와 에카이트도 퇴장을 고했다. 다들 조금 전 춤으로 아쉬움이 사라진 건지 딱히 막는 손길이 없다.

하지만 얼마 지나지 않아 베이야드 공자와 폰디체리 공녀의 천생연분설이 나돌기 시작했다. 첫눈에 반한 완벽한 연인이라는 소문까지 더해져 아마 우리 두 사람이 춤의 여운을 못 이겨 한밤의 불장난(?)이 급했다고 생각하는 것 같다고 봉뒤프베 부인이 부연했다.

볼레로에 타란텔라라니. 생각해 보면 격렬한 연인들의 춤이었다. 거기에 붉은 드레스까지. 그 드레스가 황태자 전하의 선물이라는 사실은 철저히 외면당하고, 녀석과 춤을 출 때에 붉은 드레스를 입었다는 기행만 들려오니 무슨 조화인가 싶다.

거기에 내가 신기에 가까울 정도로 춤의 명수라는 소문이 돌아, 한동안 사교계 초대장을 정중히 거절하느라 진땀을 빼야 할 것 같다. 앞으로 춤출 일이 있으면 최대한 도망가야 할 판이다. 왈츠와 타란텔라 외에 아는 춤이 없는데, 춤을 잘 추던데 한번 춰 보라는 상황이 오면…… 상상만으로도 끔찍하다.

기사는 뇌까지 근육으로 되어 있다는 속설에 앞으로 마냥 웃을 수만은 없다고 느끼자 급격히 슬프다. 나도 나름대로 전략가 유형의 기사였는데. 아, 아닌가? 수도의 소문을 수습하기엔 이미 늦었지만 할 말은 하련다. 완전 망했다.

04. 병문안

04. 병문안

내가 미쳤지.

분명 에카이트의 발가락을 부러트린 것은 내 잘못이다. 게다가 약속까지 한 마당에 안 갈 수도 없는 상황이라 정말 미칠 것 같았다. 덕분에 나는 하루에 정해진 훈련량을 시간 내로 마치기 위해 평소보다 무려 2시간 이른 시간에 황태자 호위 기사단 훈련소로 출근해야 했다.

보통 6시에 마치는 훈련을 4시에 마치기 위해서였다. 덕분에 평소 아침 7시였던 출근 시간이 새벽 5시로 당겨지니 평소보다 피곤한 것은 당연한 일이었다. 하지만 그 정도는 나에게 아무것도 아니었다.

보통 아침형 인간으로 분류되는 편인 데다 본래 기상 시간도 5시 무렵이라 큰 무리는 없지만, 이렇게 일찍 행동해야 하는 그 원인을 생각하면 할수록 우울해진다.

에카이트의 병문안. 예상대로 녀석의 네 번째 발가락뼈는 부러졌으나 깔끔하게 골절된 덕분에 상대적으로 빠르게 회복할 수 있으리란 진단을 받았다.

하지만 그 상태로 무리해서 상당히 많이 움직인 탓에 자택 요양이라는 처방이 떨어졌다.

환장할 노릇이다. 아예 다리를 날려 버려서 휴양지에서 요양하라는 처방을 받았으면 물리적으로 갈 수 없으니 노력할 필요도 없는데……. 어쩌다 이렇게 된 거지.

기사단 사람들에게도 이번 사건은 무척이나 재미있는 놀림거리가 되었다. 게다가 녀석의 병문안을 가기 시작한 지 오늘로 3일째. 그동안 살살 약이 오르는 놀림들을 많이 들었다.

예를 들어 복도를 지나던 동료 하나가 비죽 웃으며 한마디 툭 던졌다.

“약혼식 전에 급하게 일주일 휴가를 냈다 하더니, 그게 다 첫눈에 반한 약혼자 덕분이었군. 볼레로에 타란텔라까지 정말 볼 만했네. 당직이 아니었던 것이 천만다행이더군. 에카이트 공도 대단하지, 다친 발로 그렇게 춤을 추다니. 사랑의 힘인가?”

어색하게 웃으며 시선을 피하니 주변에서 숨죽인 웃음소리들이 들린다. 공식적으로 에카이트가 다친 이유는 약혼식에 서두르다 무엇인가를 발등에 떨어트려서라고 알려진 상황이기에 저렇게 말하는 것도 무리는 아니다.

하지만 진실이 무엇이든 너무나도 분명하게 놀리는 의도를 가지고 있었기에 절로 약이 올랐다. 물론 매일 의무적으로 실시하는 도합 12차례 대련으로 반격할 기회가 있긴 하지만, 안타깝게도 상대방은 모두 나와 동일하거나 그 이상의 경지에 닿은 기사들. 그러한 반격도 쉽지는 않을 것이다.

정리하자면 열은 받는데 풀 곳은 없는 욕구불만의 상태라는 거다.

3일 차에 닿으니 더 이상 평정심을 유지할 수 없어 그러한 감정들이 얼굴에 드러나기 시작했다.

덕분에 더 놀림거리가 된 것 같지만, 별수 없었다. 감정을 담아 꽉 쥐고 있던 검을 다시 검집에 넣고 낮게 한숨을 쉬었다. 마치 이제야 내가 여자인 것을 알아챈 것처럼 다들 짓궂기 그지없었다. 그래도 여기는 그나마 나았다, 베이야드 공작가에 비하면 말이다.

"하아…… 그놈의 집구석 분위기라도 편하면 좋은데."

작게 중얼거리며 검이 제대로 검집에 들어갔는지 확인했다. 그러고는 훈련을 전담하는 기사 단장님께 인사를 올렸다.

훈련장 뒤쪽에 위치한 마구간으로 걸어가자 미미한 말 냄새와 말 울음소리가 들렸다. 일단 집으로 귀가해서 몸을 씻고 적당한 선물, 주로 회복에 도움이 되는 것들을 추려서 베이야드 공작가로 출발해야 한다.

에카이트가 빨리 회복해야 내가 자유를 되찾는다. 회복에 도움이 되는 것들을, 할 수 있는 모든 수단과 방법을 동원해 사 모으는 중이다. 내가 심란한 표정으로 마사에 들어서자 관리인이 허리를 깊게 숙이며 말을 건넨다. 잘 관리된 마구간이지만 말 냄새가 진하게 났다.

"수고가 많으십니다."

"아닙니다, 기사님."

마사에서 꽤 오래 일한 관리인인지라 나이도 상당히 지긋하여, 차마 함부로 반말을 할 수 없어 적당히 인사했다. 그러자 관리인이 더욱 허리를 숙이며 겸손한 답을 돌린다. 하지만 평소와는 다르게 미묘한 미소를 머금은 표정에 살짝 인상을 찌푸렸다. 혹시 소문이 벌써 여기까지?

"저에 대해 뭔가 들으신 것이 있으십니까?"

"……죄, 죄송합니다. 천한 것이 감히 기사님의 심기를 어지럽히다니 정말로 죄송합니다!"

"아니, 그만두세요. 문책하려는 것이 아니라 웃으시는 모습을 보고 혹시 소문을 들으신 건 아닌가 해서 말입니다."

내 질문에 바짝 얼어 눈가가 벌게져서 주름진 손을 만지작거리는 관리인을 다소 너그러운 목소리로 안심시켰다. 그러자 사뭇 눈치를 보면서 입을 달싹이는 자세가, 분명 무언가 아는 바가 있는 것이 분명했다.

"……저어, 그것이, 그, 소문에는 두 분께서 그날 밤에, 그…… 그런 것이 아니라! 제가 죽을죄를 지었습니다, 나리!"

"죽을죄까지야 되겠습니까. 다만 제가 궁금한 것은 그것이 나쁜 소문인지 하는 것입니다."

내 짐작이 맞구나……. 속으로 한숨을 내쉬며 확인 사살을 시작했다. 바짝 얼어서 덜덜 떠는 관리인을 보니 미안한 마음이 들기는 했지만, 종전의 표정은 분명 윗사람을 앞에 두고 짓기에 적절한 표정이 아니었다.

제법 궁에서 오래 일한 사람이 이 정도 표정 관리도 제대로 하지 못할 정도의 소문인 걸까?

그가 조심스럽게 떨리는 음성으로 나쁜 소문은 아니라고 대답했다. 그렇다면 그 이상 추궁할 이유도 없고 달리 알아낼 점도 없는지라 고개를 끄덕였다.

"나쁜 소문이 아니라면 되었습니다. 소문이야 늘 있는 것. 나쁜 소문이 아니라 하면 걱정할 필요가 없지요. 다만 궁에서 일하시는 분이 표정 관리를 그리하셔서야. 주의하셔야겠습니다. 그럼 이만."

"예, 예. 감사합니다. 살펴 가십시오, 나리!"

내가 별말 없이 가서 기쁜가 보지? 속으로 피식 웃으면서 말을 데리고 나와 익숙한 동작으로 말 위에 올라탔다. 그러고는 말 옆구리를 가볍게 차서 움직임에 박차를 가했다.

여섯 살부터 타던 말이 근래에 노환으로 더 이상 달리기 힘들어져 새로 얻은 지 얼마 되지 않은 어린 말이었다. 전생에서도 탔었던 녀석이라 이번 삶에서는 만난 지 얼마 되지 않았지만, 다루는 것이 나름 익숙했다.

오랜 기간 함께한 말과는 다르게 이 녀석은 새하얀 백마였다. 제법 보기에 멀끔한 녀석이었는데 자기가 아름답다는 걸 아는지 왕자병이 있는 것 같았다.

말이 무슨 왕자병인지. 이름은 클로버였는데, 자신의 이름이 새겨진 자수 리본을 착용하지 않으면 출발하지 않는 못된 버릇이 있었다.

예쁜 데다 기량도 좋아서 곱게 봐줬더니……. 전생을 떠올리던 나는 각오를 다졌다. '이번에는 아주 거칠게 다뤄 줄 테다, 이 버릇없는 망아지야!'

집에 도착해서 빠르게 샤워를 마친 나는 병문안 선물로 준비한 뱀 보양식을 의미심장한 표정으로 집어 들고 다시 건물 밖으로 나왔다. 말이 좋아 뱀 보양식이지, 생김새는 이보다 역겨운 것을 찾아볼 수 없을 정도의…… 무시무시한 자태를 하고 있었다. 뭐, 피로 만들었다고 하는데 얼핏 봐서는 뱀 보양식이라기보다는 그냥 뱀 피 같았다.

비리고 먹기에 아주 역하지만 효과는 그만이라는 의원의 말에 일반 기사 두 달 치 월급에 달하는 비용을 가볍게 지불했다. 맛도 향도 최악이지만 효과만큼은 최고라는 점에서 바로 선물로 정해 버렸다. 그냥 뱀이 아니라 무슨 희귀한 약초들을 먹고 다니는 무슨 뱀이라던데 중요한 내용이 아니라 잊어버렸다.

아무튼 나는 에카이트가 이 액체를 끝까지 마시는 장면을 보고야 말겠다. 먹다가 토해 버려라! 아니, 내 앞에서 그러면 좀 더러울 수도 있으려나. 속으로 악담을 하면서 보양식을 쳐다보는데 왠지 밀봉된 병 밖으로도 냄새가 흐르는 것 같아서 잽싸게 클로버의 안장 옆에 달린 주머니에 집어넣었다.

클로버가 몇 번 머리를 좌우로 가볍게 흔들며 싫은 기색을 어필했지만 나는 그것을 완전히 무시하고는 다시 저택 밖으로 말을 달렸다. 큰길을 피해 멀리 돌아가는 샛길로 베이야드 공작가로 향했다. 가까운 길을 두고 먼 길로 돌아가는 이유는 간단했다.

병문안 첫날 큰길을 통해 베이야드 공작가로 가던 나는 주변에서 웅성거리는 소리에 평정심을 잃고 귀가 붉어진 채, 말을 빨리 달려야 했다.

내용은 대체로 폰디체리 공녀와 베이야드 공자가 첫눈에 반해 요란스러운 춤을 추면서 애정을 과시했으며, 심지어 애정을 참지 못하여 무도회에서 일찍 자리를 비웠다는 것이다. 아니, 나랑 에카이트가 단둘이 달밤에…… 친하지도 않은데 따로 만나 이야기꽃을 피우며 날밤을 새느냔 말이다.

애써 내 귀에 들리지 않게 하려 음성을 낮추기는 했지만 많은 사람들이 같은 내용을 말하고 있는 데다 나는 청각이 유독 좋은 기사가 아니던가. 다 들렸다. 내가 새빨간 귀를 식히지도 못하고 그의 방에 들어갔을 때, 에카이트는 내게 시선도 주지 않고 책을 읽고 있었다. 그리고 대뜸 말하기를.

'그래, 큰길을 통해서 온 모양이로군. 어제 무도회에서 대뜸 일찍 나가자고 하기에 약간이나마 기대했는데 예상한 대로 담백한 결과였지. 역시 그대는 무도회에서 남녀가 먼저 퇴장하는 것이 무슨 의미인지 잘 모르는 모양이로군, 아직.'

……몰랐지만 이제는 안다, 이 자식아. 첫날 녀석이 했던 말을 그대로 기억에서 되살리면서 이를 갈았다. 저녁만은 아버지와 먹겠다고 하고 헤어진 뒤 일찍이 돌아오니 봉뒤프베 부인이 남겨 둔 서찰이 나를 반겼다. 그 내용은 이랬다.

[영애. 연인과의 밤이 달콤하셨으리라 믿고 싶습니다만, 어째 영애가 무도회에서 먼저 퇴장하는 것이 의미하는 바가 무엇인지를 아직 모르고 계실지도 모른다는 걱정이 앞서는군요. 그렇게 다음 날 바로 병문안을 가셨다고 하니, 걱정이 점점 확신이 되는 것 같습니다만 괜한 걱정이겠지요. 우정을 담아, 마담 봉뒤프베.]

아니야. 아니라고. 절대 아니야! 내가 몸을 뒤틀면서 서찰을 꾸기자 아직까지 옆에 남아 있던 하녀가 몸을 움찔거렸다. 미친 여자 처음 본 것처럼 왜 그러실까. 첫날의 처참했던 기억을 회상하느라 몰랐는데 어느새 베이야드 공작 가문의 사유지로 들어섰다. 익숙한 장소라 그런지 클로버가 알아서 천천히 속도를 줄였다. 어찌 됐던 영리한 말이었다.

멀리서 흰 뱀이 똬리를 튼 문장이 새겨진 깃발이 펄럭이는 것이…… 참으로 외람된 말씀이지만 지금 내 심정으로는 지옥문처럼 보였다. 에카이트를 능가하는 무뚝뚝한 성격의 베이야드 공작 전하나 베이야드 부인은 가장 넘기 어려운 산이었다. 특히 전생에서 나를 못마땅해하던 베이야드 부인을 어찌 대해야 좋을지 모르겠다.

전생에서 둔하다면 둔했던 내가 눈치챌 만큼 혹독한 시집살이를 당했으니 말 다했지 않은가. 약혼식 때도 식이 끝나자마자 급한 볼일이 생겨 친가로 돌아가야 한다고 사라진 분이니, 나를 못마땅해하는 마음이 얼마나 클지 상상도 안 된다.

지금까지 베이야드 부인께서 여전히 친가에 머문 덕분에 별다른 애를 쓰지 않고도 피해 갈 수 있었지만 오늘은 확실히 마주칠 것이다. 편안한 미래를 위하여 따로 준비한 그 물건이 효력을 발휘하길 기원하면서 천천히 베이야드 공작 가문의 대문을 지나 에카이트가 있는 건물로 말을 몰았다.

공작가의 저택을 호위하는 기사들이 절도 있는 인사를 건넨다. 그 밖에 공손히 인사를 올리는 사용인들에게 인사해 주다 보니, 벌써 에카이트가 기거하는 건물 앞까지 도착했다. 어느 정도 나이가 찬 후로 공작 부부와 건물을 따로 쓴다고 했었다. 뱀 보양식이 담긴 병을 손에 쥐어 마음을 안정시키며 최대한 천천히 말을 몰았다.

어디에 기도라도 하고 싶은 마음이 샘솟는 것이, 종교라도 가져야겠다. 무엇이든 간에 제발 오늘 이 저택에서의 시간이 평안하길 기원해 본다.

"그래서 이게 뭐라고……?"

개봉 전부터 미심쩍은 향취를 열렬히 풍기는 병을 건네받은 에카이트가 미묘한 표정으로 나를 바라보며 물었다. 뱀 보양식이라니까.

몇 번을 말하면서 줬는데도 못 알아먹는 것으로 보아 녀석은 현실도피 중에 있음이 분명하다.

하긴 어딜 봐도 이상한 이것을 건강 음료로 인정하고 선뜻 마시기가 어디 쉽겠는가. 하지만 나는 반드시 너한테 이걸 먹일 거란다. 내가 그런 속마음을 거침없이 드러내며 에카이트를 바라보자 그가 손을 들어 자신의 눈을 가려 버린다. 이게 그 유명한 눈 가리고 아웅?

"마셔 보시죠, 에카이트 공. 회복에 그렇게 좋다고 해서 특별히 주문한 것인데. 설마 단순히 냄새가 이상하단 이유로 거부하진 않겠지?"

"개인적으로 혐오 식품을 선호하는 편이 아니라서."

……그래, 동감. 하지만 먹어야 하느니. 내가 화사한 미소를 지으며 바라보는데 그가 노골적으로 시선을 돌린다.

그래서 나는 안락의자에 기대어 앉아 있는 그에게로 다가가 뺨을 양손으로 움켜잡았다. 그러자 불길한 표정을 지은 녀석이 사부작거리며 몸을 비튼다. 하지만 나는 반드시 놈이 그 뱀 진액을 먹고 역겨움에 하얗게 질리는 꼴을 보고 싶었기에 손에서 힘을 빼지 않았다.

"왜 이러실까. 뱀은 뱀이잖아? 같은 뱀끼리 차별하면 안 되지."

"잠…… 깐. 뱀이라기엔 내 뱀은 가문의 문장일 뿐이라고. 그리고 같은 뱀이라고 해도 동족을 잡아먹는 꼴인데, 그러면 안 되지 않겠어?"

"……그냥 드시지, 좀?"

이 망할 놈이 어디서 먼저 보양식이라도 해 먹었나, 왜 이렇게 힘이 좋아. 도리어 내 손목을 잡아 떨쳐 내려 하는 에카이트를 성가신 표정으로 노려보면서 진지하게 고민했다. 기절시킬까? 진지하게 그런 생각을 하는 중에 노크 소리가 들렸다.

반사적으로 휙 몸을 움직여 그와 거리를 두었다. 이 이상 에카이트와의 스캔들을 확장시키고 싶은 마음은 눈곱만큼도 없다.

내 마음이 어떤지 다 안다는 듯 비스듬한 미소를 지은 에카이트가 다시 안락의자로 몸을 기댔다. 부목과 붕대가 감긴 발이 눈에 들어온다. 아예 저놈의 발을 없애 버렸어야 했는데.

"아펠리아, 오늘은 보게 되는군."

"아, 베이야드 공작 전하! 계신 줄 알았더라면 먼저 인사를 올렸을 것을요."

"지금 막 귀가한 참일세. 약혼식 무도회에서 보고 처음 보는군."

문을 열고 들어온 사람은 베이야드 공작 전하였다. 이제 약혼을 통해 인척 관계가 될 것임을 약속한 상태이니, 편안히 내 이름을 부르며 하대를 하신다. 예상하지 못한 사람의 등장에 나는 진심으로 당황하여 기사 예법대로 인사를 올리고 말았다.

약혼식 때완 달리 편안한 승마복인지라 레이디의 예법으로 인사하는 것은 사실상 불가능했다. 편안한 웃음을 지어 보이면서 답하는 것으로 보아 딱히 심기가 상한 것 같지는 않다.

부담스러울 정도로 잘해 주시니 도리어 무섭다. 아니, 그 이전에…… 이 시간에 집에 계실 리가 없는데. 역시 내 생각대로 베이야드 공작의 평소 퇴근 시간과는 다른지 에카이트 녀석도 인사를 올리며 상황을 짚고 넘어갔다.

"오셨습니까. 평소보다 이른 시간에 뵙습니다. 혹여 무슨 문제라도 있으십니까?"

"아니, 설마 그럴 리가. 사랑스러운 아펠리아가 친히 병문안을 왔다는 말을 듣고서 어찌 와 보지 않을 수가 있겠느냐? 얼굴이라도 한 번 봐야지."

베이야드 공작은 전생에서부터 나를 미워하던 베이야드 부인과 달리 유독 호의를 보인 사람이다. 평소에는 무뚝뚝한 분이지만 현생에서도 전생과 다름없는 호의를 보이시는 모습에 다소 부끄러운 웃음을 가장하며 예법에 맞게 시선을 돌렸다.

에카이트보다 더 그 속을 알기 어려운 분이니, 그냥 눈에 보이는 것을 그대로 믿는 것이 이로웠다.

일단 아들의 약혼녀를 지극히 곱게 여기신다는 태도를 보여 주신 이상, 나도 그 태도에 걸맞은 반응을 보여야 했다.

"약혼자가 다쳤다 하는데 이리 하는 것이 당연합니다. 정무가 바쁘실 터인데, 공연히 저 때문에 일이 밀리지는 않았을지 송구스럽습니다."

"너 하나 보느라 밀릴 정무라면 그게 어디 네 탓이겠느냐. 그래, 들어 보니 건강 회복에 좋은 것을 가져왔다던데. 벌써 먹인 게냐?"

공손하게 대답하고 돌아오는 물음에 회심의 미소를 지었다. 아뇨, 안 먹였어요. 못 먹인 거랄까요. 아버님, 쟤가 편식한답니다. 제가 정성스레 가져온 것을 외면한답니다. 상심이 크지만 모른 척할게요. 이런 표정을 만면에 띄우고 베이야드 공작을 바라보니 에카이트가 맞은편에서 낮은 한숨을 내쉰다.

내 표정을 흥미롭다는 듯이 훑어본 베이야드 공작이 그의 손에 들린 병을 보더니 갑작스럽게 웃음을 터트리셨다. 에, 뭐지?

"큭, 하하하하! 정말 걸작이로구나. 안에 든 것이 뱀처럼 보이는데 맞느냐?"

"아, 네. 그렇게 알고 구해 왔습니다. 무슨 문제라도……?"

"아니, 아니다. 아주 좋은 것을 구해 왔구나. 뭐 하느냐, 어서 먹질 않고."

봐라. 공작께서도 먹으라고 권하시지 않니. 내가 의기양양한 표정으로 에카이트를 흘끗 보자 그가 가벼운 한숨을 내쉰다. 베이야드 공작께서 지으신 표정이 묘하다는 점이 다소 걸리기는 했지만 에카이트는 그대로 병을 열고 문제의 액체를 삼켰다.

뒤로 목을 확 젖히면서 한숨에 털어 넣고 그대로 넘긴 듯 목젖이 크게 움직였다. 다 먹은 것이 분명한데 어째 멀쩡한 표정이다. 방에 진동을 하는 냄새에 저절로 인상이 찌푸려지는 것을 애써 참으며 에카이트의 손에 들린 병을 노려봤다. 깔끔히 비어 있다.

아니, 저렇게 멀쩡히 먹을 수 있던 것을 왜 엄살을 떨어 가면서 사람 약을 올렸데. 내가 녀석을 노려보던 찰나, 다시 노크 소리가 들렸다. 이번에 들어온 사람은 공작 부인의 전갈을 전하러 온 하녀였다.

하녀는 공작 전하와 에카이트에게 인사를 올리고 내게도 정중하게 인사를 올리기 무섭게 전갈을 전하기 시작했다. 공작 부인께서 보낸 전갈이라니 온몸이 절로 긴장된다. 이제 더 올 필요 없다고 해주시면 감사할 텐데.

"공작 부인께서, 저녁 준비가 되었으니 공녀께서도 함께 자리해 주셨으면 좋겠다고 하셨습니다."

……사양하겠습니다, 절대. 마음의 소리를 입 밖으로 내지 못하는 내가 밉다. 내가 안간힘을 쓰면서 만면에 기쁘다는 미소를 지으며 머릿속으로 거절할 구실을 찾았지만 실패로 돌아갔다.

승마복을 입은 채로 저녁 만찬에 참석했다간 보나 마나 한 소리 들을 것이 분명한데. 나는 눈물을 머금고 두 신사와 함께 식당으로 향했다.

하필이면 오늘 부르다니. 눈물이 앞을 가린다.

식사는 분명 맛있어 보였다. 편안한 분위기에서 식사가 진행됐더라면 실제로도 맛있었을 것이다. 세월을 피해 간 것처럼 고운 미모의 베이야드 공작 부인은 무엇 때문인지는 모르겠지만 나로 인해 심기가 상한 것이 분명해 보였다.

초대하기는 했지만, 단순한 호의에서 비롯된 것이 아니라 이 기회에 괴롭히려는 것이겠지.

그게 아니라면 처음 인사 이후 식사를 시작한 순간으로부터 디저트를 기다리는 지금 이 순간까지 나에게 말 한마디 건네질 않는단 말인가. 시선이나마 마주치면 말문이나 터 볼 터인데 눈길조차 주지 않으니 어쩔 도리가 없었다.

거기에 에카이트나 베이야드 공작 전하도 침묵 속에서 식사를 계속하니 밥이 입으로 들어가는지, 코로 들어가는지 모르겠다. 나도 식사 중에 말을 많이 하는 편은 아니었지만, 소소한 일상 정도는 이야기하곤 했다.

이렇게 한마디 말도 없는 식사라니. 하지만 침묵은 디저트로 준비된 레몬 꿀 푸딩이 서빙되기 시작하면서 깨졌다. 베이야드 공작 부인이었다.

"식사는 입에 맞았나요, 공녀."

"네, 아주 훌륭했습니다."

갑작스러운 말에 마음에도 없는 모범 답안이 튀어 나갔다. 뭘 먹었는지 기억도 안 나는 판에 훌륭한지 아닌지 어떻게 알겠는가. 불편하게 먹어서 뭘 먹었는지도 모르겠다고 말할 수도 없으니 이 대답이 최선이었다.

딱히 흠잡을 거리가 없었던지, 베이야드 공작 부인이 가볍게 고개를 끄덕였다. 그리고 푸딩을 작은 스푼으로 가볍게 떠서 맛보기 시작하였다. 그에 나도 스푼을 들고 푸딩을 향해 손을 뻗었다.

하지만 스푼이 미처 푸딩에 닿기도 전에 평안한 목소리를 가장한 부인이 질문을 던진다. 먹으라는 건지 말라는 건지. 속으로 투덜거리면서 우선 스푼을 조용히 내려놓았다.

"생각 외로 식사 예법이 아주 바르군요."

"아닙니다. 남들 하는 만큼은 하는 것이지요."

정말 남들 하는 만큼만 하는데요. 내가 진심을 담아 겸손한 대답을 내놓자 다시 입을 닫아 버리는 공작 부인. 하지만 정말 따로 더 배운 것도 덜 배운 것도 없이 적당히 배웠다, 일반 예법은. 기사가 따라야 하는 예법만 해도 수십, 수백 가지인데 레이디들의 예법까지 완벽하게 익힐 순 없지 않은가. 그러한 레이디들의 예법을 익히게 하는 어머니도 계시지 않았다. 아버지는 더군다나 기사이시니까.

무표정한 얼굴로 푸딩을 음미하고 있는 에카이트나 베이야드 공작을 곁눈질로 훔쳐보던 나는 다시 스푼을 들었다. 그리고 다시 질문을 받았다, 공작 부인으로부터. 그런 이유로 스푼은 다시 제자리에 얌전히 누웠다.

"……겸손한 대답이로군요. 시간이 다소 늦기는 했지만 식사 후에 내 방에서 다과를 잠시 들었으면 좋겠는데."

"영광입니다. 하지만 사실…… 저녁을 들고 온다는 것조차 집에 알리지 못한 상태인지라…… 딱히 선약이 있는 것은 아닙니다만 아버지께서 기다리실까 걱정입니다."

단둘이 다과를 하다가는 어떤 실수를 저지를지 모른다. 나는 약간 돌려서 곤란한 의사를 표명했다.

아버지가 기다리실까 걱정이라는 말은 거짓이 아니었다. 요즘은 겨우 저녁이나 같이 먹을까 말까 한 상황에 연락도 없이 늦으면 분명 서운해하실 거다. 내가 곤란한 미소를 띠는 순간, 에카이트가 입을 열었다.

"바쁜 사람입니다, 어머니."

"공녀의 말처럼 이 이상 귀가가 늦어지면 폰디체리 공작에게 실례가 될 것 같군요."

에카이트의 말과 공작 전하의 만류에 공작 부인의 안색이 딱딱하게 굳었다. 차라리 두 사람 다 남으라고 권했더라면 사양하기 더 쉬웠을까. 이 상황에서 냉큼 그럼 먼저 일어나겠다고 답하면 미운 털이 박히는 정도로 끝나지 않을 것 같았다.

저 두 사람, 혹시 알고 저런 걸까? 속으로 한숨을 쉬면서도 눈웃음을 지어내며 공작 부인을 바라보았다.

"아닙니다. 딱히 바쁠 일도 없고, 늦었지만 지금이라도 아버지께 서신을 보내면 될 것 같습니다. 생각해 보면 약혼 이후 따로 인사를 올렸어야 했는데…… 제가 무심했습니다, 용서하세요."

정말 찾아가서 인사라도 했어야 한다고 생각한다. 하지만 약혼식 날 친정에 급한 일이 있다고 사라져서는 오늘 이른 아침에야 저택으로 돌아오신 분을 그전에 어떻게 먼저 뵙느냔 말이다.

그나마 이런 경우를 대비해서 뱀 진액 말고도 품에 특별히 챙겨온 그 물건이 있으니까 이것으로 점수를 좀 딸 수 있으면 좋겠다. 드레스는 입지 않았지만 무기(?)는 준비된 셈이니 마음이 상대적으로 편했다.

내가 먼저 다과를 청한 셈이 되자, 두 남자는 조용히 고개를 끄덕이며 대화에서 발을 뺐다. 에카이트 넌 내가 꼭 응징한다, 천하의 불한당 같은 놈. 얌전히 있으면 중간이라도 갔을 텐데. 속으로 투덜거리며 날카롭게 구는 것을 알 리 없는 공작 부인이 만족한 표정으로 새침하게 답한다.

"좋아요. 그럼 우선 하녀를 시켜서 준비시켜 놓을 테니 후식을 마저 든 다음 가도록 하죠."

"네, 저는 무엇이든 괜찮으니 편하실 대로 하세요."

두 번만 더 괜찮았다간 식당에서 전사하겠다. 속으로 긴장을 억누르면서 미소로 답하자 종전보다 더 만족스러운 표정을 띤 공작 부인이 푸딩을 마저 먹기 시작한다. 나도 태연한 표정으로 스푼을 들어 푸딩을 먹기 시작했지만 맛이 느껴지지 않았다.

베이야드 공작 부인. 그녀는 사교성 없기로 유명한 분이었다. 게다가 황실과도 혈연이 있어 그 프라이드가 보통을 넘는, 상당히 고집이 강하고 예법을 중요시하는 깐깐한 분이시다.

한마디로 어려운 분이라는 것이다. 결론만 말하겠다. 망했다.

향긋한 차가 뱀 문양이 화려한 장미와 격식 있게 어우러져 있는 찻잔에 차올랐다. 다도에 일가견이 있는 공작 부인이 친히 티포트를 기울여서 따르는 것이라 더욱 의미가 깊었다.

전생의 기억을 더듬어 추측해 보자면 이 차는 공작 부인의 사유지에서 특별히 재배된 것으로 알고 있다. 그래서 이 차에 대한 공작 부인의 자부심 또한 극도로 높았던 것으로 기억한다.

하지만 유일한 문제라면 그 맛에 있었다. 동양에서 수입된 차나무에서 나는 찻잎이라고 들었는데 흔히 마시는 홍차와는 다르게…… 쓰다. 맛에 따라 표정이 수시로 변하는 감성적 소녀는 아니었지만 전생에 처음 접했을 때에는 차마 표정 관리를 하지 못했었다.

아마 그때부터 본격적으로 눈 밖에 나기 시작한 것 같다. 이번에는 마시는 즉시 감탄사를 터트릴 준비를 하기로 마음먹었다. 차오르는 차를 긴장한 눈으로 내려다보면서 전의를 다지는 순간, 차를 모두 따른 공작 부인이 먼저 찻잔을 들어 올렸다.

"들지요."

"아, 네. 그럼 감사히……."

예법에 맞게 감사 인사를 올리고 천천히 찻잔을 들어 올리며 전생을 떠올렸다. 전생에 내가 처음 이 차를 마실 때에 마시는 방법이 틀렸다고 어찌나 잔소리를 늘어놓던지. 어디가 틀렸는지 일일이 지적해 주신 덕분에 지금까지도 선명히 기억하고 있었다. 또다시 엄청난 잔소리를 들을까 걱정돼 몸이 먼저 기억을 따라 움직였다.

우선 차를 코 근처로 가져가서 살짝 흔들어 올라오는 향을 차분히 느끼고, 입 안에 약간 머금는다. 그대로 삼키지 않고 천천히 차 맛을 혀로 음미한다. 차를 완전히 목구멍으로 넘기고 나서야 잠시 감았던 눈을 살며시 떴다.

차 자체는 생각보다 훌륭했다. 전생에서는 맛을 느끼기도 전에 꾸중 아닌 꾸중을 듣느라 무슨 맛인지도 모른 채 쓴맛만 기억에 남아 싫다고만 생각했는데, 맛 자체는 내 취향이었다.

전생의 기억에서 빠져나온 나는 만족스러운 표정을 애써 감추려 노력 중에 있는 공작 부인의 얼굴을 정면으로 마주했다.

"차가 참 좋습니다. 특히 향이 정말 일품입니다. 차의 품질도 그렇지만 가공이 잘된 차 같습니다."

"차를 즐길 줄도 아는군요."

목소리는 경직됐지만 분명한 칭찬에 애써 미소를 지으며 화답하자 공작 부인이 찻잔을 부드럽게 내려놓는다. 내려놓는 자세에서도 기품이 느껴지는 것이, 예법을 중시했던 그 자태가 전생에서의 모습 그대로였다.

전생엔 에카이트와 접점이 전혀 없었으니 약혼식이 지난 반년쯤

후에야 공작 부인의 호출로 처음 얼굴을 뵙게 됐었다. 전생에선 춤조차 제대로 춰 보지 못한 관계였으니, 공무가 없는 이상 따로 만날 이유가 전혀 없었던 것이다.

공작 부인이 찻잔을 내려놓는 태도로 보아 본격적인 대화에 들어서려는 것 같았다. 그래, 빨리 듣고 치우자. 나는 마음을 비우며 이어질 말에 귀를 기울였다. 전생과 같이 마음에 비수를 꽂지 않을까 하는 걱정에 자연히 몸이 긴장되는 것이 느껴졌다.

돌아온 현생도 크게 다르지는 않았다. 다만 전생에 비해 강도가 아직은 덜하고, 이미 한번 경험한 덕분에 그렇게 아프게 다가오지는 않았다.

"단도직입적으로 말할게요. 나는 공녀가 못마땅합니다. 그래서 이 약혼이 결혼까지 가지 않기를 기원하는 중입니다."

네, 저도요. 나는 즉각적으로 튀어나오는 마음의 소리에 놀라 표정을 굳혔다. 정말 소리 내서 말한 건 아니겠지?

공작 부인의 눈치를 조심스럽게 살피는데, 다행히 말로 뱉지는 않았던 것인지 그녀는 무덤덤하다 못해 싸늘한 눈길로 나를 응시하고 있었다. 왜 내가 탐탁지 못하다고 하는 건지, 그 이유는 듣지 않아도 잘 알고 있다. 전생에서도 들었던 얘기니까.

처음 그 말을 들었을 땐 큰 상처를 받았다. 그 상처받은 전생의 기억을 그대로 가진 상태이니 지금도 그 상처는 마음속에 존재하고 있었다. 정말로 또다시 오늘 이 말을 듣게 될 줄은 몰랐던 내 안일한 심장이 떨리기 시작했다.

더 심한 소리를 듣기 전에 먼저 이야기를 꺼내기로 했다. 전생에 하도 들어서 저 입에서 무슨 말이 나올지 너무나도 뻔했기 때문이다.

심장을 후벼 파는 듯한 대화를 감내하느니 차라리 무덤덤한 척 알고 있다는 시늉이라도 해야 이 고통스러운 시간이 빨리 끝날 것만 같았다.
"출생과 출신 때문이겠지요."
"오늘 잠시 본 게 다지만, 영애는 영특하고 예법도 나름대로 아는데다 제법 이치에 밝은 편이로군요. 생각보다는 만족하고 있어요. 하지만 그렇다고 해서 베이야드 가문의 후사를 이을 미래의 안주인감으로 만족한다는 소리는 아닙니다."
잠시 침묵이 감돌았다. 모른다고 한 것도 아닌데 기어이 저 얘기를 꺼냈어야 할까. 따질 상황도 입장도 아니라 침묵으로 응했다. 전생에 그토록 상처를 받았던 이유가 베이야드 가문에서 인정받는 다음 대 안주인이 되어야 한다고 생각했던 탓일까?
이번 생에서 나는 베이야드 부인이 되기를, 일절 희망하지 않고 있는 상황이니 상처를 덜 받는 것 같다. 덕분에 자존심에 상처를 입었다는 점 외에는 평정심을 유지한 채로 베이야드 공작 부인을 마주 볼 수 있었다.
어색할 만큼 시선이 얽히자, 나는 차를 들이켠다는 핑계로 시선을 내려 다시 한 번 차를 머금었다. 미지근해진 차는 처음에 비해 떫은 맛이 났다. 차를 다 음미하고 다시 시선을 올리자 베이야드 공작 부인이 그 특유의 고집스러운 입매를 열고 말을 계속했다.
"그래요. 짐작하겠지만 나는 공녀가 기사인 점도 마음에 들지 않아요. 하지만 자랑스러운 우리 칼라한 제국의 다음 대 황제 폐하를 보필해야 하는 의무를 지닌 만큼 함부로 그만두라고 하진 않겠어요."
"……감사합니다."
내가 태연하게 찻잔을 내려놓고 떨떠름한 감사 인사를 건네자 공작 부인이 무뚝뚝하게 고개를 끄덕였다. 그러고는 다시 찻잔을 들어 차를 음미하기 시작했다.

미묘하게 부푼 볼이 마치 고상한 금붕어 같다는 생각이 들자 순간 웃음이 터질 뻔했다. 하지만 그 웃음은 부인의 다음 말에 싸늘하게 식어 버렸다.

"이렇게 되었으니, 돌려 말하지 않겠습니다. 나는 떠돌이 무희로 알려진 공녀, 당신 모친의 출신 성분이 거슬립니다."

내가 천천히 잔을 들어 올려 이제는 싸늘하게 식은 마지막 한 모금을 입 안에 머금었다. 지독하게 쓰고 싸늘한 그 맛이 정신을 날카롭게 일깨웠다. 그리고 동시에 묘한 반감이 고개를 들었다. 과연 내가 여기서 침묵하는 것이 옳을까.

기사라는 직업은 내 선택으로 이룬 것이다. 물론 환경이 영향을 끼쳤을지는 몰라도 그러했다. 하지만 내 어머니. 그 누구도 자신의 의지로 선택할 수 없는 것 중 하나가 부모가 아닐까.

나는 내 평생 그 흔한 초상화조차 남기지 않은 그분을 그리워했다. 충분히 정을 나누지는 않았지만, 나의 어머니다. 어떠한 경로로든 비난받는 것은 원치 않았고 지금도 원하지 않는다.

비난의 말에 비장의 무기로 준비해 온 물건을 태워 버리고 싶다는 마음이 울컥 들기 시작했다. 물론 그걸 태우게 된다면 그 장소는 에카이트의 머리 위가 되지 않을까.

다 마신 찻잔을 천천히 내려놓고 손수건을 꺼내 입가를 정돈했다. 사실 차 정도야 흘리지 않고 먹을 만큼의 나이도 됐고, 화장도 딱히 하지 않은 얼굴이라서 묻어 나올 것도 없었지만 입가를 정돈하는 것으로 마음을 진정시켰다.

마음을 가라앉힐 시간이 필요했다. 손수건을 이용해 입가를 정돈하는 것은 식사를 마친 레이디의 예법. 당연한 수순이었다. 나는 미묘하게 자세를 재정비하여 완벽한 선을 만들어 내고 시선을 공작 부인에게로 옮겼다.

“어떻습니까?”

“무엇을 물어보는 것인지 나로서는 알 길이 없군요.”

내가 대뜸 던진 물음에 당황한 표정으로 의문을 제기하는 공작 부인을 눈앞에 두고 천천히 자리에서 일어나 완벽한 예법대로 걸음을 옮겼다. 정확한 보폭과 정확한 시선 처리. 완벽에 가깝도록 반듯한 자세와 호흡, 표정.

내가 그렇게 방을 한 바퀴 돌아본 나는 다시 자리에 앉았다. 앉는 순간까지 완벽한 자세와 예법을 고수했다.

기사로서 바른 자세는 기본 덕목이지만, 나에게는 상대를 압도하는 특별한 무엇인가가 존재한다고 생각해 왔다. 여자로서의 나는 실패작이었을지 몰라도, 기사로서의 나는 하나의 성공작으로 불림에 부족함이 없었기에 어려운 상황에서도 자존감을 잃지 않고 버틸 수 있었던 것이 아닐까.

그렇게 상대를 압도하는 내 기세는 출생과 출신에서 비롯된 것이라고 믿는다. 흔들림이 없는 눈으로 공작 부인을 응시하자 그녀도 마주 봤다. 그리고 내가 먼저 입을 열었다.

“이번에는, 어떻습니까?”

“공녀. 나는 도대체 공녀가 무엇을 물어보는 것인지 알 수가 없군요.”

“제 모습 말입니다, 공작 부인. 천해 보이십니까?”

공작 부인을 똑바로 직시하며 말하자 그녀가 당혹스러운 표정으로 입을 닫았다. 전생. 아직 어리고 물정 모르던 그때의 나는 출생에 대한 비난의 말로 인해 상처받았었다. 내가 스스로 판단했던 것보다 더 깊고, 아프게.

차마 변명할 말도 꺼내지 못하고 감히 거스를 수도 없던 그 상황이 미워서 엄한 어머니를 원망했었다. 그리고 아버지께 어머니는 대체 어떤 분이셨냐고, 혹여 불명예스러운 일을 업으로 삼지는 않으셨냐고 따지듯 물었다.

제국의 공작씩이나 되셔서 자식을 낳으시려면 흔하디흔한 귀족 여성을 아내 삼는 것은 일도 아니었을 텐데 도대체 무엇이 그토록 미천한 어머니를 공작 부인으로 기록하게 만들었는지 궁금하고 억울했다.

당연한 일이지만, 나는 그대로 아버지께 뺨을 맞았었다. 대련에서도 차마 나를 제대로 때리지 못했던 아버지가 처음이자 마지막으로 손을 대셨던 날이었다.

단 한 차례 손을 올린 적이 없던 분이, 내 뺨을 그토록 세게 때리셨다.

이것 하나로 모든 것을 설명할 수 있지 않을까. 분노로 형형한 아버지의 눈동자 너머로 깊게 벌어진 상처가 우는 것을 보면서 나는 강렬한 깨달음을 얻었다. 어머니를 부정하는 것은 곧 나를 구성하는 절반, 그 이상을 차지하는 아버지를 부정하는 것이라는 것을.

놀랍게도 아버지는 여전히 어머니를 뜨겁게 사랑하고 계셨다. 사랑이라는 감정이 어쩌면 그토록 오랫동안 한결같을 수 있었을까.

이번 생에 가장 다행이라고 여기는 것 중 하나는 내가 이 일로 아버지께 상처를 드리지 않아도 된다는 점이었다.

시간을 되돌리고 싶었던 날이었는데…… 정말로 되돌아온 것이다. 최소한 하나는 건졌군. 내가 차갑게 부인을 바라보며 미소를 지었다. 우아하고 고풍스럽게 올라간 입가와 여유로운 눈매를 유지하면서 다시 입을 열었다.

공작 부인은 의외로 당황한 기색 없이 나를 마주 보며 느긋하게 세태를 관찰하고 있었다.

"제 예법 중에 틀린 것이 있었습니까?"

"아니, 없었어요. 전혀 천해 보이진 않는군요. 도리어 아주 만족스럽다고 평가하겠어요."

"그렇다면 여쭙겠습니다, 공작 부인. 가지가 부러진 참나무에 가시나무를 접붙여서 두 나무가 한 나무로 자랐습니다. 그렇다면 이 나무는 무슨 나무입니까?"

내가 그렇게 물어보면서 공작 부인을 응시하자 그녀가 조용히 찻잔으로 손을 뻗는다. 잔이 빈 것을 힐끗 확인하고 식었을 것이 분명한 차를 따라 냈다. 그 차에 뭔가 특별한 것이 있는 것처럼 내려다보던 공작 부인이 피식 미소를 지었다.

그 미소의 의미를 짐작할 수는 없었지만 나는 여전히 예의 그 고상한 표정을 유지했다. 불편한 침묵 속에서 여유를 가장하는 우리의 모습에 괴리감이 들었다.

저기서 말한 부러진 참나무는 내 아버지이자 국방부 수장 직위를 역임하시는 폰디체리 공작을 말한다. 그리고 가시나무는 내 어머니를 의미했다. 부러졌다 표현한 것은 자식이 없어 대를 세습하여 가문을 번창시키지 못할 위기를 두고 말하는 것이다.

과거 아버지는 지독할 만큼 여자를 멀리하신 탓에 혼기는 이미 오래전에 지나 결혼은커녕 약혼도 하지 않으셨다고 들었다. 그러다 국경 지방에서 어머니를 만나 운명 같은 끌림에 빠져 결혼에 이르렀다고 하셨다.

이미 아들의 혼사에 있어 어떠한 기준도 세우지 않고 그저 아이를 낳을 수 있는 여자이고, 아들이 마음에 들어 하는 여자라면 누구라도 좋다는 그 하나의 기준만 정한 조부모님 덕분에 결혼까지 가능했다고 들었던 기억이 난다.

거기서 그치지 않고 심지어 황제 폐하의 인장 아래에서 혼약을 신고하신, 제국 내에서 이례적일 정도로 파격적인 절차를 밟아 결혼을 하셨다. 다르게 말하면 어머니는 황제 폐하의 공인하에 아버지의 정실로 결혼하신 것이다.

이렇게 함으로써 내가 첩의 자식이라던가 하는 소리를 방지한 셈이다. 어쩌면 훗날 태어날 후계자에게 최소한의 힘이라도 실어 주고 싶으셨던 것은 아닐까.

그러한 사실을 천천히 곱씹으면서 기다리자니 이번에 먼저 입을 열어 침묵을 깬 쪽은 공작 부인이었다.

"과연 그렇군요. 기사라 해서 한편으론 머리가 아둔하리라 생각했는데 기대보다 총명해서 기쁘네요. 그래, 확실히 그렇다면 그 나무는 가시나무도 참나무도 아니겠군요. 다만 그 뿌리가 참나무에 있음이니 그 근본 또한 옮겨져 왔다는 말을 하고 싶은 건가요, 공녀? 그렇다면 그 나무에서 난 열매는 참나무 열매인가요, 아니면 가시나무 열매인가요?"

열매. 즉, 나의 정체성에 대해서 묻는 질문인 셈이다. 가시나무에 달린 열매이니 가시나무 열매인지, 아니면 참나무의 뿌리에서 오는 양분으로 자란 열매이니 참나무 열매인지를 물어보는 것이다.

똑 부러지게 어느 한쪽이라고 말하기는 애매했지만, 저쪽에서 원하는 대답이 무엇인지 확실히 알고 있는 지금, 답은 이미 정해졌다.

"답을 드리기 전에 하나 더 여쭙겠습니다. 나무는 어디서부터 자랍니까? 그 뿌리입니까, 그 가지입니까? 나무를 자라게 하는 쪽은 어디입니까?"

내가 흔들림 없는 어조로 다시 물어보자 이번엔 공작 부인이 숨기지 않고 짜랑짜랑하게 웃음을 터트렸다. 무엇엔가 즐거워하고 기뻐하는 것이 분명해 보였다. 하지만 지금은 내가 그토록 자랑스러워하고 대단하게 생각하는 혈통에 관해 새로운 견해를 제안하는 중이다. 그녀가 순수하게 기뻐하고 즐거워할 상황이 아니었다.

어째서 저렇게 웃는 것인지 여러 가지로 추론하고 있는데 공작 부인이 다시 입을 열었다.

"뿌리겠지요, 아펠리아 공녀."

"바로 보셨습니다. 아, 네?"

"원하는 답을 드린 것인데 어째서 그리 놀라십니까?"

갑작스럽게 나를 이름으로 부르는 것에 놀라 미처 표정을 숨기지 못한 나는 눈을 동그랗게 떴다. 공작 부인은 묘한 미소를 지으며 그런 나를 바라본다.

자신보다 아래 계급의 귀족을 이름으로 부르는 것은 그만큼 친해지고 싶다는 의사를 보이는 것이다.

비록 뒤에 공녀라는 칭호가 따라붙기는 했어도 상당히 파격적인 호칭인 셈이다. 단둘이 있는 자리이니 굳이 남들에 보여 주려고 하는 행동 같지도 않았고 말이다.

하지만 이 공작 부인이 돌연 나와 친해지고 싶고 동시에 나를 예뻐하고 귀하게 여기고 싶어질 리 없지 않은가. 그것도 내가 또박또박 말을 받아친 직후에. 하지만 내 생각이 틀렸던 걸까. 공작 부인은 노래하는 듯, 경쾌한 어조로 다시 입을 열었다.

"좋아요, 이만하면 됐군요. 약점이 될 만한 태생에 대해서도 그다지 비굴한 태도를 보이지 않았고…… 예법도 합격이에요. 거기에 총명하니 훗날 후계자를 낳아도 제대로 양육할 수 있겠군요."

"네?"

뭐를 낳아요? 닭이 알을 낳는 것처럼 대수롭지 않게 말하는 공작 부인의 화법에 놀라 그만 멍청한 표정을 지었다. 어떤 표정을 지어야 할지 감도 안 온다.

얼떨떨한 표정으로 공작 부인을 응시하자, 그녀가 내 빈 찻잔에 미지근한 찻물을 다시 채워 준다. 목이 마르긴 했기에 미지근한 찻물을 다시 예법을 지켜 음미하듯 마셨다.

나는 공작 부인의 변화에 얼떨떨한 시선을 감추지 못하고 찻잔만 만지작거렸다. 그러다가 우연찮게 다시 시선이 마주치자 화들짝 놀라서 찻잔에서 손을 치웠다. 아, 오늘은 그냥 아버지랑 밥 먹는 건데…… 괜히 왔다는 생각까지 들기 시작할 무렵, 공작 부인이 천천히 입술을 움직였다.

"혼란스러운가요? 나만 할까요. 공녀, 나는 솔직한 사람이에요. 들었을 수도 있겠지만 나는 레이디들이 생명처럼 여기는 그 사교계도 별다르지 않게 보는 사람이에요."

……네, 그 악명은 익히 들어 알고 있답니다. 속으로 중얼거리면서 차를 한 모금 더 머금어 속의 말을 삼켰다. 전생에서 사교계와 담을 쌓고 지낸 나까지도 익히 알 정도로 유명했으니까.

사교계를 별로 중요치 않게 여기는 공작 부인이지만 가끔은 심심했던지 종종 살롱에 등장하곤 했었다고 한다. 그리고 예법에 어긋나게 행동하는 귀부인들을 하나하나 지적하면서 가르침을 위시한 모욕을 주기 일쑤였는데, 본인이 예법에 있어 완벽하니 달리 반박하기도 어려웠었다고 한다.

아주 드물지만 예법에 바른 레이디들에게는 직설적으로 칭찬을 던지는 터라 그 칭찬 한마디를 듣고자 수많은 독설을 이겨 낼 각오를 하는 사람들도 많다고 했다. 그 독설을 직접 겪어 본 입장으론 안타까운 선망이라고밖에는 할 수 없지만. 내가 이러한 과거를 되짚으며 아무 대답을 하지 않자, 공작 부인이 천천히 입을 다시 열었다.

"나는 솔직히 영애 자체는 매우 마음에 들어요. 기사라고 믿기 어려울 정도로 아름다운 외모, 예법, 긍지. 거기에 우리 아들을 지극정성으로 간병하는 것도 마음에 들어요."

가해자가 나인 것을 몰라 하는 말인데도 괜히 찔끔한 내가 시선을 피했다. 거기에 지극정성이라니. 지극정성으로 괴롭히려고 애를 쓰고 있답니다. 양심을 콕콕 찌르는 칭찬에 어설픈 미소를 지었다. 아마 과한 칭찬에 부끄러워하는 표정으로 보이지 않을까 했는데, 역시나 그렇게 보였는지 공작 부인이 처음으로 부드러운 미소를 지어 보였다.

내가 아무 말도 하지 않았음에도 입가에 남은 어설픈 미소가 자신의 말에 대한 답이라고 생각했는지, 공작 부인이 다시 입을 열었다.

"솔직히 말해 나는 사실 공녀가 내 마음에 들지 않기를 바랐답니다. 약혼식 직후 바로 자리를 뜬 것은 정말 친정에 급한 일이 있어서였지만, 공녀를 못마땅하게 여겨서 그런 것도 없지 않아요. 다행히 황태자 전하께서 양해해 주셔서 자리를 비우는 데에 큰 어려움은 없었답니다. 아까부터 불편하게 굴었던 것도 영애의 반응을 보려 그렇게 한 건데. 사람 자체는 나무랄 곳이 없네요. 내 태도가 분명 불편했을 텐데 용케 평정심을 유지한 점, 높이 사겠어요."

"……칭찬에 감사합니다."

"아니, 천만에요. 생각할 시간을 좀 주겠어요? 지금으로선 아들의 짝으로, 아니 더 나아가 이 가문의 안주인이 될 최고의 여자를 고르고 싶은 욕심이 있어서요. 공녀가 가시나무 열매인지 참나무 열매인지는 시간을 두고 생각해 보겠단 말이에요. 내일도 방문할 건가요?"

리디아 펠튼의 헛짓거리에 관해 분명 들은 것이 있으니 저렇게 말하는 것이리라. 아무리 사교계에 적극적으로 참여하는 분이 아니라 해도 눈과 귀는 확실히 열어 놓고 있는 것이 분명하다고 생각했는데 내 짐작이 맞았다.

거기까지 생각한 나는 공작 부인의 질문에 속으로 조용히 고개를 저었다. 아뇨, 가급적이면 안 오고 싶네요. 하지만 일단 에카이트가 완치 판정을 받을 때까지는 방문할 계획이라 애써 미소를 지으며 고개를 끄덕였다. 그러자 공작 부인이 만족스러운 표정으로 웃으며 청천벽력과도 같은 소리를 내뱉으셨다.

"좋아요. 그렇다면 매일 함께 저녁 식사를 하게 되겠군요. 자주 봐야 판단을 내리기 쉬울 것 같으니까. 그럼 내일 봐요, 공녀."

드디어 해방되었단 기분을 전혀 느끼지 못할 정도로 충격적인 마지막 말에 어색한 미소를 지으며 자리에서 일어섰다. 이제 집으로 갈 수 있을 줄 알았다. 눈치 없는 녀석이 등장하기 전까지는. 넌, 씨, 어쩜 이렇게 눈치가 없을 수가.

"어머니. 그건 곤란할 것 같습니다."

노크 소리도 없이 문을 벌컥 열고 들어와서 대뜸 내뱉는 소리가 저거라니. 도움이라곤 되지도 않는 에카이트의 등장이다. 그냥 날 죽여라, 죽여. 갑작스러운 녀석의 등장에 당황한 공작 부인은 이내 깜짝 놀라 자리에서 벌떡 일어났다.

발을 다쳐서 자택에서 요양 중인 녀석이 돌아다니니 놀랄 법도 하다. 나는 공작 부인이 일어나려는 기색을 눈치채고 그보다 빨리 일어나서 그에게로 다가갔다. 속도가 생명이 아닐까.

그리고 무식할 정도로 성큼성큼 넓은 발걸음으로 입장하려는 에카이트를 저지하며 속으로 이를 갈았다.

덧나서 안 나으면 어쩌려고 이러는 거야? 회복이 지연되어서는 절대 안 된다. 얼른 그를 부축해 잡으며 움직임을 막았다.

슬프다. 복잡한 내 마음과는 달리 에카이트는 갑작스러운 무례에 대해 양해의 인사를 하며 무슨 말을 시작하려 했다. 안 돼! 나는 급하게 녀석의 말을 막았다. 설마 너 여기서 내 편 들려는 건 아니지?

"에카이트! 아직 다 낫지도 않았는데, 어찌 이리 함부로 다니십니까? 일단 이쪽으로!"

내 호들갑스러울 정도의 반응에 말문을 에카이트가 살짝 미간을 찌푸렸다. 그래, 언제는 열심히 반말을 섞어 가며 시비를 걸다가 갑자기 걱정하는 태세로 말하니 웃긴 것은 알겠는데, 나도 살아야 하지 않겠니?

내가 걱정스러운 표정으로 그를 부축하는 시늉을 하였다. 다행히 드레스가 아니라 승마복을 입고 있던 터라 부축이 쉬웠다. 그리고 괜히 기사인 것이 아니라서 문관 하나 부축하는 것은 일도 아니었다.

그 장면을 뚫어져라 응시하는 공작 부인의 시선 덕분에 더욱 정성들여 녀석을 부축하여 옆자리에 앉히니 앉기 무섭게 본격적으로 양해를 구하는 것이 아닌가.

그냥 고개 숙인 걸로도 충분하니까 용건만 짧고 간결하게 말하고 떠나라. 아니, 그 용건 쪽도 충분히 불안하니까 그냥 나가. 내가 속으로 벌벌 떨며 긴장하고 있는데, 에카이트가 기어코 입을 열었다. 만악의 근원은 말이라더니.

"다시 한 번 결례를 범한 점 사과드립니다, 어머니. 입실을 고하려던 찰나에 어머니께서 실수를 하시는 듯해서 마음이 급해 그리했습니다."

"실수? 내가?"

공작 부인은 에카이트가 결례를 저지른 것을 대수롭지 않게 여기며 도리어 녀석의 말에 의문을 표했다. 아주아주 걱정스러운 표정으로.

나도 은근히 걱정이 되어 녀석의 발을 쳐다보았다. 설마 더 심하게 부러져서 회복 기간이 늘어나, 내 병문안 기간도 느는 것은 아니겠지. 내 시선에도 불구하고 에카이트는 어머니의 실수에 대해 이야기하기 시작했다.

"어머니도 잘 아시겠지만 폰디체리 공작 가문에 직계 식솔은 오직 둘뿐이 아닙니까. 그 식솔 중에 하나가 이리 매일 저녁 외출을 해야 하면 폰디체리 공작 전하께선 저녁을 혼자 드셔야 합니다. 이는 그분께 큰 실례입니다, 어머니."

"하지만 이리 늦은 시간까지 머물게 하고 식사 대접을 하지 않는 것도 실례일 텐데?"

에카이트의 말이 끝나기 무섭게 공작 부인이 즐거운 표정으로 다른 문제점을 지적했다. 어느 쪽이 이기든 득이 되는 것이 하나 없기에 나는 그저 어색한 미소를 고수하며 양쪽의 눈치를 살필 뿐이었다.

그래도 에카이트가 이기는 쪽이 좋으려나. 아들의 말에 흔들린 공작 부인이 제 의견을 접으려던 순간, 에카이트가 미묘한 신음 소리를 내며 인상을 찌푸렸다. 그럼 그렇지. 아까 들어올 때 성큼성큼 들어오더라.

근육경련이 의심되는 부분이 있기에 바닥에 꿇어앉은 자세로 녀석의 정장 바지를 들어 올려 상처 부위를 살폈다.

"이럴 줄 알았습니다. 주변에 근육이 놀란 것 같은데, 안정을 취해야죠. 분명 방에서 쉬고 있을 줄로 알았는데 어찌 여기까지 혼자 오셨습니까?"

내 걱정을 위시한 비난을 눈치챈 그가 순간 입을 꾹 다문다. 아까 식당에 갈 때까지만 해도 내 옆에 붙어서 엄살을 부리던 녀석이 왜 갑자기 무리를 해서는. 속으로 투덜거리며 녀석의 다리에서 손을 뗐다.

그러거나 말거나, 공작 부인은 오직 에카이트만 보이는 모양이다.

그의 상태가 정말 괜찮은 것인지 안절부절못하고 있었다. 하긴 베이야드 공작께서 녀석에게 냉엄하기로 유명하였으니 반대로 어머니인 베이야드 공작 부인의 아들 사랑이 과한 것도 무리는 아니었다.

일단 걱정하는 공작 부인을 안심시키는 것이 먼저이기에 공작 부인을 바라보며 상황을 전달했다.

그는 내가 급작스럽게 바지를 걷어 올리고 자기 다리를 만지작거린 점이 불만스러운 것인지 시선이 삐뚜름하다. 소심한 녀석 같으니라고.

"부인, 괜찮은 것 같습니다. 갑자기 강하게 걸어서 주변 근육에 가벼운 경련 현상이 있었던 것 같습니다. 응급조치도 했으니 지켜보고 환부가 부어오르거나 다른 이상이 있으면 주치의를 부르도록 하죠. 정 불안하시면 지금 주치의를 부르셔도 괜찮습니다."

"……아니에요. 믿어 보죠. 그런데 그런 것들은 어디에서 배운 것입니까? 역시 기사단에서?"

에카이트가 내 응급조치 이후로 딱히 고통을 호소하거나 신음을 흘리지 않자 다소 안심한 공작 부인이 나에게로 관심을 돌렸다. 그런 것이라 하면 아마 종전의 응급조치를 말하는 것이 분명했다. 머릿속으로 빠르게 대답을 정리하고 태연한 표정을 가장해 질문에 답했다.

"물론 기사단에서 의무적으로 배우기는 합니다만, 입단하기 전에 익혀서 들어오는 경우도 많습니다. 기사단에서 가르치는 것은 사실상 배운 것을 제대로 잘 배웠는지 확인하는 수준에 불과합니다."

"아아, 그렇군요. 그렇다면 공녀는 어디에서 배웠나요? 듣자 하니 공녀 역시 기사단에서 처음 배운 것 같은 어조는 아니고…… 역시 폰디체리 공작가의 기사단에서?"

새로운 사실을 흥미롭게 듣는 공작 부인이 정확한 출처를 물어보자 미미하게 미소를 머금었다. 그도 그럴 것이 이러한 응급조치는 검을 잡기도 전에 익힌 것이기 때문이다. 더 이상 대답을 지체하다간 호기심이 갑갑함으로 바뀔 것이다. 나는 곧바로 준비한 대답을 내뱉었다.

"굳이 따지자면 그런 셈이지요. 아버지께서 폰디체리 기사단을 통솔하시는 분이시니까요."

"어머, 그렇다면 폰디체리 공작께서 친히 가르치셨다는 말인데……. 그것참 의외네요. 워낙 딸 사랑이 대단하신 분이라고 들었는데, 딸에게 기사로서 필요한 것을 친히 가르치실 줄은. 도리어 기사가 됨에 훼방을…… 아. 실례인가요, 이런 발언은?"

공작 부인의 말에 웃으며 고개를 저었다. 수도에서 흔히 들리는 의문을 여기서도 듣게 되니 사뭇 우스워서였다. 그러니까 한마디로 아끼는 딸이 왜 기사가 되도록 내버려 두었을까 하는 것이다. 그토록 사랑하는 딸이라면 기사가 되려는 것을 반대하고 사교계로 보냈을 텐데, 하는 추측에서 비롯된 생각이겠지.

아버지는 나를 사랑하시지만 그 사랑하는 방법이 남들과 다를 뿐이었다.

하고 싶은 것을 하게 해 주는 자유. 중요한 업무를 공유하는 신뢰. 그리고 자유와 신뢰를 견디게 할 수 있는 보호.

내가 처음 검을 들고 싶다고 아버지를 졸랐을 때 아버지는 반대하지 않으셨다. 너무 순순히 지원해 주셔서 한동안 아버지가 내가 그렇게 되길 원한다고 생각했다.

하지만 틀렸다. 아버지는 내 자유를 존중해 주셨던 것이다. 아버지는 내가 검을 배우고 싶다고 말했던 날부터 바쁜 저녁 시간을 할애해서 무려 반년이나 안전사고에 대처하는 방법과 응급조치법을 가르치고 연습시켰다. 지루했지만 순순히 따랐다.

어렸을 때부터 아버지에 대한 내 신뢰는 절대적이었던 것 같다.

세상에 오롯이 기댈 곳이라곤 아버지뿐이라서 그랬을까. 단순히 그러한 것에서 시작된 신뢰는 아니었다.

아마 그러한 신뢰는 아버지가 먼저 보여 주신 그 사랑과 신뢰, 보호에서 시작됐을 것이다. 내가 마침내 그 모든 사항들을 완벽히 숙지한 날, 자신이 어릴 적 사용하셨던 목검을 내주셨던 것이 아닐까. 손때가 묻고 낡은 목검이었지만 그래서 더욱 소중하게 받았다.

기사는 검을 버리지 않고 죽인다. 더 이상 사용하지 않는 검은 태우거나 녹여서 검의 형태를 없애고 보관하는 것이다. 검에는 사용한 검사의 영혼이 스민다고 하여 생긴 전통이었다.

기사가 사용하지 않는 검을 보관하는 경우는 단 세 가지. 주군이 하사한 것이거나 죽은 전우의 원수를 갚아야 할 때. 그리고 물려주고 싶어 하는 누군가가 있을 때. 자신의 혼이 스민 검을 건네는 것은 그 어떠한 말보다도 강한 신뢰를 담는다. 그래서 검은, 기사의 길은 나에게 소중했다. 그리고 그런 소중함이 나를 성장하게 만들었다.

"공녀? 역시 실례였죠? 못 들은 것으로 넘겨 주면 고맙겠어요."

"아, 아닙니다. 옛날 생각이 나서 잠시…… 제가 더 실례였습니다. 아버지께선 항간에 알려진 것처럼 제가 검을 배우는 것에 반대하지 않으셨습니다. 제 자유를 소중히 여겨 주시는 분이기에 어떠한 강요도 없으셨습니다만, 아버지의 옛 목검이 그 어떠한 강요보다도 강한 힘이 되어 저를 분발하게 만들었지요. 아버지께선 저에게 직접 쓰셨던 첫 목검을 물려주셨습니다."

내 대답에 공작 부인의 얼굴이 놀라움으로 가득 찼다. 외교를 담당하는 베이야드 공작가의 안주인인지라 기사들의 방식에 무지할 것이라 생각했었는데 조금 놀랐다.

그녀의 호기심 어린 표정을 애써 웃어넘기며 남은 이야기를 계속하기 위해 입을 열었다.

조용히 이야기를 듣는 에카이트를 보니, 그 역시 이 이야기에 제법 관심이 있는 것 같았다.

"아버지께선 무엇보다 제 안전을 중요하게 생각하셨기에 처음 검을 잡기 전에 응급조치부터 알려 주셨습니다. 어린 나이에 조급증이 일어 다 익히기까지 안절부절못하다가 마침내 다 익히고서 기뻤던 기억이 나서…… 잠시 그때 생각을 하느라 실례를 했습니다. 침묵으로 도리어 민망하셨을 텐데, 제 실수가 큽니다."

"아니, 좋은 이야기를 듣고 나니 민망함도 사라지네요. 부친께 무척이나 사랑을 받아 이리 곱게 자란 것이군요. 호호, 부럽습니다."

공작 부인의 진심이 담긴 농담에 마주 웃으며 가슴을 쓸어내렸다. 베이야드 공작이 자식에게 매정한 것은 유명한 일화인지라 새삼스러울 것도 없었다. 꼬투리가 잡히지 않을까 크게 걱정했는데 무사히 통과했다.

분위기를 틈타 내가 먼저 이야기를 마무리하기로 결심했다. 에카이트를 곁눈질로 살짝 노려보며 입을 열었다.

"아, 방금 에카이트 공이 말한 저녁 식사 말입니다. 제안은 무척 자상하십니다만 매일은 역시 무리가 있다고 생각합니다."

내 말에 다소 표정이 굳은 공작 부인이 고개를 비스듬하게 기울이고 내 눈을 응시했다. 그러자 왠지 모르게 한기가 드는 것 같았다.

미안한 표정을 지어내면서 고의로 거절하는 것이 아니라는 것을 강력하게 어필했다.

"아무래도 아버지께서 혼자 식사하시는 것이 마음에 걸려서…… 물론 매일은 어렵겠지만 초대해 주신다면 반드시 응하겠습니다."

"아이, 참. 그대는 정말이지 생각 이상으로 영리한 사람입니다. 내게 아버지이신 폰디체리 공작께서 얼마나 영애를 사랑하는지 말하고는 그 핑계를 대다니요. 여기서 내가 이 이상 강요하면 얼마나 박정하고 무도한 사람이 될까요. 이 이상 강요하진 않겠어요. 아, 폰디체리 공작께서도 이쪽에서 저녁을 드시는 것은 어떤가요? 미래에 가족이 될지도 모르는 사이이기도 하고. 그게 아니어도, 제국에 단 둘만 있는 공작가끼리 친분도 다질 겸."

아버지까지 모시고 이쪽에서 저녁을 먹으라는 제안은 정말이지…… 참신하고도 참담했다.

이 상황을 어떻게 헤쳐 나가야 좋을지 고민하고 있는데, 공작 부인이 말을 이었다.

"호호, 어째서 그런 표정을 짓는 걸까. 폰디체리 공작의 성격은 나도 잘 알고 있으니 그리 심각하게 받아들이지 않아도 돼요. 하지만 종종 초대할 테니 그건 거절하지 말아요."

"물론이죠."

거절하면 죽인다는 눈빛으로 그렇게 말하다니. 내가 태연한 표정에 미소를 가장하여 동의하자 만족한 것인지, 공작 부인이 환하게 웃는다. 나와의 저녁 식사가 즐겁다기보다는 자신의 의지가 관철됐다는 우월감에서 오는 웃음으로 보였다.

이제 돌아갈 시간이 된 것 같다 이르니 공작 부인 역시 더 잡지 않고 고개를 끄덕인다. 만족한 표정으로 보아 따로 더 신경 쓸 일은 없어 보였다.

함께 일어서는 에카이트를 부축하려 팔을 든 찰나 안주머니에 넣어 둔 비장의 무엇인가가 몸을 스쳤다.

아! 잠시 동작을 멈추고 안주머니에 손을 넣어 무엇인가를 꺼내자 두 사람이 의아한 표정으로 그것을 응시했다.

공작 부인의 호감을 사기 위한 비책. 나는 웃으며 그것을 공작 부인에게 건넸다. 분명 좋은 효과를 불러올 것이라고 기대하면서 말이다.

"대접해 주셨던 차에 비하면 미흡합니다만, 요통에도 잘 듣고, 향도 상쾌하여 진귀하다 여겨지는 찻잎입니다. 지방에 있는 폰디체리 영지 중에 이 찻잎을 재배할 수 있는 곳이 있다 하여 구해 놨던 것인데 이제야 드리는군요."

내 말에 작은 찻잎 주머니를 받아 살며시 흔들며 향을 음미하던 공작 부인의 눈이 반짝였다. 베이야드 공작 부인의 요통. 에카이트를 임신했을 무렵 어지럼증이 도져 계단에서 크게 떨어지는 바람에 허리를 다쳤다고 한다. 다행히 유산은 되지 않았지만 혹여 태아가 잘못될까 봐 약을 제대로 쓰지 못하여 후유증이 남은 것이다.

물론 지금 무렵에야 심하지 않지만 몇 년 이내에 가벼운 낙마 사고까지 겹쳐 더욱 심해질 것이다. 내 예상이 적중한 듯, 공작 부인의 목소리가 전에 없이 다정해졌다.

"이런, 이런. 제대로 당했군요. 도무지 미워할 수가 없네요. 내가 요통이 있는 것은 집안사람들이나 아는 일인데…… 어떻게 알고 이렇게 친절하게……."

"관심이 있다면 누구나 알 수 있는 일인데, 너무 추켜세워 주시니 도리어 민망합니다. 다 드시기 전에 또 챙겨 드릴 것이니 부디 아끼지 마시고 편하게 드시기를."

내 말에 감명받은 공작 부인이 크게 고개를 끄덕이며 대답했다. 그러고는 자리에서 일어나 나와 에카이트를 배웅하였다.

"영애의 그 말 믿고 양껏 즐기도록 하지요. 아, 그리고 다음에 올 때엔 드레스를 차려입은 모습을 보고 싶네요. 그럼 폰디체리 공녀, 살펴 가요."

이제 마차를 타고 방문해야겠군. 공작 부인이 언제 저녁 만찬에 초대할 줄 모르는 상황에서 항상 대비하고 있어야 하니까 말이다.

나는 쓰린 속을 애써 다잡으면서 그를 단단히 부축했다.

방문의 목적이 병문안이었으니 당연히 하는 일이지만 그와 가깝게 붙어서 걷자니 심사가 꼬이는 것은 어쩔 수 없었다. 불편한 심사를 애써 감추려 하지도 않았다. 사방이 밝은 촛불로 밝혀진 복도를 녀석과 함께 묵묵히 걷자니 에카이트가 낮은 목소리로 먼저 입을 열었다. 이 녀석, 알고 보면 은근히 수다쟁이다.

"용케 어머니 비위를 다 맞추더군. 요령도 알고 있고."

"왜, 대단해 보이기라도 했나 봐?"

내가 비아냥거리듯 답하자 그가 피식 웃는다. 그리고 어쩐지 부축하는 내 쪽으로 체중을 비정상적으로 싣는 것이 아닌가. 비아냥거리지 말라고 시위하는 거다.

잠시 움찔거리긴 했으나 다시 묵묵히 부축하자 에카이트가 다시 말문을 열었다.

"정말이지 그대는 알 수 없는 사람이야. 예상과 정확히 맞아떨어지는 부분이 있는가 하면 그 이상인 부분도 있지. 지금은 다소 우스운 얘기로 듣겠지만 난…… 그 방에서 그대가 울고 있을 것이라 생각했다."

심장이 철렁했다. 울고 싶었던 심정이 있었던 것은 사실이었고, 전생의 나였다면 잔뜩 상처받은 마음으로 방을 나서며 견디지 못해 눈물을 흘리고 있었으리라. 그러나 지금은 달랐다. 철렁하는 마음을 뒤로하고 퉁명스럽게 쏘아붙였다.

"누구. 내가? 정신 나간 소리. 내가 기사라는 걸 잊었나 봐? 혹시 잘못된 소식을 듣고 착각한 것인가 해서 정정해 주는데, 우리 아버지 정정하시고 황태자 전하께서도 아주 정정하신데 내가 왜 울어야 하지?"

그런데 에카이트는 왜 내가 울 거라 짐작한 걸까? 생각만 한다는 게 그만 입 밖으로 말을 내뱉고 말았다.

"왜 그런 짐작을 한 거지? 네가 들어오기 전후로 감정적으로 상처받을 만한 대화는 하지 않았던 것으로 기억하는데."

"너라니. 약혼자를 부르는 호칭 한번 대단하군."

괜한 말꼬리를 잡아 다른 소리를 하는 모습을 우뚝 멈춰 지그시 바라보자 에카이트가 민망한 표정으로 헛기침을 한다. 설마?

"……짐작한 대로라 미안하게 됐군."

나는 너무 놀라 입을 떡하고 벌렸다. 그러니까, 지금 저 녀석이 공작 부인의 방문 앞에 귀를 들이대고 대화를 엿들었다는 건가? 에이, 설마. 아무리 그가 기사 출신이 아니라고 하여도 그러한 행동은 매너가 아니었다.

엿듣는 것이 상식과 예의를 벗어난 행동이란 것은 칼라한 제국민이라면 누구든 아는 기본적인 것이었다. 혹시 내가 잘못 이해한 것인가 하여 재차 확인했다.

"그러니까 공작 부인 방문 앞에 귀를 대고 대화를 몽땅 엿들었다? 대체 왜?"

"왜라고 물어도……. 우연히 전할 것이 있어 따라갔으나 적절한 시기를 놓쳐서 들어가지 못하고 밖에 서 있었다고 말해 두지. 그리고 딱히 귀를 대진 않았어. 그렇게 안 해도 다 들을 수 있어."

변명이다. 핑계다. 거짓말이다.

내가 속으로 폭주하듯 중얼거렸다. 내 중얼거림을 들은 것인지 그가 한숨을 깊이 내쉬었다.

뭔가 꺼림칙한 한숨에 더 주절거리지는 못하고 얌전히 입을 닫아버렸다. 그의 방 앞에 거의 도착하자, 에카이트가 우뚝 걸음을 멈추고 한숨처럼 입을 열었다.

“어머니는 직설적인 분이시라 걱정…… 그래, 걱정했었지. 눈치챘겠지만 귀족으로서의 긍지가 보통이 아닌 분이니까. 그럼 여기서 배웅하지. 아버지가 방에서 기다리시는 것 같으니까. 그리고 드레스라면, 굳이 입고 올 필요 없으니까 신경 쓰지 말고 평소처럼 와.”

“……그러다 밉보이면 내 탓이고?”

내 말에 녀석이 비스듬하게 웃더니 마치 발을 다친 것이 거짓말인 듯 태연히 걸어서 방문에 노크를 하는 것이 아닌가.

대단한 환자 납셨군. 나는 방으로 들어가는 녀석을 뒤로하고 몸을 돌려 건물 입구로 향하는 계단을 반쯤 내려갔다. 저러다 덧나서 늦게 낫거나 평생 후유증이라도 남으면 걸작이겠다.

아, 맞다. 계단을 벌써 반 넘게 내려간 순간에야 생각날 것이 뭐람. 내일은 기사단 추가 훈련이 있는 날이라 평소보다 약간 늦게 도착할 텐데, 아무 말도 하지 않고 그대로 내려온 것이다.

전령을 보내는 방법도 있지만, 집으로 돌아간 후에 보내기에는 이미 시간이 너무 늦은 데다가 계단을 얼마 내려오지 않았으니 다시 올라가 말을 전하고 가도 괜찮을 것 같았다.

그 생각에 사로잡힌 탓에 그의 방문 앞에 도달하고서야 베이야드 공작께서 방문 중이라는 것을 기억해 냈다.

그냥 돌아갈까? 잠시 고민하다가 그냥 대충 상황을 들어 보고 끼어들 수 있으면 들어가 말을 전해야겠다고 생각하며 청각에 신경을 곤두세웠다. 아, 본의 아니게 이렇게 엿듣게 되는구나. 에카이트가 조금은 이해가 된다.

“……동방의 그 국가와의 외교는 일단 보류하도록 하지. 그쪽에서 건너온 첩자가 있는 것 같더군. 우리 쪽에서도 상대를 파악하기 위해 첩자를 보내기는 했지만 그쪽의 첩자는 달라. 뭔가를 찾는 눈치라 감시를 붙이고 뒤를 캐는 중이다.”

그놈이다. 첩자라는 말에 불현듯 한 남자가 떠올랐다. 리디아와 은밀히 대화하며 무도회장 밖에서 얼쩡거리던 그 이방인.

전생에 내 기억에 없던 인물이지만 그 여자와의 관계를 고려해 볼 때, 전생에서도 분명 연관이 있는 사람이었을 거다.

나는 기척을 최대한 죽여, 엿듣기로 결정했다. 베이야드 공작의 말에 이번엔 에카이트가 입을 연다.

“저 또한 조금 찜찜해 미루던 중이었습니다.”

“좋다. 그건 거기까지 하고. 아까의 뱀 피 정도야 쉽게 마실 수 있었을 텐데?”

젠장. 들킨 건가? 벌써 대화를 끝내다니. 혹시 내 기척을 눈치채고 대화를 돌린 것일지도 몰라 기척을 아예 지우고자 정신을 집중하였다. 그러자 감각들이 더욱 예민해져서 방 안에서 이루어지는 대화가 한층 선명하게 들렸다.

녀석이 왜 뱀 피를 안 마시고 버텼던가에 대해선 딱히 궁금하지 않았지만 대화를 듣고 있자니 호기심이 생겼다.

“……반응이 재미있지 않습니까.”

“하기야 검을 들지 않을 때엔 천진한 어린아이 같더구나. 그리고 또? 이유는 그뿐이 아닐 텐데?”

“약혼녀가 대뜸 정력에 좋다는 음식을 내놓는데, 선뜻 먹겠습니까? 대체 무슨 생각인지.”

오냐. 재미있어서였구나. 순간 오르는 혈압을 진정하던 찰나에 들린 ‘정력 음식’이라는 말에 순간 머리가 띵해졌다. 배, 뱀이 정력에 왜? 아니, 그런 말을 들어 본 것도 같다. 미쳤구나, 아펠리아, 미쳤어.

왠지 뱀 피라는 소리를 들은 사람들마다 다 오묘한 미소를 지었던 것이, 비리고 맛없는 것을 시음한 에카이트를 동정하는 것이 아니라…… 내가 손을 들어 붉어진 얼굴을 감싸는데도 대화는 계속되었다.

"아펠리아는 분명 그런 쪽에 좋다는 것을 모를 텐데 뭐 대수더냐."

"그래도 또 모르는 일 아닙니까. 제법 영리한 사람이라. 물론 몰랐을 것 같아서 마시지 못하고 망설였다고 해 두죠. 이제 취조는 그만하시고 나가 주시면 감사하겠습니다. 잠깐이나마 쉬고 싶습니다만."

"그 다리를 하고서 문 앞에 보초를 섰으니 그럴 법도 하지. 그래, 일단 나가지. 그런데 그 아이는 우리 가문 문장이 뱀인 것은 알고 그런 것이더냐?"

설마 그런 것도 모를까요, 공작 전하. 갓난아이도 다 아는 일이겠습니다. 속으로 투덜거리며 조용히 발걸음을 뒤로 물렸다.

끼어들기엔 확실히 애매한 시점이다. 애초부터 전령을 쓸 것을 헛고생했다 싶지만 동방의 첩자에 대한 정보도 주워들었으니, 수확이 없는 것도 아니다. 천천히 멀어지는 발걸음 뒤로 대화는 계속해서 들렸다.

"상대는 폰디체리 공녀입니다. 설마 그걸 모르겠습니까. 익숙해져서 잊으셨나 본데 문양은 저택 사방에도 걸려 있습니다."

"하기야. 하하, 거참 걸작이더군. 나는 그 아이가 마음에 든다. 아무것도 감추는 것이 없거든. 아무것도 감출 필요 없이 강직하고 결백할 수 있다는 것. 기사라 해도 쉬운 일이 아니지. 편하고 솔직하게 대하는 상대만큼 훌륭한 휴식처도 없는 법이야. 황태자 전하께 감사하도록. 그럼 먼저 나가마."

베이야드 공작의 마지막 말을 신호로 빠르게 계단을 내려와 클로버의 등 위로 올라탔다. 베이야드의 특성상 사용인을 일정 시간 이후엔 복도에 두지 않는 덕에 남의 눈을 걱정하지 않고 움직일 수 있었다.

급하게 돌아서는데 솔직해서 마음에 든다는 베이야드 공작의 말이 귓가를 울린다.

그러니까 단순해서 다루기 쉽다는 거로군. 생각해 보면 마냥 기쁜 평가는 아니기에 혼자 한숨을 내쉬고 클로버를 천천히 달리게 했다. 에카이트도 그렇고…… 내가 그렇게 쉽게 읽히나? 일단은 시간이 상당히 늦은 편이라 잡생각을 멈추고 귀가에만 정신을 집중했다.

예상대로 내가 저택에 도착하기 무섭게 달려 나오신 아버지의 표정은 어마어마했다. 하지만 그 또한 걱정에서 오는 엄격함이라는 것을 알기에 희미한 웃음을 지으며 불퉁하게 돌아 들어가는 아버지의 그림자 꽁무니를 밟았다.

그리고 그다음 날 나는 녀석의 말을 무시하고 만약을 위해 드레스 차림으로 베이야드 저택을 방문하였다.

거기서 알게 된 안타까운 사실은 그가 내 선물로 상당한 수량의 드레스를 주문해 놓았다는 것이다. 그중에서 당장 배달이 가능했다던 연두색 드레스를 볼 수 있었는데 이는 허리끈이 두꺼운 붉은 리본으로 구성된 드레스로, 만든 사람은 역시나 봉뒤프베 부인이었다.

허리끈의 색상으로 사용된 붉은 리본이 영 내키지 않았지만 선물이라 하니 받을 수밖에 없었다. 하지만 이 선물이라는 것이, 가져갈 수는 없는 선물이었다. 달리 말해, 이는 공작 부인이 급작스럽게 호출할 경우를 대비한 의상이었던 셈이다.

그런고로 내가 드레스를 입고 방문한 것은 그날로 마지막이 되었다. 필요한 때에 거기서 갈아입고 준비하면 되니까 말이다.

그리고 당연한 말이지만, 에카이트는 기간 안에 무탈하게 회복할 수 있었다. 뭔가 다행이면서도 얄미운 마음이 들었다.

05. 사냥 대회

05. 사냥 대회

에카이트가 완쾌하여 긴 휴가를 마감하기 무섭게 황궁은 다가오는 사냥 대회를 위한 준비로 북적였다. 사냥 대회는 기사를 가진 귀족들이 자신의 기사를 자랑하기 위한 행사라는 의미가 강했다.

무가의 경우 자신의 능력을 뽐내기도 하지만, 어지간한 실력이 되지 않으면 참여하지 않는 경우가 많았다. 공연히 나섰다가 다른 귀족에 충성하는 기사에게 밀려서 좋을 게 없기 때문이다. 한마디로 사냥 대회는 자기 자랑 대회라고 할 수 있겠다.

사냥 대회에서 잡은 동물들은 그 종류에 따라 점수가 다르며, 그 점수를 합산하여 결과를 낸다. 한마디로 가문에 충성하는 기사가 많을수록 유리한 게임인 것이다. 물론 점수가 높은 동물을 사냥할 수 있을 만한 실력파 기사가 있다면 보잘것없는 기사 열보다 유리하겠지만 말이다.

전생에선 황제 폐하와 황태자 전하께서 번갈아 가며 사냥 대회의 우승을 차지하셨던 것으로 기억한다. 황비 전하는 아무래도 사냥보단 기사를 양성하는 쪽을 선호하셔서 황제 폐하나 황태자 전하께 소속 기사를 빌려주는 것으로 대신했다.

황비 전하는 대회에 흥미가 없었지만, 보통 귀족가의 영애들은 이 행사를 무척이나 좋아했다. 대개가 이 행사를 자유 기사 영입이나 고백의 기회로 여기기 때문이다.

기사들이라고 해서 모두 주군을 가지고 있는 것은 아니다. 아직 출사하지 않은 젊은 기사나 가문에 종속되지 않고 주인을 골라 충성하다 모시던 주인이 사망한 기사, 어떤 사정으로 따르던 가문에서 나온 기사 등을 자유 기사라고 부르는데 이러한 기사들은 사냥 대회 참가가 자유다.

물론 평민 기사라면 사냥의 필수 요소인 말을 구매하지 못하는 경우가 많아 자동 불참이지만.

"……클로버가 배탈이 났던 것 같기도 한데."

일단 참여해서 높은 점수를 받으면 영입하려 하는 귀족들이 생기기도 하며, 눈에 띄면 황실 기사단까지도 진급하는 특례를 누리기도 한다. 하지만 개인적으로 사냥을 즐기지 않기에 나에게도 즐거운 행사가 아니었다.

거기다 평소 흠모하던 레이디에게 그 명예를 드높일 수 있는 훌륭한 사냥감을 바쳐 그녀의 기사로 임명되려는 목적도 있어서 더욱이 나와는 성향이 달랐다.

달리 말해 청혼의 장이 되기도 한다는 것이다.

기사는 다수가 귀족 출신이다 보니 주군으로 자신보다 상위 계급의 귀족을 고르려고 하는 성향이 있는데, 상위 귀족의 기사가 되려면 실력이 상당 수준 이상이어야 한다.

하지만 상당 수준 이상의 실력을 확보하기란 어려운 법이니 적당한 계급의 귀족 영애를 선택하여 흠모하는 마음을 전하는 것이다.

귀족 영애의 입장에서도 휘하에 많은 기사를 두는 것이 매력 지표가 되는 셈이니 일정 수준만 충족시키면 만족스럽게 받아들이는 것이 일반적이었다. 그래서 여러모로 인기가 높은 행사인 셈이다. 나한테만 빼고. 난 그 어느 것도 해당되지 않기 때문이다.

"어이, 아펠리아. 그래 가지고는 토끼 한 마리도 무리라고 보는데. 집중하지, 집중."

"전하만 아니었더라면 토끼가 아니라 다람쥐도 생각 없습니다."

한 끗 차이로 대련에서 진 내가 검을 내리자 앞에서 땀을 뚝뚝 흘리며 같이 검을 내리던 기사가 잔소리를 한다. 지금의 나는 전생과는 달리 소속 기사단에서 중간 정도의 레벨을 유지하고 있어, 대련에서 항상 이길 수는 없었다.

지금 내 눈앞에 있는 기사는 나보다 실력이 약간 아래였다. 평상시 대련에서 자신이 이기는 경우가 거의 없었기에, 막상 내가 지고 나니 우쭐하여 시비를 거는 것이 분명했다.

하지만 나도 할 말이란 것이 있었다. 무척 많이. 할 말을 참는 것은 못할 일이고. 못할 일이지, 그럼.

"대련에서 이기셨다고 기쁘신 것 같습니다만, 저는 방금 것이 오늘 대련 중 열두 번째였습니다. 반면 경은 방금 대련이 두 번째로 알고 있는데. 어떻게 생각하십니까?"

"……얄미운 말만 잘도 한다. 오냐, 대련에 지친 여기사도 겨우 이기는 이 무능한 기사는 세 번째 대련하러 떠난다. 쉬어라."

내 쏘아붙임에 제대로 당한 기사가 투덜거리며 멀어지는 모습을 보면서 정리 운동을 시작하였다. 앞서 멀어진 저 기사는 조나단으로 산토스 백작가의 삼남이다. 스물여섯이던가? 내가 스물셋일 무렵에

서른한 살이었으니 아마 스물여섯이 맞을 것이다.

나와 같은 시기에 입단해 입단 동기이기도 한 그는 나에게 지독한 라이벌 의식을 품고 있는 사람이었다.

그에겐 그럴 법한 이유가 있었다.

나름대로 젊은 나이에 검에 능통하다고 이름을 날리며 기사단에 입단하여 주목을 받으리라 기대했는데 이게 웬걸, 입단 동기가 공녀이질 않나 번번이 그 검 앞에서 무너지기까지 하니 심적 압박감이 보통이 아니었을 거다.

신분으로도 실력으로도 밀리는 판국에 상대가 여자이기까지 하니, 최악의 조건이었다.

새삼 상황을 파악하고 보니 전생에서 그가 나를 미워하고 질투한 것이 이해가 됐다. 하지만 아무리 그래도 자기보다 여덟 살이나 어린 여자를 상대로 질투라니, 속 좁은 남자 같으니라고.

전생에선 곰을 잡아 황태자 전하의 우승에 혁혁한 공을 세웠지만, 이번 생에서도 그러리란 법은 없다. 약초도 아니고 살아 움직이는 동물이 전생의 그 장소에 그대로 있을까? 기대하기 어려운 기연이었다.

“아펠리아 경. 이쪽.”

“누구…… 음?”

정리 운동을 마무리하고 단장님께 인사하기 위해 걸음을 돌리던 찰나, 그곳에 먼저 와서 서 있던 에카이트가 나를 불렀다. 근무하는 시간이라고 딴에는 신경 써 준 것인지, 경이라고 부르는 것 같았다.

에카이트가 이렇게 기사단까지 찾아온 일은 전생에서 없었던 일이라 조금 놀랐다. 하지만 모르는 척, 태연한 척 그에게 다가갔다.

다들 겉으로는 대련하는 자세를 취하고 있었지만 분명 신경은 여기에 다 쏠렸을 것이다. 한 달 치 놀림감은 다 벌어 놨다. 난 부자다.

하하하.

“이거 섭섭하군. 조금 더 반가워하는 얼굴을 기대했는데 말이지.”

“기대가 과했다고 봅니다만?”

“잠시 할 말이 있으니 움직이지.”

에카이트가 내 불퉁한 대답을 못 들은 척 등을 돌려 걸음을 옮기기 시작했다. 여기서 안 간다고 버틸 수도 없는 상황이니 마지못해 녀석을 따라 걸음을 옮기니 주변에서 웃음소리가 터져 나왔다.

사이가 보통 좋은 것이 아니라는 말들이 대부분이었는데, 당신들 내가 다 기억하니까 두고 보자고. 그를 따라 꽤 걸었다고 생각했는데, 눈앞에 외교부 건물이 모습을 드러냈다.

그러니까…… 자기 집무실에서 얘기하자는 건가? 사적인 얘기를 굳이 빙 둘러 집무실까지 가서 할 필요는 없다.

게다가 처음 나를 불렀을 때 ‘아펠리아 경’이라고 했었다. 역시 공무로군. 나름대로 결론을 내리고 투덜거림을 멈춘 채 건물로 따라 들어갔다. 공과 사는 구분해야지, 암.

에카이트를 따라 건물 안으로 들어가며 주변을 둘러보니, 온통 진녹색으로 장식된 것이 앞서 걸어가는 그와 딱 맞춘 것 같은 공간이라는 생각이 들었다. 녀석을 위해 만들어진 공간이라기에는 뭔가 느낌이 달랐다. 아, 저 공간을 위해 만들어진 사람!

적합한 표현을 찾아내 한결 가벼워진 마음으로 에카이트를 따라가자 어느새 자신의 집무실 문 앞에 도착한 듯, 웅장한 문 앞에서 멈춰 선다. 멈춰 서기 무섭게 문 앞을 지키던 병사 둘이 몸에 밴 듯 자연스럽게 절도 있는 인사를 건네며 문을 열었다.

외교부 건물은 황제 폐하가 기거하시는 건물 다음으로 가장 깊은 곳에 위치한 데다가 곳곳에 병사가 배치되어 있었다. 아무래도 나라간의 중요한 문서를 다루는 외교부라 그런 것 같다. 열리는 문으로 에카이트가 먼저 들어섰고, 나는 그 뒤를 따라 방으로 들어왔다. 그리고 거기서 낯익은 얼굴과 우연찮게 마주쳤다.

"오셨습니까."

"멜빈 코브델 자작이었던가요. 저번에 실례되는 꼴로 만났었는데 제대로 양해를 구하지도 못했으니, 여태껏 영 마음에 걸렸습니다. 결례했었습니다."

"아, 이런. 폰디체리 공녀 전하께서도 같이 와 주셨군요. 아니, 그런 결례라면 오히려 제 쪽이 더. 공녀 전하께서 오실 줄 알았다면 다른 시간에 찾아뵈었을 겁니다."

"아펠리아 경. 들어오지."

저 망할 놈. 내가 멜빈 코브델 자작, 그러니까 저번에 에카이트의 심부름으로 고래 향유를 들고 왔었던 남자에게 성심성의껏 사과하던 와중이었는데 꼭 이렇게 말을 끊어야 했니.

쥐가 반쯤 뜯어먹었다고 해도 과언이 아닐 머리 꼴로 고상한 척 코브델 자작을 맞이했던 그날의 기억은 정말이지 최악이었다. 할 수 있으면 기억에서 지워 버리고 싶을 정도로. 저 자작이 수다스러운 인물이었다면 벌써 수도에 소문이 파다하게 퍼졌을 것이다.

들어오라는 재촉에 코브델 자작과 더는 대화를 이어 나갈 수 없었다. 나는 하는 수 없이 그에게 미안한 미소를 지어 보인 뒤 집무실 안으로 발을 내디뎠다.

내가 들어오길 기다렸다가 문을 닫은 에카이트가 그의 거대한 책상 앞에 놓인 소파를 가리키며 앉으라 고갯짓을 했다.

입 뒀다 뭐 할래, 넌. 괜한 반항심에 자리에 앉지 않고 서서 기다려 볼까 하다가 나만 손해일 것 같아 관뒀다.

"에카이트 공, 무슨 말인지 일단 들어나 보도록 하지."

여전히 문가에 서 있는 그를 바라보며 딱딱한 음성으로 말했다. 에카이트는 그런 나를 힐끗 보더니 몸을 돌려 문이 제대로 잠겼는지를 확인하고 다기가 비치된 쪽으로 걸어가 손수 차를 타려 했다.

금방 앉을 것 같지는 않아서 먼저 자리에 앉아 차를 타는 그를 바라보았다. 익숙한 솜씨로 보아 마실 만한 수준은 되겠다 싶어서 딱히 말리지는 않았다.

그러고 보니 외교부는 보안이 꼭 필요한 일들을 다루는지라 업무 중엔 그 흔한 하녀조차 들이지 않는다고 들었다. 베이야드 공작가에서도 사용인들이 눈에 띄지 않는 것과 같은 맥락으로 생각하면 되겠다.

하녀가 들어오는 시간은 대개 외교부 관리들이 거의 퇴근한 늦은 오후인데, 하녀가 들어와서 하는 일이라곤 청소가 전부였다. 게다가 그 청소도 혼자 해서는 안 되고 그날 당직인 황실 기사의 감시하에 해야 했다.

나야 공녀이기도 한데다가 딱히 황궁에서 기숙 생활을 하지 않은 덕에 당직 일에서 벗어났지만 말이다.

그렇다고 놀고먹기만 한 건 아니었다.

황제 폐하의 경우 다섯 명의 호위 기사가 상시로 따라붙으며 오전 오후로 교대하고 황태자 전하의 경우 세 명의 호위 기사가 그렇게 하고 있었다.

교대별로 각 다섯 명과 세 명, 그러니까 도합 열 명과 여섯 명의 호위 기사를 선발하는 기준은 실력이었다. 지금의 나로선 황태자 전하의 호위 기사단에서 상위 여섯 명에 속할 정도의 실력자가 아니니 제명되었지만, 내가 그에게 이혼당할 무렵엔 실력이 일취월장하여 여섯 명 안에 들 수 있었다.

그땐 황궁에 거의 붙어살다시피 했었는데…… 지금은 상대적으로 놀고먹는 인생으로 보이려나? 한참 잡생각을 하는 동안 차를 다 탄 것인지 차 두 잔을 재주껏 들고 온 에카이트가 내 앞과 자신의 앞에 한 잔씩 내려놓았다.

"일단 차부터 마시고 나서 듣지."

"들으면서 마시는 쪽이 좋겠는데. 알잖나. 성격 급한 거."

소파에 등을 기대면서 그의 호박색 눈을 응시하자 에카이트가 먼저 찻잔을 들어 올려 한 모금 음미하였다. 빛을 받은 호박색 눈동자가 금빛으로 미묘하게 일렁거렸다. 거, 딱 뱀 눈일세. 내 시선을 느낀 에카이트가 딱딱한 어조로 입을 열었다.

"짐작했겠지만 공무에 관한 일이야. 생각보다 까다롭게 되어서 말이지. 혹시 이번에 우리 칼라한 제국이 동양에 위치한 무역 국가와 새로 외교를 맺으려는 건 알고 있나?"

"……아아. 누군가가 그 핑계를 대고 약혼식 오전 연회에 불참해서 확실히 기억하고 있지. 그런데?"

삐뚜름하게 말을 늘리며 빈정거림에도 평정을 잃지 않은 에카이트가 바로 본론으로 들어갔다.

"그렇다면 말이 쉽겠군. 그쪽에서 첩자가 들어왔다는 보고가 있었는데. 그것도 알고 있나."

에카이트의 말에 한 남자의 모습이 뇌리를 스쳤다. 리디아 펠튼과 약혼 파티에-입구까지만- 동행했었던 그 남자를 말하는 것이리라. 북방의 억양이 아니었던 것은, 동방에서 온 첩자여서였군. 내 표정이 굳었다는 것을 스스로가 눈치챘을 때엔 이미 늦었다. 혼자 골몰히 생각하느라 표정 관리가 안 됐다. 젠장. 그 표정을 본 에카이트가 흥미로운 미소를 지으며 입을 열었다.

"뭔가 아는 표정이로군. 그렇다면 그가 왜 입국했으며 무엇을 위해 첩자 노릇을 하는지도, 아는가?"

에카이트의 낮은 목소리는 빈틈을 찾을 수도 없게 단단하고 날카로웠다.

누군가의 신병을 인도받기 위해서. 그것이 그의 목적이라고 했다. 그래서 그는 리디아 펠튼을 이용하고 그녀는 그를 이용한다고 했었다. 즉, 서로 돕는 사이라고. 하지만 선뜻 아는 대로 말하지 못하는 이유는 단순하면서도 복잡했다. 전생에서 그와 이런 얘기를 나눈 적이 없었기에, 아는 대로 말해도 될지 선뜻 입이 열리지 않았다.

이 정도 사안을 전생에서 모르고 넘어갔을 리 없는데, 어째서 지금은 날 추궁하는 것인지 알 길이 없다. 전생과 다른 점이라면 내가 그와 펠튼의 결탁 장면을 목격했느냐 안 했느냐 정도인데……. 설마, 내가 첩자를 목격한 걸 알고 물어보는 건가?

알 수 있는 방법이 있나? 어떻게? 묘한 표정으로 대답을 회피하자 그가 다시 입을 열었다. 왠지 입이 타들어 가는 느낌이라 차를 들어 반 모금쯤 머금었다. 맛은 의외로 나쁘지 않았다. 맛이 나빴으면 망신을 줄 절호의 기회였는데. 쳇, 아쉽다. 차를 다 삼키기도 전에 에카이트가 먼저 입을 열었다.

"……어떤 자의 신병을 인도받기 위해서. 최근에 밝혀낸 정보는 여기까지다. 첩자가 있는 것을 우리가 눈치챘다는 것 자체가 극비인지라 아는 사람은 황제 폐하와 황태자 전하, 그리고 우리 아버지가 전부다."

"……그렇다면 지금 이렇게 내게 알리는 것은 위반 행위일 텐데."

에카이트의 눈을 뚫어져라 응시하면서 응수하자 그가 고개를 끄덕였다.

와, 저거 미친놈일세. 알아서는 안 되는 사람까지 알게 만들면 어쩌자는 거야. 내 의사와는 관계없이 강제로 이 일에 끌어들이는 것이나 다름없다. 내가 어이없다는 표정으로 녀석을 바라보자 녀석이 표정 하나 안 바꾸고 다시 차를 마셨다.

나 또한 다시 찻잔을 들어 차를 들이켰다. 거의 동시에 찻잔을 내려놓자 그가 품에서 손바닥 크기의 종이를 꺼내어 펼친 후에 테이블에 올려놓았다.

테이블 위에 놓인 종이를 물끄러미 바라보던 내가 손가락으로 종이를 가리킨 후 손을 휙 돌려 검지를 까닥거리자 종이가 바람에 빨려 들 듯 날아 손안으로 들어왔다.

마나를 예민하게 다루기론 전설의 마법사들과 대적할 만하다고 평가되는 나만의 특기였다. 무거운 물건엔 무리지만 이 정도 종이쯤이야. 나는 애써 마음을 가볍게 하며 종이를 바라보았다. 정확히는 종이에 그려진 어떤 문양을 바라보았다. 그리고 그 문양은 놀랍게도 낯익은 것이다.

"이건……."

내 반응에 에카이트가 즉각적으로 반응했다.

"역시 바로 알아보는군. 독단으로 먼저 수집한 정보라 아직 윗선엔 보고되지 않은 것이지. 그 동방의 첩자가 정보 길드에 의뢰한 내용을 확보했는데 그가 이렇게 생긴 문양이 새겨진 반지를 찾는다고 했다더군. 좀 더 정확히 하자면 그 반지를 소유한 여자를 찾는다고 했다. 찾는 사람이 누군지, 알 것 같은가?"

……저요.

나는 꿀 먹은 벙어리처럼 멍하니 그를 바라보았다. 그러다가 이내 정신이 들었다. 내가 아버지로부터 받은 유일한 어머니의 유품. 그 유품을 박아 장식한 검의 손잡이 부분을 더듬어 잡았다. 차갑게 식은 보석이 손에 눌려 왔다.

본래는 반지를 장식하던 보석이었으나 반지 부분은 아버지가 보관하고 위의 보석은 내게 물려주셨다. 그 보석을 항상 지니고 다니는 검에 박은 지도 몇 년이 흘렀던가.

첩자가 찾는 사람이 그 반지의 소유자라 하면…… 그가 찾는 사람은 아마도 어머니겠지. 하지만 이미 망자가 된 어머니를 찾아서 어쩌려고. 풀리지 않은 의문에 침묵으로 답하자 에카이트가 다시 입을 열었다.

"그 첩자가 찾는 것은 분명 이미 고인이 되신 폰디체리 공작 부인이겠지. 하지만 무슨 연유로 찾는 것인지를 아직 모른다는 점이 문제야. 만약 그 검이 공공연하게 노출된다면 반지의 행방을 추적당하는 것도 금방일 거다. 듣고 있나?"

"……아아, 물론 잘 듣고 있지. 거참 흥미롭군. 공교롭게도 사냥대회가 지척이라 검을 숨기지 못할 때를 노렸군."

"저, 전하!"

경직된 대화가 오가는 사이에 낀 음성이 있었으니…… 황태자 전하셨다.

책장을 밀면서 등장한 자태가 심히 당당하여 혹시 여기가 전하의 집무실이었던가 하는 착각까지 일 지경이었다. 황태자의 갑작스러운 등장에도 에카이트는 표정 하나 바꾸지 않고 자리에서 일어나 태연하게 입을 열었다.

"거기 계셨군요. 가급적이면 저 비상 통로 사용을 자제해 달라고 간청 드렸던 것 같은데 보아하니 큰 효과는 없었던 것 같습니다."

"아아, 뭐 알려지면 어떤가. 어차피 내 인장이 없으면 들어오지도 못한다고. 흐음…… 역시 그랬군. 고(故) 폰디체리 공작 부인의 정체. 공작 부인을 찾는다라. 아버지께서도 그녀가 이방인의 향취가 강한 떠돌이 무희 출신이었으니 그럴 것이라고 납득하셨다고 들었는데 말이지."

다시 거론된 어머니의 출신 배경과 성분을 다소 불편한 느낌으로 들으면서 다기가 배치된 곳으로 걸음을 옮겼다. 황태자가 오셨으니 차를 대접해야 하니까. 하지만 그러한 움직임이 거슬렸던지 에카이트가 내 걸음을 저지하며 찻잔을 집으러 걸음을 옮겼다.

웬일이래?

"일단 내 집무실이니까 차 대접은 내가 하지. 전하, 앉으시지요."

아, 단순한 주인 의식이었나?

내가 바로 생각을 정정하는데 황태자 전하는 그저 놀리기에 여념이 없으시다. 갑자기 사람이 변하면 죽는다 하니 그냥 평생 장난기 많은 모습으로 계시길 바라야 하는 것일까.

내가 엉뚱한 생각을 하는 와중에도 황태자 전하의 입은 멈추지 않았다.

"호오? 과연? 경의 집무실이라서, 라고? 그럼 그전에는 여기가 내 집무실이었나? 차는 고사하고 물 한 잔도 청하기 전에는 먼저 주는 적이 없더니. 이건 아무리 봐도 사랑하는 약혼녀 손으로 다른 남자의 차를 준비하는 꼴을 못 봐서 같은데. 아닌가?"

아닌가. 음, 네. 그건 아닌 거 같아요. 대신 대답하려고 눈치를 보는 와중에도 에카이트는 눈썹 하나 까딱하지 않는다.

"그렇다고 해 두죠. 앉으십시오. 아니, 그쪽 말고 상석으로 앉으시죠."

아니, 뭐가 그렇다는 거야. 아니라고 말하라고! 아니잖아! 황태자의 시선이 세 배로 능글거리는 걸, 너도 눈 있으면 볼 거 아니야. 안 보이면 눈 빼고 다녀라, 이 장님만도 못한 인간아!

강렬하게 노려보는 내 시선에도 끝까지 시선 하나 돌리지 않고 찻잔을 챙겨서 자리로 돌아온 에카이트가 내 옆자리에 앉으려는 황태자를 강경하게 저지했다.

황태자는 그런 에카이트를 무시하더니 나를 옆으로 밀치고 원래 내가 앉아 있던 자리로 털썩 앉았다. 잽싸게 옆으로 몸을 옮긴 나는 호위 기사의 임무에 충실하고자 황태자 전하 뒤에 서려고 일어나는데 황태자가 내 팔을 낚아채는 게 아닌가. 아, 진짜 여기 터가 안 좋은가 왜들 이러실까.

"옆에 앉지. 주종 관계가 아니던가. 일단은 내 쪽이 상석이니까 부담 가지지 말고."

"그렇게 말씀하시니 앉겠습니다. 송구합니다."

거절해 봐야 결국 다시 앉게 되겠지? 이미 경험으로 터득한 내가 허리를 살짝 숙여 감사 인사를 하자 황태자는 만족스러운 미소를 머금고 등을 소파에 완전히 기댔다.

그리고 앞자리에 앉아 차를 따르는 에카이트를 약 올리는 표정으로 바라보았다. 에카이트는 그런 도발에 파르르 떨며 덤벼드는 성격이 아니었기에 태연한 표정으로 차를 건넸다.

황태자가 손을 뻗어 일단 내려 두라는 제스처를 취하니 에카이트가 찻잔을 알맞은 자리에 밀어 놓고 정자세로 앉았다.

"그래서 결론은 뭐지? 말을 계속하지, 에카이트."

"……거의 다 끝나갑니다만, 결론만 말하자면 아펠리아가 이번 사냥 대회에 불참해야 한다는 것입니다."

"불가능한 요구이니 거절하지요, 에카이트 공. 나는 전하의 명예를 위해 사냥 대회에 참석할 의무와 권리가 있는 것은 그대 역시 잘 아는 내용이겠죠. 거기다 이런 소문에 휘말려 불참을 결정할 수 없는 제 입장도 잘 알 것이라 믿습니다."

그의 말이 끝나기 무섭게 차갑게 거절하자 에카이트가 그렇게 나올 줄 알고 있었다는 듯 고개를 끄덕이며 차를 한 모금 들이켰다. 황태자 역시 진지한 표정으로 턱을 문지르길 몇 분. 도통 이야기가 풀릴 기색이 보이지 않아 답답해 다시 내 결정을 분명히 하고자 입을 열었다.

하지만 입을 떼기도 전에 에카이트의 반대에 부딪혔다. 아니, 나한테 왜 이래.

"이건 일개 기사의 의무와는 별개의 일로 두지, 아펠리아. 첩자의 목적이 무엇이며 그 신병을 인도받고자 하는 사람이 누구인지도 파악이 된 상황이란 말이오. 만약 그대의 모친께서 그 첩자가 속한 국가에서 역모와 관련된 자라면. 그래서 그들이 역모의 불씨를 섬멸하기 위해 그 신병을 인도받고자 하는 일이라면. 그런 거라면 어쩌겠소?"

"아직 확인된 것도 없는데 무작정 몸을 사리는 것 또한 불명예스러운 일입니다, 에카이트! 그리고 감히 그런 불확실한 내용을 두고 내 어머니를 욕되게 하면 나와 끝장을 봐야 할 겁니다."

역모라니. 나는 그 말에 발끈하여 단번에 반발했다. 황태자가 옆에 있어 목소리를 높여 거친 언사나 반말을 지껄이지는 못하였으나 단호한 어조는 누가 들어도 분명할 정도였다.

어머니를 역적에 묶어 가정하는 말을 듣자니 울컥 분이 차는 것은 어쩔 수 없었다. 최악의 상황을 가정해 경고를 하는 그의 의중은 충분히 알겠지만, 이것은 이성과는 별개의 일이었다.

그래, 물론 조심해서 나쁠 것은 없다. 하지만 기사로서 아무것도 확인된 것이 없는 부분에 두려움을 느끼고 그것이 명확해질 때까지 기다리며 행동을 사린다면 그것은 불명예였다.

세상에 밝혀진 것들 중 절반 이상은 불명확한 것들이다. 그 모든 위험 요소를 하나하나 확인해 가며 진격하기엔 기사라는 이름이 너무나도 무겁다. 거기에 자유 기사도 아니라 황실에 속하여 차기 황제가 되실 황태자 전하를 보필하고 있는 황실 기사단 소속이다. 자고로 기사란 주군을 그러한 불명확한 것들로부터 배제시키고자 먼저 몸으로 맞서고 부딪치는 역할을 부여받은 것이 아니던가.

내가 자신같이 탁상공론하는 외교관인 줄로 착각이라도 했나? 내가 불만스럽고 모욕당한 표정으로 그를 노려보자 황태자가 중재를 하기 시작했다. 세상 오래 살고 볼일이다 싶었는데 그것도 잠시. 자세히 듣고 보니 아니나 다를까, 뭘 기대했나 싶어진다.

"애들도 아니고 지지부진 다투기는. 쯧쯧. 확실히 그쪽에서 넘어온 첩자를 찾는 일은 중요하고 위험한 일이지. 게다가 그 첩자가 찾는 사람이 소유한 반지가 고(故) 폰디체리 공작 부인의 소유물이라니 그가 찾는 대상이 누구인지는 더 말할 필요 없이 확실한 것 같군."

말을 마친 황태자가 아펠리아의 검집을 내려다보았다.

"그 반지가 더 이상 반지로 남지 않고 아펠리아 경의 검에 박혀 있기는 하지만…… 만약 그 보석을 알아보는 사람이 있다면 곤란하겠지. 검도 못 드는 연약한 외교관인 자네가 몇 번 보지도 못했을 저 문양을 알아본 것을 봐서는. 더군다나 그 소유자의 신병을 인수받고자 한다 하지 않았나. 여차하면 그 자녀인 아펠리아를 납치할 수도 있겠고. 폰디체리 공작을 납치할 만큼 간이 크지는 않을 것 아닌가."

무슨 생각을 하는 건지, 황태자의 눈동자가 반짝거리기 시작했다. 또 무슨 장난을 치시려는 건지.

"성질이나 녹록하면 또 모르지만 그 영감쟁이, 딱 봐도 깐깐하게 생긴 데다 온 곳에 성격 나쁘다고 소문이 나 있는데 귀가 있으면 감히 손댈 생각은 못하겠지."

아버지. 대체 평소에 어쩌시고 다니셨기에 황태자가 저런 말을 하시는 것이며 왜 그는 저런 말에 동조하는 건가요. 내가 황당한 표정으로 황태자를 바라보든 말든 에카이트는 묵묵히 고개를 끄덕인다. 와, 뭐 저런 인간이 다 있어?

"……바로 보셨습니다, 전하. 해서 이번 사냥 대회는 다른 기사들을 주축으로 진행하시는 편을 권하고 싶습니다."

뭘 바로 봐, 이 똥강아지 같은 녀석아. 그리고 전하. 제 부친께서 다소간 엄격한 면이 있기는 하셔도 아직 영감쟁이까지는 아니신데요. 속으로 투덜거리던 나는 이 사태를 여유롭게 관망하였다.

지금까지 황태자를 지켜본 바, 저런 식으로 편을 든 후에 그래도 하라는 결론을 내실 것 같아서였다.

현생에서야 전하를 가까이서 보필한 지 얼마 되지 않은 신출내기지만 전생에선 그래도 나름대로 전하를 오래 보필한 기사였으니까 말이다.

그리고 그 경험이 틀리지 않았다는 것은 금세 확인할 수 있었다. 이상할 정도로 구구절절 자신의 의견에 동의하는 황태자를 수상쩍은 표정으로 바라보던 에카이트가 한숨을 쉬며 그 심중을 짚어 말했기 때문이다.

"……결국 아펠리아를 출전시키는 쪽으로 방향을 잡으신 것이로군요."

"알았으면 얌전히 첩자 뒤나 마저 밟지, 외교관? 사냥 대회에서 빠지는 것은 엄청난 이슈가 되는 일이라고. 어지간한 이유로는 사람들이 납득 안 할 걸세."

하기야. 기사의 모든 것을 건다고 말해도 부족할 정도로 인기가 높은 대회인지라 빠지면 더 주목을 받게 될지도 모른다. 내가 동의의 표시로 고개를 주억거리자 에카이트가 눈을 찡그리듯 감아 버렸다. 내가 사냥 대회에 참가하는 것이 그렇게도 불만이더냐. 알 수 없는 녀석이다.

불참하기로 마음을 먹는 것도 보통 일이 아니다. 불참하려면 그 이유를 대야 하는데, 앞서 말했듯이 불참의 이유는 참으로 엄청난 수준이어야 했다. 누가 들어도 '아하!' 하고 납득할 수 있을 만큼. 예를 들어, 부모님 상을 당했다던가.

하지만 상을 당한 와중에도 돌아가신 분의 명예이니 뭐니 그분의 무덤에 영광된 뭐를 올리겠다고 참가하는 쪽으로 결론을 내는 경우가 많으니 이것도 무리. 거기에 돌아가실 부모님도 없다. 아버지가 돌아가셨다고 거짓말을 해도 열 명 중 한 명도 안 믿을 것이 분명했다.

아버지는 심지어 국가의 공작이시자 국방부 수장이시니 그분을 두고 거짓 정보를 낼 수도 없다.

아니면 본인이 심각한 부상을 입어 도저히 참석할 수 없다는 이유도 가능했는데, 팔다리가 한두 군데 부러진 정도는 심각한 부상으로도 여기지 않아 대부분 조금 다친 정도로는 참가하는 추세였다.

그렇다는 건 그 이상의 부상이어야 하는데……. 그런 부상을 허위로 조장할 수도 없거니와 만들어 낸다 하더라도 사냥 대회가 끝난 후 몇 달은 더 집에서 은거해야 하니 의미가 없다.

결론은 현실적으로 불가능.

내가 현실적으로 불가능하다는 결론을 낸 만큼, 나보다 두 배는 더 이성적이고 계산적인 에카이트 또한 그런 결론에 닿았을 것이 분명했다.

그의 표정이 완전히 굳어 버린 것이 확연히 눈에 보여, 그 추론에 더욱 확신을 실었다. 이 와중에도 황태자의 악랄한 유머는 계속됐다. 전하, 제발요. 속으로 애원을 해 보지만 부질없는 짓이었다.

"아아, 뭐. 아펠리아가 지금 임신했다면 또 말이 달라지지. 하지만 뭐 아펠리아 경이 다람쥐도 아니고 며칠 만에 임신을 해서 배부른 티를 낼 수는…… 아하하. 농담이니 진정하지, 에카이트?"

에카이트를 놀려먹으려 부단히 애를 쓰던 황태자가 엄청난 표정을 짓고 있는 에카이트를 보고 움찔해 말을 멈췄다.

에카이트의 표정이 정말 보통 흉흉한 표정이 아닌지라 나 또한 은근히 시선을 피하고 있는데, 에카이트가 입을 열었다. 저 망할 놈의 충성도는 아마 발바닥에 붙어 있을 것이 분명하다.

"흥분한 적 없습니다만. 그렇다면 우선 아펠리아의 모친께서 반지의 본 소유자가 아니라 그 이후의 소유자라는 쪽으로 상황을 만들어 놓도록 하지요. 원래 자유롭게 돌아다니던 분이셨으니 떠돌던 중 어떤 사람을 만나 반지를 손에 넣었다는 쪽으로 말입니다. 그리고 그 반지를 넘긴 쪽의 신분도 만들어 내서 그는 오래전 사고로 죽었다는 정보를 심어 두겠습니다."

머리 하나는 정말 비상하다. 짧은 시간에 생각해 낸 비책치고는 꽤 괜찮아서 감탄이 나왔다. 얼마나 갈지는 모르겠지만 제법 그럴싸한 눈가림 방책이지 않은가. 나는 그의 말이 끝나기 무섭게 신중하게 말을 이었다.

"……그렇다면 이번 사냥 대회에서 어떠한 방법으로든 상위권에 들어 그 보석의 문양을 드러내는 쪽이 유리하겠군요. 그것을 알아본 첩자는 조사를 시작하겠죠. 그 원주인은 죽은 지 오래에 아펠리아 폰디체리 공녀의 어머니가 우연찮게 그 반지를 구했으나, 그녀 역시 죽어 유품으로 남겼더라는 정보에 닿을 수 있도록 말입니다."

"나쁘지 않군. 좋아, 에카이트. 실수 없이 일을 진행하도록. 아펠리아. 경은 몸조심하고. 아무리 첩자라 하여도 대뜸 죽여선 안 되니 가급적 생포하는 쪽으로 움직여라. 하지만 무엇보다 경의 안전이 최우선이라는 것은 기억하도록.”

황태자의 깔끔한 마무리 말에 상황은 소강 사태로 접어들었다. 마침내 결론이 났음에 마음이 가벼워진 내가 웃으며 검의 보석을 만지작거리자 에카이트가 불안한 한숨을 쉬는 것이 보인다.

국익에 해가 될 짓은 안 한다고, 이 멍청아. 아직도 나를 믿지 못하는 것 같아 약이 올랐다. 그를 가볍게 노려보다가 먼저 자리를 뜨겠노라 고하고 방을 나섰다.

사냥 대회로부터 보름 전인 하루가 그렇게 지나고 있었다. 전생과는 달리 골치 아픈 이벤트가 많아 상당히 버거우면서도 즐겁다. 아무래도 완벽히 똑같은 삶이 주어졌더라면 분명 지루했을 거야.

불과 하루 만에 ‘내뱉은 말의 값은 천금으로도 주워 담을 수 없다.’는 격언이 무색하게 지루했을지도 모른다는 말을 회수하고 싶은 사건이 생겼다. 첩자의 정보를 알게 된 지금, 그를 추적하는 작업이 상당히 빠른 속도로 이루어지고 있었다.

전생과는 다른 이 전개가 낯설면서도 흥미로웠다. 아무리 생각해도 에카이트는 대체 어디에서 그 첩자의 냄새를 맡은 것인지, 의문만 커졌다.

나야 의심스러운 상황을 목격했으니까 그렇다 치더라도 말이지. 마나를 정리하기 위해 가부좌를 틀었던 몸을 풀고 천천히 자리에서 일어나자 뒤에서 지키고 있던 아버지가 불만스러운 어조로 말문을 열었다.

내가 수련에 들기 무섭게 찾아와 지키고 서서 기다렸기에 차마 새겨듣지 않을 수 없었다.

저렇게 같은 말을 수십 수백 번을 하시는 걸로도 모자라 다채롭게 분노를 표출하는데 어떻게 안 들을 수 있을까. 아아, 아버지, 제발 1절만. 내 마음의 소리가 들릴 리 없는 아버지는 서슬 퍼런 살기를 띤 눈으로 추궁을 계속했다.

"그러니까 어느 잡놈이 내 아내의 뒤를 캐려 드는 거냐? 숨겨 둔 목숨이라도 있는 모양이지?"

"……글쎄요. 숨겨 둔 목숨만으로 해결할 수 있는 상황이 아닐 것 같군요. 아버지 표정을 보아하니."

아버지의 살벌한 표정을 슬쩍 훑어보며 중얼거렸다. 걸리면 최소 사망이라고 얼굴에 쓰여 있는 느낌이랄까. 내가 중얼거리는 것은 안중에도 없는 아버지가 온몸으로 살기를 흉흉히 내뿜었다. 대체 내가 무슨 죄를 지었기에 이런 상황에 처한 걸까.

아무튼 아직은 함구해야 하는 사항이 상당히 많으니, 조심해서 대답해야 한다. 어머니에 관해서는 특히나 예민한 반응을 보이는 아버지인 만큼 작은 정보 하나만 잘못 흘려도 일이 그르쳐질 만큼의 사건이 벌어질 가능성이 높았다.

"아직 명확하게 밝혀진 점이 없어서 말입니다. 저도 딱 거기까지만 알고 있을 뿐이라 뭐라 드릴 말씀이 없습니다. 죄송합니다, 아버지."

내 변명과 회피에 그제야 마음을 가라앉힌 건지, 평상시의 날카로운 표정으로 돌아온 아버지가 나를 바라보았다. 괜한 죄책감에 눈을 마주 보기 죄송스럽다. 아, 왜 나에게 이러한 양심의 가책을. 전하와 에카이트가 원망스럽다.

"나는 국방부 수장이다. 그리고 그전에, 시엘라 폰디체리 공작 부인의 남편이야. 한데 일이 어떻게 돌아가고 있는지, 대체 무슨 일인지. 죽은 아내를 들먹이는 일인데도 나는 아는 것이 아무것도 없다.

심지어 황제 폐하께서도 개입하지 말라고 하셨어."

아버지의 피 끓는 마지막 말에 차마 눈을 마주할 수 없어 시선을 밑으로 내렸다.

"……제게 충성을 가르치신 분은 아버지셨습니다."

곤란하지만 단호한 말투로 함구령을 지키겠단 의사를 밝히자 아버지가 얌전히 고개를 끄덕였다. 더불어 사나운 기운도 가라앉았다. 이렇게 순순히 단념하는 아버지를 보자니 도리어 마음이 짠했다. 1절은 고사하고 후렴구도 하지 않은 채로 노래가 끝난 것이 아니던가.

차라리 말하라 닦달을 하거나 추궁하면 싫다고 말이라도 하겠는데…… 하지만 사심에 얽혀서 일을 그르칠 수는 없다. 공연한 죄책감을 안고 고개를 끄덕이자 아버지가 표정을 정리하시고 문을 열었다.

"오랜만에 식사나 같이하자. 그 뱀 구덩이에 들락거리느라 네 얼굴도 제대로 못 본 지 오래구나."

죄책감 섞인 표정으로 고개를 끄덕이자 아버지가 피식 웃으시곤 앞서 걸어갔다. 어쩐지 늘 넓고 강했던 뒷모습이 안타까울 정도로 약하게 보이는 것은, 분명 착각이 아닐 것이다.

아버지, 그 첩자와 볼일 끝나면 그대로 리본 매달아 이송해 드리겠습니다.

속으로 혼자만의 약속을 말하고 나니 조금이나마 마음이 편해졌다.

그러게 누가 남의 나라까지 와서 깐족거리래?

"음, 저기. 아펠리아 경. 이건 아무래도 조금 과한 것 같은데."

황태자의 말 엉덩이에 클로버의 머리를 박을 정도로 가깝게 따라붙자 황태자가 불편한 표정을 지었다. 하지만 사냥 대회 전날 사냥터를 점검하는 일에 황태자가 친히 나선 이상 그 호위 기사인 내가 따라붙는 것은 당연한 일이다.

가뜩이나 첩자의 행보로 신경이 예민해진 판에 황태자를 홀로 두었다가 무슨 사고라도 나면 어떻게 하나. 여기서 말하는 사고란 주로 황태자가 '치는' 사고를 의미하는데, 가만히 두었다가 얼마나 큰 사고를 칠지, 상상도 안 간다.

순간 전생의 기억이 떠올랐다. 한번은 기사는 이 정도면 충분하다면서 소수를 채용하더니 친히 사냥터를 헤집고 다니셔서 소수의 인원으로 호위를 하느라 어찌나 진땀을 흘렸는지 모른다.

그리고 다른 해에는 시찰 중 곰 한 마리를 제대로 건드려 놓으셔서 그 뒤처리를 하느라 나만 죽어 났었다. ……아까부터 아무리 생각해 봐도 이번 해가 그때인 것 같은 불안감에 더욱 밀착 호위를 하고 있는 것이다. 전하. 사고는 미연에 예방하라는 말이 있습니다.

속으로 중얼거리며 말을 더욱 가깝게 붙이자 황태자가 불만스럽다는 듯 '끙' 앓는 소리를 냈다. 하지만 들은 시늉도 하지 않자 도리어 클로버가 투레질을 하였다. 아마 황태자의 말과 너무 가까워 불편해하는 것 같았다.

하기야 나도 누군가의 옆구리에 몸을 가깝게 붙이고 걸으라고 하면 싫을 것 같다. 나란히 말을 탈 수는 없으니 전하의 말과는 한 걸음 정도의 거리를 유지하며 따라붙고 있었다. 가까운 데다 조용하기까지 하니 소리 하나는 잘 들린다.

특히 불평 소리가 놀라울 정도로 잘 들리고 있었다. 하하하.

"경이 나를 이토록 애틋하게 여기는 줄은 몰랐군."

"과찬이십니다. 그에 무색하지 않도록 호위에 더욱 애쓰겠습니다."

그래, 난 눈치도 없다. 들리는 말 그대로 정성껏 응답하니 표정이 일그러지는 소리가 들리는 것만 같았다. 아니나 다를까 대번에 불퉁한 목소리가 돌아왔다.

"……고맙군."

내 태연자약한 대답에 따로 대응할 의사를 완전히 상실했는지, 이 이상의 불평은 더 나오지 않았다. 이맘때의 나는 말하는 것을 곧이곧대로 받아들이는 반응을 보였기에 자주 답답하다는 말을 들었다.

물론 당시에는 몰랐지만 시간이 지나고 해가 바뀌어 보다 노련하게 상황을 관찰할 능력이 생겼다. 답답해하긴 했지만, 그 모습을 보며 놀려먹는 재미도 쏠쏠했다.

멀리서 바스락 소리가 났다. 아마 주변을 그물처럼 에워싸고 점검 중인 다른 호위 기사 중 조심성 없는 누군가가 나뭇가지를 꺾은 것 같다. 조심 좀 하지, 정말. 다른 호위 기사들은 주변을 그물처럼 둥글게 둘러싸고 큰 소리를 내야 겨우 들릴 법한 멀찍한 거리에서 황태자를 호위하고 있었다.

아무래도 사냥 대회 전날인지라 단체로 몰려다녔다간 도리어 사냥감을 쫓아 놓을 가능성이 있었기에 정한 호위 형태였다. 상황이 이러니 내 역할이 더욱 무거운 것이다.

아, 그렇게 생각하니까 또 긴장되네. 아직 실력으론 옆에서 밀착 경호를 할 수준이 아니었으나 전하의 고집과, 그 고집과, 그러한 고집으로 이렇게 결정된 탓에 가장 가까운 대열에 단장님을 포함한 가장 우수한 기사들이 포진되어 있었다. 그래도 긴장이 되는 것은 사실이었다. 이런 일은 잘해야 본전이니 말이다.

한참을 침묵 속에 숲을 돌아보던 중 황태자가 말의 속도를 낮추는 바람에 클로버와 황태자의 말이 거의 나란히 움직이게 되었다. 함께 속도를 줄여 거리를 벌리려는데 이를 가볍게 제지한 황태자가 뭔가를 꺼내 불쑥 내밀었다.

"받지."

"무엇입니까?"

천천히 숲을 헤치며 중간쯤 왔을 때였다. 하도 돌발 행동을 많이 하신지라 이번에도 뭔가 있는 게 아닌가, 나도 모르게 움찔했다가 민망함에 볼이 뜨끈해졌다.

뭔지는 몰라도 주시는 것이니 일단 받고 묻는 것이 예의다.

그것은 칼라한 제국 국화 세 송이가 섬세하게 수놓인 손수건이었다. 국화 세 송이는 오로지 황족만이 사용할 수 있는 문양이다.

손수건을 받으려고 하다가 문득 황태자의 손가락에서 빛나는 반지로 눈이 갔다. 마침 나무 사이로 비춘 빛에 알이 번쩍여 절로 시선이 간 것이었는데, 반지에는 전에 없던 큰 금이 나 있었다.

저렇게 큰 흠이 있었나? 나는 고개를 갸웃거리면서 손수건을 받았다. 그나저나 웬 손수건? 아. 혹시 뭐 묻었나, 얼굴에? 설마 아침나절부터 내내 뭔가를 달고 다녔던 건 아니겠지? 으아악. 대체 언제 묻은 거래.

당황한 상태로 손수건을 쥐고 다른 손으로 얼굴을 더듬고 있는데, 황태자가 한숨을 푹 쉬고는 손을 잡아 행동을 멈추게 하였다. 그러더니 내 손을 잡아 다시 말고삐로 내리시곤 손을 놓으셨다.

황태자가 귀찮다고 기어이 맨손으로 말을 탄 덕에 덩달아 장갑을 끼지 않은 내 손 위로 서늘한 체온이 느껴졌다. 뭔가 상당히 깊게 생각하고 있던 눈치다. 주로 깊이 생각에 빠졌을 때 손이 찼었던 것으로 기억하니까 말이다.

아니면 숲이라 서늘해서 그런가? 계속해서 황태자를 바라보고 있자니 그가 깊은 한숨을 내쉬었다.

안 어울리게 웬 한숨이람. 낯선 황태자의 모습에 적응이 되질 않는다. 나이보다 앳되고 장난스럽다고 생각했던 황태자의 얼굴에서 성인의 모습이 보이고 더 나아가 황제 폐하의 모습이 겹친다.

웬일이지? 갑자기 안 하던 짓을 하시니 불안하다. 내가 불안에 안절부절못하기 시작하자 황태자가 다시 한숨을 쉬고는 입을 열었다.

"……내 생각이 틀렸네, 아펠리아 경. 검에 붙은 그 보석, 내일 저 손수건으로 가리고 오도록. 아무리 생각해도 경을 위험에 노출시키면서까지 뒤를 캘 만큼의 일은 아닌 것 같군. 아니, 그만한 일이라고 해도 경이 위험에 처할 것이 분명한 일이라면 하지 않는 것이 옳지."

하룻밤 사이에 무슨 심경의 변화가 있었기에 이렇게 태도가 변한단 말인가. 어제는 물론이고 기억하는 평상시 황태자의 행동과 정반대의 언행을 구사하는 황태자를 황망하게 바라보다 단호하게 고개를 저었다.

"국가를 이롭게 하는 위험이라면 무릅쓰는 것이 옳다고 배웠습니다, 전하. 망설이시면 안 됩니다."

"……아니. 절대 망설일 거라고 해 두지. 첩자의 뒤를 살핀 지 벌써 한 달인데 나오는 것이 없어도 너무 없다. 무엇을 의미하는 줄 아는가, 이것이?"

위험. 나는 머릿속에 떠오른 답을 삼키며 고개를 끄덕였다. 곧 황태자는 이를 악물고 사나운 표정을 지어 보였다. 정말로 오랜만에 보는 모습이었다. 순간 당황했지만 시선을 내리고 무덤덤한 표정을 가장하자니 금세 표정을 푸셨다.

"……젠장. 나도 에카이트가 옳다는 것을 안다. 경과 같은 인재는 만명을 걸러 하나 나올까 말까 한 귀재다. 그러한 이를 이런 무의미한 소모전에 사용해선 안 되는 것은 어쩌면 당연한 말이지. 경은 내가 즉위하여 치국하고 치세를 마친 후 땅에 묻히는 순간까지 내 가신으로 있어야 한다. 벌써부터 사소한 위험에 노출시켜야 할 정도로 제국에 인재가 메마르진 않았어. 벌써부터 그댈 상하게 했다간 충성심이라곤 개미 발자국에 고인 물만도 없는 에카이트가 반역을 일으킬지도 몰라."

말미에 장난기를 섞어 말을 가볍게 만들려 애썼지만, 무엇이 본심인지 충분히 알 수 있었다. 전생을 포함하면 꽤 긴 기간을 모셨는데, 그 시간 동안에도 크게 느끼지 못했던 주군의 마음이 새삼 마음을 묵직하게 만들었다. 자주 좀 이러시지. 내가 약간 잠긴 목소리로 입을 열었다.

"다시없을 영광입니다, 전하."

"어느 쪽이? 그대를 위하여 에카이트가 반역한다는 게?"

황태자는 다소 쑥스러운 표정을 지은 채로 모르는 척 장난으로 말을 돌리고는 말을 다시 몰기 시작했다. 그 후 그다지 짧지 않은 시간을 보낸 뒤 시찰을 성공적으로 마무리 지을 수 있었다.

결론적으로 오늘은 전생의 이날 마주쳤던 곰과 마주치지 않고 하루를 끝낼 수 있었다. 아무리 짐승이라지만 살생에 취미를 두지 않은 이상 최대한 적게 죽이거나 가급적이면 죽이지 않는 편을 선호하기 때문에 제법 다행인 일이었다.

살아 있는 생명이 손끝에서 베이고 거기에 담겨 있던 생명력이 빠져나가는 것은 언제가 됐든 지켜보기 유쾌한 장면일 수가 없었다. 아무쪼록 다행이라고 마음을 다스리며 다음 날 있을 사냥 대회를 위해 몸과 마음을 가라앉혔다.

그리고 사냥 대회 당일.

나는 다행이라고 마음을 놓았던 점을 절실히 후회했다. 숲은 깊고 어제에 비해 어두웠다. 유독 구름이 끼고 안개가 낀 날씨가 영 마음에 걸려서 평소에 잘 들지 않던 방패까지 챙겨 사냥 대회의 개회사를 끝까지 들었다.

그 와중에 클로버는 평소에 달고 다니지 않던 방패를 매단 것이 불만인지 낮게 투레질을 계속했다. 버릇을 들이고자 각오한 바가 있었기에 곁눈질로 사납게 노려봤다.

자꾸 까불면 훈제로 구워서 식량 삼을 테다. 내 시선에서 뭔가를 느꼈는지 클로버가 급작스레 딴청을 피웠다.

동물만큼 생존 본능이 확실한 것도 없다. 아무쪼록 황제 폐하의 길고도 예법을 준수한 연설문은 정말이지 보통의 충성심이 아니라면 한숨이 절로 나오게 만들 정도였다. 아마 황태자가 즉위하면 그 즉시 이렇게 바뀌겠지.

'뭐든 많으면 많을수록 좋지. 멸종시키지 않는 선에서 힘써 보도록 하고…… 시작!'

……뭐랄까 상당히 씁쓸한 변화일 것 같으면서도 조금 기대도 된다.

이어지는 황제의 개회사를 듣다 상상하게 된 미래의 개회사를 뇌리에서 애써 떨쳐 냈다. 그렇게 잠시 다른 생각을 하는 사이 개회사가 끝나고 사냥 대회가 시작되었다.

참석한 기사들이 슬슬 다시 말에 올라 숲으로 향했다. 남들과 같이 말에 오른 나는 숲으로 향하는 인파와 함께 숲속으로 걸음을 옮겼다. 초입을 벗어나자 다들 각자 갈 길로 떠나면서 인적이 드물어졌다.

일단 잠시 멈추어 어깨를 짓누르는 활대를 고쳐 매고 다시 안개가 자욱한 숲길을 천천히 움직였다. 작은 노루 한 마리가 사냥꾼을 피해 달아나는 모양인지 껑충거리며 눈앞에서 멀어진다.

앞서 말했듯이 살생은 피할 수 있다면 하지 않는 것이 좋다. 자잘한 사냥감은 잡아 봐야 사냥에 쓰였던 개들의 한 끼 포식으로 끝날 만큼 사냥감이 넘쳐 나는 사냥 대회인 데다가 사냥 실적은 황태자의 명예에 비하면 아무것도 아닌지라 무의미한 살생에 지나지 않는다.

그냥 적당히 크고 아름다운 수사슴 내지는 멧돼지 한 마리 정도만 잡는 것이 좋다는 계산을 하고 출발했다.

"……이런."

안개가 점점 짙어지는 것인지 숲으로 더 깊게 들어가면서 점점 어두워지는 것인지, 시야가 지나치게 좁아져 당황한 나머지 침음이 절로 흘러나왔다. 예민해져서 그런지, 검에 박힌 보석을 손수건으로 감싼 것이 영 거슬린다. 검을 휘두르기 시작하면 더욱 불편하게 여겨질 것이 분명하다.

아 거슬려. 아니, 전하가 거슬린다는 것은 아니고요.

순간 머릿속에 떠오른 황태자의 모습에 화들짝 놀라서 혼자 속으로 어설픈 변명을 되뇌었다.

그나저나 이상했다. 인기척이 없어도 너무 없다. 사냥 대회인 만큼 서로 경쟁의 대상이 되어 버리기에 가급적이면 서로 떨어져 다닌다곤 해도 너무 지나치게 조용했다.

그 와중에 초입에 들기 무섭게 따라붙은 것으로 추정되는 희미한 인기척이 느껴졌다. 그 인기척에 신경이 날카롭게 곤두서는 바람에 더욱 으슥한 길을 밟아 다른 인원들과 멀어진 것 같기도 한데……

등 뒤로 휙 하고 길게 불어온 바람에 묻어 있는 낯선 향취가 몸을 확 긴장하게 만들었다.

무서운 침묵 가운데 하나의 인기척이 계속 느껴진다는 것은…… 누군가가 목적을 가지고 따라붙었다는 소리겠지.

모든 것이 지금 내가 느끼는 인기척의 주인이 첩자라고 말하고 있었다. 등줄기가 싸늘하게 오그라드는 것을 애써 떨치고 활을 장전하여 경계 태세를 펼쳤다. 일단 그와 제법 거리가 있는 것 같으니, 활로 위협을 가하고 근접전이 벌어질 경우 검을 뽑는다. 순서를 정하고 입을 열었다.

"스스로를 밝혀라."

활시위를 팽팽히 당기며 놈이 숨은 것으로 예상되는 지점을 노려보자 나뭇가지가 가볍게 흔들리며 낯익은 얼굴의 사내가 나타났다.

약혼식 파티에 펠튼 그 계집과 동행했던 얼굴이 분명했다. 상대적으로 짙은 피부색에 흑발. 틀림없었다. 경고와 겨누어진 활시위에도 태연한 얼굴이라니, 어떤 실력자일지 두려움이 생겼다.

"아펠리아 에스프리 레지아 드 폰디체리. 최근 베이야드 공작가의 에카이트와 약혼한, 키마 황자의 충성스러운 기사에, 폰디체리 공작의 외동딸. 그대가 맞는가?"

그의 느릿한 말이 끝나기 무섭게 팽팽하게 당겼던 활시위를 놓았다. 놈에게서 풍겨져 나오는 위험한 기운에 본능적으로 생포할 수 없으리라 느끼고 우선순위를 바꾼 것이다.

그대로 쏘여진 화살이 수풀을 헤치고 살벌하게 박혀 들어갔다. 하지만 그에게서는 놀라는 기색은커녕 그 어떤 반응도 나오지 않았다.

도리어 침착한 모습으로 보아 내게 살의가 없다는 것을 파악했거나 자신을 죽이지 못하리란 것을 믿고 있는 것이 분명했다. 쯧. 조금 전까지 반 죽여서라도 잡아가리라 마음먹었었는데.

나는 속으로 혀를 차며 놈을 노려봤다. 감히 제국의 황태자를 황자로 낮추는 것으로도 모자라 이름까지 함부로 부르다니. 눈앞에서 모시는 주군이 폄하당하는 것을 듣고 있자니 점점 기분이 나빠졌다.

불편한 심기로 일그러진 시선을 묘한 미소로 받아 내며, 앞선 공격에도 눈 하나 까딱하지 않았던 상대가 느긋하게 입을 열었다.

"신중한 성격이라고 보고받았는데. 상당히 반응이 빠르군, 아펠리아."

순간 소름이 돋았다. 다짜고짜 이름으로 부르다니. 에카이트가 이름을 불렀을 때도 소름이 돋았는데, 이건 그 이상으로 불쾌했다. 나는 이를 악물고 놈을 노려봤다.

"감히 칼라한 제국의 고귀한 황태자를 황자라 부르다니. 자신의 정체도 밝히지 못하는 천한 입에 그분을 함부로 담는 것은 즉결 처분감이다."

그의 느긋한 말에 날카로운 대답을 뱉으며 다시 화살을 장전하였다. 눈 끝이 사납게 치켜진 인상과는 다르게 행동거지가 짜증 날 정도로 느긋한 사람. 바로 그것이 그를 경계해야 하는 이유 중 하나였다.

활이 자신을 겨누고 있는 상황에서도 이렇게 느긋한 태도를 취할 수 있다는 것은 상당한 실력자라는 것을 의미하기 때문이다. 그를 처음 본 순간부터 머릿속의 경고등은 쉬지 않고 날카로운 경고음을 울리고 있었다.

비록 여기사라고는 하지만 일국의 황태자를 호위하는 기사인 만큼 실력도 직위도 쉽게 보아선 안 되는 대상을 축제 중에 미행하다니. 미행이 들킨다고 해도, 위험을 어렵지 않게 타개할 수 있는 경지에 닿았다는 말이겠지.

아, 씨. 진짜 꼬이네. 으드득 갈리려는 이를 애써 눌러 침묵을 유지했다. 이 상황을 어떻게 벗어나면 좋을지 생각하고 있는데 그가 엉뚱한 말을 뱉었다.

"그 충성심, 지독하게 탐나는군. 본래대로라면 우리 왕국에 보여야 할 충성이거늘. 아니 그런가, 므네모쉬의 딸?"

므…… 뭐라고? 당황한 나머지 감정을 숨기지 않고 바라보자 그가 소리 내서 웃었다. 설마 이 타이밍에서 사람을 잘못 봤다고 하진 않겠지?

대답 없는 그를 가만히 쳐다보고 있자니, 이내 웃음을 갈무리하고 헛기침을 뱉으며 입을 열었다.

"아름다운 므네모쉬. 우리 왕국의 사랑스러운 공주였네만, 처음 들어 보겠군. 아아, 가련한 공주여. 그대 피와 살을 물려주고 영혼마저 물려준 딸은 그대를 알지 못하는군."

"헛소리. 우리 제국은 이방인의 출입에 엄격한 바, 허락되지 않은 자가 황실의 행사에 행보하는 것 또한 불가다. 순순히 정체를 밝히고 그 목적을 알려라. 이곳은 포위되어 있다."

놈의 감성적인 헛소리를 완전히 무시하고 할 말을 했다. 그러자 놈도 자기 할 말만 하기 시작한다. 아, 씨. 무슨 벽에 대고 얘기하는 것 같다. 답답함에 어금니에 절로 힘이 들어간다.

"사랑스러운 아펠리아. 생각보다 네 어머니를 많이 닮았군. 초상화로는 봤을 테지, 어머니의 얼굴을."

……미친놈이다. 미친놈이 나타났다.

무슨 말이 저렇게 안 통할 수 있지? 서로 딴소리만 하니 대화에 진척이 있을 리가.

첩자가 어머니의 반지를 찾아 뒤를 밟았다기에 정말 어머니와 연관이 있는 줄 알았는데 그것도 아닌 것 같다. 므네모네던가 하는 희한한 이름은 평생 들어 본 적 없는 이름이다. 기억하는 어머니의 이름과 한 글자도 비슷한 구석도 없었다. 거기에 어머니가, 그것도 동방의 공주라는 것은 더더욱 금시초문이었다.

"네가 말하는 자와 내 어머니는 완벽하게 다른 인물이다. 양국 간의 사투를 원하는 것이 아니라면, 그 입 다물라."

"과연. 이 성정은 폰디체리 공작에게서 온 것인가. 하기야 아름다운 므네모쉬는 유약한 성정에 비열하고 저속한 반역도이자 도망자이니까."

우리 아버지한테 안 걸린 것을 천운으로 알아라, 이 천하의 삐리리한 삐리리야.

그 므네모쉬라는 공주가 내 모친이라는 증거는 없지만, 어쨌든 그는 지금 나를 모욕하고 있는 것이 아닌가. 절대 그냥 둘 수 없었다.

활을 내리고 말에서 내려 즉시 발검하자 그가 유쾌한 표정으로 미소를 지었다. 마치 원하는 바가 이것이라는 듯이. 그 표정에 등 근육이 긴장하며 식은땀이 흘렀다. 보통의 자신감이 아니었다.

"핏줄의 당김이란 이렇게도 드러나지. 마침 검을 잘 뽑았구나. 네 실력이 얼마나 되는지 감상이나 해야겠군. 나는 영 검에 소질이 없어서 말이지."

듣던 중 반가운 소리로구나. 검에 소질이 없다니, 이 김에 그 잘난 혓바닥을 두 가닥으로 갈라놓아야 아버지를 뵐 명분이 생기겠지.

정신을 집중해 검을 사선으로 비스듬히 기울이는 와중, 그가 나무 사이로 몸을 숨겼다. 검에 자신이 없다는 말을 반도 믿지 않았기에 놈의 움직임을 날카롭게 살폈다.

여전히 날렵한 움직임이었지만 뭔가 이상했다. 희뿌연 가루 같은 것들이 잠깐이지만 주변에 휘날린 것 같은데. 숲속에서, 안개가 이렇게 심한데 먼지……? 아니, 그 이전에 몸은 왜 숨겨. 내 솜씨를 본다더니, 설마 내가 '보시오.' 하고서는 혼자서 팔딱팔딱 날뛰는 것을 기대한 건가? 아니면 은둔해서 기습?

다양한 가능성을 짐작하며 몸의 감각을 곤두세우는 와중, 느껴졌다. 완전 크고 정말 크고 엄청 크고 진짜 거대한 곰의 기운이.

어쩐지 이번 생엔 곰은 고사하고 맹수가 한 마리도 안 보이더라니, 망했다. 젠장. 젠장! 내가 곰의 기운을 눈치채고 몸을 굳히는 것을 느꼈는지 어디선가 독특한 어조의 낮은 웃음소리가 들려왔다. 웃는 폼을 보아하니 첩자의 짓 같았다.

혹시 전생에서 나타났던 곰도? 그렇다면 넌 죽었어, 이 빌어먹을 놈아. 왠지 십수 년 사냥 대회를 열어 숲을 시끌벅적 뒤집어엎을 때에도 자리보전하던 곰탱이가 기어 나왔다 했어.

속으로 이를 갈며 클로버의 고삐를 당겨 숲 밖으로 나가도록 방향을 잡아 줬다. 그리고 녀석을 보내기 전에 녀석의 안장에 걸었던 방패와 화살, 활을 끌렀다. 동시에 안장에 달린 주머니에 손끝으로 살짝 구멍을 냈다. 거기서 붉게 번쩍이는 모래가 살짝 흘러나왔다.

적당히 잘 찢었네. 곁눈질로 주머니를 확인하고 그 위에 망토를 벗어 묶었다. 마치 전투를 위해 거슬리는 옷가지를 치운 모양처럼 보이겠지만 사실은 붉은 모래가 흘러나오는 주머니를 감추는 것이 본 목적이었다. 망토로 위급을 알리려는 목적도 있었고 말이다.

지금 상황에서 할 수 있는 만반의 준비를 한 뒤, 엉덩이를 탁 하고 쳐 주니 눈치 빠르고 의리 없는 클로버가 잽싸게 숲 밖으로 달려 나갔다.

뒤도 한번 안 돌아보는 꼴이 얄미워서 잠시 그 뒤꽁무니를 바라보다가 곰이 있는 방향을 짐작해 몸을 숨겼다. 전생과 같은 놈이라면 이 숲에서 가장 크고 악명이 자자한 그리즐리일 가능성이 농후했다.

이 숲은 나무 외에도 장애물이 많아 쉽사리 도망치기 어려운 환경이었다. 그리즐리는 이런 환경에서도 빠르고 정확하게 상대를 공격하는 무시무시한 녀석이었다.

저 첩자가 곰을 상대하고 지친 날 습격할 가능성까지 고려하면 지원군이 오는 편이 안전하기도 했고, 클로버와 함께라면 상대하기 어려울 것이 분명해 먼저 보낸 것이었지만 잘한 판단인지는 아직 잘 모르겠다.

기사의 망토가 묶인 말이 홀로 돌아오고 붉은 모래가 든 주머니에서 모래가 흘러나와 지나온 길을 알리는 것은 해당 기사가 위험에 처해 있다는 반증이었다.

클로버는 제대로 잘 찾아갔겠지? 안개가 자욱한 주변을 한번 둘러보고는 검을 뒤로 잡아 들었다. 그러고는 방패에 몸을 숨긴 채 활을 등에 매달았다. 여차하면 활을 사용할 수 있게 완전히 고정하진 않은 상태였는데 자세가 완성되기 무섭게 곰이 지척에 왔음이 느껴졌다.

이윽고 모습을 드러낸 곰을 보고 정신이 아득해졌다. 젠장, 잡으라는 거야 말라는 거야. 다가온 곰을 본 나는 속으로 머리를 뜯었다. 전생에 대체 무슨 짓을 해서 이놈을 잡았는지 새삼 스스로의 무모함에 한숨이 나왔다.

분명 말이 있었던 냄새나 내 냄새를 맡았을 것이다. 녀석은 클로버가 마지막에 머물렀던 장소를 돌며 코를 벌름거렸다. 클로버. 혹시 거기다 오줌을 지리고 달린 것은 아니겠지. 곰이 땅에 코를 박고 킁킁거리기 시작하였다.

"젠장."

다시 검을 고쳐 쥐며 숨을 골랐다. 곰의 크기로 보건대 활로는 안 될 것 같다. 아마 화살 따위, 설사 독화살이라고 해도 두어 방 맞아서는 약만 올릴 뿐 포획에 큰 도움이 될 것 같지는 않았다.

게다가 지금 가지고 있는 화살은 독화살도 아니니 별다른 도움이 되지 않을 것은 너무나도 분명했다. 지금 곰은 등을 보이고 있다. 하지만 여덟 발자국 거리. 거기서 두 발자국만 움직여도 기척을 들킬 것이고 등을 돌린 곰과 정면으로 마주하게 될 것이다.

저 정도 크기의 곰을 정면으로 상대하기에는 아직 부족했다. 전생, 즉 회귀하기 직전의 능력이라면 여유를 가져 볼 만하겠지만 지금은 절대 무리다. 더군다나 전생과 현생의 신체 능력 차이를 아직 완전히 인지하지 못한 상태인지라 혹여나 무리한 기술을 사용하려다 사고가 나는 건 아닐까 조급증이 들었다.

멀리서 새가 날아가는 소리가 들렸다. 아마 저쪽은 사냥이 한창일 것이다. 곰이 다시 걸음을 옮겨 코를 바닥에 박았다. 하늘이 돕는 모양이다. 이제 여섯 발자국이다. 기를 최대한 억눌러 기척을 숨기고 나무뿌리를 밟아 도약하자. 곰이 곧바로 눈치챈다 하더라도 장검을 이용하여 사선으로 베어 내면 치명타를 입힐 수 있다. 치명타를 입은 곰은 나를 공격할 수 없겠지. 그렇다면, 지금이다.

"핫!"

기합을 넣으며 나무를 밟아 튀어 나갔다. 가볍게 도약해 그대로 곰을 향해 검을 내리치려던 찰나, 살짝 몸을 튼 녀석의 움직임에 당황해 자세가 흐트러졌다. 그러는 바람에 깊게 꽂혔어야 할 검이 스치는 것에 그치고 말았다.

"윽!"

갑작스러운 공격에 분노한 곰의 일격에 오른쪽 어깨를 그대로 내리 맞았다. 어깨에 불이 붙은 것처럼 매서운 아픔이 느껴졌다. 피가 왈칵 흘러내리는 것을 느끼며 겨우 뒤로 물러났다.

완벽한 보호막은 아니었지만, 급격히 마나를 모아 몸을 보호한 덕에 이 정도로 다친 것이었다. 마나를 다루지 못했다면 어깨와 팔이 통째로 떨어져 나갈 만한 파괴력이었다.

하필이면 오른쪽 어깨를 다치다니. 입술을 깨물어 애써 정신을 다잡으며 왼손으로 검을 잡았다.

곰은 약이 오를 대로 올라 있었다. 동면 직전이라 가뜩이나 예민한 성질을 긁어 놨으니 약이 오를 법도 했다.

마나. 마나를 모아!

이렇게 무리해서 마나를 모으면 한동안 요양해야 할 텐데……. 그런 덧없는 생각을 갈무리하며 곰의 심장 위치를 가늠하였다.

무리해서라도 마나를 모으지 않으면 무덤에서 요양하게 생겼는데 무슨 선택이 더 있으랴. 한 번에 심장을 노려야 한다. 하지만 이번에도 곰이 더 빨랐다. 커다란 곰 발바닥이 시야를 가득 채웠다. 사방이 점점 어두워질 정도로 거대한 발바닥이었다.

"여기다!"

갑자기 어디선가 돌멩이가 날아와 곰의 머리를 쳤다. 앞발을 내리치려던 곰은 순간 동작을 멈추고 고개를 돌렸다. 분노를 수치로 나타낼 수 있다면 지금쯤 최고 수치를 찍고 있을 것이 분명한 표정이었다. 희번덕이는 눈동자엔 살기와 분노가 가득했다.

곰에게도 표정이 있다니. 곰이 바라보는 곳에는 여전히 태연한 표정을 한 첩자가 있었다. 검도 잘 못 쓴다는 놈이 무슨 여유지. 자존심이 상하기는 했지만 녀석이 돌멩이를 던진 덕분에 틈이 생겼다는 것은 인정해야 했다. 고개 돌린 곰. 구부정하게 굽은 몸 틈으로 텅 빈 가슴팍. 바로 지금이었다.

"핫!"

마나를 발에 집중해 곰의 심장이 위치한 곳으로 힘껏 도약했다. 두꺼운 곰의 몸을 칼날이 뚫고 지나간다. 뼈까지 양단되는 느낌이 손끝으로 느껴졌다.

손잡이로 작렬하는 심장 박동이 느껴진다. 심장을 꿰뚫린 이상 살아남을 존재는 없었다.

그리즐리, 그 문제의 곰은 거대한 발을 좌우로 휘두르며 발악을 하다가 그대로 몸을 기울이며 뒤로 넘어가려 했다. 곰 위로 쓰러지는 것을 피하고자 검에 마나를 실어 비틀어 뽑아내며 바닥으로 착지했다. 검을 뽑아내는 반동에 곰의 몸이 완전히 뒤로 넘어갔다.

비틀거리며 착지하니 숨에서 피 냄새가 난다. 고개를 들어 보니 첩자는 이미 사라지고 없었다. 천천히 경계를 늦추지 않고 곰을 살피자니 완전히 숨이 끊어졌음을 확인할 수 있었다. 아, 잡았다. 긴장이 풀리자 다리도 풀리는지 곰에 기대어 몸을 의지했다. 곰은 아직 따뜻했다.

"윽. 전생만 못하군. 전생엔 치명상 없이 잡았었는데……."

……음. 치명상 대신 자잘하고 은근히 깊은 상처들이 상당히 많았다는 것은 추억으로 삼자. 아, 아무리 생각해도 전생의 곰은 안 이랬던 것 같은데 얜 뭘 먹고 이렇게 커진 거야.

전생에 비견하여 빠르고 신속하게 잡았다는 것을 위안 삼았지만 동시에 첩자 녀석이 시선을 끈 덕분에 가능했다는 점이 영 마음에 걸렸다. 차라리 어깨 하나를 더 내주더라도 스스로의 힘으로 잡았으면 더욱 좋았을 텐데.

빚을 졌다는 마음과 온전히 내 실력으로 해낸 것이 아니라는 자책 어린 마음에 몸까지 무거워졌다. 아니, 무거워지는 몸은 마음의 문제만은 아닌 것 같다.

"어깨…… 이거 참. 생각보다 심한 것 같네, 쿨럭. 클로버…… 제대로 가긴 간 거냐?"

어깨에서 흘러내린 피로 흰 셔츠가 완전히 붉은빛으로 물들어 버렸다. 뜨겁게 흐르는 피와 동시에 차갑고 딱딱하게 굳어 가는 피 묻은 옷자락이 아이러니했다.

클로버가 제대로 갔다면 지금쯤 지원군이 도착해도 진즉에 했을 무렵인데. 급격하게 추워지는 기분이 들어 몸을 부르르 떨며 망토

뿐 아니라 치료 도구까지 몽땅 클로버에게 묶어 보낸 스스로를 책망했다. 하필 다친 쪽이 오른팔이라 도구 사용도 자유롭지 않을뿐더러 사용할 도구도 없다.

이대로 정신을 잃으면 죽겠지. 과다 출혈이든 피 냄새에 이끌려 온 맹수들의 습격을 받아 죽든 말이다. 일단 지혈…… 지혈을 해야 하는데. 자꾸 손끝이 차갑게 식으면서 떨려 온다. 오른쪽 손끝을 움직여 보니 희미하게 움직인다. 신경은 무사하군. 근육도. 흉이 지려나.

"흉, 지면 결혼식 때에 면사포를 두껍게, 해야 하나. 어깨를 내놓지 않도록 겨울에 해야겠다. 하하."

고통과 생각을 분리하고자 할지, 안 할지 모르는 미래의 결혼식 옷차림까지 걱정해 가며 허탈한 웃음을 지었다. 순간, 잠깐 동안 느껴지지 않았던 놈의 기척이 다시 홀연히 느껴지기 시작했다. 하지만 몸을 긴장시켜도 뭘 할 수 있는 상황이 아니라 단념하고 몸을 내버려 두었다.

"……우리나라에선 애초에 장포를 입고 신부를 꽁꽁 싸매어 결혼식을 하지. 응급조치도 못할 만큼 지쳐 버렸네. 아름다운 아펠리아, 더욱 정진해야겠군."

아, 씨. 깜짝이야. 힘을 뺐던 몸에 애써 긴장을 불어넣으며 기대었던 몸을 일으켜 소리가 들린 쪽을 경계하기 시작했다.

"……아직도, 헉, 안 갔던가?"

"네가 죽으면 곤란해서 말이야. 잠시 실례하지."

모습을 드러낸 첩자는 그렇게 혼잣말을 하더니 앞으로 다가와 환부가 드러나도록 옷을 잡아 찢었다. 뺨이라도 주먹으로 갈겨 주고 싶은데 무리하게 마나를 썼더니 이젠 왼손마저 무용지물이다. 그냥 늘어져 있자니 오랜 기간 단단히 쌓아 왔던 긍지에 금 가는 소리가 들려 그를 떨쳐 내고자 있는 힘껏 몸을 틀어 대니 피가 뭉텅이로 흐르는 것이 느껴졌다.

어지럽다. 첩자의 모습이 두 개에서 세 개, 이제는 다섯 개로도 보인다. 놈의 목소리가 멀리서 메아리처럼 들린다.

“징그러우니까 좀 가만히 있지. 비위가 썩 좋은 편은 아니라서 이렇게 상처를 보는 것도 영 내키는 일은 아니거든.”

“그러니까, 흐! 손, 치워.”

“완전히 고쳐 줄 생각은 없으니 헛물켜지 말도록. 딱. 죽지 않을 만큼만의 선행을 베풀 테니까.”

그는 품에서 얄팍한 종이를 한 장 꺼내어 복잡한 나열의 숫자와 문자를 늘어놓더니 그것을 상처 부위에 대뜸 들이댔다. 흐릿하게 시야가 깜빡이는 도중에 겨우 본 것이라 맞게 본 것인지도 사실은 잘 모르겠다.

미쳤나, 저게. 희미해지는 정신을 애써 붙잡는데 녀석이 뭐라고 주문을 읊으며 종이 위에 손가락을 올려 특정 부분들을 빠른 속도로 짚어 나갔다. 그와 동시에 몸에서 빠져나가는 피의 양이 줄어드는 것을 느낄 수 있었다. 지혈인가.

“인기척이다. 네 말이 아주 의리 없는 녀석은 아니었나 보군. 다시 보지, 므네모쉬의 딸.”

자리에서 깔끔한 태도로 일어난 첩자가 품에서 종이를 꺼내었다. 종전에 비해선 짧은 주문을 읊으니 종이에서 흐릿한 연기들이 뿜어져 나왔다. 그리고 종이가 바스러짐과 동시에 완전히 사라졌다. 조금 전, 순식간에 기척을 감추었던 현상이 설명되는 순간이었다.

대낮부터 뭐에 홀린 것도 아니고……. 등 뒤로 느껴지는 곰의 사체에 기대어 애써 몸을 일으키니 시야로 하얗게 질린 황태자의 얼굴이 보였다. 그 옆에 있는 건…… 에카이트 같았다. 한 번도 본 적 없는 표정으로 서 있었다. 저런 표정도 지을 줄 아는군.

지혈이 되고선 그래도 잠시나마 정신이 드는 기분이다. 그래도 여전히 어지러워서 순간 시야가 하얗게 변하였지만 일단 잡은 사냥감에 대한 보고를 하는 것이 기사의 의무다. 흐려지는 목소리에 애써 힘을 줘서 말문을 열었다.

"전하의 기사 아펠리아 에스, 프리. 윽. 레지아 드 폰디체리, 오늘, 전하의 영광된 이름 아래…… 사냥감을 오직 충성으로 바치옵니다. 부디, 전하의 명예에 누가 되지 않는다면 받아 주시옵소서."

"의원, 의원은 어디 있는가!"

에카이트가 의원을 찾아 댔다. 황태자는 한동안 의원이 내 몸을 살피는 것을 지켜보다가 갑자기 비명을 꽥 질렀다.

"아펠리아! 크기를 보고 잡아야지, 크기를! 눈은, 눈은 장식이란 말인가? 저게 어디 여기사가 혼자 잡을 사냥감인가! 자네가 도리어 잡힐 뻔했지 않은가! 자네 말은 혼자 덩그러니 돌아왔지, 망토는 매어 있고 붉은 모래는 줄줄 흐르고. 폰디체리 경이라도 있었으면 숲 다 날려 먹을 뻔했지 않은가! 제발 안전을 우선시하는 습관을 들이게, 좀! 경 때문에 심장마비로 세상 하직하겠어!"

전하의 엄청난 잔소리를 뒤로하고 서서히 흐려지는 시야로 들어온 것은 에카이트의 어쩔 줄 모르는 얼굴이었다. 왜 그런 얼굴을 하는 거야? 의문을 끝으로 완전히 의식을 잃었다. 정말 지독하게 긴 하루였다.

06. 역지사지

06. 역지사지

사지가 욱신거리고 결린다. 머리가 깨질 듯이 쑤시는 것은 기본이고 온몸에 찐득하게 불쾌한 느낌이 가득했다. 거기다 감긴 눈도 갑갑하다. 아픈 건 둘째 치고 찌뿌둥한 게 꽤 오래 누워 있던 것 같다.

아, 눈 뜨기 싫다. 상황 파악 좀 하고 천천히 깨어나야겠다. 과거로 돌아왔던 그 모든 것이 꿈이었던 건 아니겠지. 오만 가지 생각에 등이 서늘해지며 두렵다. 그런 와중에도 의식이 깨어난 몸은 곳곳에 통증을 호소하고 있었다. 나는 정신을 정돈하며 몸을 가볍게 뒤척였다.

'쾅!'

"……?!"

시, 심장 떨어지는 줄 알았네.

갑자기 터져 나온 굉음에 놀라 상황을 파악한 뒤 일어나려던 계산을 뒤로하고 얼른 상체를 반쯤 일으켰다. 저절로 뜨여진 눈으로 들어온 빛이 너무 눈부셔 일단 눈은 다시 감았다. 몸을 급격히 움직이자 다친 곳들이 욱신거리며 쑤신다.

잠깐이지만 눈을 떴을 때 본 광경은, 아버지의 화통한 격파 장면이었다. 망가진 물품이 익숙하다는 점으로 보아 이곳이 내 방일 가능성이 농후했다.

테이블 다리가 아작 나는 것으로 추정되는 소리가 다시 들리자 나는 감았던 눈을 애써 떴다. 그와 동시에 고저 없이 차분한 목소리가 들렸다. 에카이트였다.

"폰디체리 공작 저하. 고정하시지요. 아펠리아가 깹니다."

일어나서 처음 듣는 목소리가 에카이트라니……. 아, 진짜. 투덜거리는 마음과 동시에 든 것은 안도였다. 그 모든 것은 꿈이 아니었다. 다행이야. 하지만 내 안심과는 무관하게 대화 소리는 계속 이어졌다.

"고정? 네놈을 고정시켜 놓고 두드려 패면서 묻기 전에 답해라. 숨기는 게 대체 뭐냐 이 말이다! 내 딸이 이 지경이 돼서 돌아왔는데, 아직까지도 숨기겠단 거냐!"

"……황태자 전하께서 때가 되면 직접 말씀하실 거라고 말씀드렸잖습니까."

아, 첩자를 말하는 건가? 지금 상황에서 숨기는 것이라 하면 첩자 문제밖에 없었다.

음. 그러니까 그리즐리를 잡고 과다 출혈인가 뭔가의 이유로 실신했던 것 같은데. 갑자기 숲에 그리즐리가 나타난 것으로 정황을 잡으신 건가?

일단 그리즐리를 몰고 온 죽일 놈은 그 첩자가 맞지만, 나름대로 죽지 않게 도와준 것에서 정상 참작의 여지가. 아니…… 결국은 병 주고 약 주고니까 그대로인가? 아니, 잠깐만. 혹시 전생에도 첩자 놈이 곰, 그것도 그리즐리를 몰고 온 거냐.

일그러지려는 표정을 애써 정돈하고 생각을 정리했다. 눈앞에서는 아버지와 에카이트가 여전히 설전을 벌이고 있었다. 음. 좀 더 정확히 말하면, 에카이트 혼자 설전이고 아버지는 실전 돌입이었다.

이제는 거의 반쯤 이성을 상실한 아버지가 에카이트의 멱살을…… 옷이 거의 뜯어질 정도로 세게 틀어잡았다. 음. 아버지. 좀 더 세게요.

말릴 줄 알았다면 오산이다. 전생에 내가 한 마음고생에 비하면 이 정도는 당해도 싸다.

"아리아가 벌써 삼 일째 의식을 못 차리는 판국에 지금 그걸 말이라고 하는 거냐! 첩자가 개입했다! 놈이 그리즐리를 유인해 온 흔적이 발견되었다 이 말이다!"

아리아라니…… 여기서 그 애칭을 부르실 줄은 몰랐다. 아버지는 갑자기 평소 부르시던 애칭으로 날 부르기 시작했다. 그러나 유인이고 개입이고…… 삼 일이라는 말이 귀에 팍 박힌다. 무단결근은 처음인데? 당황한 내가 갈라지는 목소리로 아버지를 찾았다.

"……아, 버지. 그럼, 저, 삼 일이나 결근한 겁니까? 무단으로?"

갑자기 말문을 열어서 그런지 낮고 불안정한 목소리가 나왔지만, 그 뜻은 충분히 전달할 수 있었다. 잠깐, 삼 일 결근이면 벌충으로 야간 호위를 배정받을 텐데…… 한동안 잠은 다 잤다.

갑작스러운 내 목소리에 기겁한 아버지가 세게 쥐고 있던 에카이트의 멱살을 홱 내팽개치고는 침대로 다급히 다가왔다. 내팽개쳐진 에카이트가 그 뒤를 따랐다.

야, 넌 꺼져. 에카이트를 사납게 노려보는데 아버지는 옆에서 난리가 났다.

"몸은 좀 어떠냐. 이 못난 것! 어디 잡을 놈이 없어서 무지막지하게 그리즐리 따위를 패 죽여? 이 아비는 소식 듣고 심장이 멈춘 줄 알았다.”

“……아펠리아, 일단 물부터.”

아버지의 우려에 답하고자 해도 목이 갑갑하여 입을 떼기 어려웠다. 마침 어떻게 알았는지 에카이트가 물을 권하였다. 평소라면 거절하고도 남았겠지만 숨이 막힐 정도로 목이 막히던 차라 사양 않고 그 물을 받아 마셨다.

아버지는 그마저도 못마땅한지 에카이트를 살벌하게 노려보고 있었다. 전생만큼은 아니더라도 어지간히 아버지의 눈총을 받는 에카이트가 약간은 불쌍했다. 하지만 말 그대로 정말 약간이었기 때문에 괘념치 않기로 했다.

물 잔을 단숨에 비우고 나니 에카이트가 솜씨 좋게 잔을 받아 다시 물을 채웠다. 여전히 갈증이 남아 있었기에 물을 반쯤 더 마시고 아버지를 바라보았다.

조금 전까지 걱정으로 일그러졌던 얼굴이 거짓말처럼 안도로 가득했다. 그러나 엄청 피로해 보이는 얼굴이었다. 내가 누워 있던 지난 삼 일간의 마음고생이 남긴 흔적이라고 생각하니 죄송한 마음이 가득이다.

전생에서 다쳐서 쉬는 경우는 있었어도 이렇게 의식을 잃고 누워 있던 적이 없었기에, 이렇게 걱정하는 아버지의 모습을 보니 낯선 기분이었다.

“아버지, 심려를 끼쳐드려 죄송합니다. 하지만 그리 큰 부상은 아니었으니 금방 회복할 겁니다. 걱정 마세요.”

“……어째 어디 하나 없어져야 큰 부상이라 말할 기세로구나. 그래, 그래도 근육이나 신경은 멀쩡하니 다행이다. 아마 보름이면 그럭저럭 움직이기 편해질 거다. 완치까지는 아무리 못해도 두 달쯤은 걸린다고 하니 황태자 전하께서 정확히 두 달 치 휴가를 주셨다."

그 두 달의 휴가는 전하가 주신 건가요, 아버지가 갈취하신 건가요? 내가 두 달 치 휴가라는 대목에서 약간 미묘한 표정을 지었던지 아버지가 헛기침을 몇 번 하셨다. 그 타이밍을 놓치지 않고 에카이트가 솜씨 좋게 말을 이어받았다.

"아무래도 기사이니만큼 몸이 온전치 못하면 그만큼 능률이 떨어진다는 판단에서 그렇게 하시라 하신 것 같더군. 하지만 오직 그것 때문만은 아니야. 아펠리아, 그대가 그 숲에서 제왕급으로 불리던 그리즐리를 일격 필살로 잡아 넘긴 덕분에 내린 포상 휴가 겸이라고도 하더군."

포상 휴가? 아, 그럼 혹시? 내가 기대감을 가지고 아버지를 바라보자 아버지가 약간은 못마땅하지만 은근히 자랑스러운 표정으로 내 사냥감 덕분에 황태자 전하가 우승을 차지하셨다는 답변을 주셨다.

칠칠치 못하게 다친 것을 이유로 명분 없는 휴가를 보내진 않겠단 생각이 들자 조금이나마 불편한 마음이 줄었다.

일단 두 달 휴가를 받았지만, 그보다 회복이 빠르면 기간보다 일찍 복귀하는 것도 나쁘지 않을 테다. 계산을 마친 나는 희미한 미소를 머금었다. 그러자 아버지가 못 말린다는 표정으로 피식 웃음을 지어 보인다.

"조금 더 기뻐해도 좋을 일인데 이리 다쳐서야 그도 힘들겠군. 그 정도 사냥감이면 혼자 죽지 않고 사냥한 것 자체가 기적이라고들 하던데. 다들 찬탄하는 솜씨였지. 그 큰 몸체에 남은 흔적이 길게 베인 상처와 심장을 꿰뚫린 것뿐이라니. 모르긴 몰라도 그대를 찬양하는 기사들까지 생긴 모양이야."

"보잘것없는 남작가 영애 하나 제대로 못 떨쳐 내서 내 딸 이름에 누를 만드는 놈이 입만 살았군."

아버지의 싸늘한 말에 에카이트가 순식간에 경직되었다. 가히 기록할 만한 순간이었다. 아버지가 말로 저 외교관 집안의 후계자를 얼어붙게 만들다니. 아버지가 녀석을 말로 제압하는 순간을 볼 줄은 생각도 못했다.

하지만 에카이트는 내가 상황을 충분히 음미하기도 전에 놀랄 만큼 빠른 회복세를 보이며 유려한 언변을 쏟아 냈다.

"면목 없습니다. 아무리 오해라지만 그런 소문이 돌지 못하도록 제대로 단속하지 못한 제 책임입니다."

"어디 그뿐인가? 네놈이 칠칠치 못해서 다친 것을 두고 우리 아펠리아가 며칠씩이나 다녀가며 병수발을 들었잖은가. 그게 진정 고마웠더라면 이번에 보은하겠지. 안 그런가?"

아뇨, 아버지, 그건 아니에요. 에카이트를 향해 빈정거리는 아버지를 보며 속으로 머리를 쥐어뜯을 수밖에 없었다.

차마 먼저 밟아 다치게 해 놓고 미안해서 병문안을 다닌 것이라고, 게다가 그 병문안마저 괴롭힘의 연장선으로 이용했다는 말을 할 수가 없어서 눈치만 살피던 나는 아버지의 마지막 대사에 도리질을 치고야 말았다.

에카이트가 친히 병문안을 온다니. 녀석이 내가 한 것처럼 복수할 것 같은 느낌에 등골이 싸늘해졌다.

"그건 제가 자청해서 한 일입니다! 바쁜 사람 괜히 불편하게 하지 마세요. 저는 아버지만 매일 뵈어도 족합니다."

부녀끼리 오붓한 한때를 보내자는 신호를 팍팍 보내면서 아버지를 향해 부끄러운 미소를 보내니 흡족한 표정으로 미소를 지으신다.

그래, 이 기회에 아버지도 좀 더 자주 뵙고 하면 좋지. 에카이트 말고. 하지만 에카이트는 기회를 놓치지 않았다.

"아니, 아펠리아. 그렇게 사양할 필요는 없지. 안 그래도 공작 저하께 부탁을 드리려 했습니다. 매일 퇴근 직후 문병할까 합니다만…… 방문을 허해 주시겠습니까? 주말에는 계속 곁을 지키고자 오전 시간 업무는 완전히 비워 두었습니다. 아무래도 국방부의 수장직을 역임하시고 계시는 장인어른보다는 외교부 말단인 제가 일이 적지 않겠습니까. 그간 서로 바빠 병문안 이후 얼굴을 보지 못했는데, 이번 기회에 저도 도움을 주고 싶습니다."

갑자기 웬 장인어른? 장인어른 같은 소리 하네. 소름이 쫙 돋은 내가 몸을 부르르 떨었다. 내가 너랑 결혼하면 성을 간다. 아, 결혼하면 성은 자동으로 갈리지. 아무튼 이게 중요한 게 아니다. 아버지가 너한테 장인어른 소리 들어서 좋을 줄 아냐.

분명 장인어른 소리는 마이너스일걸? 앞서 세운 가설을 믿어 의심치 않고 당당한 표정으로 아버지의 표정을 살피던 나는 눈물을 머금을 수밖에 없었다. 아버지는 어쩐지 미묘한 표정을 짓고 계셨기 때문이다.

왠지 좋은데 좋은 티를 내지 않고자 애쓰는 그런 미묘한 표정. 하긴, 자기 자식을 애지중지하는 자식의 배우자가 마냥 고깝지는 않을 테다. 아니, 아니! 이게 아니라. 아버지, 설마 허락하시는 것은 아니겠지요? 내가 급박한 표정으로 입을 열려는 순간, 아버지가 보다 빠르게 입을 열었다.

"크흠. 그럼 재주껏 그리해 보게. 어찌 됐든 오늘은 아리아가 깨어난 첫날이니 일단 좀 쉬도록 두고. 흠흠, 기대해 보겠네. 이만 가 보게."

아, 난 대체 왜 이렇게 굼뜰까.

"감사합니다. 그럼 내일 뵙겠습니다. 아펠리아, 내일 보지. 푹 쉬기를.”

……아버지, 지옥문이 열리는 것을 본 것만 같습니다. 불길한 예상은 그다음 날 보양식이라며 양손을 무겁게 하여 방문한 에카이트를 보는 순간 현실로 다가왔다. 신은 죽었나 보다.

그리고 그다음 날, 신이 죽었나 의심했던 것이 미안할 정도로 맛있는 보양식을 계속해서 권하는 에카이트의 모습에 양심의 가책을 느꼈다.

극악한 건강식품일 것이란 추측은 그저 억측에 불과했다. 달달하지만 청량한 맛이 강해 먹기 편한 과즙과 약용 식물 즙을 시작으로 다양한 회복식의 향연은, 평소 음식에 큰 애착이 없던 내가 무리하여 먹을 정도로 매혹적이었다.

거기에 계속 누워만 있자니 몸이 영 불편하여 잠깐이라도 뒤척일라치면 다친 곳이 쑤셔 인상이 저절로 찌푸려진다. 내가 얼굴을 찌푸려 고통을 호소할 때마다 에카이트는 몇 번이고 급하게 일어나 혹시 상처에서 피가 새는 건 아닌지, 어디 불편한 곳은 없는지 귀찮을 정도로 물어 왔다.

지극정성이다. 그는 상처를 살피는 것과 동시에 침대에만 누워 있어 지루한 나를 위해 해외에서 들여온 방어구 소식을 늘어놓았다.

“……음, 최근에 듣자 하니 타국에서 유명한 방어구 제작 장인이 우리 제국 기사단에 스카우트될 가능성도 있다 하더군. 다만 방어구라 하면 전쟁과 밀접한 물품인지라 큰 마찰 없이 스카우트할 수 있을까 하는 논란은 계속되고 있지만 말이야. 만약 스카우트가 성공적으로 이루어진다면 제국에 큰 이득이겠지.”

“음, 아무래도 그렇겠지. 지금 있는 사람만으론 부족하고 또 황실 소속 무기 장인이 일을 오래할 만큼 젊은 나이도 아니니."

전생과는 다른 이야기지만 적당히 응수하며 넘겼다. 굳이 나서서 짚고 넘어가야 할 만큼 중요한 사건이 아니기도 하고 증명할 방법도 없고 말이다.

일단 지금 황실 소속 무기 장인은 백발이 인상적인 할아버지였다. 방어구와 무기 제작에 골고루 실력이 특출한 사람이었는데 문제는 그 뒤를 이어 일할 사람이 없다는 것이다.

나름대로 오랜 기간을 가르쳐 뒤를 잇게 하려던 조수가 철을 녹이는 용광로를 다루다가 실수로 심한 화상을 입으면서 작년쯤 일을 그만두게 되었는데, 그것이 이 일의 발단이었다.

후계자가 더 이상 일을 할 수 없는 상황에 처하니 무기 장인이 실의에 빠진 것이다. 나이도 나이인지라 다시 후계자를 양성하기엔 다소 늦은 감이 있으니 말이다.

아마 에카이트가 말했던 그 장인은 영입에 실패하지만 황실 소속 무기 장인이 새로운 후계자를 양성하기로 마음을 바꾼 것으로 기억한다. 그 후 몇 번 무구를 정돈하고자 기사단을 방문했었으니까.

한창 과거를 되짚는데 에카이트가 새로운 과일을 꺼내 권했다. 알이 작았지만 붉고 윤기가 흐르는 것이 새콤하고 달콤한 향취가 강했다. 뭐지?

"혈액 순환에 좋은 과실이라 하더군. 음, 쓰러진 직후 바로 수소문했는데 아무래도 철이 아닌지라 양이나 질이 그저 그렇군. 일단 좀 들지. 먹기에 역한 음식은, 아니니까."

……네, 먹기에 역한 음식을 억지로 먹여 죄송합니다. 가시가 숨은 말을 어설프게 흘려들으면서 과일로 시선을 돌렸다.

철이 아니라 양도 질도 그저 그렇다는 말은 겸양의 말임에 분명했다. 세숫대야만 한 바구니를 그득히 채운 윤기와 향이 진국인 과실은 모르는 사람이 봐도 특상급의 품질이었다.

하지만 역시 처음 보는 과일인지라 먹는 법을 몰라 멀뚱히 쥐고 만지작거렸다. 그러자 쓸 만한 것이라곤 눈치가 전부인 에카이트가 과일을 하나 더 꺼내어 꼭지를 따고는 내게 내밀었다.

"껍질째로 먹는 과일이지. 씨는 없거나 매우 작고 물렁한 편이라 그대로 먹어도 좋아. 사양하지 말고."

"직접 먹을 수-"

나도 손 있다고! 누가 누굴 먹이려는 거야. 내가 기겁하며 사양하는 말을 하고자 입을 벌렸을 땐 이미 늦었다. 벌린 입에 에카이트가 과일을 쏙 밀어 넣는 것이 아닌가.

수련을 늘려야겠다. 요즘 영 녀석에게 신체적으로도 밀리는 기분이 들어 불쾌했다. 마음을 담아 째려보는데 그가 미묘한 미소를 머금는 것이 아닌가. 순간 얼굴이 붉게 달아올랐다. 뭔가 창피해! 창피하다고! 창피한 감정을 외면하기 위해서라도 일단 씹고 보자, 삼켜버리는 거야.

얼굴의 붉은 기까지 삼킬 기세로 입을 오물거려 과실을 씹으니 새콤한 향이 진득하게 터져 나왔다. 맛에 대한 감상평은 짧다. 시다. 그냥 시다고! 엄청, 미칠 것같이 시다! 혀가 오그라드는 것만 같았다. 아이고, 맙소사. 방심했다가 제대로 당한 셈이다.

이러지도 저러지도 못하는 표정으로 사납게 노려보자 에카이트는 웃겨 죽으려는 표정으로 애써 터지는 웃음을 참고 있었다.

"큭. 알려나 모르겠는데 그대 표정이 지금 정말 가관이야. 개중 종종 신맛이 강한 과실이 있기는 한데 하필 그걸 골라 줬던가 보군. 미안하게 됐네. 그래도 하나 더 먹지? 원래는 맛도 좋고 회복에도 좋으니까."

웃음을 참는 그 목소리에 상승하는 것은 어디 혈압뿐이랴.

입가가 미묘하게 올라가면서 유쾌해지는 목소리는 내 약을 올리는 데 아주 즉효였다. 그러한 표정을 보자니 도무지 과일로 손이 가지 않았다. 혀가 얼얼할 정도로 신 과실이 담긴 바구니를 있는 힘껏 노려봤다.

감히 후각과 시각으로 날 속여? 새삼 다시 보니 얄밉게도 생겼다. 그토록 달아 보이던 것이 어째 지금은 마냥 시게 보인다.

하지만 계속해서 풍기는 달달한 향기가 이번에는 달지 않을까 하는 기대 심리를 자극하고 있었다. 그러한 갈등을 용케 읽었는지 에카이트가 비죽 웃으면서 아무거나 한 알 날름 집어 입 안에 털어 넣었다.

"보통은 먹을 만하다니까. 단지 운이 나빴던 것뿐이라고."

……속으면 안 되는데 왠지 정말 달아 보였다. 깔끔한 표정으로 과실을 입 안에 밀어 넣고 씹으면서 과즙을 삼키는 녀석은 정말이지 달고 단, 내가 먹었던 과일과는 다른 무언가를 먹는 것같이 보였다. 먹을 만하다고 말하며 저렇게 달콤하게 먹는 모습을 보니 경계는 금방 느슨해졌다.

녀석이 골라 준 것은 위험할 수 있으니 직접 고르기로 작정했다. 뭐가 됐든 신맛을 중화할 단맛이 필요했다.

하지만 역시 후회는 언제 해도 늦었다. 조금 더 의심하면 좋았으련만…… 그대로 손을 뻗어 그나마 달아 보이는 과실을 덥석 집어 먹은 나는 눈가에 눈물이 절로 고이는 것을 느끼며 에카이트를 노려보았다.

종전에 그가 먹인 과일을 행운이라고 불러도 좋을 정도로 극악한 신맛이 머리까지 띵하게 했다.

주그래, 이 납흔 다시가. 혀가 풀려 발음도 줄줄 샐 것 같은 신맛에 눈물이 절로 고인다. 눈물이 그렁그렁한 눈을 본 에카이트가 짐짓 안타깝다는 표정을 지었다.

“이런, 이런. 또 운이 없었던가? 실제론 무척 단 과실인데. 한 번 더 도전해 보지?”

“…….”

양심의 가책을 느꼈던 건 다 취소다! 저 얄미운 얼굴에 주먹을 내리꽂으면 어떻게 되려나. 정당방위로 인정받기 위해서는 증거물이 필요한데, 그때를 대비해서 이 과실 몇 알을 챙겨 놔도 좋을 것 같다.

과일이 무슨 증거물이냐고 물어본다면 그 입에 밀어 넣고 물어볼 거다. 먹을 만하냐고. 다냐고. 내가 완전 범죄(?)를 꿈꾸며 과일과 그를 번갈아 노려보는데 에카이트가 피식 웃는다. 웃어? 이게 죽을라고. 내가 인상을 확 찌푸리는데도 그는 여전히 웃는 낯으로 과일 바구니를 내밀었다.

“영 못 믿는 눈치인데, 골라 보지. 내가 먹어 볼 테니.”

녀석의 무모하기 그지없는 도전을 절대 마다하지 않은 나는 눈을 희번덕이며 개중에서 가장 시어 보이는 과실을 세 개쯤 골라냈다. 그 세 개를 손바닥에 올리고 어느 것이 가장 극악한 맛일까 따져 보는 와중, 에카이트의 섬세한 손가락이 내 손바닥을 덮었다.

나는 뚱한 표정으로 여전히 내 손을 덮고 있는 녀석의 손을 내려다봤다. 왜. 다 가져가게? 멀뚱히 손바닥을 덮고 과일을 쥘 듯 말 듯 애매한 손짓을 하기에, 먼저 손을 약간 움직여 쥐고 있던 세 알의 과일을 그의 손에 밀어 넘겼다.

당황한 듯 약간 움찔한 에카이트는 망설임 없이 그대로 그 세 알을 한 번에 입 안으로 털어 넣었다. 그리고 씹는다. 터져 나오는 과일 향내에 절로 신을 찾게 된다. 아, 신이시여.

"……당장 뱉어. 가급적이면 나가서."

씹는 순간 터져 나오는 시큼한 향은 바로 옆에 있던 내 코까지 시큼하게 만들었다. 계속 씹으면 방 안에 온통 신 냄새가 밸 것 같아 뱉으라고 종용하였지만 그는 묵묵부답으로 조용히 씹었다. 미간을 간간이 움찔거리긴 했지만 평화로운 표정으로 과실을 씹는 모습은 공포에 가까웠다.

혹시 혀가 불량품인가. 그가 마침내 과일을 삼켰다. 장수하겠다. 천천히 오래 씹고. 신 냄새에 절로 내 인상이 찌푸려진다. 정작 당사자는 평온한 표정인데. 아, 괜히 내 입에 침이 고인다.

"……먹을 만하니 먹지. 혈액 순환에 도움이 될 만큼 먹으려면 하루 최소 세 알은 먹어야 한다더군."

"……아무리 봐도 먹을 만한 맛은 아니라고. 그냥 솔직히 말하는 게 어때? 쓴 약을 거부할 정도로 애도 아닌데 말이야."

"반응이 워낙 솔직해서 나도 모르게 실수한 것 같군. 다음부터는 참고하지. 그 전에 하나만 더."

에카이트가 비죽 웃으면서 한 알을 새로 골라 줬다. 고민하는 표정이나 속았다는 표정, 시어 죽겠다는 표정이 재미있었다 이거냐. 일단 뭘 먹든 방금 전 그가 털어 먹은 제일 시게 생긴 세 알보다는 나아서 그나마 참고 먹을 만했다.

내가 세 알째 되는 것을 무사히 삼키자 마침내 만족한 에카이트가 바구니를 치우고 손에 쥐고 있던 과일을 회수하려는데 왠지 모를 오기가 생겨 한 알을 입 안에 털어 넣었다. 에카이트는 누가 봐도 가장 신 세 알을 한꺼번에 털어 먹었는데 한 알도 못 먹을까. 입 안에 넣은 순간 종전의 신맛이 떠올라 즉시 후회했지만 그가 입을 뚫어져라 응시하고 있기에 뱉지도 못하고 조심스럽게 씹기 시작했다.

놀랍게도 겁먹었던 것이 무색할 정도로 달콤한 단맛이 터져 나왔다. 입 안에 스미듯 빠르게 녹아들어 가는 단맛은 그간 먹었던 그 무엇보다도 맛있었다. 드러나는 감탄의 표정을 숨기지 못하고 에카이트를 바라보자, 그도 내 입술 사이로 나온 달콤한 향기를 느꼈는지 의외라는 얼굴로 입을 열었다.

"운이 좋았군. 수천, 수만 개 중에 그런 것이 섞인다고는 들었는데 말이지."

……야 이 자식아. 그러니까 나머지 수천수만 개는 본래부터 시다는 거잖아. 천 개 중에 단맛이 있을 가능성은 사실상 0에 가깝다는 걸 알고도 계속 먹이다니. 에카이트를 어떻게 응징할까 잠시 고민하다가 그에게 반강제로 먹인 뱀 엑기스를 떠올리고 참기로 했다. 그건 맛뿐만 아니라 보기도 흉했으니 말이다.

내일 다시 오겠노라 작별을 고하는 에카이트를 대충 배웅하며 과연 내일은 평안할 것인가 진지하게 고찰했다. 당연한 이야기지만, 약이라면 무엇이든 피하지 않고 먹을 나이라고 호언장담했던 것이 무색하게 다음 날 도착한 에카이트의 짐을 확인하고 조용히 절규해야만 했다.

결코 에카이트가 혐오 식품을 먹였다고는 할 수 없다. 해 봐야 탕약이나 약초 정도였으니 말이다. 하지만 도대체 어디서 찾아내는 것인지 쓴맛, 신맛, 떫은맛 등 온갖 고약한 맛을 진하게 머금은 약초들은 약이면 투정 없이 먹는다던 발언을 후회하게 했다.

내가 저지른 짓을 생각하면서 처음엔 감내하며 먹었지만 이제는 슬슬 생각이 바뀌는 중이었다.

그때 내가 준 것들은 최소한 생김새로 경고하지 않았던가. 먹을 때 긴장하라고. 그런데 그가 준 건강식품은 겉모습만으론 그 맛을 상상할 수가 없어서 더 끔찍했다. 절반은 맛있었고 나머지 절반은 최악의 맛이었기 때문에 엄청난 혼란과 고민 속에서 먹을 수밖에 없었던 것이다.

하지만 역시 쓴 약이 몸에 좋다는 옛 어른들의 말이 틀리지는 않은 것인지 그 나름대로 효과가 있어서 침대에만 누워 있은 지 보름, 간단한 거동은 별 무리 없이 할 수 있게 되었다.

그리고 내가 거동을 할 수 있다는 말이 돌자 황태자와 봉뒤프베 부인을 선두로 동료 기사들까지 많은 사람의 방문 예약이 잡히고야 말았다. 그간 병문안을 핑계 삼아 방문하지 않은 것이 신기할 정도로 수많은 요청이 몰려들어 나름대로 골머리를 앓았다.

누구는 만나고 누구는 만나지 않을 수도 없어, 결국 얼굴을 아는 모든 사람의 방문 일정을 친분과 계급에 맞추어 조정하였다. 지난 생, 인맥과 친분의 중요함을 뼈저리게 느낀 나는 다소 피곤한 것쯤 참아 넘기기로 마음먹었다.

아직까진 재미없고 고리타분하며 딱딱하게 구는 모습이 신입 기사로서 귀엽게 보일 때라 이미지 궤도 수정도 수월했다.

첫 방문자로는 황태자가 당첨되었다. 그는 내일 아침 일찍부터 찾아올 거라 예고까지 했다. 방금 막 업무를 마무리하고 방문한 에카이트는 그 소식을 듣기 무섭게 대놓고 인상을 팍 구겼다. 주군이 방문한다는데 대놓고 인상을 구기는 꼴이라니. 너 잘났다, 그래.

“쯧. 환자에게 방문객은 좋지 않다고 누누이 경고하고 저지했는데 겨우 움직일 수 있게 되자마자 방문하시다니. 그나마 보름이나 조용히 지나갔던 것에 만족해야 하나. 그나저나 아직 회복이 더뎌 자리보전하는 주제에 방문객을 과하게 받고 있다는 생각은 안 드나?”

회복이 더딘 소리 하네. 우선 어깨에 그 정도 치명상을 입고 병가를 받은 사람이 보름 만에 이 정도로 회복한 걸 두고 더디다고 말하진 않는다. 그에게 회복이 빠르다 소리를 들으려면 다친 즉시 회복해야겠네. 그게 사람이냐? 말이 되는 소리를 해야지. 거기다가 누구 맘대로 방문객을 저지해? 그래서 그간 아무도 오지 않았구나. 이제야 방문객이 몰린 것이 이해가 된다.

그냥 못 들은 척 테라스로 걸어 나가 정원을 구경하니 에카이트가 한숨을 푹 쉰다.

그래, 푹푹 쉬어라. 한방에 팍 늙어 버리게. 입을 삐죽거리며 시선을 피하는데 마치 이제 시작인 양 잔소리가 길게 늘어진다.

“황태자 전하야 주군 되시는 분이니 방문해 주시는 것 자체가 영광이고, 봉뒤프베 부인도 그대와 친분이 있으니 반갑게 맞이해야지. 그런데 대체 왜 별로 친하지도 않은 기사들의 방문까지 승인해 준 건가? 그럴 시간이 있다면 차라리 시골 별장으로 요양이나 가는 편이 나을 텐데.”

잔소리 한번 징그럽게 하네. 무려 보름을 매일같이 얼굴을 맞대며 지내자니 슬슬 지겹고 짜증이 날 무렵이었다. 도통 편히 쉴 수가 없잖아.

따지자면 아버지도 퇴근하자마자 쏜살같이 달려와 에카이트가 허튼짓은 하지 않았는지, 몸은 좀 괜찮은지 꼼꼼히 체크하시며 잔소리를 뱉었다. 그래도 아버지는 아버지니까 그럴 수 있다고 쳐도, 넌 뭐냐? 아, 약혼자였지. 자꾸 잊어버린다.

에카이트는 꽤 충실하게 약혼자 행세를 했다. 일단 지금 살고 있는 삶은 약혼 직후니까. 자꾸 오락가락거리는 시제를 두고 잠시 정리의 시간을 가졌다.

종종 그와 이혼할 무렵 내지는 사이가 나빴던 때로 착각하는 바람에 지금으로선 딱히 흠잡을 구석이 없는 그를 오해하곤 했다.

엄밀히 말해 지금 내 단죄를 받아야 하는 녀석은 존재하지 않는 것이다.

그렇다면 내 분함과 억울함은 갈 곳을 잃는 것인가? 내 안에서 폭발해야만 하는 건가? 그는 나에게 충실했고 나 또한 그에게 충실했다. 서로의 속마음이야 어떻든 겉보기에 그러했다. 속이 어떻든 남들이 보기에 우리는 완벽한 커플인 셈이다.

이젠 리디아 펠튼은 그녀의 집착으로 계획까지 세워 가면서 에카이트와의 스캔들을 만든 사람이 되어 있었다.

귀족들은 창피한 줄도 모르는 리디아의 노골적인 유혹에도 흔들리지 않는 베이야드 공자 정도로 이해하고 있지 않을까. 젠장, 이건 무슨 상황인지. 전생에서 정강이라도 시원하게 차고 과거로 돌아왔으면 억울하지나 않았을 것을, 지금 그를 갈구고 핍박하여 봤자 이유 없는 폭력이자 심통 같아 영 개운치가 않았다.

심란한 마음에 인상을 잔뜩 찌푸리자 에카이트는 다시 안절부절못하는 표정으로 두 개의 약병을 흔들어 컵에 따른다. 저 조합은 진통제다. 아이고, 맙소사. 저게 제일 쓴데.

"아펠리아. 몸 상태를 좀 돌아보지. 모든 병문안을 받는 건 무리이지 않겠나? 우선 황태자 전하와 봉뒤프베 부인을 제외한 약속들은 취소시키도록 하지."

"……아니. 난 지금 지난 보름 중에서 제일 컨디션이 좋은 상태이고 유독 나쁜 점 하나를 들자면 자꾸 옆에서 잔소리하는 잔소리꾼을 들겠어. 요청하면 요청하는 대로 모두, 몽땅, 전부 만날 예정이니까 신경 쓰지 마. 개인적인 사교 관계도 무척 중요하거든. 남 걱정은 그만하시고 이만 돌아가는 게 어때? 허구한 날 귀가가 늦어지면 공작 부인께서 서운해하실 테니까."

잽싸게 건수 하나 잡았단 표정으로 약속들을 취소시키려는 에카이트를 단호하게 저지하고 엇나가는 청개구리처럼 방문객을 모두 만나겠다고 하자 에카이트의 표정이 찌푸려졌다. 가만 보니 의외로 표정이 풍부한 스타일이었다.

비아냥거렸지만, 마지막 말은 진심이었다. 아들 사랑이 보통이 아닌 공작 부인이 이 사태를 가만히 보고 있을 리 없다. 지금쯤 나를 생각하며 이를 갈고 있을지도 모른다. 진지한 표정으로 그를 바라보자니 에카이트가 한결 부드러운 목소리로 입을 열었다.

"컨디션이 좋다니 다행이야. 거기에 우리 어머니 걱정까지 해 주다니 영광스럽기 그지없군. 안 그래도 그대의 안부를 묻기에 그저 조금씩 나아지고 있다고만 했네. 찾아오시면 피차 불편할 테니, 방문을 권하지는 않았고."

……죄송합니다. 여차하면 공작 부인이 병문안을 위시해 방문할 수 있다는 뉘앙스를 풍기자 바로 꼬리를 말아 넣었다. 하기야 곧 결혼으로 맺어질 사이이니 불편하다는 이유 하나로 시어머니 되실 분의 방문을 거절할 순 없었다. 물론, 오신다는 가정 하에 말이다.

그런 결론이 나자 반항하던 마음이 공손해졌다. 베이야드 공작 부인을 이 상태로 마주하느니 차라리 곰 한 마리를 더 잡겠다. 달리 말해 앓느니 죽는다는 소리다. 내 찔끔한 표정을 열심히 감상하던 에카이트가 섞어 둔 진통제를 건넸다. 불만스러운 표정으로 약을 내려다보던 나는 그대로 입에 털어 넣었다.

여전히 쓴맛에 적응하지 못한 혀가 안으로 말려들어 가고 인상이 구겨지자, 에카이트가 빙긋 웃으면서 일어난다. 좋냐?

그의 시선을 따라 창밖을 보자 벌써 일몰이다. 드디어 갈 시간이 된 것이다. 날 한번 길다. 에카이트가 곧 떠난다는 것을 확인하자 몸에 긴장이 풀리는 기분이다.

“내일은 오지 마. 저녁 식사 일정까지 잡혀 있으니까.”

“……생각보다 손이 빠르군. 가급적이면 무리하지 말도록. 그렇다면, 모레 보도록 하지.”

단념이 빠른 점은 마음에 드네. 더 이상 반박하지 않고 자리를 떠나는 에카이트의 뒤통수를 바라보며 통쾌한 미소를 지었다.

내일 아침 첫 문병객인 황태자를 뵈려면 일단 약식으로라도 예복을 입어야겠지? 그 뒤로 봉뒤프베 부인이나 다른 기사들을 맞이하려면 적지 않은 다과가 준비되어야 할 것이다.

그럭저럭 움직일 만한 몸이지만, 아직 완전하지는 않다. 손님 맞을 준비를 철저히 지시해 놓고 아버지와 저녁 시간을 가진 후 도움을 받아 목욕을 했다.

그간 황태자의 행실로 보건대, 분명 동트기 무섭게 방문해 집을 헤집을 거다. 그리고 그 예감은 어김없이 현실이 되었다.

테이블 위로 트럼프 카드가 정신없이 세팅되고 있다. 직위와 관계를 고려해 황태자를 첫 번째 방문객으로 배정한 건 어쩔 수 없는 선

택이었지만, 지켜보고 있자니 후회가 들었다.

능숙한 손길로 카드를 움직여 세팅하는 황태자를 반쯤 포기한 시선으로 바라보다가 왠지 눈앞이 깜깜하게 느껴져 한숨을 내쉬었다. 이렇게 아침부터 진을 빼면 어떻게 다음 객들을 맞이할지.

예상대로 황태자는 이른 아침, 새벽이라고 불러도 좋을 시간에 들이닥쳤다. 귀족 레이디를 방문할 때에는 늦은 오전쯤에 첫 방문을 약속하는 것이 일반적이었다. 그보다 이른 시간에 방문하는 것은 오직 위중한 상황이나 대외적으로 인정되는 특별한 상황때 뿐, 이렇게 서둘러 방문하면 경우 없고 무지한 농민과 동급으로 취급을 받는다.

그러한 이유로 두 번째 방문객인 봉뒤프베 부인은 늦은 오후에 방문하기로 되어 있다.

하지만 황태자는 그러한 관념을 적용할 수 없는 예측 불허의 사람이라, 그에게는 무의미한 관습이자 예법에 불과했다.

황태자는 멀리서 떠오르는 태양을 바라보며 마음을 비운 채 명상하는 나를 김빠진 표정으로 바라보다가 트럼프 카드를 쭉 늘어놓고 있었다.

아직 조식을 들기 전이라고 하셔서-이 시간에 아침까지 먹고 왔다고 하면 오히려 무서웠을 것 같다- 식사부터 할 것인가 살벌하게 여쭙는 아버지를 가볍게 거절하고는 대신 블루베리에 버터를 곁들인 팬케이크와 진한 커피를 부탁하셨다.

이에 아버지는 살벌할 정도로 상냥한 미소를 지으며 물러났다. 저러다 커피에 똥이라도 타 올 기세인지라 부디 아버지가 저 주문을 그대로 메이드나 주방에 전달하길 바랄 뿐이었다.

과연 황태자의 아침은 무사히 나올 수 있을까. 고민하던 내가 고개를 갸웃하는데 한창 패를 세팅하던 전하가 갑자기 내게 눈짓을 보냈다. 둘밖에 없는 방에서 트럼프 카드라. 그 상대는 나라는 소리다. 속으로 한숨을 내쉬며 자리에 앉아 뒤집어 놓인 카드를 들어 올려 패를 확인했다.

조커라…… 나쁘지 않다. 하지만 전생의 경험을 살리자면, 전하의 밑장 빼기를 주의해야 한다. 그런 내 마음을 읽은 건지 때마침 황태자가 입을 열었다.

"나는 패가 나쁘군. 경은 어떤가?"

순간 찔려서 몸을 꼼지락거릴 뻔했다.

"……신경 써 주신 덕분에 잘 받은 것 같습니다."

아니, 그런 거 원래 말하면 안 되는 거 아닌가요. 태연하게 좋고 나쁘고를 논하는 황태자의 페이스에 말리지 않도록 최대한 완곡히 돌려 대답하니 그가 눈썹 하나를 삐뚜름하게 올리며 말했다.

"그래? 좋군. 그럼 봐주는 것 없이 해 보자고."

전하, 그렇다면 진심으로 임하겠습니다. 속으로 그렇게 말하며 전의를 다졌다. 이렇게 막무가내로 판을 벌려 밑장 빼기까지 하면 절대 이길 길이 없다. 거기에 단순히 패배로 끝나면 다행이지, 꼭 벌칙을 거니 어떻게 해서든 이겨야 하는 것이다.

눈에는 눈 이에는 이, 황태자가 밑장 빼기를 하면 나도 맞대응할 셈이다. 초반은 양심적으로 게임이 흘러갔다. 왜 굳이 초반이라는 말을 붙이냐 하면 정말로 초반만 그랬기 때문이다. 전생에 비해 덜 숙련된 실력으로는 밑장 빼기가 이루어지는 장면을 잘 잡아낼 수가 없었다.

전생의 기억을 떠올려 황태자의 손장난이 어느 타이밍에 이루어지는지 알아차릴 수 있었다. 방금, 밑장 빼기! 황태자는 잔기술을 쓰면서 동시에 말을 걸었다. 치사해!

"숲에서 무엇을 보았는가?"

"……나무를 보았습니다."

나는 평탄한 어조로 답했다. 어떤 대답을 원하는지 직접적으로 물어볼 때까지는 일상적인 대답을 유지해야 했다. 말을 아끼고 충직한 그런 상태로. 기사는 그래야 한다. 마음을 가다듬고 있자니 황태자가 다시 질문했다.

"그리고 또."

"전하께 잡아 바친 그리즐리 베어를 보았습니다."

그 거대한 짐승을 어찌 잊을 수 있을까. 아마 한 번 더 죽었다 살아나도 기억할 수 있을 것 같다. 그게 벌떡 일어서는데 지는 그림자 때문에 밤이 온 줄 알았다. 생각만으로도 소름이 돋아 구겨지는 인상을 최대한 잡아 폈다.

"어찌 그것을 잊을 수 있을까. 평생에 처음 보는 것이라 단언할 수는 없으나 쉬이 잊을 수 없는 크기였다. 제국 역사에도 등장할 만큼 오래 산 녀석이라 하더군."

황태자가 흡족한 미소를 지으며 손기술을 부렸다. 역시 방심할 수 없는 상대다. 차례가 돌아와 나도 밑장 빼기를 시도했다.

지금의 몸으론 분명 처음 하는 것인데 능숙하게 손이 움직이는 것으로 보아 인간을 지배하는 가장 큰 요소는 어쩌면 정신, 혹은 기억일지도 모른다. 내게 유리한 카드를 내려놓으며 잠시 끊어졌던 대화를 이었다. 전하가 밑장 빼기를 염두에 두고 섞은 패이니 밑장이 좋은 장일 것이란 짐작이 맞았다. 주군 앞에서 밑장을 빼자니 가슴이 쿵쿵 뛰는 것이, 이러다가 심장을 토할 기세다.

"그저 전하의 명예에 누가 되지 않을 만큼 노력했습니다."

……그놈의 곰탱이를 떠올리자니 갑자기 어깨가 쓰라리다. 아직

회복 중이니 이상한 일은 아니지만, 괜히 기분이 찜찜하다. 내 대답에 황태자가 이미 곰의 가죽은 침실 융단으로 사용하기 위해 가공 중에 있다고 설명했다. 그리고 그 와중에 또 밑장을 뺀다. 나도 지지 않고 밑장 빼기를 계속하며 대화를 속행했다.

“그래서, 숲에서 만난 첩자는 어떠하던가?”

“……알고, 계셨습니까?”

하마터면 밑장 빼기 하던 카드를 떨어뜨릴 정도로 당황했지만 이내 마음을 가라앉히고 침착하게 카드를 회수했다. 손끝이 살짝 떨리고 있었다.

“아니, 중요한 것은 그것이 아니니까. 어찌 알았냐고 물으니 답해 주지. 경의 어깨를 살피던 의원이 고개를 갸우뚱거리더군. 왜 그렇게 보냐고 물으니, 지혈된 모양새가 인위적이라고 말했어. 실력 있는 의원이 제대로 치료해도 모자랄 정도로 깊은 상처인데 아주 깔끔하게 피가 멎었다고. 한쪽 팔을 다친 기사가 혼자서는 할 수 없는 처치라고 말이야.”

“……그렇다면 그저 심증으로 하신 말씀이셨군요.”

낚였다. 순간 드는 생각을 뒤로하고 씁쓸한 어조로 반문하자 황태자가 가볍게 고개를 끄덕였다. 상황을 보고하기 전에 이렇게 먼저 파고드는 분이셨지. 잠시 잊고 있었다.

순간 의문이 들었다. 에카이트는 정말 몰랐을까? 그런 쪽의 감각이 더욱 발달한 것은 에카이트가 아니던가? 알고도 내색을 안 한 건가? 황태자도 그런 내 의문을 알아챘는지 다음 질문이 이어지기 전에 먼저 입을 열었다.

“에카이트라면, 그 첩자의 뒤를 밟느라 정신이 없었을 테지. 처음부터 사람을 붙여 첩자의 뒤를 밟게 했던 것 같군. 정확히는 경의 뒤를 말일세. 하지만 워낙 자네의 감이 좋다 보니 들키지 않게 거리를 두고 따라가다 잠시 놓쳤던 모양이야."

대단하다, 정말. 뭔가 태연자약하다 싶었는데 믿는 구석이 있긴 했었구나. 내가 고개를 끄덕이는데 황태자의 말은 계속해서 이어졌다.

"그 문제로 에카이트가 상당히 분노한 것 같던데 어떤 처벌이 내려질지 궁금하군. 나는 그저 에카이트가 요즘 영 바쁘게 굴기에 그 뒤를 캔 것뿐이야. 이 제국에서 내가 모르는 일은 없어. 내가 칼라한 제국의 유일한 황태자라는 걸 잊은 건 아니겠지?"

……전하, 감명 깊은 연설입니다만, 이 상황에서까지 밑장을 빼야겠습니까? 티 나지 않게 보조를 맞추어 카드를 내리며 생각했다.

에카이트는 정말 대단한 녀석인 것 같다. 적국에 속한 녀석이 아니라서 다행이다. 아니, 국적은 같을지라도 적이나 다름없는 상태 아닌가? 잠시 오락가락하는 사이 전하가 유심히 내 손을 보신다. 설마?

"이야기 중에 미안하지만, 혹시 경도 지금까지 밑장 빼기를 한 건가?"

"……'경'도 라고 말씀하시는 분께서 물으실 건 아닌 것 같습니다. 봐주는 것 없이 하자 하신 것은 전하가 아닙니까."

"큭, 하하하! 그래, 그랬지. 하지만 아무리 그래도 그렇지, 그 표정! 그 얼굴로 태연히 쭉 밑장을 뺐던 건가?"

웃는 황태자를 보고 있으니 당황스럽다. 전하께서도 태연한 얼굴로 쭉 밑장을 뺐습니다만. 황태자는 한동안 계속해서 시원하게 웃음을 터뜨렸다. 조금 시간이 지나 진정된 것처럼 보여 옆의 탁자에서 물을 따라 건넸다.

"큭, 하하. 정말 오랜만에 속 시원하게 웃었군. 판은 접지. 계속 밑장이나 빼면서 무슨 게임을 하겠는가."

황태자는 그렇게 말하며 카드를 모아 섞다가 카드 몇 장을 골라 내밀었다. 그것은 내가 처음에 쥐고 있었던 카드였다.

"이것이 누구의 패인지 기억하는가?"

"제가 기억하는 것이 맞다면 제가 처음 받았던 패로 기억합니다."

"그리고 내가 쥐고 있던 패이기도 하지. 나는 패가 나쁘다고 생각해 버렸고, 자네는 패가 좋다고 생각해 가지고 있었지. 결국은 같은 패인데 말이지. 어떻게 생각하나?"

같은 패, 다른 평가. 시선의 차이다.

이러한 시선의 차이는 왜 생겨났는가? 서로 다른 입장에 서 있기 때문에 그런 게 아닐까. 하지만 더 큰 이유는 스스로 '선택'했기 때문이라고 생각한다. 같은 것을 보더라도 보는 사람의 입장과 생각에 따라 관점이 달라진다. 한참을 심각하게 생각하고 있는데 황태자가 입을 열었다.

"나는 낙관론자가 아니야, 아펠리아. 비관론자에 가깝지. 일단 의심하는 것에서 시작하는 거야. 보수적이라고 할지도 모르겠지만, 그만큼 안정적이지. 하지만 한 가지 입장을 고수할 순 없어. 한 나라의 황태자니까. 이 제국을 올바른 길로 이끌기 위해, 양측의 의견을 듣고 올바른 방향으로 유도하는 중재자이고 싶네. 이해했는가?"

"……완전히 이해하기엔 무리입니다만, 말씀하신 의도는 알겠습니다."

내 대답에 황태자가 만족한 듯 고개를 끄덕이며 카드를 현란하게 섞기 시작했다. 탁탁 튕기듯 명쾌한 소리와 함께 카드들이 뒤섞이는 것을 그저 바라보는데 황태자의 손이 멈췄다. 그리고 그중 한 장을 뽑아 테이블에 붙여 튕기듯 내 쪽으로 밀었다.

미끄러져 오는 카드를 손가락으로 가리키자 카드가 멈추고 허공으로 휙 떠오른다. 손가락 끝에 집중된 마나를 이용해 카드를 휙 당겨

오자 카드가 뒤집어지며 손에 잡힌다. 조커였다.

"역시 마나를 다루는 데에 있어서 경만 한 기사가 없군. 섬세하고 예리해."

"과찬이십니다. 더욱 정진하라는 소리로 알고 감사히 듣겠습니다."

손에 잡은 조커를 유심히 보던 나는 카드를 테이블에 놓고 손가락을 올려 마나를 운용하였다. 손가락 끝에 맴도는 마나의 파장을 적당히 머금은 카드가 천천히 미끄러져 전하 앞에 당도할 무렵이 되자 마나를 모두 소진하고 멈추었다.

"세상에 절대로 불가능한 일은 없습니다, 전하. 원하시는 대로 하명하십시오. 따르겠습니다."

조커를 집어 품에 넣은 황태자가 자리에 깊숙이 기대앉으며 묘한 시선으로 나를 응시했다. 그 시선을 피하지 않고 황태자를 마주 봤다.

역시 내 감이 맞는지 황태자가 만족한 시선으로 고개를 끄덕였다. 아마 내 눈에서 결단을 읽으셨음이다.

"좋아. 첩자, 그를 파헤쳐라. 어떠한 위험을 감수해서라도. 이번 일을 통해 확실히 알았다. 그자가 노리는 것은 경이다. 다른 누가 대신할 수 없는 일임이 분명해졌다. 최소한의 희생으로 최대한의 것을 얻어 내도록."

"명을, 받습니다."

내 대답과 동시에 노크 소리가 들리며 음식들이 들어왔다. 그와 동시에 황태자가 자리에서 일어서자 당황하여 벌떡 일어나고 말았다. 혹시 아버지, 정말 커피에…….

"난 됐네. 대체로 회복에 도움이 되는 음식들이라던데 제대로 기억해 주문했는지 모르겠군."

"전하, 정말 냉수 한 잔으로 괜찮으신 겁니까."

"과연 그것이 그냥 냉수 한 잔이었을까."

……아버지, 저거 혹시 술인가요. 순간 미심쩍은 표정으로 물병을 힐끗거리자 황태자가 비죽 웃고는 내 어깨를 가볍게 두드렸다. 하필이면 상처 부위를 건드릴 게 뭐람. 갑작스러운 통증에 신음을 내고야 말았다. 당황한 황태자가 물었다.

"이런! 죽을 만큼 아픈가?"

꼭 말을 하셔도. 안 죽을 만큼 아프면 아파도 되는 것처럼 그러시네요. 애써 신음을 삼키며 괜찮은 척을 했다.

"……아닙니다."

"아, 그것참 다행이군. 그럼 참게."

전하, 정말……. 할 말을 잃게 만드는 미소에 묵묵히 고개를 끄덕이는데 문득 테이블에 카드가 남아 있다는 사실이 떠올랐다.

"전하, 카드를 잊으셨습니다!"

"아, 선물일세. 에카이트한테 이르지 말라고. 이를테면 뇌물이지, 뇌물. 내가 가려고만 하면 별 희한한 핑계를 대며 막는 게 아닌가. 오죽하면 자네에게 직접 편지를 썼겠나. 그럼, 푹 쉬게."

나가는 황태자에게 정중히 인사하고 상처를 다시 보려는데 발걸음 소리가 들렸다. 다시 돌아오시는 건가? 역시 카드를 챙겨 가려고?

의아한 표정을 짓고 있자니 문 앞에 황태자가 나타났다. 그는 잠깐 사이에 뛰기라도 한 건지 살짝 흐트러진 얼굴로 가볍게 숨을 뱉으며 무언가를 웅얼거렸다. 잘 들리지 않아 눈을 가늘게 뜨고 가까이 가서 들으려는 나를 황태자가 손짓으로 제지했다. 그러고는 단호하게 말했다.

"잘못 이해했을까 봐 다시 제대로 말하지. 절대로 죽으면 안 돼. 알겠나?"

그리고 대답도 듣지 않고 그대로 휙 나가셨다.

저도 딱히 죽고 싶어서 환장하진 않았으니 알아서 열심히 조심해 보겠습니다, 전하.

듣는 이 없는 다짐을 조용히 뱉고는 다시 카드가 놓인 곳으로 걸음을 옮겼다. 단정히 정리되어 있는 카드. 하지만 중간쯤, 유독 삐져나온 카드 한 장이 거슬려 살짝 뽑아냈다.

조커. 분명 황태자가 품에 넣었던 카드다.

이거다. 나는 그 조커를 조심스레 뽑아 그대로 품에 넣었다. 첩자의 정체를 밝혀낸 후 다시 돌려줄 것이다. 나머지 카드는 잘 갈무리하여 보석함에 넣고 마나로 잠금을 걸었다.

그나저나 봉뒤프베 부인은 언제쯤 오려나.

나는 그대로 의자에 파묻히듯 앉았다. 피곤하다. 전하는 카드를 들고 왔으니, 봉뒤프베 부인은 룰렛이라도 들고 오려나. 생각만 해도 지친다. 유독 긴 하루가 될 것 같다.

두 번째 손님인 봉뒤프베 부인에게 동행이 있을 예정이라는 소식에 약식이나마 드레스를 입고 기다리던 나는 그녀가 룰렛을 들고 방문할까 장난 섞인 우려를 표했던 내 상상력에 주리를 틀고 싶어졌다.

차라리 룰렛을 메고 오는 게 낫지. 어째서 리디아 펠튼과 함께 온 거야?

유모가 당황스러운 목소리로 봉뒤프베 부인의 입장을 알려 와, 별 생각 없이 들어오라 했는데 리디아 펠튼의 얼굴이 나타났다.

봉뒤프베 부인과 또 다른 동행으로 보이는 여자는 감히 입도 제대로 못 열고 허리 숙여 인사를 건네는데 리디아 펠튼만이 당당하게 앞서 나와 안부까지 물어 온다. 리디아 펠튼, 아직 네가 덜 당했구나. 나는 속으로 이를 갈면서 화사한 미소로 마주했다.

그에 리디아 펠튼이 미묘하게 움찔거렸다.

왜, 내 웃는 얼굴이 무서워서? 그럼 거울은 어찌 보려고? 너구리랑 여우를 반반 떼어다 섞어 놓은 구렁이 같은 내면을 비출 수 있는 거울이 있다면, 넌 그 거울을 보는 순간 심장마비로 쓰러져 장례식을 치르게 될 거다.

이런 마음속 빈정거림이 들릴 리 없는 리디아는 여전히 뻔뻔한 표정으로 다가와 입을 연다. 그 근성만은 높이 사 줄 만하다.

"어머, 편찮으시다고 들었는데…… 그런 드레스 차림이라니, 역시 과장된 소문이었나 보네요. 약혼식 이후 처음인가요?"

이거 왜 이래, 아마추어같이. 드레스라도 안 입었으면 얼마나 소문을 냈으려고. 그 정도는 알고 있어. 아쉬워하는 표정으로 보아 짐작이 맞는 것 같다.

저렇게 화려한, 감히 병문안에 입을 생각을 한 발상 자체가 괘씸할 정도로 과한 의상은 분명 병환으로 내가 제대로 의복을 차리지 못했으리라 계산하고 입은 것이 틀림없다.

하지만 아무리 기대에 못 미쳐서 아쉽다고 해도 책잡힐 언행을 하지는 말았어야지. 내가 환영의 미소로 그 불여우 같은 여자의 수에 응했다. 이 정도로 물러설 줄 알고? 그리즐리를 잡고 나서 전투력이 오른 기분이다.

"이런. 리디아, 반가워요. 이렇게 찾아올 줄 몰랐는데 얼굴을 보니 기쁘군요. 하지만 내가 초대한 입장인 데다 영애보다 한참 위인데…… 여전히 무례하군요. 먼저 안부부터 묻는 것이 상식인데, 이 상황만 봐서는 누가 상전인지 모르겠어요."

내가 리디아를 차갑게 쳐다보았다. 그러다 이내 너그러운 미소를 지었다.

"물론 나야 리디아 영애가 아직 잘 모르기에 저지른 실수임을 알아 큰 문제 삼지는 않겠지만, 다른 영애들은 어떨지 모르지요. 가문에서 잘못 배워 왔다는 소문이라도 돌면 장차 가문에도 누가 되지 않겠어요? 아무쪼록 충고이니 너무 고깝게 듣지 않았으면 하는데…… 혹시 기분 나빴나요?"

나쁘겠지. 더럽겠지! 그러라고 하는 소린데 듣고도 기분이 안 상하면 내 마음이 아프지 않겠어?

겉으론 완곡하게 가르치면서도 어르는 어조인지라 어느 누구도 내게 뭐라 할 수 없다. 먼저 실수한 쪽은 리디아가 아니던가. 그 점을 정확히 집으며 부드럽게 웃었다.

남작이라 하면 겨우겨우 귀족이라 할 수 있는 신분으로 가장 위태롭고 보잘것없는 직위이기도 했다.

그 직위를 가진 당사자도 그러한데 고작 그 딸인 리디아가 누릴 수 있는 권리는 거의 없다고 말해도 부족함이 없었다. 평민들에게나 큰소리치고 다른 귀족들에겐 몸을 낮춰 생활을 유지하는 정도가 아닐까. 잘하면 결혼으로 판도를 바꾸거나 개선한다곤 하지만 지금의 리디아 펠튼은 말 그대로 사교계 밑바닥 인사인 셈이다.

아무튼 그러한 이유로 상당히 적절한 충고를 했다고 볼 수 있다. 아 시원하다. 고소해하고 있는데, 리디아를 아니꼬운 시선으로 쳐다보던 봉뒤프베 부인이 웃음으로 무너지려는 입꼬리를 애써 붙잡는 모습이 보였다.

참지 말고 그냥 웃지. 그러면 리디아가 눈을 까뒤집으며 발악할지도 모르는데. 귀까지 붉게 물들인 펠튼이 이를 악물고 웃는 표정을 짓는다. 거듭 생각하지만 불굴의 의지만은 본받을 만하다.

"……물론이에요, 영애. 제가 실수했어요. 친절하게 가르쳐 주시니 몸 둘 바를 모르겠네요."

몸 둘 바를 모르겠지. 열이 오를 대로 올라서 아마 상상으론 내 머리를 열 번도 더 쥐어 잡았을 것이다. 그렇게 갈아서 이가 다 갈리겠냐. 열 받은 표정을 감출 줄 모르는 그녀를 무시하며 위아래로 훑어보았다.

심지어 오늘도 붉은 드레스다. 병문안 오면서 붉은 드레스를 챙겨 입는 것은 도대체 무슨 감각인지 모르겠다. 꼭 버무리다 만 토마토 샐러드를 보는 기분이라 왠지 속이 메스껍다.

아, 혹시 저 드레스가 그 드레스인가? 친히 황태자가 주최한 나의 약혼 파티에서 슬쩍 음료를 쏟아 옷을 갈아입고는 에카이트가 선물해 준 옷이라고 주장하려던?

이게 그 옷이 맞다면 네가 아주 정신을 놨구나. 병문안에 화려한 드레스를 입고 온 것도 웃긴데 사연 있는, 그것도 나와 관련 있는 저 드레스를 입다니. 정말 미쳤나?

그녀를 유심히 바라보다가 시선을 옮겨 같이 온 영애를 보았다. 그녀는 리디아 펠튼에 비하면 아주 정상적인 차림이었는데, 전에 약혼식 무도회에서 인사를 나누었던 질리언 백작 가문의 멜리사 백작 영애였다.

전생에서 동료 기사인 넬슨과 결혼한 영애인지라, 파티에서 잠시 보고 지나간 얼굴임에도 뚜렷이 기억하였다. 과거 넬슨과 제법 괜찮은 사이였기에 그녀도 과거에 내 편…… 을 뚜렷하게 든 것은 아니었지만, 나쁜 소문을 내는 사람은 아니었다. 남편의 체면 때문일지 몰라도 일단은 그랬다.

거기다 지난 약혼 파티 때 상당한 수에 달하는 영애들을 거느리고 나타났던 것으로 보아 젊은 영애들 사이에서 중심을 잡고 있는 것 같았다. 그런 그녀가 여기에 있다니. 이는 좋은 기회였다.

리디아 펠튼이 어떤 수를 써서 이 개인적인 자리에 꼈으며 어떤 수를 쓰고 싶어 이 자리에 나타났는지는 모르나 나 또한 상황을 이용하면 그만이었다. 슬쩍 봉뒤프베 부인의 표정을 살피니 영 불편하고 꺼림칙해하는 것이 의도된 동행은 아닌 것 같았다. 어째서 일이 이렇게 됐는지는 나중에 천천히 물어보면 된다. 나는 표정을 태연히 하며 미소를 지었다.

"어머, 이런. 내가 손님들을 너무 오래 세워 놨네요. 붉은색 드레스가 너무 인상 깊은 바람에…… 일단 자리로 앉아요들. 대화는 앉아서 나누도록 하지요."

불편한 시선으로 인사도 제대로 못 건네던 봉뒤프베 부인과 백작 영애가 다소 안심한 표정으로 걸음을 옮겼다. 거기에 붉은색 드레스를 은근히 꼬집고 넘어가는 내 말을 듣고 웃음을 참지 못한 백작 영애가 실소를 흘린 덕분에 리디아 펠튼의 눈초리가 하늘을 찌를 만큼 치솟았다.

네가 어쩔 건데? 하물며 똥개도 자기 집 마당에선 반절 이기고 시작한다는데 감히 네가 내 집 안까지 들어와서 수작 부리게 가만둘 정도로 내가 만만해 보였어?

속으로 전의를 다지며 가장 상석에 해당하는 자리로 움직여 앉자 리디아 펠튼이 내 바로 옆, 그다음 상석에 해당하는 자리로 먼저 걸음을 옮겨 앉는다. 이게 정말 미쳤나 보다.

나는 대놓고 혀를 차고 싶은 마음을 애써 억누르며 입을 열었다.

베이야드 공작 부인이었다면 정말로 혀를 차고 망신을 줬을 텐데 아직 그러기엔 내 입지가 부족하다. 아쉽다.

"이런, 리디아. 오늘 어디 안 좋은 일이라도 있었나요? 오늘따라 계속 실례를 범하는군요. 거기는 내가 앉은 자리 다음가는 상석이에요. 자리를 옮겨 주겠어요?"

"……사적으로 만나는 자리에 상석을 두고 앉게 하실 줄은 몰랐어요. 평소 고압적이고 권위주의적인 태도로 소문이 자자한 영애라는 걸 잠시 잊고 있었네요. 일일이 지적하게 만들어 죄송합니다."

사석에서도 계급으로 건방을 떨고, 고압적이고 권위주의적 태도로 주변의 평판이 나쁜 것은 알고 있냐. 이렇게 사소한 것까지 지적하고, 치사하다. 그런 말을 하고 싶은 거렷다?

그녀의 말에 입꼬리가 삐쭉 올라갔다. 저런 노골적인 빈정거림을 좋게 넘기면 도리어 바보 소리를 들을 것이 분명하니 마음에도 없는 아량을 보일 필요는 없었다. 하지만 이번엔 나보다 질리언 백작 영애가 더 빨랐다.

"어머, 그 무슨 실례의 말씀을? 혹시 폰디체리 공녀가 기사라서 고압적이라고 말해 무례를 범하려고 하는 것은 아니겠지요, 펠튼 영애?"

레몬색의 간편한 드레스를 입은 질리언 영애는 두 번째 상석을 봉뒤프베 부인에게 양보하고 세 번째 상석에 앉아 매서운 눈매로 리디아 펠튼을 쳐다보고 있었다. 이건 또 무슨 조화인가 하고 상황을 보고 있자니, 종전의 기세를 누그러뜨린 리디아 펠튼이 빠르게 자리를 제일 낮은 좌석으로 옮겨 앉으며 먼저 꼬리를 만다.

하긴, 사교계의 한 축이나 다름없는 백작 영애에게 시비를 걸어서 남는 것이 없는 것은 자명했다. 하지만 그 성격은 어떻게 주체할 수 없었는지 기어코 한마디 한다.

"설마요. 오해예요, 질리언 영애. 근거 없는 소문이 없다는데, 소문을 알고도 먼저 조심하지 못한 제 탓을 하는 것이지요."

"그것참 경우 없는 대답이로군요. 더는 그대를 상대하지 않겠어요. 아무리 사석이라 해도 귀족 영애끼리의 만남에서는 예법을 지켜야죠. 고작 남작 영애가 건방지군요."

감정적이지만 단호한 태도로 고개를 돌리는 질리언 백작 영애를 보자니 내심 통쾌해져서 저절로 표정이 풀리는 기분이다. 마치 대리만족하는 기분이다. 그래서 나는 내가 고수하던 방식대로 대화를 풀기 시작했다. 일명 단호한 면이 있으면서도 순수하고 호의적인 영애의 방식이랄까.

"아니에요, 멜리사. 펠튼 양의 말대로 사석이니 너무 엄하게 예법을 강조할 필요는 없었지요. 내가 자리를 두고 충고한 이유는 혹시나 멜리사와 부인이 기분 상할까 걱정돼서 그런 것이었어요. 기껏 귀한 시간을 내어 병문안에 와 주신 분들의 기분이 상할 수도 있단 생각에 저도 모르게."

내 개인적인 이유랑 상관이 없기는. 완전 많지.

속으로 분노를 삭이며 그렇게 말하자 질리언 백작 영애가 볼까지 발갛게 붉혀 가면서까지 기쁜 기색을 숨기지 않는다. 자기보다 윗사람도 뭐라고 하지 않는 상황에서 먼저 괜히 나선 것은 아닐까 걱정하던 차에 내가 이렇게 말하니 큰 위안이 됐을 것이 분명했다.

거기에 또래의 귀족, 그것도 자기보다 상위 계급인 귀족이 이름으로 부른다는 것은 친분의 상징이기에 병문안까지 오면서 친해지려던 그녀 입장에서 꽤나 기뻤을 것이다.

자화자찬 같지만 결국 미혼 영애 중에 최고 신분을 가진 사람이 나인 이상, 나와 긴밀히 지낸다는 것은 엄청난 권리와 명예의 상징인 셈이니까 말이다. 그러고 보면 이번 생에 공녀는 나 하나뿐이다. 그러니 오죽할까. 내가 적당히 친한 척을 하자 신이 난 것인지 질리언 백작 영애가 살갑게 웃으며 더욱 친한 척을 해 온다.

"어머, 어쩜. 상냥하셔라. 아, 이 옷. 혹시 알아보시겠어요? 보시기에 어떤가요? 영애께서 약혼식 날에 입으셨던 옷이 지금 대유행이라 흉내를 좀 내 보았답니다. 아직 영애만큼 대범하진 못하여 드레스의 기장까진 따라 하지 못했는데, 색상만큼은 어디서든 잔뜩 볼 수 있을 만큼 유행이에요."

질리언은 봐 달라는 듯이 자리에서 일어나 천천히 한 바퀴를 돌며 옷을 자랑했다.

"호호, 온 도시가 봄꽃이 핀 것 같이 화사하다니까요. 얼른 회복하셔서 나가 보시면 단박에 아실 텐데, 정말 안타까워요. 자신이 주도한 유행을 감상하는 기회는 정말이지! 부러워요, 영애."

"덕분에 저도 때 아닌 호황을 맞이해서 얼마나 기쁜지 몰라요. 보통 이맘때면 짙은 색의 겨울 의복으로 많이들 준비를 하는데, 공녀님 덕분에 다들 노란 계통 드레스를 부탁하더라고요. 올겨울엔 예년보다 좀 더 밝은 의상이 잘 나갈 것 같아 보입니다. 이게 다 공녀님 덕분이니, 겨울 의상 한 벌쯤은 선물로 드려야 맞겠지요. 받아 주시는 것만으로도 영광이지만, 입어 주신다면 그보다 큰 영광이 없을 것 같네요."

이에 질세라 봉뒤프베 부인이 끼어들어 찬사를 더했다. 선물을 준비하겠다는 말에 그렇다면 사양하지 않을 테니 부담 가지 않는 선에서 준비해 달라고 답했다. 그러자 마음 씀씀이가 아름답다는 낯간지러운 찬사가 쏟아졌는데, 아주 작정을 하고 칭찬을 내뱉는 것 같았다. 마치 누구 들으란 듯이.

아니 잠깐. 무난하게 다음 화제에 집중하던 중, 봉뒤프베 부인과 질리언 영애가 했던 종전의 말을 무의식중으로 곱씹다가 걸리는 내용이 있어 잠시 몸을 꿈질거렸다.

그러니까…… 그 노란색 드레스가 요즘의 수도를 뒤덮었다고? 한겨울을 코앞에 둔 이 시기에? 직접 보면 계절을 착각할 정도로 만개한 개나리 밭이 따로 없어 보이겠다.

쏟아지는 칭찬에 과찬이라고 웃으면서 다시 그 공을 항상 좋은 옷을 디자인해 주는 봉뒤프베 부인에게 돌리자 방 분위기는 봄날을 연상시킬 정도로 따스해졌다.

물론 리디아 펠튼 주변엔 북풍한설이 한창이었지만 말이다. 펠튼이 혼자 눈보라를 날리든 뭘 하든 신경 쓰지 않고 화두는 내 상처와 사냥 대회로 옮겨 갔다. 방문의 본 목적이 병문안인 만큼 이제야 상처 이야기를 하는 건 다소 늦은 감이 없잖아 있지만, 그럭저럭 무난하게 이어졌다.

"어마어마하게 큰 그리즐리의 심장을 단숨에 꿰뚫어 해치우셨단 말에 온 수도가 난리법석이었답니다. 영애가 많이 다치신 바람에 황태자 전하께서 많이 놀라셨는지 직후에 있었던 행진이나 시상 행사에 나오시진 않으셨지만…… 승전 행진에서 영애가 잡은 그리즐리가 당연 첫 번째 수레에 있었답니다. 말들도 겁을 내서 수레를 끄는데 꽤나 고생했다지요, 호호."

아하. 그러고 보니까 시상 행사나 행진에 못 갔구나. 전생에서는 거기서 박수받고 아주 난리도 아니었는데. 기사로서 인지도를 올린 결정적인 이벤트이기도 했고 말이다. 그나저나 황태자가 놀랐다니. 태연자약하게 행사를 마무리했다는 소식을 기대했는데 말이다.

하기야…… 제법 심하게 다치기는 했었다. 내가 납득하고 부끄럽게 고개를 끄덕이는데 봉뒤프베 부인도 거기에 가세한다. 아, 이 사람들 정말 아부의 정석으로 책을 내도 될 수준이다.

"호호, 또 다른 그리즐리를 잡아 2등을 차지한 기사는 기가 죽어 자랑스러워하지 못하더라고요. 그 광경에 감명받은 질리언 영애가 병문안 갈 때 꼭 불러 달라고 어찌나 당부하던지요."

여기까지 말한 부인이 질리언 영애를 보며 눈웃음을 짓자 잠시 침묵을 공유하던 두 사람이 이내 까르륵 웃음을 터트린다. 뭐지? 내가 어색한 표정으로 그 둘을 바라보자 봉뒤프베 부인이 웃음을 가라앉히며 입을 열었다.

"2등을 차지한 기사의 그리즐리는 온몸이 난자되어 그다지 고운 모양은 아니었어요. 저희야 잘 모르지만, 검을 아는 신사들 말로는 그렇게 깨끗하게 사냥한 건 기적에 가깝다던데요? 다들 칭찬 일색이었어요. 2등을 한 기사도 대단하다곤 하지만 영애께서 워낙 대단하셔서 소문거리도 되지 못했답니다."

아이고. 괜히 엉뚱한 사람을 기죽이고 불쾌하게 한 것은 아닌지 괜히 미안해진다. 그나저나 그리즐리라. 혹시 전생에 내가 잡았던 녀석을 다른 누가 잡게 된 것인가? 막연한 추측이었지만 그럴 가능성이 아예 없는 건 아닌 것 같았다.

첩자가 결정적인 도움을 준 덕에 잡은 거라 다소 찝찝하고 민망했지만 내 민망한 미소를 겸양의 미덕으로 받아들인 두 사람이 흡족한 시선을 교환한다.

리디아는 코밑에 개구리라도 붙은 표정이었다. 표현할 수 없이 괴랄하다는 뜻이었다. 리디아를 신경 쓰지 않고 소외시키기로 작정한 듯, 봉뒤프베 부인이 먼저 입을 열었다.

"그나저나 몸은 많이 나아지셨나요? 꽤 심각하게 다치셔서 한동안은 병문안도 못 한다 하니, 많이 걱정했습니다. 한때는 영애가 죽었다는 헛소문까지 돌아서 에카이트 님이 직접 단속을 하셨어요. 저도 처음에 소문을 듣고 너무 놀라서 기절할 뻔했답니다. 영애가 잘못되길 바라던 사특한 세력이나 인물이 세치 혀를 놀린 것은 아닌가, 의심이 되네요."

봉뒤프베 부인이 사특한 세력이나 인물을 발음할 때에 유독 힘주어 말하며 리디아를 노려보았다. 질리언도 새침한 기침 소리를 내며 부인을 따라 그녀를 슬쩍 바라보고 지나갔다.

우와. 내가 아무리 둔하고 무덤덤한 성격이지만 저런 시선들을 정면으로 받으면 기가 죽다 못해 위축되고도 남겠다.

속으로 조용히 혀를 찼다. 전생에선 나를 한심하고 고깝게 보는 사람들의 시선도 그렇게 눈치가 보였는데.

그러한 시선을 경험해 봤던 입장으로서 마냥 통쾌하지만은 않아 리디아를 힐끗 보았다. 그런데 잠깐이나마 동정했던 것에 스스로가 화가 날 정도로 새침한 표정을 짓고 있는 게 아닌가. 게다가 피식 웃는 입매를 보고 입을 떡 벌리는데 정확히 그 순간에 리디아와 눈이 마주쳤다.

그녀는 내 얼굴을 쓱 훑어보고 눈을 밑으로 내리깔며 입꼬리를 더욱 샐쭉하게 올렸다가 이내 평안한 표정으로 돌아왔다. 와, 이거 나만 본 건가? 황당해서 멍하니 리디아를 바라보는데, 눈치채지 못한 것인지 질리언 영애가 걱정스러운 표정으로 다시 말문을 열었다.

"크게 다치셨단 말에 많이 걱정했는데 병문안을 받아 주신다기에 정말 괜찮은지 영애를 만나 보고 싶었답니다. 혹시 저희가 방문하여 피곤하게 해 드리는 것은 아닌지 걱정이네요."

음. 그렇죠. 일단 리디아 덕분에 많이 피곤해요, 정신적으로. 리디아를 힐끗 보고는 다시 시선을 돌려 이제는 많이 나아져서 괜찮다고 답했다. 순간 내 은근한 시선을 따라 같이 시선을 돌렸던 봉뒤프베 부인과 질리언 백작 영애가 알 만하다는 표정을 지었다.

여전히 표정 하나는 도도하기 그지없는 리디아였지만 계속해서 눈치 주는 사람들이 슬슬 불편하다는 심기를 미묘하게 드러내고 있었다.

약 올리려 온 거야 뭐야. 구태여 여기까지 온 이유가 무엇인지 정확히 알 길은 없지만, 온 이상 제대로 대접해 줄 생각이다. 나는 그녀가 입은 옷을 내려다보며 미소를 지었다.

깐죽거리는 표정으로 내 약을 올리려 애를 쓴 것에 대해 보답을 해 줘야 하지 않을까.

펠튼, 너는 에카이트가 준 '돈'으로 '네가 산' 드레스였지만 지금 내가 입고 있는 옷은 에카이트가 손수 주문해서 보내 준 옷이란다. 베이야드 저택으로 병문안을 다닐 때 공작 부인 대비용으로 마련한 옷이었다.

까칠까칠한 느낌을 살린 천으로 만든 진녹색 옷이었는데, 부팡 드레스-풍성하게 퍼지는 종모양의 벨(Bell) 라인이 대표적인 드레스. 허리까지는 타이트하게 재단하고 힙부터는 급작스럽게 퍼지는 디자인-인지라 별다른 장식이 없어도 화사했다.

여름에 맞춘 옷인지라 어깨 부분이 시원하게 트여 있어 지금의 계절에는 살짝 춥게 보이는 감이 있어 금사를 섞어 짠 숄을 두르고 있었다. 아무리 몸이 좋지 않기로서니 병색이 완연한 옷은 피해야 한다는 유모의 주장에 따라 울며 겨자 먹기로 입은 에카이트의 '선물'이 그럭저럭 제구실을 할 것 같다는 감이 온다.

리디아가 오는 줄 모르고 편한 옷을 입었더라면 괜히 위축되어 뒤늦은 후회나 할 뻔했다. 내가 보란 듯이 허리를 휘감은 붉은 천의 매듭을 정리하는 시늉을 하자 봉뒤프베 부인이 감을 잡고 탄성을 터트린다.

리본을 전혀 묶을 줄 모르는 나로서는 손을 대지 않는 것이 가장 현명한 행동이었겠지만 시늉은 해야지. 다행히 내 시늉을 제대로 알아먹은 봉뒤프베 부인 덕분에 일이 수월해질 것 같다. 역시 봉뒤프베 부인. 괜히 사교계의 잔뼈가 굵다고 하는 게 아니다.

“어머, 그러고 보니 그 옷! 역시 영애에게 잘 어울리네요. 에카이트 님의 주문이라 당연히 영애께 선물하리라 생각하긴 했었는데, 역시! 드레스를 고르시고도 한참을 머뭇거리셨답니다. 호호호, 그러고는 허리에 굵은 천을 감아서 장식해 달라고 하셨는데…….”

아. 들을수록 민망하다. 걔는 창피한 것도 모르나 봅니다. 왜 창피함은 내 몫일까. 얼굴에 절로 열기가 몰려 양손으로 뺨을 감싸 쥐었다. 이런 간질거리는 대화에 익숙해지는 날이 올까. 얼굴을 붉히는 나를 즐거운 표정으로 바라보던 질리언 영애가 호들갑을 피운다.

“어머나! 그렇다면 굳이 그 허리에 대는 천을 붉은색으로 주문하셨다는 건가요? 세상에, 어쩜 이렇게 로맨틱할 수가. 이런 식으로 은애하는 마음을 표현하시다니. 너무 부러워요. 누구처럼 촌스럽게 붉은색 드레스를, 그것도 선물도 아니고 자기가 직접 주문한 것과는 격이 다르죠.”

와. 제법 당돌하고 직선적인 성격이라 생각했지만, 저건 예상하지 못했다. 리디아의 붉은 드레스를 지적하며 그것을 혐오스러운 시선으로 내리훑는 질리언 영애의 모습에 오히려 민망해져 헛기침을 했다.

내 헛기침에 시선을 돌린 질리언 영애가 방금의 표정은 모두 거짓인 양 상냥한 웃음으로 다시 말을 잇는다.

와. 와. 나는 속으로 감탄사를 연발하며 역시 아직 사교계에선 어린아이 수준이라는 것을 겸허하게 받아들이기로 했다.

"죄송해요. 잠시 다른 생각을 하느라. 하기야 약혼자가 에카이트 님이시니까요. 아아, 어쩌면 이렇게 완벽한 커플이 탄생할 수 있는 건지……. 저도 아버지께 부탁드려서 빨리 제 짝을 찾아야겠어요. 벌써 열일곱이나 되었는데, 너무 늦어지는 것 같다니까요."

질리언이 대놓고 리디아를 저격했다. 하지만 달리 나서서 대화를 뒤집기 어려운 것을 스스로도 아는지 용케 침묵을 고수하며 찻잔을 들어 목을 축였다.

그나저나 열일곱이면 나보다 한 살이 어린 셈인데…… 사교계에 능숙한 정도로는 나와 감히 비교도 할 수 없는 수준이었다. 역시 경험이 중요하다. 문득 전생의 그녀가 떠올랐다. 멜리사 질리언, 영애는 2년 내로 천생연분을 만나 결혼식까지 할 예정이니까 조급하게 굴지 말기를. 내가 기억을 더듬으며 빙그레 웃는데 리디아 펠튼이 갑작스럽게 찻잔을 내려놓고 도도한 미소를 짓는다.

소리를 내 가며 잔을 내리는 것은 할 말이 있으니 자신에게 집중해 달라는 뜻이기도 했다. 상황에 맞지 않게 왠지 불길한 미소인지라 무슨 말을 지껄일지 모르는 저 입을 막고자 급하게 화제를 고르는데 리디아의 입이 더 빨랐다.

"아, 그러고 보니 사과드릴 일이 있었네요. 잊기 전에 사과드릴게요."

저렇게 유순한 태도는 뒤에 따라올 폭탄을 예고하는 것이다. 근래의 경험을 통해 깨우친 나는 긴장을 놓지 않고 냉정하게 응했다.

여기서 바보처럼 그녀에게 친절하게 굴면 내 체면을 구기는 것뿐 아니라, 나아가 그녀에게 가혹하게 군 두 사람에게 실례가 될 것이 분명했기에 태도를 분명히 한 것이다.

"사과라니. 이런, 오늘 방문해서 한 실수들 말고도 사과할 일이 더 있다니 놀랍네요. 일단 들어 보지요. 무엇을 사과하고 싶으신가요, 리디아?"

말을 마치고 옆을 힐끗 보니 두 사람은 과히 기분이 좋아 보였다. 공동의 적을 통해 동지 의식이라도 생긴 표정이었다. 무슨 사과를 하겠다는 건지 도무지 모르겠다. 알아야 대처할 수 있기에 물어봤지만 마음 한편이 영 찜찜했다.

이렇게 수세에 몰리고 난감한 상황을 연달아 맞이하면서도 자리를 지키는 이유가 대체 무엇일지, 너무도 불안하다. 분명 봉뒤프베 부인도 순순히 동행하려 하지 않았을 것을 어떤 수를 쓴 것인지도 궁금하고 부인이 방문 허락을 받은 것은 또 어떻게 알았는지, 그것도 궁금해졌다.

그리고 그 불안과 의구심이 질리언과 봉뒤프베 부인에게도 전염된 것인지, 두 사람의 표정이 어두워진다.

뭐지? 나는 대답을 재촉하는 표정으로 펠튼을 지그시 바라보았다. 리디아의 얼굴은 죄책감과 뭔지 모를 기쁨으로 복잡한 표정이었다. 그야말로 철저한 표정 연기와 내면 연기의 산물임이 분명했다.

괜히 불안하다. 애써 무덤덤하고 냉정한 표정을 유지하며 리디아를 바라보니 그녀가 마침내 입을 열었다.

"영애께서 이리 몸이 불편하여 자리에 누워 있으니 소문에 어두울 것 같아서요. 이런 말을 제가 해도 될지……. 다들 들으셨겠지만 에카이트 님과 제 관계가 심상찮다는 소문이 요즘 한창이더군요. 그래서 오늘까지 부단히 몸을 사려 왔건만, 결국 어제 에카이트 님이 저희 저택을 방문하였었답니다."

……저기, 그 소문이란 거, 결국 자작극 아냐? 에카이트라면 매일 내 방에 출근 도장이라도 찍듯 성실하게 드나들고 있는데 외곽에 처

박혀 있는 남작 저택까지 갔다고?

황당하다는 눈빛으로 리디아를 바라보며 도대체 어떻게 대응해야 하나 한참 생각하는데 그녀가 틈을 주지 않고 다음 말을 내뱉는다.

마치 지금부터가 하이라이트라는 듯 표정과 눈에 힘이 잔뜩 들어갔다. 그래, 말은 끊지 않을 테니 어디 끝까지 해 봐라. 나는 관용 어린 표정으로 말을 기다렸다. 속으론 무슨 말이 나올지 몰라 긴장을 놓지 못하고 있으면서.

"……늦은 저녁이라 만남을 거절했지만 공작께서 간절히 부탁하시는 바람에…… 조용히 들어오시게 했지만, 보는 눈이 많아 소문이 돌기 시작하더군요. 그래서 염치없지만 마침 병문안을 가신다는 봉뒤프베 부인에게 부탁하여 함께 온 것이랍니다. 오해를 풀고 싶어서요."

오해를 더 만들고 싶다고 들리는 건 왜일까. 그럴 리 없겠지만, 조금이라도 사실이라면 그를 찔러 버리겠다는 각오를 다지며 일단 어색한 미소를 만들어 냈다. 마치 당황스럽지만 그를 부정하기 위해 애써 웃는 가엾은 영애인 듯 말이다.

전생에선 약한 모습을 보이지 않기 위해서 시종일관 무덤덤한 태도를 고수하고 약한 시늉은 일절 하지 않았지만 지금은 다르다. 불쌍한 척 한번 하는 정도로는 자존감에 흠집도 나지 않는다는 걸 깨달았기 때문이다.

내가 전생처럼 그대로 당할 거라 생각했다면 큰 오산이다. 죽었다고 복창하는 편이 빠를 것 같구나, 이 불여우 같은 여자야. 오해를 풀고 싶어서 왔다는 사람치고 시건방짐이 하늘을 찔러 영 마음에 들지 않았다. 뭐, 언제는 또 마음에 들었던가. 그래, 이건 전생의 복수다. 나는 마음을 단단히 먹기로 했다.

그나저나 에카이트 이 멍청이는 무슨 짓을 하고 다니는 거야? 최근에는 첩자와도 접촉하지 않는데, 굳이 밤중에 저 여자의 집에 찾아갈 이유가 없을 텐데. 설마 첩자는 흑막이고 바람피운 거야? 겨우 이런 여자랑, 정말로?

의심의 화살을 에카이트에게로 돌리면서도 장시간 침묵할 수는 없기에 적당한 말을 골라 다정함을 위시해 내뱉었다. 참는 자에게 복이 온다는 되먹지 못한 진언을 읊으면서 말이다. 하지만 그건 큰 도움은 되지 않았다. 목소리가 평정을 잃은 티를 내며 떨려 나왔기 때문이다.

"그래요, 오늘 방문에 참으로 큰 의미를 두고 오셨군요. 소문이란 참으로 덧없는 것임에도 먹고살기 바쁜 일부 백성들이 가십거리 삼아 남의 이야기를 부풀려 삶의 즐거움으로 삼는다지요. 실로 슬픈 일이랍니다. 아, 리디아. 찻잔이 비었네요. 조금 더?"

찻주전자를 가리키며 묻자 리디아가 고개를 젓는다. 귀족도 아니고 일반 백성들이랑 저를 동급에 놓고 비아냥거린 것을 눈치챘는지 영 불편한 표정이다. 너랑 비교당한 대다수의 선량한 백성들은 무슨 죄라니.

나는 봉뒤프베 부인과 백작 영애에게 차를 더 권했지만 둘 다 고개를 저었다.

하긴 차 마실 분위기가 아니었다. 아니, 근데 어제저녁이라고 하면 혹시 그거 아닌가? 찻잔에 남은 차를 마저 비우다가 짚이는 구석이 떠올라 순간 몸이 움찔 튀어 올랐다.

'달그락' 하고 찻잔 닿는 소리가 조용한 방에 크게 울린다. 의도하지 않게 시선이 모여 잠시 굳었다가 곧 만면에 깊은 미소를 지으며 리디아 펠튼을 바라보았다.

앞선 내 말이 마음에 들었었는지, 한쪽 입꼬리만 올려 웃으며 리디아를 바라보던 질리언 백작 영애가 무언가 기대하는 눈초리로 나를 바라본다. 봉뒤프베 부인도 마찬가지였다.

어. 그, 찻잔 소리…… 의도한 건 아닌데. 물론 의도적으로 소리를 내고 주의를 끌 만한 주제가 있기 때문에 그런 건 맞지만 말이다.

두 사람 다 기대해도 좋다고. 만약 내가 지금 연관 지은 상황이 정답이라면, 리디아 펠튼은 사교계 역사에 기록될 만큼 거대한 망신을 당할 기로에 놓인 것이 분명했다. 나는 쿵쿵 뛰는 심장을 애써 가라앉히며 어제저녁 잠자리에 들기 전, 베이야드 공작가에서 시종이 왔었던 것을 다시 떠올렸다.

그 늦은 시간에 꼭 전해야 한다며 물건을 건네줬는데, 그것은 다름 아닌 병에 담긴 과일즙이었다. 물에 적당한 비율로 용해해서 마시면 피로 회복에 좋다는 설명과 꼭 마셨으면 한다는 구구절절한 친필 메모도 함께 들어 있었다.

남세스러워서일까 얼굴이 화끈거려서 메모는 적당히 서랍 안에 처박아 두었다. 대체 왜 이러는 거냐고 소리 내어 투덜거리기까지 했었다.

메모를 치우고 과일즙이 담긴 병을 살피던 중, 포장 종이에 과일즙을 유통한 상단명이 쓰여 있는 것을 유심히 읽어 보게 되었다. 그 상단명을 보는 순간 부끄러워하던 스스로가 바보 같을 정도로 오만 감정이 휩쓸던 마음이 확 가라앉았다. 그 상단명이 '펠튼'이었기 때문이다.

이 미친놈이 그럼 그렇지……. 하도 화가 나 과일즙도 어디 구석으로 집어 던지려다 보는 눈과 듣는 눈을 생각해 메모와 함께 서랍에 처박았었지.

그 병이 다시 발견된 것은 유모가 단장을 돕는다고 장신구가 담긴 서랍을 열었을 때였다. 그녀는 호들갑을 떨며 잘못된 보관법을 지적했었다. 여기까지 기억을 더듬은 나는 테이블 위에 놓인 작은 종을 흔들어 사람을 불렀다.

시녀가 들어오겠거니 했는데 의외로 유모가 등장해 조금 놀랐다. 유모라고는 하지만 대내외적으론 시녀장과 같은 급으로 폰디체리의 살림을 맡고 있는 사람이었다.

원래 정이 많은 성격이 유난스러워진 것도 있지만 그 말이 무색할 정도로 지금의 표정이 너무 엄청난데. 유모, 거짓말 좀 보태서 얼마 전에 잡았던 그리즐리가 살아 돌아온 줄 알았어.

"어젯밤에 받았던 그것으로 손님들을 대접하고 싶어. 포장 그대로 가져와 주면 좋을 것 같네."

"아, 네. 바로 준비해 드리겠습니다."

손님이 와 있는 터라 평소엔 편하게 말하던 유모에게조차 다른 시녀들한테 쓰는 덤덤한 말투로 부탁했다. 그러자 눈치껏 답한 유모가 후다닥 자리를 비운다. 리디아 펠튼. 펠튼가가 소위 대재벌은 아니라지만 상단을 운영하는 가문이었다.

백작 이상만 되어도 체면이니 명예니 따질 것이 많아 상단을 직접 운영하는 것이 불가능에 가까운 반면 고작 남작 가문인 리디아의 가문은 직접 상단을 운영했다.

내 가정은 이렇다. 에카이트가 그 망할 놈의 건강식품을 사 모으는 과정에서 펠튼 남작이 운영하는 상단에 과일즙을 주문했다. 사연은 알 수 없으나 급하게 받아야 해서 친히 저녁 시간에 방문했는데, 공교롭게도 리디아 펠튼이 맞이한 것이다. 그래서 그녀에게 직접 과일즙을 받았다.

설사 사실과 다른 부분이 있다고 해도 저렇게 믿게끔 하는 것은 일도 아니었다. 유모가 나가고 잠시 정적이 감도는 분위기를 해소하고자 해맑게 웃으며 화두를 던졌다. 분위기 전환이 필요했다. 숨 막혀 죽겠다.

"제가 요즘 저택에서 두문불출하다 보니 사교계 소식에 영 어둡네요. 원래 나서던 자리도 아닌지라 딱히 소식을 들을 방법도 없고 해서 더 그런가 봐요. 아직 미숙하기는 하지만 언제 한번 기회를 보아 직접 연회를 열까 하다가도 아직 미흡하단 생각에 자꾸 미루게 되네요……."

"어머, 미흡하다니요! 상상만 해도 행복한데요? 초대받을 수만 있다면 얼마나 큰 영광일지……. 만약 여시게 된다면, 초대장을 기대해도 좋을까요?"

그 말에 질리언 영애가 눈을 반짝이며 약속을 받아 내려 한다. 뭐, 언제가 될지도 모르는데 선심 좀 쓰자. 전생에선 너무 솔직한 나머지 인색할 지경이어서 무안을 당한 영애들이 내 욕을 하느라 입에서 단내가 날 지경이었으니 말이다.

"멜리사가 와 준다면 영광인걸요. 아, 그러고 보니 대륙 회의가 곧 개최된다는 건 다들 들었지요?"

다음 달에 있을 대륙 회의를 언급하자 봉뒤프베 부인이 화사하게 웃으며 덕분에 드레스 주문 물량을 맞추느라 애쓰는 중이라고 답해 왔다. 병가가 끝나고 복직할 무렵에 대륙 회의가 시작되는지라 도무지 모를 수도, 잊고 지낼 수도 없는 것이었다.

5년에 한 번씩, 대륙의 모든 국가가 의무적으로 참가하여 정책 회의를 하는데, 주최국이 칼라한 제국인 덕분에 제국 전체가 소란스러워지는 기간이기도 했다.

수십 개의 사절단이 도착하는 기간인데다 황궁 무도회도 열리는 시기니, 주로 귀족 영애들이 관심을 가지는 행사 중 하나다.

각국의 미혼 남녀가 모이는 사랑의 장으로 유명한 황궁 무도회. 전생의 나는 약혼했다는 것과 황태자의 호위 기사라는 명분을 앞세워 불참했었다. 화사한 의상은 좋아하지만, 사교 모임은 불편하니 말이다.

더 솔직한 이유를 덧붙이자면 당시엔 약혼자를 둔 사람이 그러한 미혼 남녀의 연애의 장에 참석하는 것 자체가 부도덕하다고 생각했었다.

물론 이 문제의 약혼자 에카이트는 그 기간 동안 대부분의 무도회에 잘도 참석했었다. 나는 불참했는데 그는 참가했다니. 전쟁과도 같은 사교계에서 분명 엄청난 소문이 되어 퍼져 나갔을 것이다. 거기다 첩자와 리디아가 손을 잡고 활동했다면 더욱 크게 불어났겠지.

원인이 에카이트였다고 생각하니 갑자기 울컥하고 화가 났다.

이번에는 그 무도회인지 뭔지 전부는 어렵더라도 몇 번은 필히 참석하리라 다짐하던 나는 마침내 들리는 노크 소리에 회심의 미소를 지으며 들어오라 일렀다.

조용히 문이 열리고 고급스러운 트레이를 든 유모가 조심스럽게 테이블로 다가왔다. 어제 받은 과일즙이 포장 그대로 준비되어 있었고, 조각난 얼음들이 네 개의 투명한 크리스털 잔에 가득 담긴 채 테이블에 올려졌다.

세상에, 비싼 잔을 꺼낸 것으로 봐선 유모가 아예 작정을 한 눈치다. 펠튼의 기를 죽이기 위해서라는 이유가 눈에 보이는 것 같다. 내가 애매한 미소로 유모를 보자 알았다는 듯 크게 고개를 끄덕인 유모가 싱글벙글 웃으며 퇴장했다.

엥? 대체 뭘 알았다는 거지? 얼떨떨한 표정으로 유모를 보던 나는 어색함을 애써 가리며 미소를 지었다. 그러고 보면 다들 알게 모르게 눈치가 백단인데 나만 왜 이러는지 모르겠다.

불공평한 눈치 배분에 속으로 가볍게 투정을 부리며 트레이를 내 앞으로 슬며시 당겼다. 트레이에서 잔을 꺼내 각자의 앞으로 손수 놓아 주자 다들 몸 둘 바를 몰라 하며 건네는 잔을 받았다.

펠튼 상단의 마크가 붙은 과일즙을 발견한 리디아 펠튼은 예의를 지키는 시늉도 하지 못하고 말 그대로 하얗게 질려 있었다. 다른 두 사람의 매서운 시선도 눈치채지 못한 것 같았다.

잘 모르는 사람이야 한눈에 알아보지 못한다고 해도, 설마 자기 가문 상단 상품의 상표도 못 알아볼까. 더군다나 어제저녁에 봤던 것이라면 더욱 그렇겠지? 미끼를 문 대어를 감상하는 느낌으로 환하게 웃으며 말했다.

“어제저녁, 제 약혼자가 건강 살피라며 따로 보내 준 것인데, 반가운 손님들의 얼굴을 보니 나누고 싶은 마음에 함께 들고 싶어 준비하라 일렀답니다. 원액에 가까운 즙이니, 잔에 담긴 얼음에 섞어 드셔야 할 것 같네요.”

나는 그렇게 말하며 뚜껑을 열어 먼저 시범을 보이듯 잔에 즙을 약간 따랐다. 진한 분홍빛이던 과일즙이 얼음에서 녹아내린 물과 섞여 적당한 분홍빛을 띠었다.

이 정도면 마실 만하겠지. 내가 그대로 병을 봉뒤프베 부인에게 넘기자 부인 역시 자신의 잔에 과일즙을 약간 따랐다. 굳이 따라서 주는 친절을 대신해 직접 따르게 한 것은 사람마다 입맛이 달라 얼마나 희석하는지는 개인의 취향에 따르기 때문…… 이란 것은 표면적인 이유고, 병에 붙은 상단명과 그 상표를 보이기 위해서였는데, 아직까지는 잘 모르는 눈치였다.

아니, 눈치도 빠르신 분이 왜 이러실까. 내 애타는 심정을 아는지 모르는지 봉뒤프베 부인이 칭찬을 늘어놓기 시작했다.

"감사히 잘 마실게요. 세상에, 그저 크리스털 잔인데도 예술품과 격을 같이하니 너무 아름답군요. 거기에 벌써부터 얼음이라니…… 역시 폰디체리 공작가의 위용은 감히 넘볼 수 없군요. 너무 대단해요, 아펠리아 영애."

유모도 참. 괜히 비싼 잔을 가져와서는. 그거 때문에 엉뚱한 데로 시선이 흐트러지잖아.

지나치게 고급스러운 자태를 뽐내는 잔을 가볍게 노려보는 것도 눈치채지 못한 건지, 봉뒤프베 부인이 병을 그대로 옆으로 넘기려고 했다. 그때 눈에 불을 켜고 병을 감싼 종이를 유심히 살펴보던 질리언 영애가 흥분한 음성으로 입을 연다.

"어머, 어머! 이건 펠튼 상단에서 취급하는 과일즙!"

역시 기대를 저버리지 않는다. 하기야 백작 영애인 데다 워낙 부유한 축에 드는 가문 출신인지라 크리스털 잔이나 얼음이 그리 대단한 감흥을 주지 못했다. 역시 눈치! 은근히 마음에 드는 아군이라고 평가를 내린 나는 리디아의 얼굴을 다시 스치듯 살폈다. 과일즙이 담긴 병과 질리언 영애를 오가는 눈동자가 눈에 띌 정도로 흔들리더니 이젠 표정이 아예 사색이다. 빙고.

"새콤달콤한 것을 좋아하기도 하고, 피부에 좋다고 해서 여름에 즐겨 마시고는 했어요. 역시 그것이 맞지요? 철이 아니라 구하기 힘드셨을 텐데 에카이트 님께서 힘쓰셨네요. 그런데 아까 어제저녁이라고 하지 않으셨어요? 그렇다면 역시 펠튼가를 방문한 이유가?"

잘한다! 내가 속으로 짠 것 같이 말을 잘 맞춰 오는 질리언 영애를 응원했다. 그러고는 천연덕스럽게 고개를 갸웃거리며 하고자 하는 말을 시작했다.

"아마 그런 것도 같네요. 흐음, 하지만 어제 그이가 메모까지 동봉해서 보냈었는데 리디아 양이 말하는 것과는 다소 차이가 있어서 어느 쪽이 옳은지는 잘…… 비록 하룻밤 사이라고는 해도 몸도 이러하고, 그러다 보면 또 제 기억이 정확하지 않을 수도 있으니 서로 확인해 보는 편이 정확하겠군요."

내가 잠시 말을 멈추었다. 극적인 효과를 주기 위해서였다.

"그래도 리디아 영애가 오해를 풀려고 어려운 걸음을 하셨다고 했으니 이 정도 번거로움은 감수해야겠지요. 그럼 리디아, 미안하지만 일어나서 뒤쪽 서랍을 열어 줄 수 있나요? 메모를 거기에 보관한 것 같거든요."

에카이트를 그이라고 말하는 순간 전신에 닭살이 확 돋아 올랐지만 애써 진정했다. 대의를 위해서다, 대의를 위해서. 왠지 메모치고 구구절절 써서 보냈다 했는데 혹시 이런 일이 있을까 예상하고 결백을 증명하기 위해서였나? 만약 그것이 맞다면 에카이트도 참 힘들게 산다 싶다.

속으로 그를 동정하며 살짝 시선을 돌리니 봉뒤프베 부인의 얼굴이 심상치 않다. 마치 폭발을 앞둔 활화산과 같았다.

오해를 풀기 위해서라는 이유를 들먹여 일을 시키다니. 감히 시녀에게나 시킬 일을 시켰다는 것을 깨닫고 화가 났을 것이다. 봉뒤프베 부인의 반응에도 꿈쩍 않던 리디아가 자리에서 일어나 서랍에서 메모를 꺼냈다.

짧지만 강렬한 승리감이 가슴을 두드리고 지나간다. 내가 도도한 표정으로 그녀의 느릿한 행동을 지켜보는데, 봉뒤프베 부인은 얼굴이 터질 것 같이 붉어지고 있다. 셋, 둘. 속으로 둘까지 헤아린 순간 날카로운 부인의 말이 터져 나온다.

"펠튼 영애. 설마 상단에 볼일이 있어 방문한 에카이트 님을 두고 소문까지 들먹여 가며 내게 동행 요청한 것이 아니길 빌어요. 그랬다는 생각만으로도 망신스럽기 그지없네요."

리디아가 얼굴을 붉게 물들인 채 메모를 자신에게 줄 생각을 않자, 기다리지 못한 봉뒤프베 부인이 불쾌감으로 달아오른 얼굴에 부채질하며 퉁명스러운 경고를 날렸다.

머리를 굴려 보려 해도 안 될 거다. 머리를 굴리느라 느릿해진 그녀의 움직임이 봉뒤프베 부인의 분노를 더욱 자극했다. 공연히 리디아의 말에 휩쓸려 실례를 저지른 것이니 봉뒤프베 부인의 마음이 오죽하겠는가.

노골적으로 그녀를 펠튼으로 부르는 것으로 보아 상당히 기분이 상한 것 같았다. 리디아의 잔꾀에 이용된 것이나 진배없는 상황인 만큼 봉뒤프베 부인의 불쾌함은 어쩌면 당연한 것이다.

펠튼은 봉뒤프베 부인의 일갈이 있기 전부터 이미 공황 상태로 접어든 것으로 보였다. 메모를 들고 오는 그 짧은 시간에 내용을 얼추 읽었는지 이제는 아예 얼굴이 붉어졌다 새하얗게 질렸다 아주 가관이었다.

리디아 펠튼이 차마 다시 자리에 앉아 메모를 건네주지 못한 채 잠시 머뭇거렸다. 그러다 뭔가 각오한 표정으로 어깨에 힘이 들어가는 것을 포착한 내가 눈을 크게 떴다.

그래, 차라리 찢어 버리고 '너무하셔요!' 하고 달려 나가는 것이 앞으로 벌어질 초유의 사태에 비하면 나을 수도 있다. 하지만 나에게는 아니었다. 마나를 이용해 메모를 뺏어야 하나 고민하던 순간, 질리언이 발딱 일어나 메모를 낚아챘다.

대박. 이젠 입까지 동그랗게 벌리고 그녀를 바라보았다. 행동파에 화통한 태도로는 흠잡을 구석이 없어 보인다. 역시 우유부단한 구석이 있는 내 동료와 결혼할 만했다.

메모를 낚아챈 질리언 영애가 순식간에 내용을 독파하고 신경질 섞인 웃음을 터트렸다. 잘한다! 대놓고 리디아 펠튼에게 험악한 말을 하자니 아직까지 이미지를 잡지 못해 위험 부담이 큰 나로선 차라리 질리언 영애가 나서 주는 편이 편했다.

손 안 대고 코 푸는 것이 이런 것이려나? 내가 엉뚱한 감탄을 하는 와중 질리언 영애가 날카롭게 코웃음을 치는 것으로 전쟁의 서막을 알렸다.

"하! 그러니까, 이게 그거로군요. 펠튼. 당신은 상단에서 기거하나 보죠? 상단이 어려웠단 소식은 없었는데, 가택이라도 저당 잡힌 건가요? 도대체 어떻게 하면 상단을 방문하신 에카이트 님이 댁네 가택을 방문한 것으로 탈바꿈할 수 있는 거죠? 상단을 방문하고 공작가로 돌아가시는 길에 귀한 시간을 할애하셔서 수도 변두리에 위치한 펠튼 저택에까지 들르셨나 보죠? 나 참, 천박하고 격 떨어지는 상대와 같은 일행으로 방문하다니, 너무도 굴욕적이라 믿을 수가 없군요."

아, 펠튼 상단은 수도 상가에 있나 보지? 딱히 뭔가를 스스로 사러 다니는 편이 아닌지라 당연히 상단이 가택과 붙어 있으리라 생각했었는데 내가 틀렸나 보다. 아니, 그럼 뭐야. 가택 근처에도 안 간 사람을 붙들고 저 난리를 친 거야?

허탈함과 어이없음에 헛웃음만 나오는 나를 대신해 질리언 영애와 봉뒤프베 부인이 펄펄 뛰고 있었다.

"어디, 저도 확인해야겠어요. 만약 사실이라면 제 실수가 크군요. 고작 남작 영애의 앙큼한 거짓말에 놀아난 셈이니까요."

나는 태연히 자리에 기대앉아 점점 연분홍빛으로 변해 가는 잔 속의 액체를 응시했다. 얘도 맛이 좀 불안하긴 하지만 상단에서 팔리는 물건이니 먹을 수는 있겠지.

때마침 시원한 무엇인가가 마시고 싶어졌다. 용기를 내서 입에 댄 음료는 그래도 마실 만한 상태였다. 의외로 대충 부은 것이 취향에 맞는 비율을 맞춘 것 같았다. 거기에 목구멍이 아릴 정도로 시원한 데다가 적당히 달달한 게, 나쁘지 않았다. 사실 제법 맛있었다. 이거 상품명이 뭐였지? 펠튼 말고 다른 상단에서도 유통하는지 알아봐야겠다.

공작가의 지출로 보자면 푼돈 수준이지만, 이 돈으로 펠튼이 무슨 부귀영화를 누릴까 걱정된다. 절대 한 푼도 줄 수 없다. 음료를 한 모금 음미하며 삼키자 그사이 메모의 내용을 완전히 읽은 봉뒤프베 부인의 기세가 심상치 않다. 폭풍전야라는 말이 어울릴 정도로 잠잠한 와중 등 뒤로 불길이 올라오는 환영이 보일 지경이다.

"변명이나 들어 보지요. 펠튼 영애. 대체 그 말들에 진실이 있기는 하답니까? 어디 그런 시답잖은 말장난을 가지고 윗사람을 농락한답니까. 게다가 그 붉은 드레스는 뭔가요? 시집 못 가 안달이 난 영애를 가엾게 여겨서 디자인해 준 옷이었는데. 지금 그 옷을 입고 나온 저의는 도대체 뭔가요? 당신은 창피라는 것도 모르나요? 위약금, 몇 배라도 물어 줄 테니 그 드레스 다시 돌려줬으면 하네요. 저는 고객을 가려 받는답니다, 영애."

"말이 너무 심하군요!"

"하! 영애가 함부로 내뱉고 퍼트린 말들을 생각하면 감히 나한테 그런 지적은 못할 텐데, 참 몰염치하군요!"

세상에서 제일 재미있는 구경이 싸움 구경과 불구경이라더니. 나는 세 사람이 벌이는 설전을 적당히 관람하며 음료를 다시 들이켰다. 얼음이 그사이 더 녹았는지 맛이 더 은은해졌다.

말이 좋아 설전이지 리디아 펠튼의 일반적인 수난에 입꼬리가 점점 귀로 올라가려는 것을 애써 끌어내렸다. 어떻게든 이 사태를 수습해야 한다.

내 앞에서 서로 머리채라도 뜯고 싸우면 나 또한 망신이 아닐까. 하위 귀족들이 자신을 앞에 두고 격한 싸움을 벌였음에도 제지하지 못할 정도로 만만하게 보였다는 반증이니까 말이다.

"너무 과열됐군요. 흥분할 필요 없잖아요, 우리? 다들 앉으세요. 얼음이 녹네요."

"……실례했습니다, 영애. 제가 순간 자리를 잊었어요. 부디 용서해 주세요."

"저도 실례했습니다. 언행을 조심할 나이인데 처신이 이러해서 죄송해요. 불쾌함이 너무 강해서…… 상황을 고려해 너그러이 이해해 주시길 부탁드려요."

내 말에 순간 정신을 차린 듯, 다소 붉어진 얼굴의 질리언 영애와 봉뒤프베 부인이 형식적으로나마 사과하는 말을 건네며 다시 자리에 앉았다. 말로는 사과하고 있지만, 씩씩거리는 기세가 아무리 봐도 화가 안 풀린 눈치이다.

이런 민망한 상황에서 리디아 펠튼은 당황으로 얼굴을 붉힌 채 착석했다. 여기서 마지막 보내기 한 방은 내 몫이 아닐까. 아예 눈물까지 뚝뚝 흘리면서 손등으로 눈물을 거칠게 훔치는 리디아를 보자니 기가 막힐 지경이었다.

도대체 전생에 얼마나 시답잖았으면 저런 여자한테 모욕당했던 건지 회의감이 들 정도였다. 하지만 저것은 분명 악어의 눈물일 거다. 저 모습에 두 번 속지 않을 것이다. 나는 마음을 모질게 먹고 입을 열었다.

"혹시 우리가 모르는 사실이 있을지도 모르잖아요? 제 약혼자께서 다른 이유가 있어 저리 메모를 보내셨을지도 모르고. 안 그런가요? 괜찮으니 말해 줘요, 리디아."

차라리 빈정대는 것이 바람직할 정도로 분위기는 가라앉아 있었다. 여기에 내가 리디아를 감싸려는 듯이 말하는 모습이 봉뒤프베 부인과 질리언 영애를 감동시켰나 보다. 두 사람이 날 두고 신앙생활까지 할 기세였다.

잠깐의 침묵이 이어지는 와중 문에서 노크 소리가 난다. 벌써 다음 약속 시간이 된 건가? 누구라는 말도 없이 열려 버린 문에 설마 황태자는 아니겠지, 하고 생각했다. 황태자가 아니라 안심하는 것도 잠시, 들어오는 인물을 보고 할 말을 잃었다. 에카이트였다. 충성심은 쥐뿔도 없는 게 주군이 하는 행동 흉내는 혼자 다 낸다. 그래도 아무튼 참 타이밍 하나는 잘 맞춘다.

"아펠리아, 잠시 만나러 왔더니 선객이 있다고 해서. ……이런, 질리언 백작 영애와 봉뒤프베 부인께서 계셨군. 그리고 그쪽은…… 아, 펠튼 영애던가. 어제 상단에 들렀을 때 굳이 수고롭게 물건을 전해 줘서 시간이 다소 지연돼 난감했소만, 다음이 있을지는 모르겠지만, 앞으로는 직접 전해 주지 않아도 괜찮다는 말을 전하고 싶군."

갑자기 등장한 에카이트가 한 마디로 상황을 종결하자 질리언 영애와 봉뒤프베 부인이 실소를 터트린다.

계속 있다가는 더한 모욕을 받을 거라 생각했는지, 자리에서 벌떡 일어난 리디아가 에카이트를 지나쳐 뛰다시피 방을 벗어난다.

한동안 안 보이기를 기원한다, 정말. 멀어지는 리디아의 뒤통수를 고소하다는 표정으로 노려보던 질리언 영애가 기어코 한마디를 덧붙인다.

"정말이지 시건방지게 인사도 없이 도망치는군요. 에카이트 님, 저희는 이만 물러날 테니 아펠리아 님을 위로해 주셔요. 세상에 경우도 없이 에카이트 님과 자신이 내연 관계라고 주장하면서 아펠리아 님을 모욕하는데…… 제 얼굴이 다 화끈거렸답니다."

우와. 나는 입을 떡 벌리며 그녀를 바라보았다. 상황을 과장은 하되 나름대로 진실 되게 전달한 질리언 영애가 한껏 안타깝다는 표정을 지으며 에카이트에게 나를 부탁한다. 정말이지 솔직한 화법이지만 나와는 다른 솔직함이다. 그녀의 솔직함을 감상하는데 에카이트의 가식적인 목소리가 귓가에 들렸다.

"이런…… 사랑하는 약혼자가 그런 모욕을 당하다니. 아펠리아, 충격받은 눈치인데 이리로. 오늘 이 시간 이후 약속들은 모두 취소시키도록 하지. 내가 유모에게 그리 일러 놓겠네. 벌써 무리한 표정이야."

어디다 대고 친한 척이야. 속으로 툴툴거리면서도 연약한 척 그의 에스코트를 받자 먼저 자리에서 일어나 나갈 시늉을 하던 질리언 영애가 뺨을 장밋빛으로 붉히며 좋아서 어쩔 줄을 모른다.

봉뒤프베 부인이 흡족한 미소를 지으며 질리언 영애와 시선을 교환하는데, 뭔가가 이마에 닿았다.

입. 그것도, 에카이트의.

그러니까, 녀석의 입술이 내 이마에 닿았다. 대체 뭐지? 이거 뭐야? 패닉 상태로 접어드는 와중에 방해하지 않겠다는 말과 좋은 시간 보내라는 말들이 얼추 들린 것 같기도 하다.

저 멀리 사라지는 봉뒤프베 부인과 질리언 영애. 발도 빠르지, 차라리 날아갔다는 표현이 더 어울릴 것 같은 모습이었다. 문이 닫히는 소리에 정신이 돌아온 내가 에카이트를 밀어내려는데 더욱 강한 힘으로 나를 껴안아 온다.

뭐야, 미친 거야? 이 말도 안 되는 상황에 이것이 꿈인지 생시인지 가위에 눌린 것인가 하는 두려움까지 느끼며 밀어내려는데 귓가로 그의 입술이 내려앉았다. 미지근한 숨결과 함께 귓속으로 낮은 목소리가 흘러들어 왔다. 알 수 없는 힘이란 이런 것일까. 몸이 굳어버렸다.

"리디아 펠튼과 첩자의 접촉이 완전히 단절된 지 오래임을 확실히 확인했다. 사냥 대회를 기점으로 더 이상 교류하지 않더군. 행동이 무계획하고 치밀하지 못한 것으로 봐서, 이번 일은 첩자의 지시 없이 스스로 벌인 일 같아. 아무쪼록 앞으로 저 여자와 연관된 소문이 들리는 일은 없도록 하지. 어차피 첩자와 접점이 끊어진 이상 더는 시건방진 행동을 방관할 이유가 없으니까. 약속한다."

"……신경 안 쓰니까, 좀 떨어져. 낮술이라도 한 거야?"

신경 안 쓰기는. 스스로의 거짓말에 놀라 피식 헛웃음이 새어 나올 뻔했다. 마음 한편으로 계속해서 대체 리디아 펠튼이 무슨 의도를 가지고 이런 행동을 하는 것인지, 대체 무엇이 숨어 있는 것인지, 첩자가 지시한 일인지 맹렬하게 계산하고 있었으니 말이다.

민망한 마음에 투덜거리며 몸을 바르작거리자 에카이트가 나른한 목소리로 웃는다. 등에 소름이 쫙 돋는 것 같았다. 뒤로 손을 더듬거리다 보니 사이드 테이블의 주전자가 잡힌다. 좋아, 무기 장전.

"글쎄. 지금 기분으론 꽤 취한 것 같은데 정작 술을 마신 기억은 없군. 내가 만약 취한 것이라면 아마 아펠리아, 그대에게 취했겠지."

……미쳤구나. 난 너의 미침에 취할 것 같다, 자식아. 얼마나 퍼마셨으면 술을 마셨다는 기억도 없니. 아주 대단한 술꾼 납셨다. 어쩐지 화끈거리는 귓불을 뒤로하고 다시 밀어내니 이번에는 순순히 떨어져 나간다.

이번에도 안 떨어지면 호신술을 시도해서라도 떨쳐 내려고 했는데 눈치는 백단이다. 떨어져 나간 것으로도 부족해서 아예 문 쪽으로 걸어 나간다. 누가 보면 내가 마나로 장풍이라도 쏜 줄 알겠다. 뭘 저렇게 성큼성큼 온다 간다 얘기도 없이 가?

"뭐야? 지금 가는 거야?"

"왜, 섭섭해? 업무 중에 펠튼이 폰디체리 공작가로 향한다는 정보를 입수해서 잠시 나온 거라 오래는 못 있는데. 지금 나온 것도 근무지 무단이탈이거든. 그대가 정 원한다면 퇴근하고 방문하지. 그동안 푹 쉬고 있으면 되겠어. 그럼 난 이만."

닫힌 문 너머로 멀어지는 발자국 소리를 듣다가 여차하면 집어 던지려고 쥐고 있었던 찻주전자를 고이 내려놓았다.

저 망할 놈은 명줄도 길다. 계속해서 화끈거리는 귓가의 온도가 전염된 것인지 온 얼굴이 화끈거린다. 정말 에카이트 말대로 무리해서 열이 올랐나 보다 생각하며 시녀를 불러 쉴 준비를 했다. 하루가 백 년같이 긴 것이, 역시 사람을 대하는 것은 힘들다는 교훈만 남은 하루였다.

[번외] 에카이트 뮈제 베이야드 01

산더미처럼 쌓인 서류가 에카이트를 기다리고 있었다. 분명 저 정도 되는 양을 모조리 처리해서 해결한 지 얼마 되지 않았는데 말이지. 미묘한 한숨을 쉬며 펜을 잉크에 담갔다. 새롭게 무역을 튼 동방의 무역 강국은 역시나 근무 시간에 지대한 영향을 미치고 있었다.

근 일주일 동안 초과 근무를 한 덕분에 신경이 곤두서는 것이 너무나도 명백하게 느껴졌다. 하지만 지금 상황에서 편하게 누우면, 아마 일어나지 못할 것이다. 그나마 저 긴 의자에 불편하게 누워 잠시 눈을 감는 것으로 겨우겨우 버티고 있었다.

이 상황은 에카이트뿐만 아니라 외교부 전체에 닥친 상황이라 모두 비슷한 조건에서 일을 하고 있었다. 물론 비슷한 조건이라지만 외교부 총괄을 맡고 있는 만큼 에카이트의 업무량이 다른 사람들보다 월등히 많았지만 말이다.

펜을 잉크에 충분히 적시기 무섭게 다시 서류로 손을 옮기는데 집무실의 부관이 한숨과 함께 입을 연다.

"에카이트 님. 완전히 새로운 나라와 무역을 트기 시작하니 서류가 엄청나군요. 해도 안 뜬 새벽까지도 일을 하고 있으니…… 이거 참. 이제 곧 일출인데 일을 일찍 시작한 건지 늦게까지 하는 건지 감각도 없군요."

"……그걸 따질 시간 감각이 아직 남아 있다니, 여유가 대단하군. 옆에 서류 검토나 다시 하지. 아까 체크하던 거, 개수가 모자란 것 같던데."

잠시의 잡담도 받아넘길 여유가 부족할 정도로 일이 빡빡하게 돌아가고 있었다. 냉담한 대답을 되돌리고는 서류의 오류를 지적했다. 반신반의하는 표정으로 서류를 확인하던 그가 오류를 발견한 듯 진심에서 우러나는 감탄사를 터트린다.

"정말이네요! 한 항목을 누락했었군요. 대단하십니다. 진심으로 존경합니다. 하하, 이거 참."

"감탄하기 전에 그 서류 확인이나 제대로 하게. 자네가 잘못하면 이쪽이 일을 두 배로 해야 한다는 거, 기억하는가? 가급적이면 그 존경을 행동으로도 표현해 줬으면 좋겠군."

에카이트의 매끄러운 지적에 부관이 민망한 표정으로 고개를 끄덕이며 마침내 서류에 완전히 집중했다. 그사이 서류 한 뭉치를 완전히 검토한 에카이트가 그 위쪽에 '상부 승인 필요 문건'이라는 메모를 붙여 마무리하고 새로운 서류를 펼쳤다.

한참을 정신없이 서류와 씨름하다 보니 두껍게 커튼을 친 방으로 햇빛이 스민다. 벌써 해가 뜬 것이다. 그 햇빛을 애처로운 눈빛으로 응시하던 부관이 다시 서류로 눈을 돌린다. 다른 부관 둘은 초주검 상태로 이미 한 시간 전에 귀가해서 오늘 오후에나 다시 나타날 예정이었다.

덕분에 현재 서류의 양이 폭발적인 것이라는 생각을 버릴 수 없어서 그 둘을 조용히 저주하던 그는 문득 오늘이 어떠한 형태의 기념일이라든가, 뭔가 축하가 필요한 날이라는 생각이 들었다. 국가기념일? 축제? 공휴일? 마땅히 기억에 남는 날이 없으나, 확실히 뭔가 축하할 만한 날이라는 생각이 점점 강해졌다. 결국 그는 자신의 상관을 조심스럽게 불러 물었다.

"저기, 에카이트 님. 혹시 오늘 무슨 날입니까?"

"날이라……. 날은 날이지. 하나 자네 휴가와는 무관한 날이니 제발 집중 좀 하지. 자네가 올린 서류에서 계속 오류가 잡히잖나."

일주일을 제대로 못 잤는데 멀쩡히 서류를 처리할 수 있는 사람은 몇 안 됩니다, 에카이트 님. 차마 자신보다 적게 쉬며, 아니 쉬지 않은 채로 완벽히 일을 처리하고 있는 자신의 상사에게 직접적으로 불평을 제기할 수 없어 속으로만 중얼거렸다.

지금 자신의 상관은 평소보다 신경이 약간 날카롭게 곤두섰을 뿐, 그밖에는 완벽한 상태나 다름없었다. 그래서 애써 더 노력하겠다는 답을 하던 그는 이내 자신의 질문에 대해 기억해 내고 다시 물었다.

"무슨 날입니까, 그럼?"

"……약혼식."

"네?! 야, 야, 약혼식 말씀입니까? 누구의?"

약혼식이라는 답변을 듣기 무섭게 자리에서 벌떡 일어난 부관이 에카이트를 엄청난 시선으로 바라보았다. 그러고 보니 오늘은 자신의 상관과 그 유명한 아펠리아 경의 약혼식 날이었다. 설마 자신의 약혼식 날에 이러고 있을 리 없다는 생각에 반사적으로 누구 약혼식이냐고 묻고 말았다.

아니 이런 날에도 한숨도 자지 않는다니 말이나 되는 소리인가. 보통은 최소 아침에라도 귀가해서 약혼식 준비를 하지 않던가? 아니, 보통은 약혼식 날짜가 잡히면 그 전후로 며칠은 쉬지 않나? 심지어 두 사람 다 바쁘다는 이유로 하루로 축약한 약혼식인데 지금부터 준비에 들어가도 늦는다고!

직속 상관의 약혼식이라는 말에 정신이 번쩍 든 부관이 걱정스러운 표정으로 염려 섞인 말을 뱉는다.

"저…… 그렇다면 가 보셔야 하는 거 아닙니까? 오전 연회에 참가하셔야 할 텐데요."

지금 가셔도 완전 늦으셨겠지만 말입니다. 부관이 뒷말을 삼켰다.

"아아, 그건 이미 못 간다고 통보했네."

아, 그러셨구나. 부관이 고개를 끄덕이려다 머리를 번쩍 치켜들었다.

"네?!"

에카이트의 간단한 대답에 말도 안 된다는 표정을 지은 부관이 제자리에서 펄쩍 뛰었다. 아니, 빠질 데가 따로 있지 어디 오전 연회를 빠진단 말인가. 백 번 양보해서 3일간 열리는 약혼식이라면 또 모르지만, 딸랑 하루 하는 약혼식 오전 연회를 빠진다니. 그러다 문득 생각이 약혼 상대에게 닿아 몸을 굳혔다.

아펠리아 에스프리 레지아 드 폰디체리. 젊다 못해 어린 나이에 황실 기사단에 입적한 검의 귀재. 냉정하고 긍지 높은 충성심으로 기사로서 최고의 명성을 얻고 있는 자신의 상관 에카이트의 약혼자. 외모도 보통 이상으로 뛰어난 데다가 가문마저 제국에 단둘뿐인 공작 가문이 아니던가.

외교와 법령을 담당하는 베이야드 가문과 국방과 호위를 담당하는 폰디체리 가문은 제국 내에서 그 우위를 가릴 수 없는 오랜 우방이자 경쟁자였다. 그런 폰디체리 가문의 영애와의 약혼식 오전 연회에 불참한다니. 지금쯤 그 깐깐하기로 유명한 공녀의 아버지, 폰디체리 공작이 그의 불참을 눈치채고는 칼춤 추며 외교부로 달려오고 있을지도 모른다.

금세 자신의 상관이 창백한 안색으로 관에 눕혀져 있는 장면을 상상해 낸 부관의 얼굴이 더욱 하얗게 떴다. 아니, 그전에 지금이 오전인가, 오후인가? 하도 밤낮없이 일해 시간 감각이 둔하다.

"안, 안 가셔도 괜찮으신 겁니까?!"

"내가 걱정되면 빨리 서류나 검토해 줘. 이 서류들을 어느 정도 마무리해 놔야 약혼식에 집중할 수 있을 것 같거든. 내가 괜히 날밤을 새우며 무리하는 것 같나?"

네. 집중이고 자시고 얼굴만이라도 비추고 오는 게 신상에 매우 이로우실 것 같아요. 공포에 퍼렇게 질린 부관이 속으로 울부짖었다.

'똑똑-!'

부관의 심란한 표정을 완전히 무시한 에카이트가 말을 마치기 무섭게 급작스러운 노크 소리가 들렸다. 에카이트가 뭐라 말하기도 전에 문이 열렸다. 황급히 들어온 남자의 행색을 보아하니 황태자 휘하의 기사인 것 같다.

"갑자기 죄송합니다. 에카이트 님, 아직도 여기 계시면 어찌합니까! 황태자 전하는 벌써 준비를 마치시고 나가신 터인데……. 아직 에카이트 님이 계시면 전하께서 지체 없이 이 서찰을 보여 드리라고 했습니다. 여기."

그가 넘겨 준 서찰을 열어 내용을 확인한 에카이트가 조용히 서류철을 닫고 자리에서 일어난다. 역시 권력이 좋기는 좋구나. 그가 일어나는 모습에 부관이 화색을 띠며 뒤를 배웅했다. 문 앞까지 배웅하는 그의 앞으로 에카이트가 확 구겨 던진 서찰이 굴러왔다. 서찰을 확인한 부관은…… 진심을 담아 울었다. 소로 전직해서 밭이나 갈고 싶다. 더러운 세상아.

[에카이트, 내가 공 때문에 미치겠네. 서류를 좀 천천히 올려야 내 체면이 살 것 아닌가. 자네가 서류 올리는 속도에 맞춰서 다 확인하려다간 과로로 사망하겠네. 그런 의미로 자네가 오늘 아침부터 올린

서류는 모두 휴식 중이라네. 나도 좀 쉬어야겠어. 아무리 새 서류가 올라와도 처리가 불가능하니, 약혼식 먼저 하고 하자고. 그럼 약혼식에서 보겠네.]

방에 조용한 물소리가 이어지다 이내 멈췄다. 물에 젖은 균형 잡힌 몸의 남자가 샤워 가운을 걸친 채로 욕실에서 나오자 대기하고 있던 시종들이 재빨리 따라붙었다. 남자는 에카이트 뮈제 레자무흐드 베이야드. 폰디체리 영애와 약혼할 사람이다. 조금 전까지 서류의 바다에서 헤엄치다가 황태자 전하의 은공(?)으로 막 탈출해, 준비에 임한 그 남자.

"……가급적이면 약혼식에 집중할 수 있게 일을 다 끝낸 뒤에 참석하고 싶었는데 말이지."

"그래도 이 이상 늦으셨다면 곤란하실 뻔했습니다."

"아아. 확실히 일이 늘어지긴 했지. 하지만 마무리하지 못한 부분이 있으면 다른 일에 영 집중이 되질 않아서. 개인적으로 아펠리아 경에겐 호감이 있지. 뭐, 딱히 그녀가 아니더라도 일단은 약혼이니까. 최소한 그 시간만큼은 그녀에게 집중해야 하지 않겠나."

에카이트가 사실을 시인하면서도 아쉬운 점을 토로하자 시종이 묵묵히 시중을 든다. 딱히 대답을 바라고 한 말이 아니라는 것을 알아서 그랬다. 워낙 생각이 많은 주인이기에 평소에도 이런 혼잣말이 잦았다.

몸의 물기를 닦는 것을 돕던 시종이 여전히 손에 남은 잉크 자국을 발견해 지우려 하자 에카이트가 손을 치웠다.

"그런 것까지 지우다 보면 늦는다. 일단 서둘러야겠군. 오전 연회는 그렇다 쳐도 약혼식에는 늦지 말아야지."

의복을 정리하려던 순간 시야가 핑 도는 느낌에 한 손을 들어 이마를 짚었다. 그 모습에 옆에서 걱정스러운 말들이 터져 나왔다.

대체 며칠을 혹사당한 건지. 그런 한탄과 동시에 마저 마무리하지 못했던 서류들이 떠올라 다시 머리가 복잡해졌다. 에카이트는 한숨을 내쉬며 다시 자세를 바로 했다.

"……이거 미치겠군."

"참석하실 수 있겠습니까?"

"아니. 그렇다고 해도 해야지. 오전 연회를 혼자 가게 됐으니 최소한 약혼식이나 무도회에선 성의를 보여야 할 것이 아닌가."

에카이트의 만류에 시종은 준비를 계속해야 했다. 책임감 하나는 확실한 주인이기에 어떤 말로도 그를 멈출 순 없었다. 더군다나 약혼 예식이다. 도중에 쓰러지는 한이 있더라도 참여하는 성의를 보여야 하는 것이다.

게다가 상대는 폰디체리 공작가의 영애다. 이미 할 수 있는 결례는 모두 저지른 셈이기에 이 이상 불참을 했다가는 큰일이 날 것이 분명했다. 의복을 가다듬고 마지막으로 거울을 확인하고 있는데 머리가 뜨겁다는 생각이 들었다. 에카이트가 열을 떨쳐 내려는 듯, 고개를 설레설레 흔들었다.

젠장. 목욕 덕분에 열이 제대로 올랐군. 피로를 조금이나마 덜어 보고자 선택했던 목욕이 도리어 피곤한 몸의 발열 작용을 도운 셈이 되었다. 시간이 지나면 좀 나아지겠지. 옷도 제대로 갖춰 입었겠다 이제 신전으로 출발하기만 하면 된다. 신전으로 향하는 마차 안에서 푹신한 소파에 몸을 기대고서도 진정되지 않는 상태에 한숨만 나왔다.

내뱉는 숨결이 뜨거운 것하며 입술이 바짝 마르는 것이 분명 열이 오른 것이렷다. 미치겠군. 추가 근무 수당, 꼭 다 챙겨 내야겠어. 그깟 추가 근무 수당은 베이야드 공작가에 없어도 그만일 텐데, 에카이트는 왠지 모를 투지를 불태우며 허허 웃었다. 그렇게 얼마쯤 갔을까 마차가 서서히 속력을 줄인다.

벌써 신전인가. 일단 시종을 불러 찬 물수건을 부탁했다. 약혼식 중에 벌겋게 달아오른 얼굴로 아파 죽겠다는 티를 내면 그 무슨 결례란 말인가.

오전 연회를 혼자 참여하게 만든 것도 미안한데 아픈 티를 내 부담까지 주는 건 뭐란 말인가.

그는 대기실로 들어가 문을 걸어 잠그고서 긴 의자에 몸을 늘어뜨리고는 얼굴에 찬 수건을 올렸다. 찬 기운에 정신이 조금이나마 드는 것 같다.

"……아무리 멀쩡한 척을 한다 해도 미안할 일이로군. 머리론 미결 서류를 생각하고 몸으론 고단함만 나타내니. 결혼식에선 정말 확실히 해야겠어."

벌써 결혼식을 생각하다니, 에카이트는 자신의 생각에 놀라 이내 피식 웃는다.

"내가 열이 오르긴 했나 보군. 약혼식도 전에 결혼식 계획이라니. 미쳤군. 내가 아주 제대로 미쳤어……."

혼잣말을 중얼거리다가 자신이 미묘하게 들떠 있음을 감지한 에카이트가 몸에 힘을 빼고 완전히 늘어졌다. 뭐, 귀족들 간의 약혼은 정말 특수한 경우가 아니고서야 대부분 결혼으로 이어지니 그렇게 생각하는 것도 무리는 아니다.

그렇게 스스로의 생각을 합리화하면서 천장으로 시선을 옮겼다.

아펠리아와는 초면이 아니었다. 착실하게 자신의 연무장을 누비며 수련을 계속하던, 그녀의 모습이 눈앞을 스쳤다. 황태자가 그녀의 이름을 입에 담으며 그녀가 어떤지 물었을 때, 자신도 모르게 그 모습이 떠올라 성실한 태도였다고 답했다. 내 대답에 황태자가 묘한 표정을 지었던 것이 기억난다. 그로부터 얼마 지나지 않아 황태자가 약혼을 주선한 것을 보면 아마 그때 그렇게 말한 것이 영향을 미친 것이리라.

그래서 이 약혼에 더욱 책임감을 느끼고 있는지도 모르겠다. 덮고 있던 물수건이 미지근해지자 치워 버리고 멍하게 천장을 바라보고 있는데 노크 소리가 들렸다. 입장을 준비하라는 시종의 전갈이었다.

천천히 자리에서 일어나 의복을 매만지고 호명에 따라 긴 카펫을 밟고 앞으로 나아갔다. 무슨 정신으로 걸음을 옮겼는지 모르겠으나 금세 지정된 위치에 도달했다. 그리고 아펠리아, 곧 약혼자가 될 사람의 입장이 이어졌다.

"……기사 예복. 기사 예복이라."

에카이트는 작게 중얼거렸다. 멀리서 너무도 당당한 자태로, 동시에 기품과 고결함이 느껴지는 자태로 기사 예복 차림을 한 소녀가 걸어온다.

그녀의 얼음과도 같이 시린 얼굴에는 표정이 없었으며 그 시선은 오직 황태자에게 닿아 있었다. 황태자의 호위 기사 아펠리아 폰디체리. 왠지 모르게 가슴이 시렸다. 아무것도 시작하지 않은 마음인데, 배신감이 느껴진다. 자신의 옆까지 와서도 시선조차 돌리지 않고 손만 내미는 그녀에게서 왠지 모를 거부감이 느껴졌다.

그녀가 내민 손을 따뜻하게 붙잡지 않았다. 의복 따위, 무엇을 입든 중요하지 않다. 하지만 저 시선. 잘 벼려진 검날처럼 시린 저 두 눈. 차가운 시선에 대한 반작용으로 몸이 열을 내는 것인지 시야가 순간 흐릿하다.

동시에 얄궂은 계획이 고개를 들었다. 리디아 실버 펠튼. 이런 장난질에 써도 미안하지 않은 여자. 무슨 수를 써도 빤히 보이는 여자. 그리고 첩자와의 연결 고리가 되어 줄 이용 가치가 높은 여자.

이용할 수 있는 모든 것을 다 이용해서라도 저 시선을 나에게 돌리지 않고는 못 견디게 만들어 주지, 아펠리아 폰디체리.

이날을 시작으로 국익을 빙자한 그의 작은 도발이 시작됐다. 호감과 질투에서 시작된 이것은 결국엔 다른 것들과 얽히고설켜 끝끝내 마무리하지 못할 그런 것이 되어 버리고 말았지만 말이다.

아프겠군. 14살의 에카이트가 연무장 한쪽을 향해 시선을 고정했다. 듣기만 해도 골이 깨질 것 같은 타격 소리 뒤로 나타난 것은 어린 소녀였다. 나이답지 않게 진중한 눈동자가 꼬마에 불과한 어린 계집아이의 호칭을 어린 소녀로까지 끌어올렸다.

소녀는 매서운 눈동자를 제외하고도 충분히 시선을 끌 정도로 매력적인 외관을 가지고 있었다. 햇살에 반사되어 마치 색이 연한 백금을 연상케 하는 머리칼이나 어린 나이에도 반듯하기 그지없는 몸가짐이라든가.

방금 전의 타격은 분명 저 소녀가 충격을 받으면서 났던 소리임에도 작은 찌푸림조차 없다. 에카이트가 걸음을 멈추고 한 곳에 시선을 집중하자, 앞서 나가던 그의 아버지 베이야드 공작이 걸음을 멈추고 뒤를 돌아 자신의 아들을 살폈다.

"용건이 있느냐?"

"아닙니다."

"아니라면서 왜 아직도 멈춰서 있는 게냐."

베이야드 공작은 자신의 질문에 아니라고 답하면서도 여전히 같은 곳을 바라보는 아들을 엄하게 바라보았다. 그러다 문득 무엇이 그의 발길을 잡는지 궁금해졌다. 아들의 시선을 따라간 곳에는 폰디체리 공작의 외동딸이 있었다.

고작 9살의 나이지만, 그 미모에 필적할 만한 영애는 당대는 물론 후대에도 없을 것이라 단언할 수 있을 정도로 돋보이는 미모를 지니고 있었다. 출생에 비밀이 있다는 것이 조금 흠이긴 하지만, 제국의 국방을 돌보는 폰디체리 가문의 무남독녀이다.

그 엄청난 권력을 세습하게 될 유일한 자손인 만큼 그 정도의 흠은 흠도 아니었다. 베이야드 가문 미래의 며느리로서 그럴싸한 조건을 갖춘 인물 중 하나. 베이야드 공작이 폰디체리 공녀에 대한 정보를 추가했다. 하지만 엄중히 해야 할 문제는 여전히 남아 있었다. 공작이 표정을 더욱 차갑게 얼렸다.

"약혼이라도 시켜 줄까."

"무슨 말씀이십니까?"

에카이트의 반문에도 공작의 표정은 여전히 차가웠다. 어떻게 보면 엄한 표정으로도 보여 혼나는 모양새였다. 에카이트는 곰곰이 자신의 실수를 떠올리며 표정을 정리했다.

저 멀리 기사단장으로 보이는 남자가 폰디체리 공녀를 엄하게 지도하는 모습이 보였다. 분명 저쪽으로 시선을 옮기면서 평정을 잃었을 것이다. 그리고 그것은 자신을 완전한 외교관으로 성장시키기 위해 훈육과 교육을 담당한 아버지에게 질책당하기에 충분한 일이었다.
"죄송합니다."
"모르는 사람이라면 모를 변화다. 하지만 아는 사람은 보면 안다. 아무도 네 마음을 알지 못하게 해라, 설령 상대가 황제 폐하라 하더라도."
"삼가 명심하겠습니다."
자칫 잘못 들으면 반역도로 오해받을 사상을 아들에게 주입하면서도 한 치 흐트러짐이 없는 베이야드 공작이 다시 걸음을 옮기기 시작했다. 묵묵히 따라 걸음을 옮기는 에카이트의 뒤로 다시 강단 있는 기합을 내지르며 대련을 재개하는 폰디체리 공녀가 스쳐 갔다.
제법이로군. 에카이트가 희미한 웃음을 머금었다가 금세 감췄다. 그 사실을 알 리 없는 베이야드 공작이지만, 시기적절하게도 그 순간에 입을 열었다.
"걸음에서 나는 박자가 어색하다. 아직도 아프더냐?"
"……아닙니다. 평안합니다."
"애비로서 묻는 것이다. 아프더냐?"
느닷없는 공작의 질문에도 태연하게 대답하는 것이 그의 아들다웠다. 하지만 공작이 재차 질문을 던지자 그의 표정에 약간의 갈등이 스쳤다. 그것을 본 공작이 고개를 저으면서 한숨을 내쉬었다.
"……아직도 어설프구나, 아직도. 표정을 숨기라니까. 드러내지 말거라. 상대가 누구건 감추라 하지 않았더냐. 그래. 그래도 그 표정을 보니 알겠구나. 아직 아프겠지. 아플 만하다. 하지만 참고 견디는 법도 익혀야 한다."
베이야드 공작의 말에 밀려오는 패배감을 애써 구겨 넣은 에카이트가 지극히 평안한 얼굴로 고개를 끄덕였다. 겉보기엔 멀쩡해 보였으나, 사실 지금 그의 몸에는 깊은 상흔이 곳곳에 남아 있었다. 외교관의 자제로서, 그리고 미래의 외교관으로서 받아야 하는 지독한 훈육은 잔혹한 흉을 남긴다.

외교관이란 타국과 자국의 중점에 서서 상호 의견을 조정하고 자국에 보다 큰 이득과 안정을 가져오기 위해 존재한다. 그러기 위해서는 타국의 사절들과 정치적, 외교적 만남은 필수적이다.

안타까운 현실이지만, 그 모든 만남들이 안전함 속에서 이루어질 수는 없었다. 적국과 만나야 할 때도 있을 것이고 민감한 사안에 대해 논해야 할 날도 있을 것이다. 그리고 으레 그런 사안은 외교관의 신변을 위협해 우위를 점하려고 하는 경우가 많았다.

그러한 사건을 극복하기 위해서 베이야드 공작 가문에서 대대로 내려오는 훈육 방법은 잔혹한 만큼 그 성과가 확실했다.

한참을 걸어 폰디체리 공작 가문의 산림욕장을 지나 마차에 오르자 다시 침묵이 감돈다. 침묵을 깬 쪽은 베이야드 공작이었다.

“매가 부러지는 순간까지도 비명은 안 된다. 절대 평상심을 유지해라. 견디지 못할 고통은 없어. 네가 관여하게 될 일들은 그 정도로 중요한 일이야. 사소한 외교는 네 차지가 아니다. 무슨 경우든 목숨을 걸어서라도 우위를 점해야 한다. 너 하나 죽어 봐야 국가가 잃는 것은 하나의 목숨에 불과하지만, 네가 강압에 따라 인장을 찍어서 잃는 것은 지대하다. 경우에 따라서는 죽음으로 유리한 고지를 점할 수도 있어. 하니 상황이 여의찮다면 스스로 판단을 내려 죽어라. 반드시 타살이라는 증거를 남기고선, 확실하게 죽어라.”

“명심하겠습니다.”

아버지가 하는 말이라기엔 모질기 그지없는 지시를 하달하면서도 표정엔 변화가 없다. 마치 그렇게 가르치는 것이 옳다는 것처럼.

마찬가지로, 부동의 표정과 자세를 유지하며 긍정하는 에카이트 또한 평범한 '자식'의 궤도에서 벗어나 있었다. 그 부자를 태우고 달리는 마차 또한 냉정한 음색을 내면서 폰디체리 공작 가문의 영토에서 멀어져 갔다.

14살, 소년 에카이트는 개인 정원에 특별히 조경해 두었던 장소에서 휴식 중이다. 담쟁이 덤불 뒤에 숨겨진 아늑한 공간은 아버지조차 알지 못하는 공간이다. 아니, 설사 아신다 해도 별다른 일이 생기지 않는 한 크게 궁금해하지 않을 공간이라는 말이 더 맞을 것이다.

오전엔 최악의 맛에다 미묘한 독극물까지 포함된 차를 연거푸 두 잔이나 대접받으면서 근래 방문한 외교 사절단에 대해 모의 외교 담화를 벌였었다. 상대는 아버지였다. 매일 일정한 시간을 투자해서 자신을 교육하는 아버지는 분명 우상이었으며 앞으로 자신이 닮아야 하는 존재였다.

외교관을 완성하는 두 항목. 인내와 평상심. 하지만 조금만 더 극한으로 교육받다가는 죽을지도? 에카이트가 속으로 비죽 웃었다. 하지만 더 이상 표정에 웃음이 나타나지 않았다.

"아버지, 이곳이 맞습니까?"

갑작스럽게 들려온 소녀의 음성에 에카이트는 사뭇 긴장했다. 나른한 태세로 의자에 기댄 몸을 바로하고, 정원에 급작스럽게 침입한 두 인기척에 집중했다. 갑작스러운 침입자의 정체는 폰디체리 공작과 그 공녀였다. 지난주쯤 폰디체리 공작 가문을 방문했을 때 자신의 시선을 끌었던 그 공녀였다.

그러고 보면 오후에 폰디체리 공작이 아버지를 방문한다는 소리를 들은 것도 같다. 하지만 공녀까지 온 것은 의외였다.

에카이트는 앉은 자리에서 움직임을 멈추고 외부의 소리에 귀를 기울였다. 공녀는 몰라도 폰디체리 공작은 유명한 무인이었다. 잘못 했다간 들키기 십상이다. 어차피 이곳은 내 정원이니 들켜도 상관없는 일이지만, 공연히 나서서 끼어들어도 되는 일인지 정도는 파악하는 것이 옳았다.

"맞는 것 같구나. 에카이트의 정원에서 기다리라니, 고약한 녀석."

"하지만 아버지께서 백합을 싫어하시니 어쩔 수 없지 않습니까."

"크흠. 하긴, 녀석의 정원은 온통 백합이니까. 정말 싫더구나."

둘 다 무뚝뚝한 목소리였지만, 달랐다. 자신과 아버지가 나누는 대화와는 그 느낌부터가 달랐다. 서로에 대한 신뢰와 애정을 숨길 수 없는 목소리였다.

왠지 모르게 솟구치는 답답한 기운이 목구멍을 꽉 막아 머리가 멍하다. 에카이트는 자조적인 미소를 지었다. 밖에서는 여전히 자신의 부친을 기다리며 부녀가 나누는 대화가 한창이었다.

"한데 아버지. 낮에 배웠던 것이 이해가 되질 않습니다. 황태자 전하를 호위하는 기사가 되어야 한다고 하지 않으셨습니까. 그런데 왜 제 목숨을 내주면서 퇴로를 뚫는 검술은 익히지 않게끔 피해 지도하십니까? 저는 배우고 싶습니다."

"나를 위해서다."

폰디체리 공작의 대답에 에카이트는 깊은 생각에 잠겼다. 본인을 위해서라……. 폰디체리 공작은 대대로 국방부 수장 직위를 역임하는 무인이었다. 동시에 기사이기도 한 그의 가문이 국가에 헌신하는 충성도는 다른 귀족들의 귀감이 될 법했다.

그런 사람이다 보니 모친의 출생이 모호한 그녀가 기사 훈련을 받는 것을 납득했었다. 이런 인물이라면 분명 그 딸이 주군을 위해 죽는 것을 영광으로 여겨, 충성심을 심어 주고 그에 맞는 엄한 훈련을 받게 하는 것이 당연하다고 생각했다.

하지만 본인을 위해 배우지 못하게 한다니, 무슨 말일까. 의문을 품은 것은 그뿐이 아니었는지, 폰디체리 공녀도 의문을 제기했다.

"아버지의 말은 모순됩니다. 아버지의 영광을 위해서라면 제가 배우는 것이 맞습니다."

"아니다. 절대로, 절대로 아니다. 네가 만약 그런 일로 죽게 된다면 나는…… 아니, 이상 이 일에 대한 질문은 받지 않을 것이니 그리 알거라."

단호한 공작의 말에 공녀가 시무룩한 표정으로 고개를 숙이는 것이 눈앞에 선하다. 기사란 상하 복종이 확실한 집단이다. 그렇지만 저렇게 애지중지하는 마음이 선명히 보이는 아버지 앞에서라면 은근히 투정을 부리며 졸라 댈 법도 한데 고지식하기도 하다.

아마 그 대답이라는 것은 이렇겠지. 네가 주군을 위해 목숨을 바쳐 죽음을 맞이하면 자신은 주군에게 더는 충성할 수 없을 것이라는 식의. 에카이트가 속으로 웃음을 삼켰다. 소녀의 얼굴이 다시 떠오른 덕분이었다.

두 사람은 그 후로 대화는 거의 하지 않으면서 시간을 보냈다. 하지만 부녀 사이에 감도는 유대감이나 애정은 그러한 침묵조차 편안하게 했다.

마음이 쓰다. 스스로 그렇게 느꼈다는 점에 놀란 에카이트가 표정을 굳혔다. 부러워하는 건가. 하기야 일곱 살 때부터 시작된 가혹한 매질에도 흐트러짐 없이 표정을 굳건히 하려고 눈물을 삼키며 얼마나 많은 상처를 얻었던가. 손목에 흐리게 남은 화상 흉터를 다른 손으로 감싸며 눈을 감았다.

시간이 얼마나 지났을까, 기다리다 지친 공작이 이를 갈면서 일어나는 소리가 들린다. 조용한 정원이라 그런지 이가 두어 개 빠졌다고 해도 믿을 정도로 큰 소리가 났다.

공작은 성큼성큼 멀어지면서 뱀을 응징하자는 말만 남기고 자리를 비웠다. 이제 정원에는 공녀와 자신만이 남은 셈이다. 아마 자신이 있다는 것을 알았더라면 공작은 끝까지 자리를 지켰으리라.

"거기에 계시는 것을 압니다."

……쯧. 그는 속으로 혀를 찼다.

공녀는 자신의 존재를 알고 있었던 것이다. 공작도 알고 있었다는 건가? 어째서? 그러한 의문은 금세 들려온 공녀의 대답에 해소되었다.

"아버지께서도 아십니다. 거기 계신 분이 베이야드 공작 가문과 관련이 있다는 것을 알고 그리 말씀하시며 떠나셨을 겁니다. 인사가 늦었습니다. 평안하십니까?"

이 판국에 안부를 물어보다니 공녀도 어지간한 사람이다. 그래, 관계가 있는 것은 맞다. 그것도 직계 후계자이니 말이다. 그나저나 뱀이라니, 슬프네. 가뜩이나 가문의 문장도 흰 뱀인데 저렇게 놀리시니.

부녀의 냉정한 뱀 취급에 잠시 할 말을 잃고 있는데 아펠리아가 먼저 입을 열었다.

"저는 평안합니다. 한데, 생각해 보니 베이야드 공작께서는 평안하지 않으실 것 같네요. 먼저 가 봐야 할 것 같습니다. 실례하겠습니다."

예의 바르기도 하지. 에카이트는 멀어지는 발자국 소리를 들으며 웃음을 흘렸다. 그러다 문득, 어린 소녀의 미래가 기대되기 시작했다.

언제까지 저렇게 당돌하고 발랄함을 지킬 수 있을까.

훗날 주기적으로 소녀의 훈련이나 수련 장면을 보기 위해 폰디체리 가문에 볼일을 만들어 방문하는 습관은 여기에서 기인됐음이다.

“일단은 이혼해.”

황태자가 진한 과일주를 담은 고급 잔을 유려한 손놀림으로 빙빙 휘돌리며 간결하게 말했다. 선 자세로 이혼을 종용하는 황태자의 모습과 상반되게 에카이트는 반듯하게 앉은 상태였다.

세간을 시끄럽게 만든 리디아 펠튼과의 스캔들을 고려하면 충분히 생각할 수 있는 제안임에도 에카이트의 표정은 좋지 못했다.

“그것이 최선이라고는 생각하지 않습니다만.”

황태자는 명확하게 거부 의사를 드러내는 에카이트를 보며 과일주를 깔끔하게 들이켰다. 미처 삼키지 못한 액체가 잔 바닥에 고였다. 그를 흥미롭게 바라보던 황태자가 여전히 가득 찬 잔을 흔들 듯, 유려한 손놀림으로 잔을 휘돌렸다. 바닥에 흐릿하게 고인 액체들이 소용돌이친다.

“물론 최선은 아니지.”

“그럼 못 들은 것으로 알고 잊겠습니다.”

황태자의 대답이 떨어지기 무섭게 에카이트가 사무적으로 말을 자르며 억지로 일을 마무리 지었다. 그 쌀쌀한 대응에 상처받을 황태자가 아니다. 그는 자신이 원하는 바를 이루기 위해 에카이트를 몰아붙이려 입을 열었다.

“이런, 에카이트. 냉정해지라고 했지 뇌까지 뻣뻣하게 굳으라는 것은 아니었어. 무엇이 두렵나? 외도라는 거대한 스캔들을 터트린 건 자네였지, 나나 아펠리아 경이 아니야.”

"그 점 면목 없습니다. 다만 그 과정에서 리디아 펠튼이 첩자와 내통하는 것을 감지하여 정보 목적으로 이용해 왔다는 점을 고려해 주셔야 합니다. 이 모든 일련의 과정은 전하의 지시하에 이루어졌습니다. 아시지 않습니까."

"그 점은 높이 사고 있으니 재차 강조할 필요는 없어. 첩자의 장단에 맞추어 그녀와 외도하라 말한 것이 나인데 모를 리가 없지 않은가. 다시 말하지만 나는 앵무새를 혐오해. 같은 걸 두 번 말할 필요는 없어. 알 텐데."

황태자가 냉정하게 말하며 빈 잔을 내리고는 과일주가 담긴 병을 들어 홀로 잔을 채웠다. 앞자리에서 미동도 않는 에카이트는 신경도 쓰지 않은 채 황태자는 또다시 잔을 흔들었다. 잔 안에서 액체가 춤을 췄다.

"지나치게 과장되고 빠른 소문. 폰디체리 공녀를 음해하는 소문. 그리고 지난 5년간 내내 따라다닌 이혼설. 인위적인 상황. 물론 펠튼 따위가 홀로 해낼 일이 못되지."

"……첩자의 개입한 것으로 확인되는 정황 증거들을 다수 포착했습니다. 최근 수집된 정보를 정리한 결과 리디아 펠튼과 그 첩자가 공조 관계임이 확실해졌습니다. 펠튼의 경우 목적이 다소 분명하지만 첩자의 경우는 조금 다릅니다. 어째서 그녀를 목표로 하고 있는 건지……. 그녀의 모친과 모종의 관련이 있다는 것이 전부입니다. 진행이 생각보다 너무 느립니다."

황태자가 고개를 가볍게 끄덕였다. 에카이트는 다시 묵묵히 입을 닫았다. 침묵이 흐르며 황태자가 딴청을 부리기 시작했다. 다른 말을 기다리는 눈치였다. 그에 에카이트가 두 눈을 고통스럽게 감으며 신음 같은 말을 내뱉었다.

"……아펠리아는, 일련의 상황에 대해 완전히 무지한 상태입니다. 아마…… 단순한 외도로 인식하고 있을 가능성이 가장 높습니다."

말한 이의 고통이 옮겨 가듯 황태자의 수려한 얼굴도 심란해졌다. 하지만 이내 과실주의 향을 음미하듯 잔을 코밑에 당겨 눈을 감아 버렸다. 심각한 상황과 상반되게 여유로운 태도였지만 흐르는 기세는 결코 여유롭지 않았다.

그러한 위태로움을 인지한 것인지 묵묵히 황태자의 응수를 기다렸다. 제법 지루할 정도의 시간이 지나자 황태자가 눈을 떴다. 날카롭고 차가운 시선이 에카이트를 찔렀다. 하지만 이미 익숙한 그에게는 무의미한 일이었다.

"일이 이리 될 줄은 자네도 나도 몰랐지 않은가. 시작할 때야 리디아를 이용해 이상한 점도 캐내고 겸사겸사 질투심도 불러일으키는 정도로 끝날 줄 알았던 거지. 여기서 발이 묶인 게 억울하지만, 어쩌겠나. 물론 그대가 잠든 아펠리아의 모습이라도 보고자 자네의 그 얼마 되지도 않는 취침 시간까지 포기하면서 노력한다는 거, 알고 있어. 뭐, 자네의 그런 모습을 알았기에 내가 약혼을 주선한 것이 아닌가. 결과적으론 그 결정을 후회하고 있지만."

"……."

상처를 후벼 파는 발언에 에카이트는 눈을 감아 버렸다. 찡그린 인상이 내면의 고통을 그대로 토해 냈다. 황태자는 괘념치 않고 대화를 진행해 냈다. 음성은 놀랄 만큼 편안하고 나른했다.

"무려 5년이야. 이 지긋지긋한 펠튼가의 계집과 첩자의 공모가. 결혼 전에 어떻게 하려던 계획이 실패하자, 5년이나 공들여 이혼을 시키려고 하다니. 아펠리아가 무척이나 중요한 목표인 건 분명해. 일단은 이혼을 시키고 납치해서 자국으로 빼돌릴 계획인 듯한데, 왜

일까. 뭣 때문에 그렇게까지 하는지 궁금하지 않나?"

호기심 가득한, 마치 아펠리아를 두고 실험이라도 하자는 듯한 황태자의 말투에 결국 화를 참지 못한 에카이트가 폭발하듯 분노를 쏟아 냈다. 하지만 음성은 고저 없이 일정한 톤이었다.

"아펠리아를 사지로 몰 생각은 마십시오. 이혼은 없습니다."

황태자는 싸늘한 에카이트의 말에도 아랑곳 않고 계속해서 과실주를 음미했다. 에카이트는 종전의 분노가 모두 거짓인 양 싸늘하게 굳은 표정으로 주먹을 강하게 쥐었다. 무심하게 내뱉는 황태자의 말 한 마디 한 마디가 무겁게 내려앉았다.

"자네 말이 맞아. 이혼이 최선은 아니지. 최후의 수단이라고 할까. 그렇다면 에카이트. 과연 우리에게 남은 패는 얼마나 있을까? 우리 손엔 마지막 패밖에 남지 않았어. 아, 물론 기권은 패로 치지 않아."

"……이혼만은, 동의할 수 없습니다. 그녀를 이 이상 모욕할 수는 없단 말입니다. 이건 그녀를 사지로 내모는 짓입니다. 첩자의 목적을 파악하고자 납치당하는 걸 알면서도 그냥 두고 보라는 겁니까! 아펠리아를 아끼신다면 그에 걸맞은 인정을 보여 주십시오, 전하."

에카이트의 절망 어린 부탁에도 황태자는 흔들리지 않았다. 알고 있었다. 황태자는 한번 결정한 걸 번복하지 않는 사람이니까. 그럼에도 정에 호소해 본다. 세상에서 가장 끔찍한 무엇인가와 조우한 기분이다. 한참을 눈을 감고 있던 에카이트가 결국 백기를 들었다.

"……이혼 후 그녀의 안전을 보장해 주신다고 약조해 주십시오."

"노력하지."

황태자 또한 마냥 유쾌한 결단은 아닌지 진중한 표정으로 고개를 끄덕였다. 황태자에게 있어 아펠리아는 자신의 오른팔과 다름없는 사람이었기에, 그녀가 돌아오지 못할 길을 건너는 것은 그로서도 상상하지 못한 일이었을 것이다.

마음에 들지 않는 결론에 두 사람 모두 미묘한 침묵을 유지하였다. 황태자는 몸을 일으켜 창가로 움직였다. 그리고 한참을 몰두하듯 창밖을 바라보다 먼저 침묵을 깨고 입을 열었다.

“먼저 가지. 마음 추스르고 나오도록. 표정 관리하는 게 좋을 거야. 지금 리디아 펠튼의 마차가 오고 있다. 건방진 계집. 첩자와 관련되지 않았다면 감히 여기까지 들어오게 허용치도 않았을 것을.”

한참 동안 바라보던 것이 펠튼의 마차였는지 말하는 투가 심상치 않았다. 먼저 자리를 떠서 방문에 손을 올리는 황태자. 하지만 에카이트가 입을 여는 바람에 문 여는 것을 잠시 미루었다.

“……한 가지만 더. 약조해 주십시오.”

“들어는 보지.”

“……이번 일이 마무리되고 아펠리아, 그녀가 원한다면,…… 다시 시작하고 싶습니다.”

씁쓸하지만 간절한 그 발언에 황태자가 미묘한 한숨을 내쉬었다.

엇갈려도 지나치게 엇갈렸다. 가장 아끼는 두 사람을 엮어 주었지만 결국 둘 다 망가진 것이 아닌가. 에카이트의 바람은 지금으로선 뭐라 확신할 수 없는 바람인 것이다. 어떤 대답도 할 수 없게 된 황태자는 그대로 방문을 열고 나갔다.

“오직 신만이 아실 일이지. 기도하도록.”

에카이트는 망연히 방에 남아 목을 옥죄던 타이를 느슨하게 풀었다. 그리고 그 시각, 아펠리아는 에카이트가 작성한 적 없는 이혼 통지서를 받고 홀연히 정신을 잃었다.

[Sadly ever after]

여전히 백색으로 빛나는 편지지를 바라보던 에카이트가 신경질적으로 탁상을 내리쳤다. 이혼을 요구하는 편지를 작성해야 했다. 이 편지가 황제의 인가를 받아야만 비로소 아펠리아, 자신의 아내를 만나러 갈 명분이 생긴다.

이 얼마나 지독한 희극이자 비극인지. 상처 말고는 되돌아볼 자국조차도 없다. 한 침대에 누워 본 적도, 사랑한다고 속삭인 적도, 손을 마주 잡은 적도 없었다. 그저 냉정하게 외면하고, 매몰차게 상처를 주고, 아픈 상처만 주고받았다.

이런 결혼 생활에서 아내인 아펠리아의 마음이 산산조각 났음은 이미 사무치게 잘 알고 있었다.

놓아주자, 보내 주자 수십 번 다짐했지만, 계속해서 꼬여만 가는 첩자와 펠튼의 행보에 그러지도 못하였다. 기사로서의 지고지순한 성향이 아니었더라면 오래전에 보다 간편히 끝났을 관계였을 것이다.

"……나는, 무엇을 위해 존재하는가? 아펠리아. 나는, 나는……."

에카이트가 손을 들어 올려 눈을 문지르며 토해 내듯 중얼거렸다. 그녀는 칼라한 제국의 국방과 호위를 담당하는 폰디체리 공작가문의 외동딸이었다. 고고함을 타고난 레이디. 남작 영애 따위에게 사랑을 빼앗겨 모욕당하는 걸 가만히 참아 낼 만한 자리가 아니었다.

그녀의 인내가 사랑일까 희미한 기대를 걸면서도 그것이 충성의 다른 모습이라 생각하니 가히 미칠 지경이었다.

이혼, 해야 한다. 해야만 한다. 아니, 해내야만 한다.

하지만 펜을 잉크에 적시고도 수신인 란에 아펠리아로 시작하여 베이야드로 끝나는 그 짧은 글자를 쓰지 못하여 시간만 지체하는 것이다.

베이야드. 베이야드, 베이야드!

유일하게 자신의 아내임을 증명하는 것을 이렇게 끊어 내자니 가슴속 깊은 곳까지 시려 온다. 베이야드 공작이며 아펠리아 모두 입궁하고 텅 비어 있는 저택에서 홀로 남아 있는 자신의 모습이 이질적으로 느껴졌다.

더는 지체할 수 없어 떨리는 손으로 그녀의 이름을 써 내려간다. 떨리는 손 아래로 나타난 글자는 단정하고 유려했다. 아펠리아 에스프리 레지아 드……. 막힘없이 써 내려가던 펜이 베이야드를 써야 할 곳에 닿자 멈췄다. 한참을 망설이다 결심하고 펜을 내린 순간.

"……어머! 너 정말 자꾸 큰일 날 소리 할래? 황태자 전하께서 주선한 결혼이잖아. 그간 원만하진 않았어도 큰 탈 없이 유지되던 결혼이 왜 깨지니? 난 이 소문 좀 이상한 것 같아. 진짜인지 아닌지도 모르는데 괜히 불똥 튈까 무섭다, 얘."

소문. 무슨, 소문? 마치 그가 몇 날 밤을 하얗게 지새우며 거부하고 거부했던 그 헤어짐을 사실이라 말하는 것 같아 손을 멈췄다. 아펠리아. 그녀의 이름을 써 내려가던 펜이 잉크를 검게 토해 낸다.

펜은 말을 멈추었는데 바깥의 말소리는 멈추지 않는다. 공작가 사람이 있을 때엔 이 방 근처에 얼씬도 할 수 없는 사용인들이 일과를 위해 돌아다니기 시작한 것 같았다. 하기야 이 시간이면 저택에 남아 있을 사람이 없기는 했다.

에카이트는 숨을 멈추고 이야기에 귀를 기울였다. 손에서는 시간이 멈춘 펜이 계속해서 검은 잉크를 토해 낸다. 하얀 종이가 검은색 피에 물든다.

"얘가 모르는 소리 하네. 펠튼 영애랑 그렇고 그렇다는 스캔들 못 들었어? 들어 보니 불가능할 것도 없어 보이던데. 우리 작은 마님이야 미모로나 집안으로나 뭐 하나 빠지는 게 없는 분이시지만……. 역시 사랑이란. 사랑으로 모든 것을 극복한다니 로맨틱하지 않아?"

"……아무리 그렇다 해도 난 우리 작은 마님이 정말 좋았는걸. 처음에야 딱딱한 성격에 차가운 인상이라 무서운 마음에 피하긴 했어도 지나고 보니 얼마나 바른 분이셨어? 우리한테 늘 잘해 주시기도 했고. 소문이 사실이라고 해도 우리는 그러면 안 되는 거야. 설사 정말 이혼을 하신다고 해도."

이혼. 이혼이라고 말했다.

차갑게 식은 영혼이 그대로 쏟아져 나올 것 같다. 에카이트는 그대로 눈을 감으며 짧게 심호흡했다. 입술 사이로 빠져나오는 입김이 하얗게 어는 것 같았다. 한참 숨을 고르다가 서서히 눈을 열어 그대로 검은 잉크로 참담해진 편지지를 내려다본다.

겨우 마음을 가라앉히고 무감각한 표정으로 자리에서 일어났다. 내팽개쳐지다시피 쓰러진 펜에서 검은 피가 흐른다. 누군가가 흘리는 붉은 피를 대신해서. 흐르는 검은 피가 이름을 모두 덮는다. 베이야드라는 마지막 이름이 쓰여야 할 공간을 빼곡히 덮는다. 더 이상 어떠한 여지도 없는 것처럼.

에카이트는 황금빛이 만연한 공간을 미끄러지듯 걸어가 호위 기사들로 둘러싸인 문 앞에 섰다. 평소와 다름없는 모습에 비켜 주려던 한 호위 기사가 다른 호위 기사에 의해 저지되었다. 냉정함을 가정한 눈동자는 분노로 차갑게 타오르고 있었다.

"비키시지. 황태자의 부름을 받고 왔다."

"누구의 방문도 허락지 않으셨다. 아펠리아 경을 그따위로 홀대한 주제에 아주 당당하게도 나타났군. 아무리 기사가 아니라고 해도 그대에겐 양심도 명예도 없는가? 감히 황태자 전하께서 주선한 결혼식을 더럽힌 주제에 여기가 어디라고 온 건가."

호위 기사의 빈정거림을 속으로 삼켰다. 아펠리아는 기사들 사이에서 동경의 대상이자 동정의 대상이었으니까. 특히나 앞서 빈정거린 기사는 그녀의 오랜 동료였다. 이렇게 말할 자격이 있는 사람이었다. 하지만 지금 그런 건 아무래도 상관없었다. 그저 황태자를 만나고 싶었다. 오직 그뿐이었다.

하지만 허락은 떨어지지 않았다. 에카이트는 여전히 문을 노려보며 버티고 서 있었다. 바깥의 소란을 들은 건지 조심스레 문이 열리며 안쪽을 호위하는 기사 한 명이 상황을 살폈다. 그때 에카이트의 차가운 눈동자가 빛을 발했다.

"이런, 젠장! 막아! 황태자 전하를 보호해라!"

"당장 무기를 버리고 투항하라!"

에카이트는 그 찰나의 틈을 놓치지 않았다. 서늘한 안광을 뿜으며 문 앞을 지키던 기사가 찬 검을 뽑아 들고 빠르게 방으로 진입했다. 기본적인 검술은 배웠던 터라 검을 잡은 모습이 제법 그럴싸하다.

금세 따라잡은 기사들이 모두 검을 뽑아 에카이트를 에워쌌다. 사방이 검날로 빛나는 와중에도 에카이트의 시선 끝은 오로지 황태자에게 닿아 있었다.

그곳에는 술에 흠뻑 취한 황태자가 있었다. 검 끝이 황태자를 향한다. 황태자를 겨눈 한 자루 검보다 몇 배로 많은 검들이 자신을 향하는데도 태연자약한 모습이 주변에 두려움을 안겼다.

"……내가 그대를 부른 적이 있었던가, 베이야드 공자."

"감히 그런 적 없다고 말씀하시진 않으시겠지요."

에카이트의 서릿발 같은 음성에 그를 둘러싼 기사들이 더욱 다가선다. 숨결조차 베여 떨어질 정도로 사납게 날 선 검들이 마치 지옥도를 연상하게 한다. 에카이트의 대답에 술을 더 들이켠 황태자가 쓰게 웃으며 답한다.

"이미 내 독단으로 처리했네. 평생의 시간을 주어도 그녀의 이름은 끝까지 다 못 쓸 것이 분명하지 않은가. 나는 성격 급한 폭군이라 더는 기다릴 수가 없더군."

"……핑계, 대지 마십시오. 용납할 수 없습니다."

에카이트의 서릿발 같은 음성에 황태자가 비죽 웃는다. 정말 이것밖에 방법이 없는 것인가. 수천 번 고민해도 결과는 똑같다. 이미 너무 멀리 돌아왔다. 강인한 아펠리아. 어떠한 위험에 몰아넣어도 그녀는 강건히 살아 돌아올 것이다. 그러나 깨어지는 마음은 어떻게 할까. 그 무엇으로도 아펠리아의 마음을 위로할 순 없을 것이다.

하지만 과연 옳은 선택이었을까. 옳은 일이었다고, 그렇게 믿으면서 퍼마신 술이건만 에카이트의 눈동자를 보자니 문득 의구심이 든다. 어디서부터 잘못된 걸까. 서글픈 침묵이 무겁게 가라앉는데 문이 활짝 열리며 기사 하나가 뛰어든다.

"저, 전하! 아펠리아 경이 혼절한 채로 발견되었는데…… 호흡이, 없다고 합니다!"

방 안이 얼어붙는다. 시간도 얼어붙어 산산조각 난다. 황태자가 이젠 거의 통곡을 하는 기사를 닦달한다. 가장 놀라 움직여야 할 에카이트만 그 자리에 가만히 있었다.

"호흡이 없다니, 지금 아펠리아 경이 죽었다, 그렇게 말하는 건가? 터무니없는 소리! 제국에서도 손꼽히는 기사다. 그딴 편지 한 장에 무너질 사람이 아니란 말이다! 조금의 거짓이 있다면 여기서 네 목을 당장 칠 것이야!"

"전하, 여기가 어디라고 제가 거짓을 고하겠습니까. 지금 여기서 이러고 계실 때가 아닙니다. 서두르셔야 합니다!"

망연하게 일어선 황태자가 비틀거리는 걸음을 애써 바로잡으며 방을 빠져나간다. 그것을 신호로 다들 황태자를 따라나갔다.

에카이트만이 홀로 시간이 멈춘 것처럼 그대로 우뚝 서 있다. 마지막으로 방을 빠져나가던 기사 하나가 그를 흘깃 스쳐봤지만 그대로 내버려 두었다. 한참을 침묵 속에 자리하던 에카이트의 입이 힘겹게 열린다.

"……이렇게 도망가면. 나는 너를, 어디서 찾아야 하는가."

검을 든 팔이 힘을 잃고 검을 놓친다. 그리고 같은 시간, 황태자는 필사적으로 아펠리아에게 달려갔다. 수천의 시간이 흐른 것처럼 느껴지는 찰나의 시간 끝에 그녀에게 닿은 황태자가 아펠리아를 쥐고 흔들기 시작한다. 정신 차리라고, 이것은 사실이 아니라고 외친다.

폰디체리 공작이 그 광경을 망연히 바라보며 오열하기 시작한다. 의원과 기사들이 아펠리아를 옮겨 가 의미 없는 응급조치를 취했다. 며칠 후, 폰디체리 공작가에 조기가 걸렸다.

에카이트가 마치지 못한 편지지에 묻은 검은 잉크가 유리 가루처럼 부스러지기 시작한다. 모든 것이 흐릿하게 사라지는 그 순간. 아펠리아는 18세의 폰디체리 공녀로 돌아가 눈을 떴다.

그렇게 모든 것이 다시 시작한다.

[번외] 키마 칼라한 황태자의 이야기

알 수 없는 사람. 칼라한 제국의 황태자 키마를 정의하는 수많은 단어 가운데 가장 많이 회자되는 말이었다. 그는 정말로 그 말에 걸맞게 그 심중을 드러내지 않는 사람이었다. 누구 하나 그는 이러한 사람이라고 정확히 말할 수 없는 것이 그 반증이 아닐까. 하지만 언제 어디서나 예외는 있는 법이었다. 지금처럼.

"좋은 분이십니다, 전하는."

빛이 녹아든 것처럼 옅은 색감을 띄면서 반짝이는 백금발이 눈에 시리게 박힌다. 저 무표정한 얼굴 가죽 밑으로는 얼마나 다채로운 감정이 움직이고 있을까.

제국의 유일무이한 여기사가 저녁 근무를 위해 교대한 시간, 황태자가 늦은 시간까지 이어진 집무 중에 전혀 줄어들지 않은 서류를 옆으로 밀쳐 두고 의자에 나른하게 기대어 누워 있었다. 그런 흐트러진 모습에도 우스울 정도로 충직하고 충격적일 정도로 정직하게 답하는 여기사의 모습은 언제 보아도 묘한 환희를 느끼게 했다.

하지만 오늘은 저 모습이 혼란을 부추긴다. 아펠리아 어쩌고저쩌고 폰디체리. 길고 유구한 미들 네임들을 외워 봐야 결국에 부를 때엔 아펠리아인 것을. 키마가 신경질적으로 웃으면서 서류 위로 구둣발을 올렸다. 역시 다리는 뻗고 봐야지. 그의 구둣발이 서류 위로 올라앉자 아펠리아의 옆에 서 있던 다른 기사가 몸을 움찔거린다. 대충 누가 올린 서류인지는 알 것 같았다.

"좋은 분이라. 글쎄. 언젠간 내가 그대를 죽게 만들지도 모르는데?"

그의 날 선 질문에도 아펠리아는 무덤덤했다. 소름 돋을 정도로 완벽한 외모가 딱딱한 표정도 빛이 나게 만들었다. 그 얼굴을 보니 조금이나마 마음이 풀린다. 모든 것이 꿈만 같았다.

갑자기 멍한 표정을 짓는 황태자를 의식하지 못한 아펠리아가 무덤덤한 말투로 답한다.

"더할 나위 없을 영광입니다, 전하."

아펠리아의 대답에 황태자는 가위눌린 듯 갑갑한 상황에서 빠져나왔다. 그래, 그랬다. 원래 저런 성격이었다.

반가움과 동시에 그 어리석음에 화가 치민다.

"그대가, 나에 대해서 모르니 그렇게 답하는 거겠지."

"적어도 제가 아는 전하는 좋은 분이십니다. 그리고 설사 그렇지 않다 하셔도 제 주군이십니다."

아펠리아의 지체 없는 대답에 황태자는 사나운 표정을 지었다가 이내 평소의 표정으로 돌아왔다.

"글쎄. 특히 그대에겐 좋은 사람일 리가. 그런 이유로 홀로 반성의 시간을 보내고 싶은데, 다들 나가지."

금세 딱딱한 어조로 아펠리아의 말을 부정한 황태자는 이내 평소의 능글거리는 어조로 돌아왔다.

황태자의 축객령에 자리를 비우는 것은 일반 기사 몇 명과 궁의 사용인들이 전부였다. 정작 나가 주길 바란 아펠리아와 또 다른 호위 기사는 여전히 그의 뒤로 조용히 서 있다. 호위 기사는 '다들'에 포함되지 않는 수족과도 같고 공기와도 같은 존재이니 특수한 일이 아니면 쉽게 자리를 뜨지 않는 법이다. 그리고 그러한 점이 그의 심기를 건드리고 있었다.

"나가라고 했을 텐데."

"전하, 전하를 홀로 계시게 둘 수는 없는 법입니다."

아펠리아가 아닌 다른 기사가 딱딱하고 정확하게 답했다.

"나가."

"……제가 있겠습니다. 나가시죠."

불편한 심기를 있는 대로 드러내는 황태자의 모습에 아펠리아가 홀로 남기를 청하자 잠시 머뭇거리던 호위 기사가 깊게 허리를 숙여 인사를 올리고 물러난다. 그나마 아펠리아에게는 후하다는 것을 알고 있기 때문이다.

하지만 그가 진정으로 나갔으면 했던 사람이 아펠리아여서였을까. 여전히, 아니 그 이상으로 마음이 불편해졌다. 문이 닫히는 소리가 나자 신경질적으로 감고 있던 눈을 날카롭게 치켜뜬 황태자가 아펠리아 쪽으론 눈도 돌리지 않고 낮게 말한다.

"경은 안 나가나?"

"죄송합니다, 전하. 나갈 수 없습니다."

"왜지?"

너무도 당연한 이야기를 태연하게 묻는다. 황태자의 의도를 아는 아펠리아가 침묵을 지키자 숨을 내뱉으며 잠시 진정한 그가 질문을 바꿨다. 지금은 혼자 있고 싶은 순간이었다. 혼란에 숨이 막혀 온다.

"내가 어찌하면 나갈 건가?"

"……호위 기사가 자리를 뜨는 것은 오직 두 가지 경우입니다."

아펠리아의 말에 그가 말해 보라는 듯 그녀를 주시한다.

"명령, 그리고 기사 본인의 사망입니다."

본인의 사망을 말하는 표정이 너무나도 담담하고 결연하다. 정작 그 말에 몸을 움찔거린 것은 사망이라는 단어를 들은 황태자였다.

애써 진정하려 했지만 실패한 황태자가 떨리는 목소리로 되묻는다.

거의 처음 보는 그의 평정을 잃은 모습에 그의 여기사도 당황함을 드러내기 시작했다.

"사망? 누가. 네가?"

그는 이미 평정을 잃은 모습이었다. 아펠리아가 그러는 와중에도 최대한 담담하게 답했다.

"저뿐만 아니라 무릇 기사란 주군의 검과 방패로서 존재하니 직무 중에 명을 다하는 것은 드문 경우도 아닙니다. 또한 그는 명예로운 죽음이니 망설이지 말라는 가르침도 있습니다."

무덤덤한 어조로 기꺼이 명예롭게 죽겠다는, 그것도 자신을 위해 죽겠다는 여기사의 충성이 왜 그의 심기를 건드렸는지는 모른다. 황태자는 책상 위로 올렸던 다리를 내리며 그 위의 서류들을 거칠게 바닥에 쓸어 던졌다. 폭풍과 같은 폭력이 지나자 굳어 있던 아펠리아가 조심스럽게 다가온다.

"전하, 그중에 날카로운 것이 있었을 수도…… 다치진 않으셨습니까?"

"하! 명령이다. 나가."

허탈하게 웃던 황태자가 다시 아펠리아를 내보내려 든다. 그러자 아펠리아가 결연히 자리를 굳히고 답한다.

"죽이십시오."

그녀의 말에 황태자에게서 흘러나오던 웃음소리가 뚝 그쳤다. 황태자가 삐걱 소리가 날 것처럼 어색하게 고개를 돌려 그녀를 바라보았다. 사나운 시선에도 아펠리아는 무덤덤하다.

"명령, 그리고 죽음 외에는 떠날 수 없습니다. 자의로는 따를 수 없는 명령을 내리신 바, 저를 진정 내보내고 싶으시다면, 죽이십시오."

내가 대체 뭐 때문에 이렇게 미친 사람처럼 평정을 잃었는데. 무엇을 보고 이렇게 되었는지도 모르는 주제에! 겨우 이딴 걸로 죽이라고?

황태자가 황당하고 분통터지는 마음에 이러지도 못하고 저러지도 못하다가 이내 다시 의자에 주저앉는다. 그가 다소 진정한 듯 보이자 아펠리아가 다시 조심스럽게 묻는다.

"혹 어디가 안 좋으신지요. 이러신 적 없으셨던 분께서 갑자기 이러시니, 걱정이 돼 죽을 것 같습니다. 부디 진정하십시오, 전하."

와. 죽는다는 말이 오늘따라 소름 돋게 와 닿는다. 황태자가 맨손으로 마른세수를 반복했다.

마치 게임판 위의 말처럼 태연하게 수족들을 죽음의 위기로 내몰면서도 가장 이상적인 계책을 이행하던 그였다. 헐렁하고 유쾌하고 우유부단하며 경솔하게 보이는 그의 행실 이면에는 계산적인 면모와 철두철미함이 도사리고 있었다.

잔인할 정도로 계산적이며 무신경할 정도로 이성적인 면모는 그러한 면모와 정반대 모습에 거짓말처럼 가려져 왔었다.

하지만 아펠리아에게는 달랐다. 어린 시절부터 봐 온 동갑내기는 성별만 같았어도 친우처럼 컸을 만큼 가깝게 지내 왔다. 거기에 당돌하고 충직한 여기사는 실력 여부를 떠나 그가 가장 아끼는 수족이었다.

눈치가 빠르고 계책에 밝은 자는 아니었지만 등을 맡길 수 있는 충신 중의 충신. 그녀가 정식 기사 서임을 받고 그의 기사가 된 순간부터 그렇게 믿어 왔었다.

그녀를 사지에 내모는 작전이나 계획들을 거침없이 이행했던 것은 어쩌면 그녀가 불사신처럼 죽지 않고 다시 곁으로 돌아와 그의 뒤를 묵묵히 지키리라는 맹신에서 온 안일함이 아니었을까.

그는 숨을 가다듬으며 아펠리아에게 물었다. 상황에 비해 뜬금없는 질문이었다.

"경이 올해로 몇 살이지?"

"……스무 살입니다."

삼 년이 남아 있다. 어떻게 해야 할까. 이미 주사위는 절반 이상 굴러왔다. 어떤 것이 결국 너를 죽게 만들었던 걸까.

다시 마른세수를 반복하자 아펠리아의 걱정스러운 시선이 따라붙는다. 그러한 시선을 뒤로하고 어제까지는 현실이었던 꿈과 같았던 시간들을 회상하기 시작했다.

"거짓이다! 거짓이라고 고해라!"

"전하! 진정하십시오! 전하!"

"거짓이라고, 그렇게 말하란 말이다!"

황태자가 거칠게 발작하며 주변을 엉망으로 만들기 시작하자 기사들이 그를 만류하기 시작한다. 그러나 기사들의 만류가 무색하게 그의 발작에 가까운 몸부림은 멈추지 않았다.

"아펠리아 경이, 왜! 숨이 끊어진 것을, 누가. 누가! 누가 확인했더냐! 내 눈으로 직접 봐야겠다. 의원이 살펴보았다 하지 않았더냐! 아니, 아니다. 아펠리아를 데려오라! 아펠리아 경을 끌고 와 내 앞에 꿇어앉히란 말이다! 감히 건방지게 시간을 어기고 입궁도 하지 않는 호위 기사가 어디 있느냐 말이다!"

"……전하. 아펠리아 경은 베이야드 공작가 자택 내에서 독으로 인해 사망하였습니다. 말씀드리기 황송하오나 이혼을 알리는 편지가 전달되는 과정에서 독이 묻었던 것 같습니다. 조사 중에 있으니 조금만 기다려 주십시오. 전하뿐만 아니라 폰디체리 공작이 아펠리아 경의 사망 사실을 도무지 받아들이지 못하여 사망을 확인하고자 들였던 의원만 수백입니다. 부군인 베이야드 공도 결국 그녀의 사망을 받아들였습니다."

"으아아악! 듣기 싫다! 듣기 싫단 말이다!"

황태자의 발작에 기사들이 그를 단단히 에워싸고 그의 몸을 상하지 않게 하기 위해 대비했다. 기사들에 비해선 체력이 한참 밑이었던 그가 이내 탈진하듯 몸을 비틀거리자 기사들이 떨어져 나갔다. 한참 동안 죽음과도 같은 침묵이 지나갔다. 그리고 침묵 끝에 그가 입을 열었다.

"봐야겠다. 이 두 눈으로. 직접."

아직도 간 것이 잘 한 일인지, 아니면 가지 말았어야 했는지 모르겠다. 살아생전 아펠리아가 모멸감에 몸부림쳤을 베이야드 공작가에서 그녀의 시신을 반강제적으로 인도받은 폰디체리 공작이 꾸며 둔 장례식장은 온통 하얬다. 맨 처음 쓰러진 그녀를 잡고 흔들었던 베이야드 공작가와는 달리.

도착한 자신을 원망스럽게 노려보는 폰디체리 공작을 그대로 지나 그녀의 시신에 닿았다. 창백하고 파리하게 눈감은 그녀는 하나의 가련한 조각상 같았다. 온기가 남아 있던 그 마지막은 이렇지 않았었는데. 잠깐 잠든 듯, 그렇게 누워 있다 떨치고 일어날 것 같았는데.

그렇게, 회생의 여지없이 아펠리아가 죽었음을 확인한 그는 황궁에 돌아와 에카이트를 대신해 보냈던 이혼 편지를 곱씹으며 열흘 밤을 술로 달랬다. 내가, 내가 죽인 것이다. 순간 차오르는 분을 이기지 못하고 집어 던진 반지에서 터져 나온 빛을 마지막으로 기억을 잃었다.

그리고 그는 그렇게 과거로 돌아왔다.

아침에 눈을 떴는데 몸에서 술 냄새가 나지 않고, 정신이 놀랄 정도로 맑은 것이, 지난 열흘간 꾸어 온 악질적인 꿈의 반복인가 하고 몸을 뒤척이던 때였다.

뭔가 이상했다. 손가락의 반지가 거슬린다.

잠깐. 어제 이걸 집어 던졌고, 거기서 이상한 빛이 나는 것을 보면서 잠들었던 것 같은데……. 극심한 스트레스의 경계에서 겪은 지난 열흘이 모두 꿈인지 생시인지 긴가민가했다. 확신을 가질 수 없어 우선 몸을 일으켜 사람을 부르려고 보니 방 안쪽 문 입구에 누군가 서 있는 것이 보였다.

아펠리아를 제외하고 저렇게 왜소한 체격의 기사가 있었던가. 조용히 문이 열리며 들어온 기사가 작은 체격의 기사와 자리를 교대하고 방문 밖으로 멀어진다. 다급해진 그가 목소리를 냈다. 그러자 교대한 기사가 화들짝 놀라 목소리가 잘 들릴 정도의 거리로 다가온다.

"전하, 일찍 기침하셨습니다. 혹시 어디가 불편하십니까?"

"방금 나간 기사. 누구지?"

뜬금없는 그의 질문에 기사가 살짝 당황하면서도 정확한 목소리로 답하기 시작했다.

"폰디체리 경입니다, 전하. 어제 자리에 드시기 전에 보고를 드렸습니다만……."

"폰디체리, 아펠리아 폰디체리?"

"예? 아, 그렇습니다, 전하."

뜬금없는, 그리고 다급한 그의 되물음에 의아해하다가 고개를 끄덕이며 동의하는 기사를 보며 얼굴을 쓸어내렸다. 심상치 않은 그의 모습에 기사가 의원을 불러야 하나 고민하던 찰나, 황태자가 다시 자리로 눕는다. 이건 꿈이다.

"전하?"

"잘 거다."

황태자는 꿈인지 생시인지 모를 시간들을 정신없이 보내고야 평소대로 일을 미루고 농땡이를 쳤다는 것을 깨우쳤다. 아직도 어느 것이 현실인지 구분할 수 없었다. 한참을 시간을 보낸 후에야 생생하게 느껴지는 감각들에 이것이 현실임을 인정하고 방에서 나올 수 있었다.

그렇게 열흘간 밀린 집무라면 이제 처리해야겠다 스스로를 다독이며 간만에 성실히 저녁 집무를 보려던 와중 교대로 들어온 아펠리아와 마주치고야 말았다.

혹시 몇 년 전으로 돌아온 것은 아닐까, 의혹을 버리지 못했던 그에게 그녀와의 조우는 시간의 역행에 대한 증거나 다름없었다.

꿈이 아니었다. 이번에는 살릴 수 있을까.

아펠리아가 죽기 전 물어보지 못했던 말들을 다급하게 물어보니 아니나 다를까 자신을 위해 이리 뛰고 저리 뛰다 죽을 팔자를 그려 놓은 것처럼 답한다.

저 멍청이를 어떻게 해야 할까. 그녀 스스로 뭔가를 바꾸길 기대하긴 어렵다고 판단한 그는 자신이 판도를 바꾸기 위해 애쓰기로 했다.

그러나 잔혹한 운명의 날은 정해져 있었나 보다. 이것도 저것도 바꾸어 봤지만 과정만 다를 뿐 결국은 같은 결과를 향해 달려갔다.

이미 시작된 후에는 바꿀 수 없는 것일까. 그래서일까 이번에도 아펠리아는 죽었다. 운명이 아펠리아를 죽인 것일까, 아니면 그가 죽인 것일까.

"에카이트."

"……."

"에카이트!"

"말씀하십시오, 전하."

"난 네가 밉다."

황태자는 아펠리아의 두 번째 죽음을 비교적 담담하게 받아들였다. 그만이 기억하는 첫 번째에도, 그리고 두 번째인 이번에도 에카이트는 그녀의 죽음을 받아들이기 힘들어했다.

처음부터 저런 녀석이었다. 피도 눈물도 없는 냉혈한의 혈통을 타고 났으면서 제법 아펠리아를 마음에 들어 했었기에 두 사람을 맺어 주었다.

크게 잘못 본 것이 아니라면 그는 충분히 아펠리아를 아껴 줄 사람이었고, 또 실제로 보기에도 그러했기에, 두 사람을 이어 준 것이다. 아니, 사실은 아펠리아가 그를 보던 눈빛을 본 후로 그렇게 했다고 표현하는 것이 더 옳았다.

결과적으로 일이 이렇게 된 바, 갈 곳 잃은 원망이 황태자를 향한다. 에카이트도 할 말은 있다.

"전하. 저는 당신의 충신은 되지 못할 것 같습니다."

“그렇겠지.”

모두에게 상처만 남았다. 두 사람은 한동안 무거운 침묵 속에 있었다. 자리를 먼저 일어난 것은 에카이트였다. 황태자는 그렇게 허무하게 아펠리아를 두 번째로 보내 주었다.

그렇게 세월이 더 지난 어느 날, 황태자는 예정대로 황제가 되었다. 어느 나라 누구라더라. 제국을 위해 필요한 여자와 결혼을 하고 후계자를 낳았다. 큼직큼직한 일이 지날 때마다 아펠리아가 있었으면 하는 일이 얼마나 많았던가.

어린 시절을 함께 공유했던 자는 오직 아펠리아 한 사람이었던 것을 왜 이제야 알게 된 것인지. 거기에 오직 자신을 위한 충성. 해가 지날수록 그것이 그토록 귀한 것이다는 것을 깨우치면서 두 번이나 그의 가슴을 찢고 먼저 떠난 그녀가 더욱 그리워진다. 믿고 기댈 이 하나 없이 이 외로운 자리에서 외롭게 싸워 왔다. 어느 사이엔가 그는 혼자였다.

그날은 몇 번째인지 모를 아펠리아의 기일이었다. 주위를 모두 물리고 간만에 술을 마셨다. 간신배들이 패를 나누어 세태를 어지럽게 만드는 꼴을 보자니 마음이 지쳤다.

호랑이 없는 숲엔 여우가 왕이라고, 여우라도 되려는 잡다한 것들로 소란스러운 귀족들을 오직 황권으로 통제하려니 힘에 부치기도 했다. 에카이트는 마치 보란 듯이 한 걸음 뒤에서 그 사태를 관망했다.

그래서였을까, 마치 꿈과 같이 과거로 돌아갔던 어느 날이 떠올랐다. 반지에서 빛이 나왔었지, 그러고 보면. 그 후로 대체 어찌 된 것인가 궁금해 홀로 서책들을 찾아보고는 했는데, 당연히 그러한 내용은 어떠한 서적에서도 찾아볼 수 없었다.

그러다 마침내 황제로 즉위한 후 바쁜 일들이 정리되자 황제에서 황제로 넘어오던 기록을 읽어 볼 시간이 생겼다. 기록에 따르면 칼라한 제국의 핏줄에는 과거로 역행하는 힘이 깃들어 있다고 했다.

지독히 후회하는 마음이 역린을 건드리면 드물지만 과거로 돌아가는 경우가 있었다. 역대 애처가로 유명했던 한 황제 또한 사랑하는 황후를 오해로 잃고 그녀를 그리워하다 과거로 돌아가 다시 그녀와 행복하게 살았다는 믿거나 말거나의 이야기였다.

꿈같은 회귀를 경험하지 못했다면 노망난 선대 황제들을 비웃었을지도 모른다. 그는 그 구절을 읽고서야 비로소 해답을 얻은 듯 마음이 변했다. 일반적으로 후계자에게 황태자의 반지를 물려줘야 했지만 그는 그러지 않고 여전히 반지를 보관하고 있었다. 아직 후계자의 나이가 어리다는 핑계를 대기는 했지만 그가 머지않아 성년을 바라보는 만큼 더는 통하지 않을 것이다.

아펠리아가 그리울 때면 꺼내 보아 닳은 작은 함에서 여전히 아름다운 반지가 모습을 드러냈다.

"아펠리아. 그대가 그립다. 내 충신이자 친우인 그대가, 사무치게 그립다."

어린 시절의 기억은 나이를 먹을수록 아련하게 다가오는 법이다. 그가 오랜 벗이자 다시없을 충신이었던 아펠리아를 그리워하며 반지를 주먹에 꽉 쥔 순간이었다.

'빠득!'

반지를 쥔 손안에서 무엇인가 깨지는 소리가 났다. 놀란 황태자, 아니 이제는 황제인 키마가 손을 펼치자 반지의 알에 길게 금이 가 빛이 새어 나오고 있었다. 이것이 의미하는 것이 무엇인지 본능적으로 알아챈 그는 조용히 눈을 감고 빛에 몸을 맡겼다.

그리고 그는 열여덟, 아펠리아의 약혼식을 일주일 남긴 날의 아침으로 돌아와 눈을 떴다. 손가락에 끼워진 반지에는 그가 경험하고 있는 그 모든 것이 꿈이 아니라는 듯, 길고 깊은 금이 남아 있었다.

07. 대륙 회의

07. 대륙 회의

마법 시대가 막을 내린 지 장장 몇 세기가 지났음에도 워낙에 화려했던 시절이었기에 그를 기억하게 하는 유물들이 여전히 남아 있었다. 대표적인 예시로 사절단들이 타고 올 운송 기구를 들 수 있다. 과학과 합쳐 열기구라는 운송 기구로 발전하긴 하였으나 본래 그 열이라는 에너지는 마법에서 얻었던 것이니 마법 시대에 근거하는 유물이자 발명품인 셈이다.

칼라한 제국의 근교에 위치한 국가들의 경우 출발 날짜만 잘 계산하면 무리 없이 대륙 회의에 도착할 수 있었는데, 문제는 심히 멀리 떨어진 국가들에 있었다.

심히 멀리 떨어져 있다는 것은 마차로 이동할 때 열 달 이상의 시간이 걸리는 대륙 끝자락에 있는 국가를 말한다. 오가는 길이나마 평탄하면 다행인데 험준한 산맥을 넘고 가파른 계곡을 둘러야 하는 극기에 가까운 길들이 가득이다. 그래서 생각한 것이 하늘길을 열자는 것이었다.

백 년이 다 되어 가는 일이긴 해도 많은 국가 사절들이 열기구를 타고 이동해 오는 장면은 늘 이채롭다. 늘 나와 다른 생각을 말하던 황태자는 이번에도 그러했다.

“망할 놈의 열기구 때문에 나만 죽어나는군. 그냥 오질 말던가. 뭘 그리 용을 써서 오냐고, 오기를. 도착하는 열기구 하나하나를 찾아가 잘 오셨느냐 인사하는 게 얼마나 힘든지 아나? 5년 전 대륙 회의 때도 인사로 고생하신 것 같은데. 그걸 뻔히 아시는 분이 이렇게 시키시니 더 웃음이 나오는군.”

“……어찌 됐든 올 때마다 변방의 진귀한 보석들을 진상하니 그만한 성의는 보이실 법하십니다. 정 불편하시다면 훗날 전하께서 황제가 되신 후 시정하셔도 될 일이시니 너무 조급해하시지 마십시오.”

사절단의 도착 일정이 적힌 수백 장의 서류를 뒤적이는 황태자를 달래며 속으로 한숨을 쉬었다. 황태자가 아무리 주요 사절단을 직접 접객한다 하여도 직접 만나지 못하는 사절단들이 산더미다.

그 나머지 산더미들이 주로 나와 에카이트, 베이야드 공작 전하의 손에 떨어지는 건 안 봐도 뻔하니 한숨이 안 나오려야 안 나올 수가 없었다. 베이야드 공작 전하도, 에카이트도 외교부의 요직에 몸을 담고 있으니 그들은 그럴 자격이 충분했다.

하지만 난 대체 왜? 나는 백번 양보해도 외교와는 하등 연관이 없는 황실 호위 기사에 국방부 소속의 기사 가문 출신이었다. 유일하게 의심스러운 요소는 제국에 둘밖에 없는 공작 가문의 공녀라는 것 정도? 하지만 대외적으로는 기사인데?

속으로 끊임없이 질문하다가 그냥 단념하며 입을 다무는데 황태자가 서류를 휙휙 넘기며 인장을 마구 찍는다. 제대로 보시는 걸까 의심하고 있는데 황태자가 입을 열었다.

“내가 황제 폐하의 뒤를 잇게 되어 왕좌에 앉으면 당연히 그때의 황태자를 시켜야지 그 무슨 섭섭한 발언인가? 본래 일은 미루라고 있는 거네. 그나저나 몸은 견딜만한가? 예정보다 복직 시기가 당겨져서 에카이트의 불만이 아주 하늘을 찌르다 못해 후벼 파던데.”

일은 미루라고 있는 거라는 발언에 차오르는 눈물을 애써 눌러 담으며 괜찮다 조용히 답했다. 지금 복직이 조금 이른 것이 대수인가요. 밀려올 일들이 문제이지. 황태자가 미룬 일에 가장 큰 타격을 입는 것은 직속 부관이랍니다. 그 직속 부관인 내가 눈물을 눌러 담기 무섭게 눈에 들어온 것은 황태자의 진지한 표정이었다.

드디어 마음먹고 일에 집중하실 생각이 든 건가 잠시 감동할 무렵, 그의 입에서 확 깨는 발언이 튀어나온다. 그럼 그렇지. 기대한 내가 바보다.

“흐음…… 이 서류 조금 정정하여 승인해도 되려나?”

“…… 원하신다면 그렇게 해 보시지요. 혹시나 해서 와 봤습니다만 확실히 보람 있는 방문이 되겠군요.”

“……젠장.”

갑작스럽게 열린 방문으로 들이닥친 에카이트가 격식 있는 인사를 건네며 답했다. 덕분에 황태자는 그대로 책상에 늘어졌다.

야, 이 자식아. 퍽이나 보람찬 방문이겠다. 황태자 입장에선 일거리 줄이려고 잔 수를 쓸려던 찰나에 네가 들이닥친 건데 너 같으면 그게 좋겠냐?

내가 갈피를 잡지 못하고 오락가락하는데 에카이트가 들고 온 서류철을 황태자에게 넘기려고 했다. 황태자 전하의 뒷자리에 서 있던 나는 그대로 걸어 나와 녀석이 내미는 서류철을 받아 정중히 건넸다.

보통 황태자에게 물건을 건넬 때면 그 뒤를 지키던 호위 기사나 시종이 받아서 건네는 것이 상식인데. 순간 분위기가 오묘해졌다.

내가 건넨 서류철을 넘겨 첫 장을 편 황태자가 대놓고 앓는 소리를 낸다. 뒷자리에 선 덕분에 나 또한 그 서류 첫 장을 넋 놓고 바라보았다. 정확한 내용은 알 수 없었으나 확실히 구분 가능한 것이 있었다. 그것은 다름 아닌 황제 폐하의 인장이었다.

설마? 내 동그랗게 떠진 눈과 마주한 에카이트의 눈동자는 만족감을 담고 있었다. 역시나인가 보다.

"한 사절단이 예정보다 다소 일찍 도착할 것 같다는 보고가 올라왔는데, 이 때문에 황제 폐하께서 직접 서류를 살피겠다고 하셨습니다. 덕분에 더 이상 서류 작업을 하실 필요는 없으실 것 같습니다, 전하. 일정은 추후 다시 보고 올리겠습니다. 그 일정대로 따라 주시면 됩니다."

"……그것참 고마워서 돌아가시겠군."

황태자는 서류철을 탁 덮어 버리곤 머리를 헝클었다. 뭔가 부럽다. 대단히 능률적인 방법으로 일을 해결한 것 같아서였다. 황제 폐하의 성명은 절대적이니까. 문득 훗날 황태자 전하가 황위에 즉위하시면 어떻게 될지 걱정이 태산같이 몰려온다. 그땐 누굴 붙잡고 해결을 봐야 하는지.

그쯤엔 황태자 전하가 집무를 극진히 사랑하길 기원해 보지만, 현실성 없는 바람임을 알기에 조용히 상상을 접었다.

시선이 느껴져 옆을 봤다가 에카이트의 불만스러운 눈과 마주쳤다. 순간 눈을 피한 그는 그대로 황태자에게 인사를 올리고 방에서 나갔다. 뭘 보나, 그것도 불만스럽게. 눈을 확 찔러 버릴까.

방해꾼이 나갔음에도 황태자는 여전히 저기압이다. 오늘은 알아서 몸조심하리라 다짐하며 황태자가 보던 서류들을 정리하여 옆 탁자로 옮겼다.

그 타이밍에 들려오는 목소리. 어쩐지 상쾌한 느낌이 드는 황태자의 음성이 괜히 두렵다. 지금은 상쾌할 타이밍이 아니지 않은가.

"아펠리아 경. 이번 사절단 중 그 열기구 타고 오는 몇몇 국가들 있잖나? 거기 일정은 일단 나와 동행하지."

"영광입니다. 다른 사절단 영접과 겹치지 않는 선까지 그렇게 하겠습니다."

뭐, 어차피 호위 기사가 동행하는 것은 당연했고 전생에도 동행했던 기억이 나서 순순히 동의했다. 기사 예복을 다 차려입고 따라다니는 일을 고생이라고 하긴 뭐하지만, 오랜만의 일이라 참석하고 싶었다.

겨우 이 정도로 상쾌한 목소리로 말하다니. 뭔가 걸리는 점이 많아 미심쩍은 표정을 짓자 황태자가 회심의 미소를 지었다. 걸렸다. 뭔가 있다! 본능이 내지르는 침묵의 비명은 황태자의 발언과 완벽한 화음을 만들어 냈다.

"설마, 그때 기사 예복을 입을 생각은 아니겠지. 아무려면?"

"……당연히 입어야 하는 것으로 생각했습니다만. 혹시 제 생각에 어리석음이 있었다면 깨우쳐 주십시오."

전생의 기억을 급하게 떠올려 보아도 결론은 같다. 그때도 분명히 기사 예복을 입고 호위 기사로서 자리를 지켰었다. 내가 당황한 표정을 여과 없이 드러내며 도대체 무엇을 입어야 맞는 것인가 자문을 구했다.

사절단이 오는데 너절한 훈련복을 입을 수도 없고, 전쟁이 일어나는 것도 아니니 갑옷을 입을 수도 없다.

"이런, 이런. 혹시 착각하는 건가? 경은 내 호위 기사로 참석하는 것이 아니야. 우리 제국의 유일한 공녀 자격으로 참가하는 것이지.

다른 호위 기사들도 많은데 고작 호위 기사 직위로 사절단을 영접하라 말할 리 없지 않은가."

……듣고 보니 맞는 말이다. 하기야 순수하게 실력으로만 따졌을 때에 나보다 실력이 출중한 기사는 많았다. 지금의 나는 나이나 성별을 고려했을 때나 특출한 편이지, 객관적으로 보면 조금 잘하는 수준을 벗어난 정도일 뿐이었다. 그렇다면 내게 남은 것은 폰디체리 공작가의 외동딸이라는 직위였다.

아, 그럼 난 공녀로서 이 일을 떠맡은 것이었구나. 기사와는 전혀 무관했던 일이네. 고개를 끄덕이며 납득한 표정을 지었다. 하지만 내가 납득한 것과는 별개로 황태자가 더욱 의미심장하고 보람차 보일 정도의 표정을 지어내는 게 아닌가.

뭐지? 그 표정에 불안감이 커져 갔다.

"역시 이해력이 좋군. 드레스는 공무를 수행하면서 소모되는 물품인 셈이니 국가 경비로 처리해 주지. 황실 디자이너한테 부탁하는 것도 방법이겠어. 아니면 이번에도 평소 친분이 있던 그 부인에게 부탁할 셈인가? 어느 쪽이든 비용은 내가 부담하지."

"아닙니다. 결국 제 개인 물품인데 국가 재정을 축낼 수는 없습니다. 국가 위신에 폐를 끼치지 않는 선에서 제가 부담하겠습니다."

그 정도 드레스값도 부담하지 못할 재정 능력도 아니고 내가 입을 드레스를 공금으로 구매하여 옷장에 넣게 되면 부담스러울 것이 분명했다. 그러한 이유로 사비 지출을 요청했으나 황태자는 골똘히 생각에 잠겨 있었다. 아니, 그 이전에 뭔가 속는 기분인데 이대로 괜찮은 걸까?

"흐음. 그렇다면 국고 말고 내 개인 재산으로 부담해 주지. 대신 디자인은 내가 맡도록 하지."

"주신다면 영광으로…… 아니, 하지만 역시 제가 직접 구매하는 것이 좋겠습니다."

"사흘 후에 첫 열기구 사절단이 도착한다고 하니 시간이 없군. 내 직접 편지를 써 줄 테니 어마마마께 방문해 보지. 지금 당장이 좋겠군. 아마 당장 황실 디자이너를 불러 주실 거야."

전하, 들은 시늉이라도 해 주세요. 제발.

별생각 없이 주신다면 영광이라 답했던 내 입에 재봉질을 해 버리고 싶을 정도다. 이유는 간단했다. 저번 무도회에서 황태자가 '약혼 선물'이라며 준 그 드레스를 떠올린 덕분이었다. 그러한 디자인 안목을 지닌 황태자의 손에 다시 내 드레스를 맡길 수는 없는 일이었다. 하지만 황후에게 맡기겠다니 약간이나마 안심할 수 있었다.

황후라고 하면 황제와 동시에 황궁에선 드물게 상식이 통하는 부류에 속하는 사람이었다. 말하자면 전형적인 귀족 여성상으로 고상하고 우아하면서 단정한 요조숙녀였다.

하지만 지금의 황태자를 탄생시키고 양육하신 분인 이상 뭔가 위험 요소가 있지는 않을까 걱정스럽다. 아니, 모든 것을 다 떠나서 전생엔 멀쩡히 기사 예복을 입고 귀빈들을 맞이했었는데? 내가 어쩔 줄 모르고 어영부영하는 사이 황태자가 고급스러운 양피지에 신들린 손놀림으로 글을 썼다.

황후는 전생에서도 만난 일이 거의 없던 사람인데……. 대체 이건 또 무슨 조화이고 변화인가 오락가락하는 정신을 추스르기 무섭게 황태자 전하의 서한이 완성되었다.

"그럼, 사흘 후에 에스코트하러 가지. 아펠리아 공녀."

"……제국의 영광으로 알고 기다리겠사옵니다."

격식을 지켜 인사를 올리고 건네주는 서한을 받아 황후 폐하가 계시는 궁으로 발걸음을 옮겼다. 안 그래도 심란한 마음은 우아하게 자수를 놓고 있는 황후의 얼굴을 보자 극한에 달했다.

서한을 받아 꼼꼼히 읽은 황후 폐하는 다정한 미소를 지으며 내게 자리를 권했다. 그리고 동시에 시녀를 통해 황궁 전속 디자이너를 불렀다. 나는 무언가 어정쩡한 기분인지라 편히 기다리지는 못하였다. 거기서 오는 어색함을 애써 태연함으로 감추고 있는데, 시녀가 차 한 잔을 내오는 것과 동시에 황후 폐하의 입이 열렸다.

간간이 미소를 지으며 고개를 끄덕이는 황후 폐하의 맞은편에 앉아 과연 서신에 무슨 참담한 요구가 적혀 있을까 상상하는 내 마음은 가히 좌불안석이었다.

"여기서 이렇게 만나게 될 줄은 미처 몰랐군요. 조금 다른 장소에서 다른 관계로 만날 것이라고 기대했었는데 말이죠. 이래서 사람 일은 모르는 것이라고들 하나 봅니다."

"어디서 뵈었든 황후 폐하를 영접하는 영광이 퇴색되진 않으리라 믿습니다."

입에 발린 소리를 내뱉으면서도 진심이라는 미소를 지어내니 황후 폐하의 표정이 만족스럽게 변했다.

긴장하자. 긴장을 풀면 왠지 실수할 것 같은 마음에 긴장감이 더더욱 커져만 간다. 그 긴장감에서 나온 종전의 대답이 마음에 들었는지 황후 폐하의 응대도 살갑다.

"어머, 역시. 그 베이야드 공작 부인이 흡족해하더라는 소문을 사실 믿지 않았었는데 진짜인 모양이군요. 말솜씨가 아주 훌륭한데요?"

"……그저 한낱 소문을 그리 표현해 주시니 도리어 황송합니다."

화사한 미소를 지으며 연이은 칭찬을 퍼붓는 황후를 보고 있자니 이젠 공포마저 느껴졌다. 과잉한 친절엔 그 이유와 목적이 공존하는 법이었다.

떨떠름하게 답하면서 상황을 정리해 보았다. 전생의 기억에 의하면 황후는 내게 날카롭고 까다로운 태도를 고수해 매우 피곤한 상대였다. 대외적인 친절이 전부일 뿐 호의는 없었던 관계였다.

아무래도 폰디체리 공작의 외동딸이라는 강점이 있다곤 하지만 어머니의 출생을 문제 삼아 차갑게 대했다. 충분히 이해할 수 있는 부분이었기에 그 차가움도 감내할 수 있었다. 그래서 오히려 지금처럼 정중하고 호감 있게 대하는 황후가 낯설었다. 왜 이러는 거지?

궁금하지만 입 밖에 내어 물어볼 수 없는 상황에서 답을 얻는 방법은 생각 외로 간단하다. 감정을 솔직히 표현해 노골적인 표정을 이용하는 것. 직접 질문하지 않아도 대답하도록 만드는 것이다.

대답을 얻고 싶어 의도적으로 다소 불편한 표정을 흘려 내자 노련하게 그러한 기색을 잡아낸 황후가 부드럽게 웃는다. 어떤 대답을 말해 줄지 신경 쓰면서도 마치 미숙한 실수에 부끄러워하는 표정을 지어내자 황후의 태도가 더욱 유해진다. 나, 갈수록 약아지는 것 같다.

"불편한가요? 이렇게 사적으로 만나는 건 처음인데 내가 너무 친밀하게 굴었군요. 근래의 소식이나 지금의 모습으로 봐선 호의를 보일 수밖에. 이해해 줘요."

"아닙니다. 과분한 대우에 익숙지 않아 유하게 대처하지 못한 제 처신의 문제입니다. 저로 인해 불편하셨다면 진심으로 사죄드립니다."

내 완곡한 사죄에 만족한 황후가 손뼉을 두어 번 가볍게 마주치곤 찻잔을 들어 올려 차를 음미했다. 화제를 전환하겠단 신호였다.

죽겠다. 대체 무슨 이야기를 꺼내려고. 그냥 본론으로 들어가겠단 신호이길 바라면서 자세를 바르게 했다. 그간 그토록 편하던 기사단복이 이러한 자리가 어색한 듯 몸을 죄어 와 자꾸 옷 끝단으로 손이 올라간다.

뭐지? 기사단복이 불편할 수 있다는 현실에 다소 충격받은 내가 자세를 다시 다잡았다. 순간 눈앞이 하얗게 변할 정도의 충격과 함께 그 불편함의 원인을 깨쳤다.

이 불편함은 육체적 불편함이 아니라, 정신적 불편함에서 오는 것이었다. 과잉한 친절은 둘째 치고 나를 레이디의 방식으로 접견하고 있는 황후의 태도가 문제란 말이었다.

전생과의 괴리감은 황후의 이러한 태도에서 비롯된 것이었다. 전생엔 철저히 기사로 대했다면 지금은 철저히 레이디로 대하고 있는 것이다.

'레이디'로서의 만남에 바지 차림이라니, 껄끄러워질 법했다. 도대체가 난 전생에서 뭘 했던 걸까. 눈치를 발바닥에 붙이고 신나게 리듬 맞추어 밟고 다녔던가 보다. 바지 차림이 껄끄러울 수 있다는 생각은 해 보지도 못했는데.

이제야 감이 잡힌다. 전생에서 황후를 만날 때면 늘 바지와 가슴의 기사단 자수에 시선을 주었던 기억이 있다. 그리고 그 까칠한 시선은 날카로운 말로 나타났었다. 충격받은 내 상태를 눈치채지 못한 황후가 계속해서 대화를 이어간다. 정신 차리자! 집중!

"안 그래도 오늘쯤 황태자가 보내지 않을까 짐작하고 있었습니다. 하도 언질을 받아서 말이지요. 후후, 우리 태자가 처음으로 붉은 드레스를 선물한 아가씨라니. 아, 드레스는 어땠나요? 장안에 화제였다는 소문은 익히 듣고 있는데 말이지요."

……범인은 황후였군. 찻잔 속의 진한 찻물에 손가락을 빠트려 다잉 메시지라도 남기고 싶었다. 나름대로 심각한 상황이었는데 이런

얼빠진 생각을 할 정도로 충격이 극심했다. 동시에 폭풍처럼 쏟아지는 피로감을 애써 견뎌 내며 얼굴 근육을 당겨 미소를 지어 보였다.

그 극악한 취향의 드레스가 황후의 머리에서 나온 것이라니 상상도 하기 싫다. 아니, 그래. 그럴 수도 있다. 이미 지난 일이니까 그렇다고 치자. 그렇지만 백번 지난 일이라 쳐도 다가올 미래의 드레스를 생각하면 부정적인 대답을 해야 한다는 결론이 나온다.

돌이켜 생각해 보면 황태자는 여성의 드레스에 그렇게 관심이 깊은 편이 아니었으니, 충분히 가능한 일이었다.

조금이라도 밉보였다가 더욱 극악한 취향을 맛볼까 두려워진 나는 겉으론 화사한 미소를 지으며 과거 문제의 붉은 드레스에 대해 감사 인사를 표했다. 하나도 안 감사한데 감사한 척하려니 고역이다.

"역시, 드레스의 장식부터 시작해 센스가 남달라 특히 신경 써서 보관하였는데 제 감이 옳았군요. 영광, 또 영광이옵니다."

"어머, 그리 정중할 필요까진 없는데. 따지자면 황태자가 부탁해서 한 것이니, 감사 인사는 황태자에게 하는 편이 낫겠어요."

감사라니. 두 번 감사했다간 무슨 일이 벌어질지 상상도 안 된다. 전하, 용서하세요. 이번만은 감사하다 말할 수 없겠습니다. 말 한 번 잘못했다간 난리 날 것 같아요.

"마음에 들었다 하니 기쁘네요. 태자께서 결혼하기 전까진 붉은 천을 만질 일이 없으리라 단언했었는데. 색다른 기분이었답니다. 나한테도 좋은 경험이었어요."

"그리 말씀해 주시니 감사할 따름입니다. 더 큰 충성으로 보필하겠습니다."

"좋아요. 기대하도록 하지요. 저번 사냥 대회 때 큰 영광을 안겨주었으니, 드레스값은 충분하다고 봐요. 슬슬 오늘 만남의 주제로 돌아가도록 할까요? 중요한 의상을 시간 내에 맞추기도 빠듯해요. 우리 제국의 체면이 달린 문제인데, 당연히 내가 나서야지요."

아, 네. 그렇죠. 체면. 챙기면 챙길수록 피곤해진다던 그거. 가급적이면 간소하고 또 간소하게 해 주십사 희망해 보지만 힘들어 보인다. 내가 다소 피곤한 미소로 응답하자 황후가 너그러운 표정으로 미소 짓는다.

마치 멋도 모르고 코르셋은 입지 않겠다고 떼쓰는 꼬마 숙녀를 보는 듯한 표정이었다. 황후의 손짓 하나에 각 분야의 전문가들이 무서운 속도로 달려들었다.

순식간에 드레스 가봉까지 이루어졌다. 달리 황실 재단사가 아니구나 하는 감탄사가 절로 나왔다. 가봉 상태라지만 형태는 거의 완성이라 불러도 좋을 정도로 분명했다.

타이트한 상체에 어린이 한 명을 숨길 수 있을 만큼 풍성한 치마.

무도회 드레스보다 몇 배는 화려한 드레스를, 수십 수백의 사신을 접대하는 내내 입고 있어야 한다니.

도저히 더는 표정을 관리할 수 없었다. 내가 침울한 표정으로 인사를 올리고 퇴장하자 문 안쪽에서 황후의 웃음소리가 들려온다.

그리고 드레스는 정확히 4일 후, 첫 사신단 환영 준비를 위해 이른 아침을 시작할 무렵 도착했다. 대륙 회의가 마침내 코앞으로 다가왔다는 것을 실감하는 순간이었다.

말세로다. 말세일지다.

말세라고 백만 번을 읊어 봤지만 변하는 것은 없었다. 일생일대의 위기라고 생각할 정도로 괴로운 시간이다. 세상은 끝났어. 흑흑. 과장되게 흐느끼는 내가 지나친 것이 아니라는 것은, 이른 아침부터 방문하여 내 치장에 전폭적인 도움을 주고 있는 봉뒤프베 부인의 떨떠름한 표정만 봐도 알 수 있었다.

파격적인 드레스를 요구했을 때도 최소한의 표정 관리를 해내던 부인의 반응에 지금 상황이 얼마나 극악한지 알 수 있었다.

분홍빛 구름 같은 치마에 딱 붙는 상의. 치마는 본래의 원단보다 더 얇고 투명한 재질의 연분홍 레이스로 감싸 정말 구름 같은 느낌을 줬다. 거기에 허리 쪽 천을 단단하게 잡아당겨 뒤로 흐트러트린 꽃 장식 덕분에 허리는 과할 정도로 가녀리게 보였다.

단아하고 청순한 앞과는 다르게 뒤는 깊게 파여 등의 절반 이상이 드러난 상태였다. 앞쪽 허리를 팽팽히 당겨 남는 천을 뒤로 고정한 드레스는 마치 구름이 폭포처럼 쏟아지듯 풍성했다.

이 천을 뜯어다 등이나 좀 가려 주지.

그래도 수련할 때에 긴소매 긴바지를 입은 덕분이랄까, 하얀 피부를 유지해서 다행이라는 생각이 문득 들었다. 다른 기사들과 같이 까무잡잡했더라면 이런 연분홍 드레스를 소화하기 쉽지 않았을 것 같다.

겉으로는 연약한 소녀로 보이지만 그 속은 그렇지 않다는 것은 모두가 아는 사실이었다. 일단 기사니까. 연약한 소녀 기사라니 한참 모순된 말이다. 봉뒤프베 부인 또한 이견이 없는 것 같았다.

"호, 호, 호호. 황후 폐하께서 이런 취향이실 줄은. 물론 영애가 사랑스럽고 나이도 어리시니 충분히 어울리…… 시지 않아요. 원체 무표정하고 냉담한 영애가 이런 극단적인 소녀 취향의 드레스를 완벽히 소화하는 것도 어떻게 보면 괴담이라고요.”

알아요. 안다고. 애써 칭찬으로 마무리하려던 부인이 단념한 표정으로 진실을 후다닥 내뱉어 버리자 한숨이 절로 나왔다.

스스로도 민망해 죽을 것 같은데 보기 민망하다는 말을 들으니 정말로 미칠 것 같아서 고개를 설설 저었다. 안 되겠다. 나도 피해자라는 사실을 피력하는 노선을 택하기로 했다.

“저도 어울리지 않는 걸 너무도 잘 압니다만……. 황후 폐하께서 친히 택하여 정해 주신 것인지라 부끄러운 마음으로 응하는 중이랍니다. 부디 자국에 누가 되지 않았으면 합니다. 그럴 수 있게 최대한, 도와주시리라 믿어요…….”

고의적으로 지어 낸 부끄러운 소녀(?)의 미소에 봉뒤프베 부인이 앉으려던 몸을 일으켜 세우며 높은 탄성을 질러냈다. ……깜짝이야. 우울한 마음에 바닥까지 가라앉으려던 분위기가 단숨에 전환되었다. 갑자기 왜 저러지? 놀란 심장을 부여잡고 바라보고 있자니 이젠 박수까지 친다.

“어머, 어머! 영애, 최고였어요. 다시! 다시요!”

“……대체 무엇을 말씀하시는 건지.”

“그 종전의 미소. 그 미소 말이어요!”

미소라니? 방금 그 소녀 미소?

어리둥절한 표정으로 부인을 바라보자 이번엔 볼까지 발갛게 달아오른 부인이 자리에서 방방 뛰기까지 한다. 체면을 차리시라 조언해 주고 싶었지만 들을 것 같은 분위기가 아니라 일찍이 단념했다.

봉뒤프베 부인은 흥분으로 다소 붉어진 뺨을 한 손으로 감싸고 다른 한 손은 주먹을 쥐어 입가에 대고선 잔기침을 했다. 곧 진정한 부인이 설명을 해 줄 것이다. 예상대로 기침이 멈추기 무섭게 봉뒤프베 부인의 설명이 이어졌다.

"역시, 본바탕은 무시할 수 없지요. 아무리 무표정을 고수한다 해도 그것은 표정일 뿐이니까요. 영애께서 표정만, 표정만 종전처럼 풍부하게 지어 주셔도 충분하답니다."

"……에, 하지만 일단 저의 본 직위는 기사인데 곤란하지 않을까요? 대외적인 분들을 만나는 자리에서 그리 웃을 처지는 아니라서."

내가 곤란함과 난색을 표하자 봉뒤프베 부인이 고개를 잘래잘래 저으며 말도 안 된다는 표정을 지었다. 대체 내가 뭘? 내가 대체 뭘 잘못 생각했는지 알 길이 없어 반문하려던 그 순간 머릿속으로 한 가지 사실이 떠올랐다. 나는 기사로서 참석하는 것이 아니다. 아, 왜 자꾸 깜빡하는 건지. 젊은(?) 몸이라지만 영혼은 늙은(?) 영혼이라서 그런 걸까?

전생에 비해 아직 기사로서 부족한 점이 많은 몸이었기에, 오직 신분상으로만 참석 가능한 자리였다. 그런데 그런 자리에서 기사에 더 비중을 두고 행동한다면? 우리 칼라한 제국의 전력을 얕보이는 오점을 남길 수도 있는 것이다.

돌파구는 찾았지만 아무리 생각해도 민망한 전략에 마냥 기쁘지만은 않다. 뭔가 깨달은 것이 분명해 보이는 내 표정에 봉뒤프베 부인도 별다른 말을 잇지 않았다.

"분명히, 폰디체리 '공녀'로서 참석하심을 잊지 않으시면 될 것 같네요. 열여덟, 아직 충분히 소녀라고 불릴 나이니까요."

"똑똑히 기억할게요. 그럼, 응원해 주시리라 믿어요?"

"……음, 에카이트 님을 응원해야 할까요? 아니면 황태자 전하 쪽을? 호호호, 아무쪼록 힘내셔요!"

아니, 날 응원하라고.

엉뚱한 쪽으로 응원의 힘을 전하려는 봉뒤프베 부인의 오묘한 미소에 나는 고개를 흔들었다. 내가 입었지 걔들이 입었어요? 드디어 갈피가 잡혀서일까 희망을 되찾은 봉뒤프베 부인이 나를 다시 화장대로 인도했다.

부인의 손길에 이끌려 의자에 앉으니 진지한 표정으로 돌아온 봉뒤프베 부인이 부드러운 솜을 이용해 볼에 분홍빛 생기를 불어넣었다. 입술 붓에도 연지를 더하더니 입술 끝을 다소 올라가게 그려 살짝 웃는 표정을 만든다. 발그스레한 볼을 보고 있자니 어쩐지 쑥스러운 기분이다. 아, 그래도 이로써 한결 편해지려나.

내가 은연중에 미소를 머금자 부인이 엄한 표정으로 손을 멈춘다. 네, 네. 나는 다시 표정을 지우고 눈 화장 붓에 검은 염료를 묻히는 부인을 보며 눈을 살며시 감았다. 몇 년 전부터 한참 유행인 아이라인을 그리려는 눈치였다. 이내 눈썹으로 옮겨 가는 손길을 느끼고 있는데 붓을 내려놓는 소리가 선명하게 들렸다.

눈을 떠 거울을 보니 어쩐지 반달처럼 눈을 휘어 웃는 것처럼 보이는 연약한 소녀가 있다. 나, 라는 거겠지?

"음, 이 정도면 굳이 시종일관 미소 지을 필요가 없겠네요."

"솔직히 말하자면 미소를 자제해 달라고 부탁하고 싶어요. 타국 대사들, 미혼이 많으니까요."

타국 대사가 미혼이든 기혼이든 별 상관없지 않나? 무도회도 아니고 말이지.

의미는 잘 모르겠지만 굳이 물어볼 가치를 느끼지 못하여 어중간하게 웃어 보이니 봉뒤프베 부인의 한숨이 깊다. 기나긴 잔소리의 시작을 알리는 한숨이 분명해 화제 전환을 시도하려던 찰나, 노크 소리가 들리더니 유모의 고함이 그 뒤를 이었다. 유모, 훌륭해!

"아기씨! 황태자 전하의 마차가 도착하였다 하는데, 이제 내려와 주셔야겠어요!"

"……타이밍이 좋네요. 영애, 그럼 내려가 볼까요?"

"물론. 갈까요?"

선뜻 자리에서 일어나 걸음을 옮기려다 탁자와 충돌할 위기를 겨우 모면한 내가 미묘한 표정을 짓자 봉뒤프베 부인이 깊은 한숨을 내쉰다. 옷이 보통이어야지. 민망한 표정으로 시선을 피하자 부인이 가볍게 핀잔을 날린다.

"자신의 드레스를 주체하지 못해 넘어지거나 비틀거리는 것은 레이디 실격이에요. 아시겠어요?"

"당연히 알지만……. 네, 물론 주의하죠. 내려가도록 할까요? 전하께서 기다리시니."

내 순순한 동의에 봉뒤프베 부인도 딱히 더한 잔소리를 하지는 않았다. 영원과도 같은 계단을 내려가다 보니 밑에서 기다리던 황태자와 눈이 마주쳤다. 눈을 크게 뜬 걸 보니 충격을 받은 것 같다. 모후의 취향이 이 정도일 줄은 아마 몰랐을 것 같다.

황태자가 왕자이기에 망정이지 만약 공주이셨더라면. ……상상하지 말자. 정신 건강에 무척이나 해롭다. 하지만 황태자의 입이 열리기 무섭게 황후의 드레스 취향에 경악했으리란 내 짐작이 틀렸음을 확인할 수 있었다.

"오호, 아펠리아. 여성스럽고 아주 잘 어울리는군. 이 얼마나 사랑스러운가? 딱딱한 기사단 의복 따위, 에카이트 녀석에게나 줘 버리라지."

"……기사와는 너무 먼 사람이라 그쪽에 줘 버리면 우스울 것 같군요. 아무쪼록 이른 아침부터 찾아 주셔서 영광입니다, 전하. 평안하셨는지요?"

내 떨떠름한 표정을 유쾌하게 지켜보던 황태자가 고개를 끄덕이며 손을 뻗었다.

그나저나 이 드레스에 극히 만족한 표정이시라니. 황후의 취향을 물려받은 자가 누구인지 너무도 잘 알 것 같았다. 황태자 전하라던가, 황태자 전하라던가, 황태자 전하라던가.

취향에 대해 생각하며 황태자가 내민 손에 내 손을 올렸다. 팔뚝 중간까지 올라오는 얇은 레이스 재질의 장갑 아래로 황태자의 단단한 손이 잡힌다. 에스코트를 받으며 밖으로 나오니 몇 번을 보아도 적응할 수 없는 규모의 마차가 나의 탑승을 기다리고 있다.

"타실까요, 레이디?"

"영광입니다, 전하."

완벽한 사교계 예법으로 대하는 황태자를 마주하며 나 또한 완벽한 레이디의 예법으로 응했다. 황태자의 얼굴에 만족스러운 웃음이 걸렸다.

아, 불길해. 황태자가 흡족해한 일의 절반 이상이 득 될 것 하나 없는 일들이었던 전적을 살피며 속으로 눈물을 삼켰다.

제발 오늘 하루만은 평안히! 속으로 진언을 읊으며 마차에 올라타자 이내 경쾌한 소리를 내며 달려 나갔다. 마차 안은 침묵, 또 침묵이었지만 차라리 생각을 정리하기에 좋았다.

첫 번째 도착한 사절단은, 가장 먼 곳에서 출발한 소국의 것이었다. 다만 어마어마한 광물 매장량을 보유하고 있어서 소국치고는 나

름대로의 위용이 있는 나라였다. 이 사절단은 해당 국가의 왕자가 직접 이끄는 것으로 되어 있어 친히 황태자가 맞이하게 되었다. 그리고 나도 겸사겸사. 그러고 보면, 이 왕자도 미혼이던가?

전생의 기억을 더듬어 보자니 나보다 햇수로 따지면 한 살 밑인 황태자와 같은 연배였던 것 같다. ……그 왕자, 성격 무지 나빴던 것 같은데. 급작스럽게 떠오른 전생의 기억들을 종합해 나온 결과에 침울해진 나였지만 황태자 전하는 그 두 배로 기분 나쁜 상태를 유지하고 있었다. 무시무시한 황태자의 시선과 마주칠 것 같아 열심히 다른 생각을 떠올렸다. 빨리 도착하고 싶은 마음과 영원히 도착하고 싶지 않은 마음이 공존하고 있었는데, 황태자가 다음 사절단 일정표를 구겨 버리면서 빨리 도착하고 싶다는 쪽으로 기울었다.

"거, 시간은 참 쓸모도 없이 잘 흐르는군. 시간이 그렇게도 많은가, 아니 이번에도 직접 오셨소?"

"그러게, 이번에도 직접 마중 나오신 것을 보아하니 시간이 많은 것 같습니다. 일전엔 아주 어린 태가 나셨는데 지금은 그때의 어린 태가 조금밖에 남아 있지 않으시군요. 세월 참 빠릅니다."

사람 살려. 사람 성격이 어떻게 저렇게 평등하게 나쁠 수 있을까. 한 사람이 나쁘면 다른 한 사람은 상대적으로 그 기운에 눌려서 착해지고 뭐 그러는 거 아니었어?

왕자는 열기구에서 내리기 무섭게 살벌하게 친절한 미소로 황태자를 위아래로 훑으며 가시 돋친 말을 뱉었다. 한층 더 살벌해진 분위기에 절로 울고 싶어졌다.

왕자와 황태자는 불과 두 살밖에 차이 나지 않는다. 그래서인지 팽팽한 기싸움은 쉽게 끝날 것 같지 않았다.

황태자가 관자놀이에 핏줄을 세워 가며 한마디 하려던 순간, 왕자가 놀랄 만큼 갑작스럽게 내 쪽으로 몸을 틀었다. 놀라서 흠칫할 뻔했지만 애써 자세를 바르게 하며 태연함을 연기했다.

"전에 본 적 없는 인물이로군. 아, 소식을 들은 적은 없습니다만 혹시 태자 전하의?"

"아, 그것은 오해이십니다. 소개가 늦었습니다. 저는 폰디체리 공작가의 아펠리아입니다."

왕자의 말에 황태자가 코웃음을 쳤다. 나는 황태자의 코웃음을 뒤로하고 그의 오해에 단호하게 고개를 저었다.

소름 돋을 뻔했어. 몸이 부르르 떨리는 것을 애써 억누르며 부드러운 미소로 간략하게 소개하였다.

공식 석상도 아닌데 구구절절 미들네임에 직함까지 모두 읊지 않아도 되겠지. 간소한 예를 중시하는 기사의 성향에 따라 행동했다. 레이디의 예법에서도 크게 벗어나지는 않을 것이고, 아마 털털한 아가씨 정도로 보일 것이라 짐작한다.

내 짐작이 틀리지 않았는지 그가 눈을 살짝 크게 떴다가 유쾌하게 웃었다. 요것 봐라 하는 눈치였다.

"성격 한번 마음에 드는군. 아, 이런. 나를 모르는 이 없는 환경에서 지내다 보니 내 소개도 하지 않았군. 림 왕국의 보리 림 왕세자요. 뭐, 이번 회의에서 돌아가면 즉위식을 치를 것이니 곧 림국의 차기 왕 되겠소."

"뵙게 되어 영광입니다. 부족하지만 황태자 전하를 보필하고자 함께 자리를 하였습니다. 불편하신 점이 있으시면 언제가 되었든 편히 말씀해 주세요."

내가 눈을 내리깔며 부드럽게 답하자 그가 씩 웃으며 고개를 끄덕이다가 고개를 갸웃거린다. 뭐지? 나도 모르게 그를 따라 같이 갸웃거리던 중 나를 한심하게 바라보는 황태자의 시선에 작은 헛기침을 하고 고개를 바로 했다.

계속해서 갸웃거리던 그가 갑자기 뭔가 떠오른 듯 화들짝 놀랐다. 덕분에 그를 집중해서 보던 나도 덩달아 어깨를 움찔거리자 황태자가 한심하다는 듯 헛웃음을 터뜨렸다. 그래, 이건 반성하는 바이다. 스스로 생각해 봐도 멍청이 같았다.

"아펠리아, 아펠리아 폰디체리? 그 괴짜 여기사? 제국 최고 미인이라던 그?"

어, 음. 타국엔 내가 괴짜로 소문이 났던가? 제국 최고 미인이라는 찬탄에도 얼굴이 붉어지지 않을 만큼 괴짜 여기사라는 표현에 충격을 받아 표정이 그대로 구겨졌다.

당사자를 눈앞에 두고 대놓고 괴짜 소리를 할 줄이야. 하지만 그는 스스로가 범한 실례를 인지하지 못한 듯 상당히 당황하고 있었다.

그의 뒤에 서 있던 소수의 수행원들에게 어떻게 좀 해 보라고 눈치를 줬지만 그들도 나를 힐끔거리며 경악하는 표정이라 금방 단념했다. 이 상황에서 황태자는 이겼다는 듯 득의양양한 표정을 짓고 있었다. 여기서 왜 그런 표정을 지으시는 건가요, 전하.

"그래, 그 미인을 실제 눈앞에서 참가국 중 가장 처음으로 영접한 감흥은 어떠하신가? 소문이 가소로울 정도의 미인이 아니던가?"

전하 제발. 수치스러움이 극에 달하면 죽는 병이 있다면 난 이미 죽은 몸이 아닐까.

볼이 화끈거리는 것을 참지 못하고 양손을 볼에 가져다 대었다. 예상보다 볼이 화끈거리는 것이, 온 얼굴이 다 붉어졌을 것 같아 민망해졌다.

민망해지니 더욱 얼굴에 열이 오르기 시작했다. 이 나이에 쥐구멍을 찾게 될 일이 있을 줄이야. 어디에라도 좀 숨고 싶은 심정으로 목소리를 애써 쥐어짜며 애원했다.

"전하, 부디 자중하십시오. 부끄러워 몸 둘 바를 다 모르겠습니다. 죄송합니다. 전하께서 짓궂으셨습니다."

"아닐세. 내가 실례했군. 어린 나이에 기사 서임을 받을 정도로 유능한 여기사라고 들었네. 미모까지 제국 제일이라는 소문은 들었으나 여자가 기사인 것 자체가 생소하여 그냥 흘려 넘겼건만……. 아직 그 실력은 잘 모르겠으나 미모는 정말 소문이 우스울 정도로군."

어, 음. 아무리 내가 내 미모를 인지하고 있지만 저렇게 노골적으로 면전에 대고 사실을 말하듯 태연하게 '너 미인이다.' 하면 부끄럽지 않을까.

무슨 말을 해야 이 상황을 어색하지 않게 넘길 수 있나 고민하고 있는데 황태자가 혹시 코에서 이물질이 튀어 나간 게 아닐까 걱정될 정도로 강렬한 콧방귀를 뀌며 이의를 제기했다.

"왜 그 나이 먹도록 미혼인가 했더니 눈이 하늘에 가서 붙었군. 이 얼굴을 보면 말도 못 붙이고 멍하게 있어도 부족할 판에 기어코 수작질을 해 대니 말이야."

내 얼굴 위로 손가락질을 하는 황태자를 멍하니 보다가 고개를 떨궜다. 아, 이대로 죽고 싶다. 린국 왕세자의 헛웃음 소리를 뒤로 제발 이 다음에 이어지는 접객은 부디 상식적인 수준에서 끝나길 기원했다.

물론 이 기원은 대단히 무의미하게 그냥 기원에서 끝나 버렸고 나는 매 접객마다 창피함에도 치사량이 있다면 이 정도 수준이 아닐까를 경험하며 점차 너덜너덜해져갔다. 물론 유용한 경험은 아니었다.

시간은 흘러 마침내 참가국들이 모두 모였고 영원히 오지 않을 것 같던 첫 번째 회의가 다가왔다.

'탁-!'

"이거, 목소리들이 그래서야 어디 소문이 나겠소?"

깃펜이 떨어지는 소리 뒤로 나른한 듯 날이 선 황태자의 음성이 따라왔다. 그에 분주하게 오가던 흥분한 목소리들이 사그라졌다.

아, 울고 싶다. 어떻게 이토록 완벽한 을의 삶을 살 수 있는 건지.

처음엔 고상하게 안부를 물어보고 조심스레 의견을 주고받더니 원하지 않는 방향으로 내용이 치우치자 서로의 실리를 위해 목소리들이 점차 커졌다. 고상함과는 상당히 거리가 있는 황태자지만, 소음에 있어 상당히 신경질적인 반응을 보이는 분이라는 걸 알기에 예상은 하고 있었다. 하지만 예상과 실제는 다른 법. 대체 내가 왜 이 자리에 있는지부터도 이해가 되지 않는 상황이라 고통은 두 배다.

"아니, 왜들 이러시나. 듣고 있는데 민망하게 그리들 일제히 입을 다물 것 같았으면 처음부터 아예 말들을 마시지, 괜히 귀만 버렸군."

아무리 제국의 황태자라고는 하나 안하무인으로 비아냥거리는 모양새를 기꺼이 견뎌 줄 리가 없다. 인상을 찌푸리며 헛기침을 하는 사신들부터 불쾌한 시선으로 올려보는 사신들까지. 금방이라도 터질 듯, 분위기는 식기는커녕 점점 더 끓어올랐다. 하지만 상황이 이렇게 된 원인은 모두에게 있었기에 다들 불편한 기색만 내비칠 뿐 어느 누구도 불평을 입 밖으로 꺼내진 못하고 있었다. 그때 옆에서 피식하고 비웃는 소리가 났다.

일전 열기구에서 내려 전하와 열렬한 환영식을 가졌던 림국의 차기 왕 보리 림 왕세자였다. 그가 목을 가다듬더니 가볍고 경쾌한 어조로 말문을 열었다.

"칼라한의 황태자께서 그리도 심도 있게 대화에 집중하고 계셨을 줄이야. 지루한 탁상공론에 거의 조느라 소란스러운 줄도 몰랐소만."

원탁에 둘러앉은 각국 사신들 뒤로 최대 세 명의 보좌 인원이 서 있었다. 황태자의 뒤에는 나와 에카이트가, 보리 왕세자의 뒤로도 두 명이 서 있었다. 물론 이 사태에도 에카이트는 태연한 표정을 유지하며 여유로운 자세를 취하고 있었다.

왕세자의 발언에 자존심이 상한 몇몇 사신들이 벌겋게 달아오른 얼굴로 자리를 박차기 일보 직전이었다.

개최국이자 대륙의 오랜 패자인 칼라한 제국의 황태자를 대상으론 감히 인상도 함부로 쓰지 못하는 것이 현실이나, 림국의 왕세자라면 덤벼 볼 만한 만만한 상대이기 때문이었다.

점점 분위기가 수습할 수 없는 국면으로 가는 것 같아 안절부절못하고 있을 때, 에카이트가 입을 열었다. 여전히 태연한 표정이어서 그가 말할 것을 전혀 예상하지 못했다. 그래서 갑자기 들리는 낮고 부드러운 목소리에 나도 모르게 흠칫하고 말았다. 새삼 느끼는 거지만, 에카이트와는 정말 상성이 안 맞는 것 같다.

"지루한 탁상 논쟁이라 하셨으니 이전까지 오간 대화에 실리적 도움이 될 만한 내용은 없다고 말씀하신 것과 진배없단 생각이 드는군요. 그렇다면 림국의 왕세자께서 가지고 계시는 고견을 먼저 청하는 것이 순서라고 생각됩니다. 의장이신 전하의 의견은 어떠신지요."

"내 의견도 같다. 보리 림께서 어디 한번 얘기해 보시오."

어쩜 저렇게 뻔뻔할 수가. '뒤에 앉은 사람들' 중에서 '앞에 앉은 사람들'이 청하기 전 먼저 입을 열고 주도적인 발언을 하는 것은 실상 있을 수 없는 일이었다. 하지만 칼라한 제국의 차기 공작이라는 직위가 아무도 이를 두고 불쾌감을 표할 수 없게 만들었다. 자연스러운 분위기에서 뻔뻔하게 공을 림국 세자에게로 돌린 황태자는 눈 하나 깜빡하지 않고 태연자약하기 그지없었다.

"말하고자 바라던 바가 있어 운을 떼었는데 이리 눈치가 기민하시니, 그냥 가만히 있었어도 자리가 만들어졌을 것 같아 심히 민망합니다."

웃기고 있네. 나는 속으로 혀를 찼다. 다들 나와 비슷한 마음이었는지 사신들도 불편한 심기를 드러내고 있었다.

"대륙의 균형에 대해 논하고 있는데 왜 교류에 대한 논의는 없는가가 참으로 궁금했습니다만 다들 그러한 부분은 궁금치 않으셨나 봅니다. 군사력에 대한 한도를 없앤다, 국경에 대한 제제를 이러한다 저러한다. 다들 전쟁하려고 준비하십니까?"

"세자, 어찌 그런 무례한 말을! 전쟁이라니. 대륙의 평화를 지키기 위한 견제로 얘기한 것이 어찌 그렇게 호도된단 말이오."

군사력에 대해 이야기하며 심기를 거스르던 사신이 제풀에 파르르 난리를 떤다. 딱 집어서 얘기한 것도 아닌데 저렇게 먼저 나서는 꼴을 보자니 정곡을 찔린 것은 맞나 보다. 전하께서도 기도 안 찬다는 표정으로 헛웃음을 지으셨다.

"딱히 그쪽을 겨냥해서 한 말은 아니었습니다만. 뭐, 말 나온 김에 계속하자면 제가 소식에 무지했는지 몰라도 지난 십수 년 동안 국경을 넘어 인연을 맺은 일이 없잖습니까? 그리고 애써 공들여 창립한 '아카데미'도 실상은 본연의 의미가 퇴색되어 유명무실하게 되었지 않습니까?”

맞는 말이다. 다들 크게 불편한 기색 없이 동의하는 내용이었다. 서로 평화를 누리다 보니 특이한 배경이 없고서는 타국과 결혼하는 일이 적어졌다.

얼핏 들었을 때엔 별일 아닌 것 같지만 이는 중요한 일이었다. 아무리 평화롭다지만 국익을 논할 때면 각국의 이해를 따지기 마련인데, 두 국가가 결혼 관계로 맺어지면 그런 일이 있을 때 조금 더 조심스러워지기 때문이다.

세자의 말에 모두 조용히 긍정하는 눈치였다. 암묵적 동의에 힘을 얻은 것인지 세자의 목소리가 보다 진중하게 들리기 시작했다.

“예전처럼 각국으로 교환학생 보내듯 귀족 자제들을 유학시키는 제도를 부활시키는 것이 가장 쉬운 길이 아니겠습니까.”

응? 가장 쉬운 길? 이미 서로 인적 교류가 끊긴 지 오래인 국가 간에 다시 교류를 트는 일이 가장 쉬운 길이라고? 그보다 더 좋은 생각은 없는지 머리를 쓰고 있는데 황태자가 입을 열었다.

“왜, 마음에 차는 타국 아가씨라도 있소?”

아. 결혼을 통한 교류가 정석이자 가장 쉬운 길이라는 얘기를 하는 거구나. 나만 몰랐나 싶어서 힐끗 주변을 둘러보려는데 옆에 앉았던 에카이트가 자연스럽게 헛기침을 하며 내 시선을 묶어 버렸다. 그리고 다시 무언가 말하려는 왕자에 앞서 먼저 입을 열었다.

“나쁘지 않군요. 말 나온 김에 이번 회의 이후 있는 무도회를 적극 활용하는 것도 좋을 것 같습니다. 각국의 결혼 적령기의 청년들과 아가씨들을 초대하여 자연스럽게 안면을 익히는 것도 방법이지요.”

에카이트의 발언에 다들 웅성거리며 대화를 나눈다. 반발하는 의견들보다는 자국에 적절한 대상이 있는지 빠르게 계산하는 것 같다.

슬쩍 앞을 보니 황태자가 매우 심기 불편한 표정을 짓고 있다. 저렇게 하면 당연히 일거리가 늘어날 수밖에 없으니 좋을 리가 없겠지. 그럼에도 반발하는 대신 침묵을 지키는 모습에 존경심을 표하려고 하는데 황태자가 입을 열었다.

“내가 중매 파티를 열 줄이야. 림국의 보리 세자와 우리 베이야드 공자에게 감사를 표해야겠어. 지금 당장 부르면 각국 영애와 영식들이 오기까지 시간은 충분하겠지. 무도회까지 시간이 있으니 어디 부를 만큼 불러 보시오. 판이야 여기서 열어 드리리다.”

약간의 빈정거림은 있었지만 의외로 흔쾌히 수긍하는 황태자의 음성이 어째 서늘하다. 미묘한 불안감에 나도 모르게 몸을 사리고 있는데, ‘뒤에 앉은 사람’ 중에 익숙한 목소리가 흘러나왔다.

첩자다. 등줄기가 서늘하게 곤두서면서 긴장으로 몸이 곧추섰다. 당장이라도 전투에 임할 수 있을 정도로 사방이 고요해지고 심장 소리가 귓가에 울리는 기분이었다. 그대로 허리춤을 더듬었지만 검은 고사하고 매끄러운 드레스 천이 만져졌다. 역시 이런 종류의 옷은 전혀 도움이 안 된다.

“……먼 대륙의 일원으로 제국의 아량에 감사할 따름이오. 이제, 이 대륙의 선조들이 그토록 공을 들였던 ‘아카데미’ 이야기를 해도 좋을 듯하오만.”

목뒤를 긁는 것 같은 낮은 목소리. 사신들을 접객할 때에 본 적 없는 얼굴과 목소리다. 하지만 분명 첩자, 그의 것이었다. 태연하게 소리가 난 방향으로 눈을 돌렸지만 이상하게 얼굴이 낯설다. 이렇게 생긴 사람이었던가?

그의 목소리에 얼어붙었던 좌중이 헛기침을 시작했다. 뒷자리의 사람이, 그것도 대국의 사신도 아닌 자가 먼저 입을 연 무례가 불편하다는 신호였다. 전하의 뒷모습이 이상할 정도로 매섭게 굳어 있다.

이번에 새롭게 교류를 튼, 첩자의 소속 국가로 유력한 동방 국가를 마중할 때에 듣지 못했던 목소리였다. 대표로 나섰던 자와 다르다. 속이 메스껍게 뒤틀리는 기분에 낮게 숨을 들이켰다.

그때 황태자의 매서운 음성이 튀어나왔다.

"시건방진 놈."

……예? 순간 헛소리를 들은 것 같아 귀를 후빌 뻔했다. 아무리 내가 기사라 귀가 좋다고 해도 마음의 소리를 들을 정도는 아닌데. 그렇다는 것은 분명한 황태자의 육성……. 주변의 분위기가 아주 거지 같기 이를 데가 없으니 분명한 사실 같았다.

아버지, 전 집에 가고 싶습니다. 퇴근하고 싶어요. 갑자기 든 생각이지만 이 직업이 적성이랑 너무 안 맞는 것 같습니다.

"잘못 들었다고 넘기기엔 분위기가 부정하기 어려울 정도외다. 태자의 성격이 예측할 수 없을 정도로 자유로운 풍조가 강하다 하더니 과연 듣던 대로요."

뭘 믿고 이 많은 인원들 앞에서 저런 패기 넘치는 발언을 태연자약하게 할 수 있는 것일까? 경직된 등 뒤가 매섭게 당겨진다. 텃세라는 것을 무시할 수 없을 것인데.

지금은 서로의 이해득실을 따지느라 대립하고 있지만, 원래는 대륙으로 묶인 하나의 이해 공동체다. 이런 자리에서 다른 대륙의 낯선 국가가 나서서 저런 발언을 하다니. 깊게 생각해 볼 것도 없이 위험한 자세였다.

아무도 쉽게 입을 열지 못하는 분위기는 에카이트의 매끄러운 말로 인해 자연스럽게 깨졌다.

"뭐, 발언이 경솔하단 지적은 피하기 어렵겠군요. 앞서 모두 동의

한 내용이겠지만 전쟁하자 모인 자리가 아니니 분란이 될 발언들은 상호 자제하는 것이 옳겠습니다. 본질로 돌아가서, 아카데미라. 가히 잊고 지내 왔던 그 기관을 말씀하시는 건가요."

전쟁을 논하는 분위기가 아닌데 국가의 주된 병력인 기사 양성을 목적으로 하는 기관을 이야기하다니. 아카데미가 잊힌 데에는 두 가지 이유가 있다. 우선 각국에서 아카데미로 사람을 보내려면 체면치레는 해야 하니 괜찮은 인재를 보내야 한다. 하지만 전쟁이 일어나는 것도 아닌데 뭐가 아쉬워서 자국 인재를 낭비하려 들겠냐 말이다.

뭐, 어찌 됐던 성사될 일은 아니었던 것으로 기억하여 대수롭지 않게 앉아만 있자니 에카이트가 좌중의 침묵을 깨고 분위기를 전환한다. 저런 부분엔 확실히 재주가 있다.

"벌써 시간이 이렇게나 흘렀군요. 가볍게 흘릴 내용의 주제는 아니니 이 논제에 대한 논의는 내일 회의로 넘기고 싶습니다. 다들 괜찮으신지요."

에카이트의 말이 끝나자 다들 그렇게 하자 웅성이며 동의를 표했다. 아니, 가볍게 흘릴 주제라니까? 전생에 이거 그냥 유야무야 됐다니까?

나는 속으로 시간 낭비에 힘쓰는 녀석을 동정하며 혀를 찼다. 어수선해진 분위기를 뒤로하고 회의가 끝났음을 알린 황태자가 가장 먼저 자리에서 일어나 회의장을 벗어났다. 에카이트와 나는 자연스럽게 그 뒤를 따르며 가볍게 시선을 주고받았다.

"전하, 괜찮으십니까? 갑자기……."

"예, 전하. 갑자기 미치신 줄 알고 놀랐습니다."

"그게 놀랐던 거라니 참 인상 깊군. 공은 앞으로 좀 더 성의 있게 놀라는 연습을 했으면 싶은데."

와, 저 대단한 놈. 무도하기 이를 데 없는 그의 말에 화들짝 놀라 에카이트의 얼굴로 시선을 고정하였다. 진짜 내 귀가 기능을 못하고 있는 것은 아닌지 의심이 들 정도로 적합하지 않은 말을 많이 듣는 것 같다.

에카이트의 무도한 막말에 황태자가 태연자약하게 응수하는 장면이 마치 삽화 속의 한 장면과도 같이 어색하다. 이러지도 못하고 저러지도 못하고 조용히 따라 걷는 내 처지가 제일 처량하다.

진짜 의원을 한 번 더 봐야 하나. 근데 증세를 뭐라고 얘기해야 하지.

에카이트가 감히 황태자 전하께 욕지거리를 한 것 같은데, 잘못 들은 것이겠지? 근데 왜 그렇게 들렸지? 여전히 혼란스러워하고 있는 나에겐 관심 없이 두 사람은 이야기를 계속 주고받았다.

"전하, 내일 중요한 발언들이 많이 오갈 듯합니다. 사전에."

"내 할 일은 내가 알아서 준비할 것이고, 공은 공 할 일이나 알아서 잘 준비하면 되지 않을까 싶은데."

"제 할 일이 전하가 하실 일에 도움을 드리는 것입니다. 그럼 잠시 후 집무실에서 뵙겠습니다. 준비할 것이 있어 큰 실례가 아니라면 먼저 자리를 옮겨야 할 것 같습니다만 괜찮으시겠습니까?"

황태자가 질렸다는 얼굴로 대충 손을 흔들었다. 그것을 본 에카이트가 묘한 시선으로 나를 흘겨보며 멀어진다.

뭘 보냐? 보길. 의중을 알 수 없는 시선에 괜한 찜찜함을 느끼며 조용히 전하의 뒤를 따랐다.

에카이트와 황태자가 길고 긴 이야기를 나누기 시작할 무렵 나는 교대 시간에 맞추어 신속히 귀가하였다. 때로는 큼직하게, 때로는 사사롭게 바뀌는 상황들을 보며 이제는 포기하고 물에 흘러가듯 몸을 맡기고 관망하는 자세로 바라보기로 마음먹은 참이었다.

하루를 아무 생각 없이 수면으로 마무리하고서 참석한 회의는 아무 생각 없이 참석한 것이 천만다행일 정도로 개판이었다.

림국의 보리 왕세자의 입은 오늘도 활발했다. 좀 수다스러운 인상이 있는가 싶었는데 역시나 그렇다.

"자고로 아카데미란 뭐였습니까. 각국의 인재들이 경쟁과 협력을 통해 배워 가고 보다 많은 부분을 획일화하여 다름에서 오는 분쟁을 최소화하는 기관이 아니었습니까. 애초 설립 이념부터가 평화, 교류, 소통이 아니었습니까."

"그러나 이미 그 기능이나 원 목적을 상실한 상태에서 굳이 다시 아카데미를 활성화시키고 부활시키고자 노력할 가치가 있겠습니까. 그 어떤 것도 세월이 흐르고 상황이 바뀌는 것에 따라 모습이 바뀌고 사라지기도 하는데, 그런 자연의 흐름을 거슬러 부활시킬 만한 가치가 있냐고 묻는 것입니다."

나름의 타당성을 지닌 의견들이 팽팽하게 오간다. 하기야 한번 생겼다고 영원히 유지되는 것이 어디 있으랴. 그때 소국이고 군사력을 포기하다시피 한 국가의 사신이 반대 의견을 내놓는다.

"그러나 필요가 있을 경우에는 기존의 제도를 활성화시키는 데 힘을 쏟는 것이 정석 아니겠습니까. 다시 살릴 수 있는 제도가 있는데 어렵게 새로운 제도를 마련할 필요는 없지 않습니까."

아니, 아카데미에 뭐 저렇게 집착한데. 림 왕국, 그러니까 림국이 군사적으로 욕심이 많고 활발한 교류를 지향하는 것은 이미 모두가 아는 일이었다.

대륙 변두리라 교류도 쉽지 않고 소외되기 쉬운 입지인데, 국경

끝에 위치한 국가인지라 간혹 마물이라 불리는 몬스터들의 습격도 빈번하다고 들었다.

내륙에 위치한 국가들이 말하는 군사력이 타국과의 힘겨루기를 말하는 것이라면, 림국의 경우 생존을 건 관심이라고 봐야 한다.

변두리 멀리 떨어진 소국의 왕자를 황태자가 툴툴거리면서도 직접 맞이하는 이유도 림국이 대륙의 치안에 기여하는 바가 커서 그랬다.

림국이 저렇게 주장하면 특히 우리 제국 입장에선 들어주는 것이 타당하지만, 선뜻 그러지 못하는 것은 그 첩자가 속한 나라에서 노골적으로 아카데미의 부활에 관심을 두기 때문이 아닐까.

그 낯선 자들의 속내를 알 수 없는 상황에서 쉽게 원하는 바를 내주기 싫은 마음에 아카데미 부활에 반감을 가지게 되는 것이지 그 필요에 대해서는 동의하는 바였다. 굳게 입을 다물고 있던 황태자가 갑작스럽게 입을 열었다.

"이치에 맞는 말들이군. 영원한 것은 없으니 굳이 원 기능이 약해졌다는 이유만으로 아카데미를 부흥시키고자 애쓸 필요는 없는 것이나…… 필요가 있다면 말이 달라지지."

좌중을 둘러보는 황태자의 표정이 매섭다. 동방의 사신들이 앉은 자리에 유독 시선이 서늘하게 지나간다. 뭔가를 결심한 표정. 무슨 결정을 내릴지 궁금해하며 황태자의 입이 열리기만을 기다렸다.

"제국은 림국의 의견에 동의하오. 해 보지요들, 아카데미의 부활."

예? 아니, 전하. 전생엔 이런 거 없었는데요. 그리고 그 아카데미 부활해서 기사 보내야 하면 누구 보내실 건데요? 왠지 짐 싸는 스스로의 모습이 저절로 떠오르는 것이 불길하기 짝이 없다.

에카이트를 흘끗 보면서 뭐라도 해 보란 신호를 보내려 했지만 표정을 보아하니 이미 결론이 난 일인 듯 표정이 단호하다. 웅성대던 사신들이 일제히 입을 다문다. 제국의 결정권자가 결론을 낸 이상 반대 의견은 없는 것이다.

아무리 반대가 있어도 제국에서 하겠다고 단언하면 그뿐인 것이다. 이 얼마나 압도적인 힘인가.

새삼 모국에 대한 애국심이 고양되어 가슴이 벅차오르다가 앞으로 벌어질 일들에 머리가 지끈거린다. 결정된 일에 괜한 토를 달며 제국에 도전하는 바보는 당연하지만 없었고 논제는 자연스럽게 부흥을 위한 방법론으로 넘어갔다.

해가 지고 나서야 끝난 회의의 결과를 간략하게 말하자면, 아카데미로 보내질 인명록에 내 이름이 써진 것 같다는 것이다.

허겁지겁 자리를 정리하고 자리를 뜨는 황태자 뒤에 따라붙었다. 회의장과 거리가 벌어지기 무섭게 다급하게 입을 열었다.

"전하, 정말 제가 갑니까? 이미 결정을 내리신 부분이신지, 아니면 지나가는 말로 예시 삼아 하신 말씀이신지."

"아펠리아."

지금까지 들어 본 황태자의 음성 중 가장 진지한 음성이라 당황스럽다. 한참을 침묵 속에 걷다가 집무실 앞에 도착했을 때 황태자가 툭 던지듯 말을 뱉었다.

"괜찮을 거다."

"예."

무엇이, 어떻게, 왜 괜찮을 것인지는 알 길이 없지만 그렇다고 하시니 그런 것이겠지. 신뢰의 뜻을 담아 대답하자 물러가란 뜻으로 손을 휙 흔들었다.

그대로 집무실 안으로 사라지는 전하의 뒷모습을 확인하고 몸을 돌렸다. 아카데미도 아카데미지만 당장 다가오는 기괴한 대무도회의 준비가 제일 시급한 시점이다. 일단 닥친 일부터 해결하고 생각하기로 결정하고 복잡한 생각을 가볍게 닫아 버렸다.

08. 대무도회

08. 대무도회

칼라한 제국에서 대무도회라 불릴 만한 무도회는 건국 무도회로 불리는 연간 행사 말고는 없다고 해도 과언이 아닐 정도로 황족들의 취향은 단출했다. 피곤하고 신경 쓸 일만 많은 무도회를 주도하고 싶어 하는 야망 있고 성실한 인물이 없다는 말이었다.

통상 의무적으로 치르는 건국 무도회만 황실에서 주도하고 그 외의 행사는 없는 것이다.

제국의 무도회 현황에 대해 거창하게 설명한 이유는 간단했다. 황태자가 주도할 '중매 파티'가 열리기 때문이다. 쉽게 결정하기 어려운 여러 가지 주제들 때문에 회의는 예정보다 한참 더 연장되었고, 시간적 여유를 가지게 된 각국에서 조건에 맞는 미혼 영애와 영식을 모두 보내기 시작했다.

물론 5년에 한 번씩 치르는 대륙 회의 끝에 사신들의 친목 도모와 환대를 위해 대무도회를 열긴 하지만 이 정도로 많고 다양한 인원이 참석하는 전례는 없었다. 이를 위해 새로운 규칙들을 만들어야 했는데, 다들 이것을 유희거리로만 받아들이고 있어 세부적인 사항을 정해야 하는 입장에선 속이 터질 것 같았다.

전례에 없는 새로운 형식의 무도회이니 여러모로 말은 많을 것이다. 잘했으면 잘했다 호들갑을 떨겠지만 반대로 성에 차지 않으면 못했다고 호들갑을 떨 것이 불 보듯 뻔하다.

"아무래도 계절은 어쩔 수 없네요. 세상에 그간 얼마나 옷가지에 흥미가 없으셨으면 고쳐 입을 옷들도 없을까. 정말 몸이 한 개인 것이 이렇게 아쉬울 수가 없습니다."

봉뒤프베 부인이 한숨을 쉬면서 종이 위로 손을 바쁘게 움직였다. 입으론 면박을 주고 있지만 입꼬리가 흐물흐물해진 것이 누가 봐도 기분이 좋아 어쩔 줄 모르는 자태이다.

겨울이 가까운 시기라 그간의 새 드레스들은 무용지물이었다. 겨울 예복으로 보온을 위해 목이 높게 올라오고 소매가 긴 양식의 새 드레스들이 필요해 자연 봉뒤프베 부인이 바빠졌다. 투정을 부리고는 있지만 대륙에서 손꼽히는 미인에 여기사인 내가 그녀의 드레스를 입으면 살롱 홍보에 대단히 도움이 될 것이다.

"격일로 네 번이나 무도회를 치르셔야 하는데, 제가 속도를 따라갈 수 있을지 모르겠어요. 취지는 좋지만 그 새로운 규칙들을 다 따라잡자니 엄두가 나야 말이지요."

"저도 정말 눈앞이 깜깜할 지경이랍니다. 부디 힘들겠지만 끝까지 잘 부탁드려요."

봉뒤프베 부인의 걱정 어린 겸손에 달리 해 줄 말이 없어 약한 소리를 하며 달래었다.

그 규칙이라는 것은, 촉박한 시일 내로 무도회에 불려 오는 타국의 손님들을 배려하기 위해 만들어진 것이었다.

누가 세운 전통인지, 그 나라에 갈 때엔 그 나라의 풍습을 따르란다고 칼라한 제국에서 주최하는 무도회의 경우 우리 제국의 예복을 갖추고 참석하는 것이 예법처럼 굳어져 있었다.

하지만 이번 무도회는 갑작스럽게 진행된 것이라 타국에서 온 손님들의 행색이 제국의 무도회 참석자들에 비해 떨어질 것이라는 건 충분히 예상 가능한 일이었다.

그런 타국의 손님들을 배려하는 것은 좋지만 결국 불편해진 것은 우리 칼라한 제국 사람들이었다. 거기엔 내 드레스를 만들어주는 봉뒤프베 부인도 포함됐다.

"아니, 하던 방식대로 그냥 우리 제국 예복을 입고 참석하는 거면 얼마나 좋아요. 영애는 아마 우리 제국 최고의 진주 부자일 건데요."

칼라한의 겨울 예복에 진주가 들어가는 것을 빗대어 얘기하는 부인에게 애매한 웃음을 지으며 다시 상황을 정리해 보았다.

갑작스럽게 초대받은 타국의 손님들이 괜히 위축되고 못나 보이게 지내다 돌아가는 것은 '중매' 무도회의 취지에서 먼 것이라며 공평하게 하루씩 각국의 유행에 맞는 예복을 입고 참석하라는 것이 앞서 말한 새로운 규칙이었다.

물론 강제성은 없으며 여의치 않으면 대무도회 내내 자국에서 유행하는 예복을 입고 참석해도 그만이었지만 무도회나 사교회의 섭리로는 기대하기 어려운 조항이었다.

그 많은 드레스를 준비하는 것이 얼마나 고되고 힘든지 제대로 알 길이 없는 남자들끼리의 탁상공론으로 나온 이 규칙은 안 그래도 잠잠하던 사교계에 반향을 불러일으켰다.

대부분의 참석자는 네 번의 무도회 중 두 번, 많게는 세 번 정도 참석하는 방향으로 부족한 시간을 메웠는데, 엉뚱하게 주최 측으로 이름을 올린 나는 네 번 다 예외 없이 참석해야 한다.

그나마 다행이랄 것은, 아까 봉뒤프베 부인이 언급했듯 내가 엄청난 진주 부자라는 것이었다. 친척인 애쉬우드 대공께서 그간 계절마다 옷 맞추는 데에 쓰라고 꾸준히 보내 주신 상급의 진주들이 손도 대지 않은 채 보석함에 조용히 보관되어 있었다.

십여 년도 넘게 받아 온 선물이니 어쩌면 대공의 보석함에 들은 진주보다 내가 가진 진주가 더 많을 수도 있지 않을까. 우리 제국식 겨울 예복에 달 진주가 영롱하게 빛나고 있었다.

"큰 거 하나, 작은 거 두 개. 뭐 그런 것 같네요."

상자를 열어 반짝이는 진주를 보다가 그렇게 단순하게 말하자 봉뒤프베 부인이 거의 거품을 물었다.

"세상에 이런 진주를 보고 하시는 말씀이라는 게 큰 거, 작은 거 그게 단가요? 이런 자연산 진주를 수백 개씩, 그것도 이렇게 균일하고 흠도 없는 진주들까지 해서 보내 주신 것을 두고 세상에 큰 거, 작은 거라니……. 아무리 보석에 대해 모르신다지만 대공께서 아시면 서운해하실 거예요."

"아니, 물론 대단히 감사하지요. 이번엔 대공께서도 오실 텐데, 직접 뵙게 되면 인사드려야지요."

봉뒤프베 부인의 말이 맞다. 진주는 그야말로 살아 있는 보석이라 필요한 물량을 한 번에 확보하기는 어려웠다.

그래서 매년 겨울이 지날 무렵이면 옷에 장식으로 달았던 진주들을 하녀들이 하나하나 다 분리하여 면으로 된 천으로 닦는 것이 봄맞이 진풍경이기도 했다.

오죽하면 문학 소설에서 귀족의 봄을 '하녀들이 고급스러운 드레스에 붙은 진주를 장갑 낀 손으로 한 알 한 알 떼어 내며 내년 겨울을 기약했다.'고 묘사했겠는가.

다른 진주 상자도 가져오라고 요청하니 유모가 쏜살같이 방을 빠져나간다. 보나 마나 저 급한 성격에 말하기도 전에 찾아 두고 언제 가져오라고 하려나 기다리고 있었을 게 분명하다. 방을 나가는 유모를 보다가 봉뒤프베 부인을 돌아보니 부인은 입을 크게 벌리고 넋이 나간 표정이었다.

"부인? 부인. 괜찮으신가요?"

"아니, 네, 저는 뭐, 물론 괜찮습니다. 세상에 그러니까 아까 그 진주들이 다 올해 들어온 진주였다니."

홀린 듯이 진주를 바라보며 탄성을 뱉는 봉뒤프베 부인을 달콤한 목소리로 설득했다.

"타국의 예복이야, 흉내만 내도 그만이지요. 우리 제국의 예복만 제대로 화려하게 입어 낸다면 단숨에 유행의 선두주자가 될 거예요. 부인께서 이번엔 어떤 작품으로 저를 유명하게 해 주실지 기대해도 좋겠지요?"

진주를 홀린 듯이 바라보던 부인이 답했다.

"이 정도면 못하는 것이 더 이상하지요. 기대하셔도 좋을 겁니다."

세상에 이렇게 많은 시선이 존재했나. 기사 예복을 입었을 땐 몇몇 사람들이 여기사에 대한 신기함과 동경의 시선을 보냈다. 그러나 지금, 영애로 사교장에 서 있으려니 얼마나 다양한 시선이 존재했는지를 몸소 체험하는 중이다.

봉뒤프베 부인을 완전히 영혼까지 털어 넣었다고 해도 과언이 아닐 정도로 알차게 부려 먹은 결과물은 뭘 모르는 내가 봐도 하나의 예술 작품이었다. 걸어 다니는 진주 홍보관 같기도 했지만 뭐, 그만큼 어마어마하다는 뜻이었다.

"세상에, 저게 다 진주란 말인가요? 정말로?"

"모조품도 저만큼 가지고 있으려면 큰 재산인데 저 광택이나 모양을 봐서는 진짜인 것 같네요. 정말 폰디체리 공작가가 대단하기는 대단하군요."

온통 칭찬 일색인 분위기는 으쓱해야 할지 아니면 민망해해야 할지 갈피를 잡지 못할 정도로 노골적이었다. 이게 다 진주냐고 사람들이 놀랄 정도로 달 수 있는 진주는 다 달고 나왔다. 다들 화려하다는 둥 아름답다는 둥 난리가 났지만 나니까 이 정도 무게를 견디고 입고 다닐 수 있는 거지, 일반 영애라면 진주의 무게에 입자마자 주저앉았을 것이 분명하다.

차라리 모래주머니를 달고 하는 훈련이 편하겠다. 대무도회가 시작된 첫날, 바빠 죽겠다는 에카이트와 나오기 싫어 죽겠다는 황태자를 뒤로하고 홀로 에스코트도 없이 기세등등하게 입장했는데, 평소라면 오만 말을 다 했을 사람들이 겨울의 여왕부터 눈의 여신이니 오만 낯부끄러운 소리를 잘도 한다.

"세상에, 공녀님. 애쉬우드 대공께서 귀애하신다는 얘기는 익히 들어 알았지만 이 정도일 줄은 몰랐습니다. 설화에서나 듣던 눈의 여왕이 이런 모습일까요."

"마담 봉뒤프베가 이번엔 영애께 전속으로 묶여서 작업을 해야 할 것 같아 드레스를 만들기 어려울 것 같다는 서신을 보내 내심 서운했는데 이런 작품을 만들고 있었다니……."

"어쩜 차분하게 몸을 따라 떨어지는 선까지도 이렇게 고급스럽게 표현한 건지, 진주가 마치 하늘에서 내리는 눈처럼 보이네요."

내 드레스는 우리 제국의 전형적인 겨울 예복인 유려한 머메이드 양식을 따르고 있었는데, 얇게 짠 울을 몇 겹이고 겹쳐서 보온력을 높이되 두께는 얇고 몸의 선을 섬세하게 표현하고 있었다.

잘록한 허리를 강조하며 우아하게 떨어지는 드레스는 옅은 금빛 톤을 띠고 있었는데, 제국에서 최상품으로 치는 금빛이 도는 진주들과 완벽하게 어울렸다.

튜브탑 모양의 상의는 얇은 망사로 쇄골과 손목뼈까지를 덮은 볼레로를 덧입은 형태를 하고 있는데, 여기에도 웅장한 눈보라 같은 자수와 진주들이 번쩍거리고 있었다. 가슴팍부터 드레스 밑자락까지 눈이 내려 쌓이듯 매달린 진주들이 규칙적인 듯 불규칙적인 듯 예술성을 뽐내고 있었다. 다시 말하지만, 얘들 정말 죽도록 무겁다.

세상에 이건 뭐 춤추다 상대방을 후려칠 수도 있을 수준이라고 해도 과언이 아니다. 그래도 예쁘다고 난리를 치는 관중들에게 그러한 매서운 현실을 폭로할 이유는 없었기에 아닌 척 그냥 예쁜 척을 시전하기로 했다.

"이렇게 예쁘게 봐 주시니 더할 나위 없는 영광입니다."

겸손을 가장한 미소에도 다들 본뜻을 곡해하지 않고 사교적인 웃음을 짓는다. 국내 귀족들은 내 편이 되고자 애써야 하는 사람들이니 더욱이 이러한 과정이 수월하다.

실제로 드레스 한 벌에 진주를 몇 상자 들이부어서 제작했으니 그렇게 보이는 것도 당연한 거다. 다들 내심으로 같은 생각인지 화사하게 웃기만 하는데 다소 철이 없는 영애가 제법 적나라하게 속내를 터놓는다.

"공녀님이 이렇게 차려입고 나타나 주신 것이 어찌나 감사하던지. 이렇게 정말로 칭찬받아 마땅한 옷을 입고 오셨잖아요. 덕분에 같은 제국민으로서 부끄럽지 않아 좋네요."

"세상에나, 안나. 어머니께서 이 자리에 계셨으면 그렇게 마구잡이로 나오는 대로 모두 말하는 네 언사에 기함을 하셨을 거다. 공녀님, 이 영애의 언니 됩니다. 아직 소양이 부족한 아이를 조른다고 데리고 나왔다가 이렇게 낯부끄러운 일이 됐습니다."

"아닙니다. 솔직함이 반드시 부끄러워야 할 일은 아니지요. 그럼 저는 인사드릴 곳이 많아 먼저 자리를 움직여야 하는 입장이라, 부디 오해 없길."

톡 쏘듯 쾌활하고 직관적인 말투를 듣다 보니 전생에 리디아 옆에서 나를 향해 제법 앙칼지고 원색적인 비난을 뱉어 대던 어린 영애의 모습이 기억 속에서 살아났다.

그래, 그랬었지. 쥐방울만 한 게 내 무반응에 더 약이 올라서 더욱 독설을 뱉었더랬지. 물론 그 말을 시작으로 더욱 은밀하고 잔인한 언사들이 엉켜 나왔기에 철이 없었다는 이유 하나만으로 용서하긴 쉽지 않았다.

저 영애의 언니도 기억이 난다. 말괄량이 동생과는 달리 다소 유약한 성향이었는데, 동생을 말리다가 펠튼의 눈 밖에 났던 것인지 어느 순간부터 사교계에 나오지 않았던 것으로 기억한다.

동생을 꾸짖는 영애의 말소리를 뒤로하고 타국의 사신단이 모인 방향으로 몸을 틀었다. 놀랍게도 이 자리에 리디아 펠튼이 없는 것이 자연스러운 상황이 되어 있었다.

뒤통수가 따가울 정도로 쏟아지던 시선이 내가 몸을 돌리기 무섭게 언제 그랬냐는 듯 잠잠하다. 저 얌체들. 속으로 혀를 차며 모른

척 그들에게 다가가자 이제야 나를 눈치챈 듯 어설프게 반기는 것이 아닌가.

개중 가장 익숙한 얼굴이 있길래 그 얼굴과 눈을 마주치며 다가갔다. 림국의 보리 왕세자였다.

"또 뵙습니다, 보리 림 왕세자. 계시는 동안 평안하셨는지요."

"그래요, 또 뵙습니다. 회의 내내 뚱하기 그지없는 태자 전하 얼굴만 물리도록 봐서 얼굴을 다 잊어버릴 뻔했습니다. 뒷자리에 그렇게 앉아 계시니 어디 얼굴 보기가 쉽기나 한지요."

"헛소리하고 있군. 그 지경이면 무도회를 올 게 아니라 의원을 찾았어야지."

네, 그러게요. 엉겁결에 들리는 목소리를 따라 고개를 끄덕이려다 소스라치게 놀랐다. 언제 온 거지? 고개를 돌린 곳엔 황태자가 얼굴에 심술보를 덕지덕지 붙인 채 삐뚜름히 서 있었다.

나만 놀란 것이 아니었는지 다른 사람들도 펄쩍 뛸 듯이 놀란 표정이었다.

"내가 놀라면 사람을 치는 버릇이 있었더라면 하마터면 한 대 맞으실 뻔하셨소."

"그런 고약한 버릇이 없어서 지금 살아 있는 거라 생각되는군. 조용히 둘러만 보고 나간다고 옆문으로 들어왔더니 정말 다들 온 줄도 모르다니. 앞으론 옆문을 애용해야겠는데."

속으론 한탄을 하면서도 입에선 바른 말이 절로 나간다. 아, 이 기사 정신. 실직할 일은 없겠다.

"재미는 있으실지라도 이 제국의 태양이 되실 분께서 작은 문으로 검소히 다니신다 하시면 어찌 그 밑을 따르는 사람들이 정문을 밟겠습니까, 전하."

"내가 경이랑 있으면 무슨 말을 함부로 할 수가 없군. 그냥 한 말이니 듣고 흘리도록. 그래, 다들 즐거운 시간 보내고 있습니까."

전하의 질문에 다들 앞다투어 이 무도회가 얼마나 격식 있게 준비되었는지, 우리 제국에 이토록 많은 미남 미녀가 있을 줄은 몰랐다는 칭찬들이 줄을 잇는다.

매우 구체적으로 나를 지목해서 칭찬하는 말들로 마치 우리 제국 전체가 그러하다는 것처럼 포장하며 저 뒤에 있는 자국 영애들을 은근히 끼워 넣는 모습을 보였다.

이는 그야말로 제국 최고의 신랑감인 황태자 전하를 염두에 둔 전략이 아닐까. 다들 이 급조된 중매 무도회에 엄청난 비용과 시간을 투자한 것도 이왕 이렇게 된 거 꿈이라도 제대로 꿔 보자는 속내도 없지는 않을 것이다.

보리 왕세자와 황태자, 주요 인물들의 만남에 관심을 기울이는 영애들의 모습이 보였다. 그들은 제국의 분위기에 눌린 듯 자신감 없는 표정으로 무리 지어 수군거리고 있었다. 마치 과거 사교계에서 외면당하던 내 모습이 연상돼 마음을 담아 친절한 미소를 지으며 그들을 대화로 이끌었다.

"흉내만 내셨다고 하시기에 별다른 기대 없이 눈을 돌렸다가 큰일 날 뻔했습니다. 우리 제국의 예복이 이렇게 우아해 보일 수 있다니 손님들의 타고난 외양과 센스에 감탄이 절로 나옵니다. 정말 아름다우십니다, 영애들."

내 말에 영애들이 삼삼오오 고개를 숙이며 볼을 붉힌다. 그리고 작은 웃음소리를 흘리기도 했는데, 의외로 그런 모습이 순수해 보여서 같이 마주하며 잔잔한 미소를 지었다.

내 말이 기가 막힌지 황태자는 코웃음을 치고는 고개를 절레절레 흔들며 내 어깨를 툭 치시곤 다른 무리로 걸음을 옮겼다.

바로 따라가야 하나 싶다가 자리에 남아 알아서 정리하고 따라오라는 뜻을 이해하고 무리를 둘러보았다.

그러던 중 칼라한 제국의 예복과 가장 흡사하게 갖춰 입은, 진주를 주렁주렁 달고 나타난 한 영애가 호탕하게 웃는 모습이 눈에 들어왔다.

유려한 미색 비단으로 짜인 머메이드 드레스에 제국 스타일의 자수를 잔뜩 끼얹은 영애의 드레스는 올라온 목 라인 한가운데에 작은 진주 한 알이 상징처럼 매달려 있었다. 영애가 너무 신나게 웃은 탓인지 한 걸음 물러나 대화를 관망하던 사신단 중 같은 국가 출신으로 보이는 남자가 급한 걸음으로 황급히 다가온다.

서두르는 모양새를 보니 평소 사고를 치고 다니는 영애인 것 같았다.

"안드레아. 이 무슨 경거망동이란 말이냐. 죄송합니다, 공녀님. 시골에서 어머니 손길 없이 제멋대로 자란 탓에 이렇게 천방지축입니다."

"내가 내 입으로 웃고 싶어서 웃은 것이 어째서 자라 온 지역 탓이고 돌아가신 어머니 탓이랍니까? 절대 나쁜 뜻은 없었어요. 이렇게 아름다우신 분이 예법에서는 기사도가 느껴져서 소문대로 유능한 여기사가 맞구나, 하는 생각에 웃었을 뿐입니다."

여장부일세. 상황을 가리지 못하고 솔직한 것은 동일했으나 솔직함에서 드러나는 생각과 성향이 다른 것이다.

호탕하고 직설적인 언사는 예민한 영애라면 트집거리로 삼았을 수 있겠으나 내 원래의 성향이 예민과는 거리가 먼 그야말로 기사의 성향인지라 전혀 불편하지 않았다. 오히려 이런 사람이 우리 제국에 있었더라면 내 전생이 그토록 삭막하고 괴롭지는 않았을 것인데 하는 생각마저 들었다.

새삼 입맛이 씁쓸하다. 저런 기죽지 않는 당당함을 지켜 줄 수 있었던 것은 아마 저러한 다름을 수용해 줄 수 있는 환경보다는 본인의 의지가 아니었을까.

"아닙니다. 정말로 아닙니다, 영애. 말씀을 듣고 보니 이름을 알고 지내고 싶을 정도인걸요. 왜 이제 영애를 만난 건지 모르겠어요. 샹파뉴 공, 저도 어려서 어머니를 여의고 자란지라 아버지께서 천방지축으로 자라진 않았나, 가끔 걱정을 하시곤 합니다. 여기 영애께선 저에 비하면 걱정하실 정도는 아닌 것 같습니다."

내 말에 샹파뉴 공이 얼굴을 붉히며 급하게 손사래를 친다. 실수겠지만, 마찬가지로 어머니 없이 자란 나까지 불편하게 만든 셈이 되었으니 내가 아무리 담담하게 말한다고 한들 마음이 편할 수는 없겠다.

그러니까 자나 깨나 입조심이란 말이 절로 나오겠지. 유하게 말을 받았다고는 하지만 결과적으로 말실수를 한 셈이 된 샹파뉴 공은 볏짚같이 노란 머리를 연신 숙이며 사과하기 바쁘다.

"제가 노파심에 오히려 더 주책없는 실수를 했습니다. 결코 공녀님을 빗대어 꺼낸 말이 아니었거늘 민망하게 되었습니다. 사과드립니다. 진심으로 실수하였습니다."

내가 고개를 끄덕이며 미소를 짓자 남매 다 화사하게 안도의 미소를 짓는다. 무슨 사람들이 저렇게 순박할 수 있지. 감탄이 절로 나면서 마음 한편이 찌릿하다. 난 무엇이 그렇게 잘못되었던 건지. 잡념을 털어 내고자 고개를 작게 흔들며 진심으로 웃어 보였다.

"아닙니다. 제가 기사인지라 아무래도 언행이 잘 구분이 되지 않았나 봅니다. 유쾌하게 들어 주셨다니 저야말로 고맙지요. 안드레아 영애라고 했나요?"

"네, 정확히는 앙드레아 샹파뉴 백작 영애입니다만 제국에서 앙드레아라고 소개하면 시골 사투리로 우습게 보인다고 들어서 그냥 안드레아라고 하시면 됩니다. 들으셨겠지만 시골에서 커서 이런 자리는 익숙지 않답니다."

"그래요, 앙드레아 영애. 발음이 유하게 들려서 그런지 앙드레아도 참 좋은 이름 같습니다. 평소 기사로 맡은 역할을 다하고 있는 저야말로 이러한 자리가 어색하답니다. 그나저나 우리 제국의 예복이 참 곱게 어울리십니다. 샹파뉴 백작가라면 가까운 왕국에서 오신 셈인데, 이번 기회로 간간이 왕래하고 지냈으면 좋겠네요. 자국으로 돌아가기 전에 폰디체리 저택으로 초청하고 싶은데……."

내가 호의 가득한 표정으로 초대의 말을 읊자 남매의 표정이 순식간에 기쁨으로 물들었다. 주변의 분위기가 술렁이는 것이 느껴진다.

이 무도회의 본질이 무엇이랴. 본질에 가장 근접한 목적을 이루어내기 일보 직전의 샹파뉴 백작가가 부럽지 않다면 그야말로 위선일 것이다. 새삼스럽게 대륙에서 칼라한 제국이 가진 입지를 체감하게 된다. 역시 권력이 최고이고 권세가 최선이다.

"그게 어떤 기회이고 영광인지 모른다고 할 수 없겠지요. 부디 꼭 잊지 마시고 초대해 주세요. 공녀님의 연락만을 간절히 기다리고 또 기다릴 것입니다."

"공녀님께서 베풀어 주신 따뜻한 마음에 어떻게 보답해야 할까요."

"그럼 조만간 뵙도록 하지요. 다른 영애들께서도 좋은 시간 보내시길 바랍니다. 혹여 불편한 점이나 필요한 것이 있다면 편히 말씀 주세요. 만나 뵙게 되어서 기뻤습니다."

내가 한참 예쁘고 우아한 시늉을 하며 미소를 짓자 영애들도 덩달아 수줍은 웃음을 지으며 고개를 숙였다. 그렇게 자리를 마무리하고 무도회장 어디선가 막말 폭탄을 터트리고 있을 황태자를 떠올리며 발걸음을 재촉했다. 문득 드레스를 입고 있음을 깨닫고 우아하게 걸으려 노력하는데 시야에 황태자가 나타났다.

접근, 접근. 신속 접근. 머릿속 명령어를 간결하게 읊으며 다가가던 중, 익숙하고 거슬리는 낮은 음성이 귓전을 때린다.

"제법 귀족스럽게 자랐군, 므네모쉬의 딸."

첩자다.

곤두서는 신경과 순간 이곳이 무도회장임을 잊고 살기를 내뿜을 뻔했다. 경직된 등 근육을 다소 느슨히 풀며 목소리가 들린 방향으로 고개를 틀었다.

칼라한 제국의 예복을 칼같이 맞춰 입은 첩자가 마치 아무 일도 없다는 듯 자신의 일행과 담소를 나누고 있었다.

순간적으로 정제되지 않은 살기가 날카롭게 쏘아졌을 것인데 아무 일도 없는 듯이 태연한 첩자와 그의 일행들을 보며 혀를 내둘렀다. 정말이지 보통 놈들이 아니다. 다들 너무 태연해 잘못 들은 건 아닌가 생각하고 있는데 나와 눈이 마주친 첩자가 삐뚜름한 웃음을 지었다. 놈의 입을 확 쥐어박고 싶은 마음에 손이 저절로 단단한 주먹을 만든다.

내가 너무 대놓고 그쪽으로 시선을 고정한 탓인지 첩자, 공식적으론 새로이 대륙에 모습을 드러낸 동양의 사신에 흥미를 보이는 모습으로 보였나 보다. 첩자의 곁을 둘러싸고 있던 국내외의 인물들이 내게 시선을 돌리는 모습이 보인다.

가서 태연하게 인사를 해? 아니면 난 그런 데에 관심 없는 사람이라고 태연자약하게 지나쳐?

결정하지 못하고 잠시 머뭇거리는 사이 첩자가 능글거리는 미소로 시선을 맞춰 온다. 이대로라면 첩자가 말을 걸어 피하기 곤란한 상황으로 이어질 것이 분명했다.

"기다리다 숨넘어가겠군. 아니, 오는 줄 알고 가만히 뒀더니 왜 여기서 망부석이 되어 있나, 되어 있길?"

"아, 전하. 찾으시는 줄은 미처 몰랐습니다. 별일 있으셨습니까?"

"뭐, 그 잠시 사이 무슨 일이 있었겠는가. 아무 일도 없었네. 에카이트는 올 생각도 않고, 무도회인데 아직 춤추는 인파도 없겠다, 주최자로서 성의를 보여야겠는데, 한 곡 추지."

귀신같은 타이밍에 슬며시 나타나 첩자 쪽은 아예 본 척도 않으며 대충 손을 내밀어 춤을 청하셨다. 황태자 전하, 나이스 타이밍.

나는 물정 모르는 발언을 일삼는 황태자를 인내하며 우아한 표정으로 손을 맞잡았다. 겨울 정장을 갖춰 입은 황태자는 평소보다 성숙한 인상을 보이고 있었다. 그 덕에 마냥 어린아이 같은 행동에도 제법 태가 났다. 아니, 그냥 우월한 제국 황족의 유전자가 태를 내주는 걸까.

내 머릿속으로 무슨 생각이 지나가는지 알 길이 없는 참석자들은 황태자가 나에게 춤을 청하는 것을 알아채곤 급하게 주변에 눈여겨보았던 여성 참석자들에게 춤 신청을 한다.

좌중이 바쁘게 춤 신청을 주고받으며 어수선해지는 중에 나와 황태자가 선 자리를 중심으로 짝을 이룬 남녀가 적당한 간격을 두고 마주 섰다.

탁, 탁, 탁. 황태자 전하가 발을 구르곤 내 손을 부드럽게 이끌었다. 대게가 그렇듯 왈츠다.

"아펠리아."

"말씀하십시오."

경쾌하게 적당한 간격을 두고 정중한 왈츠 스텝을 주고받기 시작한 지 얼마 되지 않아 황태자가 나지막이 내 이름을 불렀다. 너무 생각할 거리가 많아서 아무 생각도 없이 멍하니 있던 나는 마치 말씀을 오래간 기다려온 충실한 심복처럼 잽싸고 침착하게 대답했다.

이 정도면 십 점 만점에 최소 구 점은 되는 기사가 아닐까 자화자찬도 살짝 했다.

"저 정신병자 같은 녀석이 원하는 바가 있다는 것은 아무리 경이 뇌까지 근육으로 가득 찬 기사일지라도 알 테지."

"제가 그 정도로 근육질인 줄은 미처 몰랐습니다만, 아무튼."

"그 원하는 바가 경과 밀접한 관련이 있다는 점도, 아는 것 같군."

억울했지만 공연한 말씨름으로 시간을 낭비하기엔 춤곡은 짧았다. 그리고 뭐 상관도 아니고 주군이 그렇다는데 뭐 그런 거지 달리 뭘 더 따지고 생각하랴. 한 바퀴 빙 둘러 거리를 벌렸다가 다시 돌아가며 가볍게 고개를 주억거렸다.

아, 그나저나 이 진주 진짜 더럽게 무겁네. 몸을 움직이기도 힘든데 일단 한번 몸을 크게 움직이자 관성을 얻은 진주들이 시계추처럼 무겁게 내려앉아 마나를 이용하여 진주를 꾹꾹 눌러 잡으며 우아한 움직임을 구사하는 데에 정신을 집중했다.

제국식으로 열리는 대무도회 첫날, 모범이 되어야만 할 구실은 충분했다. 이 진주, 검을 착용할 수 없는 자리에서 무기로 활용할 수 있지 않을까? 딴 생각을 하는 것이 매우 잘 보였던지 황태자가 다소 황당하다는 표정으로 웃으며 말했다.

"뭐, 경이 얼마나 아는지는 모르겠군. 이제 더 이상 결정을 미룰 수가 없게 되었어."

"하명하십시오."

"좋다. 내 친히 하명할 테니 따르도록."

우아하고 경쾌한 왈츠의 분위기와는 다르게 비장함이 감도는 대화가 오갔다. 하지만 둘 다 표정만은 사교적이고 우아하게 유지하고 있었기에 주변의 누구도 알아채지 못했다.

"경은 이제 이 사태가 해결될 때까지 경이 아니라 공녀로 있도록. 문물 교류니 뭐니 아카데미로 보내질 대상에 공녀는 포함되어 있지 않으니 그런 줄 알고. 몸 사리게."

뭔가 엄청난 실망감과 배신감, 무력감에 등줄기가 서늘하게 곤두섰다. 전생과 뭔가 달라지기 시작했고 이제 나도 일을 주체적으로 해내고 바로잡을 수 있다는 자신감이 삽시간에 부정당한 기분이었다.

내가 그간 뭘 위해 노력해 왔는지 모를 정도로 멍해졌다. 그러한 패닉이 겉으로도 드러났는지 황태자가 느린 박자에도 나를 빠르게 당겨 회전을 유도했다. 정신 차리라는 신호겠다.

"왜, 어째서, 제가 무엇을 어찌."

"그대가 뭘 잘했고 못했고 문제가 아니니 진정하지. 성가신 벼룩 한 마리 잡겠다고 세간 살림 다 태우는 멍청한 짓은, 절대 하지 않을 것이니 그런 줄 알고 경은 이제 빠져. 한동안은 아펠리아 공녀로 사교계를 평정하든, 기사단 일에 매진하든 얌전히 지내게."

싫다. 싫었다. 엄청나게 싫었다. 리디아 하나 치운 게 전부인 상태로 끝내라고? 기사 정신이 뭔지 이런 상황에서도 주군의 명을 거스를 수 없다.

반항의 의미로 조용히 입을 다물자 황태자가 기가 막힌 듯 헛웃음을 짓는다. 명백하게 불쾌해하고 있다. 다시 대답을 독촉하려는 황태자의 모습에 그를 밀어내며 홀로 화려한 스텝을 밟았다.

세 박자 정도 견뎌 내면 곡이 끝난다. 나는 주변에서 들려오는 환호와 박수를 이제는 제법 익숙하게 받아 내며 황태자를 향해 깊숙이 고개를 숙였다.

처음이었다. 황태자의 말에 이렇게 반항해 본 것은. 평생을 기사로 살아온 내게 갑자기 공녀로만 살라니. 정 기사로 살고 싶으면 새장에 갇힌 새처럼 살라는 건가.

황태자도 이런 내 반항을 이해는 했는지 조용히 쳐다보던 시선을 거두고 무도회장 밖으로 걸음을 옮겼다. 나도 그 뒤를 따라 자리를 벗어났다. 오늘은 이만 돌아가야 할 때다.

그렇게 혼란을 남긴 첫날의 무도회는 나름 성공적으로 끝났다. 그 대단한 드레스를 입고 왜 그렇게도 일찍 돌아왔냐며 타박을 얻기도 했지만, 짧고 강렬한 참석 덕분에 도리어 신화 속 여신이 잠시 강림하여 무도회를 즐기고 갔다는 식으로 떠들어지기 시작했고 덕분에 그러한 주변의 타박은 삽시간에 사그라들었다.

칭찬이 이어지자 훌륭한 전략이었다며 타박하는 이들이 입장을 바꿨다. 사교계의 섭리란 참 무서운 거다.

아, 지금 사교계의 섭리가 다 무슨 소용이냐. 방 안을 서성이다 복잡해진 심경을 어찌하지 못하고 침대로 털썩 누워 버렸다.

빠지라고 한다. 공녀로 얌전히 지내면서 사태가 끝날 때까지, 숨어 있으라고 한다. 명령인데. 그냥 아무런 생각도 않고 따르면 되는 명령인데, 나는 대체 왜 이런 수긍할 수 없는 반감으로 괴로워하는 것일까. 기사로서의 내가 망가진 것일까.

이제 와서 공녀로 얌전히 지내라니. 갑작스럽게 태세를 바꿔 억지로라도 아카데미에 보낼 것처럼 굴던 황태자가 갑자기 이렇게 나올 줄이야. 이제 어떻게 해야 하는 거지.

'똑똑.'

"아가씨, 봉뒤프베 부인입니다."

언제 시간이 이렇게 간 건지 모르겠다. 몸을 일으켜 대충이지만 머리나 의복을 정돈하고 들어오라고 이르니 봉뒤프베 부인이 여러 사용인들을 동원하여 거대한 눈사람을 몰고 들어오고 있었다.

밖에 눈이 올 계절은 아직 아닌데. 칼라한 제국은 겨울이 제법 춥기는 하나 상당히 건조한 기후라 눈은 겨울이 제법 많이 지나가고 나서야 오기 시작했다. 그런 이유로 지금 눈이, 그것도 저만큼 거대하고 번쩍이는 눈사람을 만들 정도로 오지 않는 것이 당연했다.

그럼 저건 뭐야. 내가 눈에 마나를 집중하자 갑작스럽게 좋아진 시력이 그 눈사람의 정체를 면밀히 파고들었다.

"제발 거짓말이라고 해 줘요."

"저도 제 손으로 이런 의복을 만들게 되다니 괴롭기 그지없지만 어쩌겠어요. 저쪽 전통이 이렇다고 하는데. 다들 실제로 이렇게 입더라는 거죠."

제작자인 봉뒤프베 부인마저 자신의 작품에 치를 떠는 웃을 수 없는 상황이 벌어진 배후에는 두 번째 무도회에서 입게 될 남쪽 왕국 의복 양식이 있었다. 무슨 의복 양식이 눈사람이야?

아니, 평생 가도 눈 한번 제대로 보기 힘든 나라에서 어떻게 눈사람 모양을 알아선 이런 모양으로 옷을 입기 시작했는지 모르겠다.

양팔은 둥글고 부풀어 있는 어깨와 팔뚝 부분을 지나서 허리는 정말 끊어질 듯 좁게 당겨 놓고 밑으로는 무슨 어린아이 다섯쯤은 속에서 숨바꼭질을 해도 술래가 찾아내지 못할 정도로 부풀어 있었다. 여성성을 엄청나게 강조한 드레스인 것은 알겠는데, 어디가 예쁜지는 정말로 모르겠다.

금색 실을 이용하여 화려한 자수를 놓고 엄청나게 많은 레이스를 다는 것이 그들 예복의 특성이자 미의 척도라고 하니 어찌 어길 수 있을까. 아니, 알고는 있었지만 이건 정말 너무하다.

내가 세상이 무너진 표정으로 드레스를 멍하게 바라보자 봉뒤프베 부인이 미약한 위로의 말을 건넨다.

"저녁에 보시면 아시겠지만, 남성복에 비하면 우아한 편이랍니다."

아니, 뭐, 남성복은 아예 벗고 나오는 수준인가? 이것보다 더 상태가 좋지 못하다면 그건 뭐 넝마야? 내가 아무런 도움이 되지 않은 봉뒤프베 부인의 위로를 한 귀로 흘리며 조용히 몸을 맡겼다. 어쩌겠는가. 부디 기억하는 사람들이 없길 바랄 뿐이다.

"아니, 픕, 그러니까, 크흡. 흠흠. 참 잘 어울리는군."

전생을 통틀어 가장 고통스러웠던 준비 과정을 지나 굴욕적인 표정을 애써 감추고 도도하게 무도회에 입장한 직후로 내가 가장 견디기 힘든 것은 웃음이었다. 봉뒤프베 부인의 말대로 영식들의 복장은 뭐라 표현할 수 없을 정도로 엄청난 것이었다.

그러나 대단히 불만스러운 표정을 숨기지 못하고 나타난 에카이트를 보자 애써 웃음을 참던 노력이 삽시간에 무로 돌아갔다. 웃겨서 죽을 것 같다는 내 표정을 정면으로 바라본 에카이트의 표정이 선명하게 구겨진다.

"본인은 대단히 좋은 상태인 줄 아는 것 같은데, 거울 안 봤나?"

안 봤겠냐. 이 얼굴로도 어떻게 할 수 없었던 구림을 나라고 모르겠냐. 그렇지만 아무리 그래도 너보단 낫겠다.

거대하고 둥근 뽕을 단 어깨와 허리에 묶인 화려한 벨트, 엉덩이 선보다 조금 위로 끝나는 상의, 무릎 아래까지 오는 타이즈와 화려한 타이즈 장식, 반짝이는 구두.

무슨 말로도 어떻게 구제할 수 없는 의상이었다. 물론 타국의 미(美)이자 전통을 두고 이렇게 함부로 우스워하는 것은 기사도 정신에 반하는 얘기였지만 기사이기 이전에 제국의 국민이자 사람으로서 이러한 감정을 다스리기란 보통 어려운 일이 아니었다.

왠지 오늘따라 칼라한 제국 사람들이 잘 보이지 않고 무도회장이 한산하더라니 어지간하면 빠지고 싶은 날이기는 한가 보다.

"아무리 그래도 그 정도는 아닌 것 같아서. 뭐, 생각하기 나름이겠지만?"

내가 얄밉게 아닌 표정을 지으며 녀석을 위아래로 훑어보는 시늉을 하자 입꼬리가 꿈틀거리는 게 심기가 얼마나 불편한지 알 만했다. 제국에서 참석한 사람이 적은 만큼 남방 왕국의 참석자들이 두드러졌는데, 자신들에게 맞춘 무도회 콘셉트인 만큼 기세등등하게 무도회를 주도하고 있었다.

황태자가 시작하기 전까지는 춤을 시작하지 못했던 첫 무도회랑은 달리 이미 몇 곡의 춤곡이 흐르고 있었다. 우리 제국과는 유행하는 춤의 양식이 다소 달라 걱정했는데 마침 연습한 춤곡이 흘러나와 반가운 마음이 들었다.

기분도 유쾌해졌겠다 에카이트를 보고 화사하게 웃으며 살짝 무릎을 굽혔다 일어섰다. 춤 신청이다.

"한 곡 추실까요?"

"……얼마든지."

흐르듯 시작된 알리망드의 리듬에 맞추어 경쾌하게 발을 구르며 춤을 시작하자 주변의 시선과 목소리들이 집중되었다. 그러고 보면 남방에서는 춤에 대해 부단히 많은 의미를 부여하였는데, 춤만 잘 추어도 귀족적 모든 소양을 섭렵하고 있다는 찬탄을 받는다고 들었다.

그래서 봉뒤프베 부인이 신신당부하기를, 어중간하게 여러 곡을 출 줄 아는 것보다 한두 곡을 기가 막히게 잘 추는 것이 차라리 좋은 선택이라고도 했다.

뭐, 그래서 마침 흘러나오는 이 곡을 놓치지 않은 것도 있었다. 빙글빙글 도는 스텝이 있는 춤인 만큼 주변을 볼 기회가 많았는데, 높게 올린 머리에 화려한 장식, 뱅글뱅글 말아 풍성하게 만든 남성 귀족들의 머리, 아주 가관이다. 대게가 가발이라고 하는데 대부분의 제국인들은 머리만은 국내의 양식을 유지하고 있었다.

저런 가발이 싸기나 하면 모르겠는데, 비싸긴 더럽게 비싸면서 저런 모양이다. 평생 한 번 쓸, 아니 평생 한 번도 쓰기 싫은데 겨우 이번 무도회를 위해 구비하기엔 아까웠다.

뭐, 돈 있는 귀족들이야 그게 돈이겠냐 만은 돈 아깝고 귀하기 어렵다는 핑계로 엄살 부리고 그냥 안 하는 거지 별거 있겠나. 내 시선이 부산하게 주변을 살피는 것을 주시하던 에카이트가 툭 한 마디 던진다.

"눈 빠지겠군. 쉽게 볼 구경거리가 아닌 것은 아는데, 그렇게 노골적으로 구경하듯 보면 저들이라고 그 의도를 모를까. 춤에 집중하지."

인정. 실수했다. 나는 가볍게 고개를 끄덕이고 호의를 담아 주변을 다시 봐 준 다음 시선을 녀석의 눈으로 고정했다. 생각보다 긴 무곡에 팔짝팔짝 뛰는 다리가 부담스럽다.

아, 들숨 날숨 숨이 들어가고 나갈 때마다 허리가 잘릴 것 같다. 이러다가 상체와 하체가 분리되는 것은 아닐까. 거기에 이 나라 양식을 흉내 낸 구두는 발을 쥐어뜯을 것 같이 꽉 끼는 것이라 발을 디딜 때마다 고통스럽다. 마주친 눈빛이 몇 번 오가다 에카이트가 입을 열었다.

"단 한 번도 황태자 전하를 부러워해 본 적 없는데 오늘만큼은 조금 그렇군."

"불참하시는 건가?"

"……몰랐나? 이런 옷을 입어야 한다는 걸 아시고는 곧바로 불참을 선언하셨지."

아하. 결과적으로 일을 벌인 주동자가 쏙 빠진 모양이기는 했으나 당장 황태자 전하를 마주치는 것이 불편했던 나는 차라리 마음이 편했다. 그 편해진 마음이 얼굴에도 드러난 것인지 에카이트가 툭 던지듯 말한다.

"황태자 전하와 뭔가 있었군."

저 귀신같은 놈. 내가 입을 앙다물고 녀석을 바라보았다.

"아무 일도."

"그렇게 말하는 걸 보니 생각보다 제법 큰일이겠군."

저 쓸데없이 눈치만 빠른 놈. 나는 에카이트를 살짝 노려보고 끝을 향해 달려가는 춤곡을 경쾌하게 마무리했다. 그 역시 능숙한 솜씨로 춤을 마무리하자 주변에서 박수 소리와 칭찬의 목소리들이 쏟아져 내린다. 주변을 향해 여유로운 목례를 선사한 에카이트가 자연스럽게 걸음을 테라스로 유도했다.

"지금 어디로 가자는 거지?"

"화목한 약혼 관계로 보일 필요는 있지 않나, 우리? 실제로도 제법 그렇고. 소문에 치이고 싶은 게 아니라면 웃으면서 같이 걷는 편이 좋아 보이는데."

이건 뭐 동네 깡패도 아니고 옆구리에 칼 대고 웃으라고 하면서 골목길로 끌고 가는 거랑 다른 게 뭐냔 말이다. 그러나 틀린 말은 아니었기에 화사한 웃음을 지으며 그를 따라 움직였다.

아, 말 잘하는 애들이랑 붙어서 좋은 결과를 본 적이 없는데 망했다. 일단 패놓고 시작하는 게 좋을까? 먼저 선수를 치지 않으면 말로는 이길 방도가 없다. 테라스에 들어서 주위에 사람이 없는 걸 확인하자마자 먼저 입을 열었다.

"우리 그 아카데미로 가게 될 사람에 난 포함되지 않는 건가?"

"……요즘 하는 행동을 봐선 이렇게 직설적으로 물어볼 것이라곤 생각하지 못했는데. 사람이 갑자기 바뀌지는 않는군."

말 돌리고 앉았네. 갑자기 말을 돌리는 에카이트를 위아래로 사납게 훑어보며 그대로 몰아붙였다. 말할 틈을 주지 않고 몰아붙이면 어느 정도 승산은 있지 않을까?

뭐, 그렇다고 이 대화의 승기가 나에게로 넘어와 있을 것이라는 낙관적인 예측은 안 하고 있다. 아니, 상식적으로 뇌도 근육이라고 놀림당하는 기사가 혀에 근육이 붙은 외교관을 어떻게 이기냐고.

"말 돌리지 마시고, 대답부터 하시지. 나는 갈 수 없나?"

"말이 통할 기세가 아니군. 결론부터 얘기하자면, 맞아. 그대는 아니야."

녀석의 수긍에 바짝 긴장했던 몸이 풀어지며 휘청한다. 반사적으로 반 보 뒤로 물러서 몸을 잡아 주려는 에카이트의 손길을 피했다.

아니라고? 정말로? 이렇게나 전생과 달라졌고, 또 나아지고 있는데, 아직도 아니야? 뭔가를, 내 손으로 바꾸어 내겠다는 각오로 시작했던 모든 일들이 삽시간에 색을 잃는 기분이었다.

멍하니 에카이트를 바라보고 있는데 그가 한 걸음 성큼 다가온다. 웃긴 예복이 시야에서 사라지면서 그의 얼굴만이 코앞을 아른거린다.

한 손으로 아래턱을 잡아 고개를 들게 만든 에카이트가 이마를 바싹 가까이 가져왔다. 호흡이 느껴질 정도로 얼굴이 가깝다.

"정신 차리고 듣지. 아펠리아, 그대가 얼마나 참된 기사로 살아왔는지는 바보가 아닌 이상 알고 있어. 그 첩자, 눈치가 제법 빠르고 기민하더군. 거듭 계산해봤지만 아무래도 그대에게 온전히 맡기는 것은 무리라는 결론이 났지. 그렇게 노출된 그대가 고스란히 받을 위험도 너무 크고. 전혀 이점이 없으니 그대를 보내지 않는 건 당연하지 않은가?"

그러니까 결론은 어중간하게 똑똑하게 된 꼴이라 이도 저도 안 되겠으니 일단 뒤로 빠지라는 거잖아. 기가 막혀 이마를 뒤로 젖히며 고개를 흔들었다. 저절로 에카이트와 거리가 벌어졌다.

물론 인정하는 바이다. 아무리 전생을 토대로 이리저리 바꾸려 노력하고 계획을 세우고 한들 본질이 바뀌지는 않는 바 그 짧은 시간 내에 완전히 다른 사람으로 다시 태어날 수는 없는 법이니까.

이제 나에게 남겨진 것은 이 상황을 수긍하고 물러서서 보호를 받으며 몸을 사리느냐, 아니면 명령에 반하는 한이 있더라도 나아가려 하느냐. 이 두 가지였다. 내 표정에서 뭔가를 읽은 듯 에카이트가 서늘한 표정으로 단언한다.

"아펠리아. 그대가 얼마나 유능한 기사인지 여부를 떠나서, 지키는 사람이 열이라고 해도 훔치려고 작정한 자가 단 하나라도 있다면 도둑맞기 마련이네. 게다가 지켜야 할 대상이 이렇게 천방지축이니 지킬 수 있다 단언하기도 어렵고. 황태자 전하는 요즘 들어 그대를 잃는 것을 이상하다고 표현해도 좋을 정도로 두려워하고 계셔."

멍한 내 표정을 보던 에카이트가 뜨거운 숨과 함께 귓가에 말을 흘렸다.

"나 또한 크게 다르지 않고."

멍하게 서 있는 나를 두고 에카이트는 그렇게 멀어졌다. 아. 나는 이제 어떻게 해야 하는 걸까. 다 때려 부술까. 숨도 안 쉬어지게 당겨 놓은 허리를 쓰다듬으며 진지한 고민을 해 본다.

두 번 연속 무도회를 조기 귀가한 셈이 되었지만 두 번째 무도회는 참석했다는 것 자체로도 그 의지를 높게 평가받을 수 있었기에 별다른 뒷말은 듣지 않고 수월하게 넘어갔다.

사실 그 허리를 16인치에 가깝게 당겨 놓은 드레스를 계속해서 입고 있었으면 아마 드레스가 터지든 내 허리가 터지든 극단적인 결론이 나면서 비참한 끝을 보게 되었을 것이다.

그 복식을 따르는 국가들엔 대게 기절방이라는 방들이 무도회장과 함께 세트처럼 겸비 되어 있다고 들었기에 혹시 몰라 쉬어 가는 방 두어 개를 흉내만 내어 만들어 뒀었는데 정말로 제법 많은 사람들이 이용했다는 뒷이야기를 듣고는 입을 다물 수가 없었다. 무슨 고문 도구도 아니고 그게 뭐란 말인가.

"아니, 그런데 부인. 제 식견이 이 정도로 편협하고 지극히 제국주의인 줄은 몰랐습니다. 저번 두 번째 무도회 예복이나 이 예복이나 도무지……."

새로운 종류의 고문 도구로 의심되는 천 덩어리를 눈앞에서 흔드는 봉뒤프베 부인을 원망과 충격 가득한 눈으로 바라보며 강한 불만을 표출했다.

아니, 내가 이상한 거야? 저게 옷이라고?

이거 정말 입어도 될까. 천이 부족해도 심하게 부족한, 예복이라고 주장하는 옷을 바라보다 고개를 돌리니 봉뒤프베 부인이 다소 자존심 상한 표정으로 답하기 시작했다. 아이고, 너무 투덜거렸나? 공연히 미안해진다.

"거듭 말씀드리지만 제가 유학까지 했으면서 우리 제국에 자부심을 가지고 정착하여 살롱을 연 데에는 다 이유가 있답니다. 흉내는 내 보았으나 도통 어디에서 매력이 느껴지는 것인지는 어렵네요."

"미안해요, 부인. 공연히 제가 투정을 부려서 고생한 끝에 마음만 상한 꼴이 됐네요. 어린 영애의 미숙한 투정으로 이해해 주시면 감사하겠어요."

내가 미안한 표정으로 사과하자 봉뒤프베 부인도 사그라진 표정으로 고개를 끄덕거렸다. 이번에는 그래도 조금이라도 길게 참석해야 형식적인 참석이니 성의가 있니 없니 하는 문제에서 자유로울 것인데 눈앞에 놓인 예복은 착한 사람 눈에만 보일 것 같은 반투명에 가까웠다.

마네킹에 걸린 옷은 상의와 하의가 명백하게 구분되어 있었는데 대단히 얇은 재질로 지어져서 마네킹이 훤히 비칠 정도였다.

이게 무슨 드레스인가. 막말로 천 쪼가리로 가슴만 겨우 가린 것이 아닌가. 하의는 발목까지 떨어지는 통이 넓은 바지였는데, 상의에 비하면 그나마 괜찮아 보였다. 물론 안이 비치는 재질이니 딱히 얌전하거나 정숙해 보이지는 않았다.

이것저것 외교적으로 신경 써야 할 부분이 많아서 관련된 서신들을 보느라 예복을 완전히 봉뒤프베 부인에게 일임한 덕일까, 이런 드레스일 줄은 꿈에도 몰랐다.

아니, 이거 드레스는 맞나? 내가 쉬지 않고 옷을 위아래로 훑어보자 봉뒤프베 부인이 설명을 시작했다.

"엄밀히 말하자면 서쪽 사막에 영토를 둔 왕국들은 사내들의 역할이 크답니다. 다른 왕국들, 가령 예를 들어 남방의 왕국들이나 북방의 왕국들은 형식적으로나마 여성을 존중하는 신사도를 표방하고 있지만 서쪽은 달라요. 물론 잘 아시겠지만요. 그런 사회적 배경은 반드시 옷에 영향을 미친답니다. 며칠 전에 입으셨던 남방의 예복은 숨 쉴 수 없을 정도로 허리를 조르는 디자인이었죠."

"그렇죠. 지금까지 제 무도회 참석 업적 중에 가장 큰 업적이 아닐까요. 그 옷을 입고도 기절하지 않았다는 것이?"

"아니죠. 그 옷을 입고도 기절하지 않으셨다는 게 엄밀히 따지자면 가장 큰 흠이지요."

엥? 왜? 죽자고 버틴 스스로를 자랑스러워하던 내가 김빠진 표정으로 봉뒤프베 부인을 바라보자 부인이 정확한 말투로 그 이유를 설명해 주기 시작했다.

"그 자리에서 기절하셨어야죠."

"사람들이 그렇게 많은 곳에서 기절을 했어야 한다고요?"

기가 막혀 눈을 동그랗게 떴다. 아니, 기사로서의 자존심은 둘째치고 세상 어느 영애가 사람 많은 무도회장에서 정말 누가 들어도 기절할 만한 충격적인 이야기를 들은 것도 아닌데 기절을 한단 말인가. 망신도 그런 망신이 없을 것이다.

평정심이야말로 영애가 갖춰야 하는 교양의 주요 덕목이 아니던가. 이해할 수 없다는 표정에 봉뒤프베 부인이 마네킹을 세워 둔 채로 소파로 눈짓을 했다. 고개를 끄덕이며 소파로 자리를 옮겨 먼저 자리를 잡자 봉뒤프베 부인도 맞은편에 따라 앉았다.

"물론 우리 제국에서 예복이 좀 불편하다고 해서 픽 기절해 버리면 웃음거리가 되겠지요. 하지만 기억해 보셔요. 그 예복처럼 허리를 그렇게 졸랐는데 멀쩡한 것이 더 이상할 지경이 아니겠어요? 부러질 것처럼 가늘고 연약한 허리. 그런 기형적일 정도로 가는 허리는 자연적으론 절대 나올 수 없어요."

뭐야. 그러면 일부러 연약하게 보이려고 입은 옷이니까 기절해야 아귀가 맞다는 건가?

아무리 생각해도 잘 이해가 가지 않았다. 연약함을 여성의 최고 미덕이라 칭하는 나라이기에, 기절이라는 행동을 통해 연약함을 증명하고 가치를 높인다는 말인가. 이해할 순 없지만 그 나라의 법도라고 하면 뭐.

아니, 아무리 그렇다고 해도 기절까진 좀 무리였지 않을까 싶다. 곰한테 쥐어뜯기고 피를 통으로 쏟고 나서야 겨우 기절했는데 그 정도 물리적, 정신적 타격을 무도회장에서 받을 수 있을 리 없다.

내 연기력이 티 안 내고 기절한 척을 할 수 있을 만큼 받쳐 주지도 않고…… 어차피 그냥 알았어도 안 됐어.

"네, 알 만하네요. 기절을 해야 가치가 올라간다."

"냉정하게 판단하자면 그렇지요. 이번에 소문으로 듣자 하니 어느 백작가의 막내 영애가 아예 작정을 하고 나서서 쓰러질 것 같다고 연기를 했대요. 그런데 그 모습을 본 왕국의 귀족이 그 영애에게 반하여 그 가문에 정식으로 연서를 넣었다고 하더군요. 무리 없이 결혼하지 않을까 싶어요."

대박. 손뼉을 치고 싶은 손을 꼼지락거리며 그래도 중매 무도회라고 시작한 것이 제법 실적은 있겠다 싶어서 내심 감탄하게 되었다. 대단하다, 정말. 내 감탄을 귀엽다는 듯 웃으며 바라보던 봉뒤프베 부인이 다시 설명으로 돌아가려는 자세라 나도 경청의 자세로 몸을 바로 했다.

준비하는 곳에 거듭 일러서 무도회장을 최대한 따뜻하게 해 두라고 할걸. 물론 아무리 무도회장을 따뜻하게 한다고 해도 테라스까지 따뜻해지지는 않겠지만 말이다.

테라스에서 마나를 활용해 몸을 덥히면서 세심하지 못한 과거의 나를 탓했다. 아니, 이 추운 날씨에 이렇게 얇은 옷을 입으니 당연지사 추울 수밖에. 보온의 기능은 일절 해 주지 않는 옷을 탓하며 마나 순환에 박차를 가했다.

서방 국가들도 제국의 서늘하다 못해 춥기까지 한겨울 날씨를 견디지 못해 몸을 살짝 떨며 뜨거운 술-뱅쇼 등-과 차를 계속해서 청해 몸을 녹이고 있었다.

무도회가 시작하기 무섭게 언질을 받은 시종들이 뒤늦게나마 무도회장을 더 따뜻하게 하기 위해서 갖은 애를 쓰고 있었지만 테라스가 여러 개에 규모까지 큰 무도회장을 순식간에 따뜻하게 만들지는 못하고 있었다.

"그래도 용케 이 날씨에 다들 잘 갖춰 입었네."

주변을 살피며 간결하게 평가했다. 눈을 어디에다 둬야 좋을지 모를 화려하고 하늘하늘한 여성 예복 차림의 여자들이 눈 둘 곳 없이 온 곳을 돌아다니고 있었다.

다들 마지못해 응하는 척하긴 했으나, 이 정도로 노골적인 의상을 입고 몸매를 뽐낼 기회가 없었기에 이때다 싶었는지 난리도 아니다. 모두 어디 있다 이제 나온 것인지 남성 귀족 참석자의 수가 어마어마했다. 드레스가 이 모양이라 많이 올 거라더니 정말 그랬다.

"치사하네. 자기들은 무슨 대마법사 로브같이 펄렁한 옷을 입었으면서 여자에겐 손수건 같은 걸 입게 하다니."

나는 전체적인 광경을 보다 그렇게 투덜거렸다. 정말이지 남성 귀족들이 몰릴 수밖에 없는 구조였다.

홀에 울려 퍼지는 음악 소리마저 들어 본 적 없는 묘한 리듬감을 가진 이국의 음악이었는데, 앞서 진행했던 남방의 무도회와는 그 이질감의 정도가 달랐다. 옆으로 느껴지는 기척에 고개를 돌리려다 그냥 얌전히 못 본 척을 했다. 에카이트였다.

"다들 추워서 홀 중앙으로 옹기종기 몰려드는데 잘도 테라스에 숨었군."

"뭐, 마나를 활용하면 외부 기온에 어느 정도는 저항할 수 있으니까. 저기서 이리저리 돌아다니면서 맨살을 보이느니 좀 번거롭더라도 생고생을 좀 하는 편이 나은 것 같아서."

내 말에 에카이트가 일리가 있다는 듯 고개를 끄덕였다. 의외였다. 인상을 찌푸리고 영애의 덕목을 외면하는 나를 하찮게 볼 줄 알았는데. 잠시의 침묵이 흐르더니 에카이트가 먼저 입을 열었다.

"요즘 전하가 이상해."

"그거야 뭐, 새삼스럽게."

나도 모르게 툭 튀어나간 진심에 놀라 화들짝 입을 다물었다.

아이고. 아무리 요즘 자주 뵙고 친해졌다고 해도 이렇게 자연스럽게 입을 놀릴 정도는 아니었다. 갑작스러운 실언에 당황해 입을 꾹 다문 내 옆으로 피식 웃는 소리가 들렸다. 고개를 돌려보니 펑퍼짐한 서쪽 예복을 입은 에카이트가 입꼬리를 올려 웃고 있었다.

"재미있군. 아펠리아. 그대도 내가 예상했던 것과 한참은 달라."

"날도 추운데 불필요한 소리는 생략했으면 하는데. 전하께서 이상하시다니, 무엇이?"

다른 말은 하기 싫다는 기세로 본론으로 들어간 나를 본 에카이트가 잠시 입을 다물었다가 이내 입을 열었다.

"그대를 너무 아끼신단 말이지."

응? 어딜 봐서? 오만 잡일은 기본이고 시간 외 근무며 잡다한 만행으로 내 신경을 쥐락펴락하시는 그분이? 기가 막히고 코가 막힌다는 표정으로 에카이트를 봤지만 그는 여전히 진지한 표정이다. 나는 민망한 마음에 작은 헛기침을 하고 제법 진지한 태도로 대화에 임했다.

"주군이 수하를 아끼는 것은 기본 중의 기본. 외교부 사람들이야 서로 뱃속에 칼을 숨기고 겨눌 기회만을 노리고 있을지라도 기사들은 또 다르지. 특이하게 생각할 것 없는 당연한 일이지."

"틀려. 다른 것은 다 똑같은데 그대를 대하는 태도만 달라. 무슨 말인지 모르겠나?"

순간 가슴이 철렁했다. 신뢰를 잃었다는 뜻일까? 나를 대하는 태도만 달라졌다니. 아끼는 마음에 아카데미에 보내지 않는 거라고? 이는 진정 아낀다는 뜻과는 상충되는, 신뢰하지 않는다는 뜻과도 같게 들렸다.

충격받은 표정을 숨기지 않고 에카이트를 바라보자 그가 한숨을 내쉬며 다소 느릿해진 목소리로 설명을 시작했다.

"이미 알고 있겠지만 전하는 목적을 위해서 희생을 감수하는 것을 너무나도 당연하게 생각하는 분이지. 희생 없이 무언가를 얻을 요행을 바란 적도 없을뿐더러 계획하지도 않으신다. 낭비라고 생각하시거든."

"그런데?"

어쩐지 서늘한 예감이 들어 에카이트를 바라보자 그가 잠시 말을 멈추고 나를 바라본다. 춥게 벼려진 바깥공기가 마나의 보호를 뚫고 맨살을 차갑게 식힌다.

"갑자기 전하가 바뀌셨다. 그대에 관한 일이라면…… 최대한 희생이 따르지 않는 방향을 고민하시더군."

"대체 무슨 소리를 하는지……."

"어떻게 되고 있는 건지 물어보고 싶은 것은 나야, 아펠리아!"

아, 깜짝이야. 갑자기 낮게 가라앉은 음성으로 버럭 큰 소리를 내는 에카이트를 보고 놀라 뒷걸음질을 쳤다. 이렇게까지 반응하는 에카이트는 본 적이 없다. 놀란 것도 잠시 뒷걸음질까지 칠 정도로 당황한 모습을 보였다는 것에 순간 자존심이 상했다.

대체 무엇 때문에 심기가 이렇게까지 꼬여서 나한테 시비를 거는지 알 길이 없다. 황당하고 놀란 표정으로 에카이트를 바라보자 그가 이내 한숨을 쉬며 부드러운 목소리로 말했다.

"이런 식으로 대화할 생각은 아니었는데. 순간 이성을 잃었다. 진심으로 사과하지. 그 아카데미 말인데."

갑작스러운 사과와 화제 전환에 정신을 차리지 못하고 있는데 에카이트는 배려 없이 말을 계속했다.

"넬슨. 그가 거기로 가게 될 거다."

넬슨이라면 멜리사 백작 영애와 결혼하게 되는 그? 머릿속에 한 동료 기사의 얼굴이 떠올랐다. 그래, 그러고 보면 전생에도 그가 갔었다. 부친이 편찮으셔서 오늘내일하시는 와중 명을 받은 터라 싫다는 소리도 못 하고 길을 나섰다가 결국 타국에서 부고를 듣고 통한의 눈물과 함께 귀국했었지.

물론 그 슬픈 사연의 끝은 석탄 부호인 질리언 백작가의 멜리사 영애와의 재혼으로 해피엔딩이다. 그야말로 먼 훗날의 이야기지만. 어? 그러고 보니 근래 있었던 대무도회에서 멜리사를 본 기억이 없다.

혹시 이때부터 사귀고 있었나? 잡생각으로 빠지려던 나를 다잡은 것은 굳은 표정의 에카이트였다.

"넬슨이 누군지 모르는 것은 아니겠지?"

"소속이 같은 동료도 몰라볼 만큼 인간관계가 엉망은 아니니 그런 걱정은 마시길."

에카이트의 우려를 한 마디로 부정하며 다시 생각에 잠겼다. 그런데 이런 사실을 대체 왜 나에게 알리는 거지. 심중을 알 수 없는 녀석의 말을 계속 듣고만 있자니 더욱 혼란스러워졌다.

머릿속이 복잡해져 멍하니 서 있는데 에카이트가 대뜸 손목을 잡아당겨 무도회장으로 인도했다. 당황해 뿌리치지도 못하고 끌려 들어온 나를 무도회장 안쪽으로 밀어 넣은 에카이트가 조용히 귓가에 읊조린다.

"원래의 전하였다면, 넬슨이 아니라 그대가 가야 한다고 생각하셨을 테지. 그리고 몸을 그렇게 떨면서까지 테라스에 있을 필요가 있을까. 몸 좀 녹이지."

녀석의 말에 잊고 있던 한기를 느끼고 몸을 부르르 떨었다. 테라스에 비하면 온탕이라고 해도 좋을 만큼 따뜻한 공기가 흐르는 무도회장은 차갑게 식은 몸을 덥히기에 좋았다. 녀석과의 대화에서 당황한 바람에 마나 운용이 제대로 되지 않았던가 보다.

다시 시야에 들어온 무도회장 풍경에 혀를 찼다. 내 등장에 여러 인파가 힐끗거리는 것이 느껴졌지만 애써 태연한 척 굴었다.

"세상에, 무섭기도 해라. 아무리 예복의 일부라고는 하지만 큰 칼을 차고 들어오는 것으로도 모자라서, 저걸 들고 춤을 추다니."

무도회장 한가운데에 까무잡잡한 피부의 여성들이 비치고 헐벗은 의상을 입은 채 몸을 이리저리 흔들며 육감적인 춤을 추고 있었다. 그리고 방금 어떤 귀족이 말한 것처럼 이 여성들 중 일부는 커다란 칼을 휘두르며 춤을 추고 있었는데, 그 광경이 기괴하면서도 또 독특한 매력이 있었다.

아니, 그런데 저거…… 무기 반입 아니야? 저걸 왜 허용해 줬대? 기가 막혀서 출입문 경비를 보고 있는 기사들을 먼발치에서 노려보고 있는데 익숙한 음성이 홀 중앙에서 들렸다. 황태자였다. 언제 또 오셨데.

"제법 괜찮은 문화를 가졌군."

"자랑할 만한 문화라고 생각하오. 우리 서쪽엔 미인이 많지. 그런데 대륙 최고의 미인은 우리 서쪽에 있다고 생각했는데…… 지금 보니 내 오만이었나 싶소."

황태자의 말을 받은 서쪽 지배자가 힐끗 내 쪽을 바라본다. 그 시선과 정면으로 눈이 마주치는 바람에 어색한 목례를 건넸다. 그 시선을 따라 고개를 돌리던 황태자가 무슨 말인지 알 것 같다는 표정으로 의기양양하게 고개를 끄덕인다.

아, 전하. 제발. 저 입이 열리고 따라 나올 말이 무엇인지 알 것 같아 속이 타들어 갔다.

"뭐, 다행히 어디든 눈이 달렸으면 보는 수준은 비슷한가 보오."

"그야말로 황금을 연상시키는 소녀로군. 보다 보면 미인이 전쟁을 부른다는 옛말이 참이라는 생각을 안 할 수가 없더이다."

소름이 돋을 정도로 낯간지러운 칭찬에 따라붙은 비장한 말에 인상을 찌푸리고 천천히 중앙으로 걸음을 옮겼다. 웃음을 가장하였으나 예민하게 벼려진 공기가 몸을 조인다.

남자는 내가 다가온다는 것을 인지한 것 같았다. 아예 무예에 무지한 사람은 아닌 것이다. 저런 사람 앞에 장식용이라지만 칼이 왔다 갔다 한다니. 미쳤다, 미쳤어.

"아니, 뭘 그렇게까지 해서 우리 제국의 영토를 넓혀 줄 필요는 없어. 이미 영토라면 차고 넘치네. 거기서 탐나는 땅도 더 없으니 정중히 사절하지. 특히 그 모래바람이나 풀풀 날리는 서쪽 땅이라면 더더욱."

우와, 전하. 설마 말 한 마디로 전쟁을 내고 안 내고 그런 일이 과연 있을까 했는데…… 충분히 가능할 것 같았다. 아주 정확하고 오해의 여지가 없는 도발에 분위기가 얼어붙어 춤추는 무희들마저 춤을 멈추고 악공들의 음악도 멈췄다.

사람들의 시선이 황태자와 서쪽 지배자에게로 쏠리며 긴장감이 뚝뚝 흐르기 시작했다.

그냥 얼어 죽든 말든 테라스에 있는 거였다. 괜히 찾아와서 시비만 걸고 사람을 이렇게 곤란한 지경으로 만들어서는. 속으로 원망을 퍼붓는 것을 아는지, 에카이트는 멀찍이서 상황을 관망하고 있었다.

차가운 분위기 속에서 서쪽 지배자가 손짓으로 한 무희를 불러들였다. 빠른 걸음으로 다가온 무희에게서 그녀가 들고 있던 칼을 뺏은 남자가 그 칼로 바닥을 강하게 내리찍었다.

삽시간에 대리석 바닥에 균열을 내는가 싶더니 칼의 삼 분의 일 정도가 땅속으로 박혀 들어갔다. 명백한 무력 도발에 빠른 속도로 몸을 튕겨 내어 그자와 황태자 사이로 몸을 밀어 넣었다.

"전하. 뒤로 물러나 계십시오."

"안 그래도 그럴 생각이었는데, 잘 됐군."

냉큼 뒤로 물러선 황태자를 보며 잠깐 어이없는 표정을 지어 보이고는 이내 이성을 찾아 폭력 사태를 시작한 남자를 노려보았다. 아니, 기물 파손이 웬 말이더냐. 내 표독스러운 표정에 남자가 기가 찬 듯 코웃음을 치며 같이 눈을 부라리기 시작했다. 눈싸움이 길어지려 하자 관망하던 자태로 뒤에 빠져 있던 에카이트가 나섰다.

"너무 과합니다. 이쯤에서 그만들 하시지요."

"그게 사과하는 건가?"

아니, 우리가 사과를 왜 해? 아무리 말로 도발한 것이 있다지만, 자기도 말로 도발했으면서? 심지어 예복으로 우기기에 날이 서지 않은 칼을 반입하는 걸로 협의해 줬더니 그 칼을 사용해 기물 파손에 폭력 사태를 벌인 것은 다 어쩌고?

기가 막혀서 뭐라고 한 마디 하려는데 에카이트가 가볍게 어깨를 두드리며 저지한다. 와, 이거 진짜 황당하네.

"누가 누구에게 사과를 해야 한다 단정 지을 수 있는 상황은 아니라고 보는데, 어찌 생각하시는지?"

"이렇게 생각하네만?"

에카이트의 말이 끝나기 무섭게 바닥에 박힌 칼을 툭 걷어차는 그 행태가 정말 사람 성질을 벅벅 긁는다.

남성적인 문화라던 묘사가 귀여울 정도로 폭력적인 문화라는 생각이 들었다. 하렘이라는 장소까지 만들면서 사방에서 오냐오냐 옳다고 떠받들어진 사내의 인내는 지극히도 얕았다.

정말 터지기 일보 직전의 첨예한 분위기 속에서 어딘가 익숙한 이질적인 억양의 목소리가 툭 튀어나왔다. 첩자, 동방의 그놈이다.

“전쟁하러 모인 자리도 아닌데, 괜히 서로 힘자랑할 필요 있겠소? 즐기는 자리에선 즐겨야지. 보아하니 한 사람만 희생해 준다면 즐기는 분위기가 될 것 같은데…….”

그 한 사람이 누구고 그 한 사람이 뭘 해야 이 분위기가 눈 녹듯 녹겠냐고.

목소리가 들린 쪽으로 시선을 돌리자 동방의 예복을 그대로 갖춰 입은 첩자가 태연자약한 표정으로 계속 말했다. 저쪽도 어지간히 뻔뻔한 성향임에 분명했다.

“그 전쟁을 부를 소문의 미인이 춤 한 곡 정도 추면 서로 웃으며 물러날 법 하지 않겠소?”

뭐. 나? 사람들의 시선이 부담스럽게 콕콕 박혀 오기 시작하고서야 그 첩자가 지목한 사람이 나라는 것을 온전히 눈치챌 수 있었다. 나는 에카이트와 황태자를 번갈아 살피며 눈치를 보았다.

아니, 무슨 춤을 출 줄 알아서 여기서 이런 옷을 입고 춤을 추냔 말이다. 전쟁을 부르는 춤이 나올 수도 있는데.

난감해하는 나를 지그시 바라보며 어떠한 행동도 취하지 않는 에카이트와 황태자를 확인한 서쪽의 남자가 비스듬히 입꼬리를 비틀며 입을 열었다.

“제법 좋은 제안이군. 그런데 나만 그렇게 생각하는 것 같은데, 다른 분들은 어찌 생각하는지?”

“뭐, 까짓것.”

으아어악. 전하, 그거 아닙니다!

동방에서 온 첩자만으로도 골치가 아파 죽겠는데 여기서 서쪽이랑 전쟁이라도 나면 골치가 아픈 것과는 비교할 수도 없게 골이 둘로 톡 쪼개질 수도 있습니다.

무슨 전쟁이 이렇게 쉽게 논해지냐……. 서쪽은 원체 호전적이라 전쟁이 일상이라던 구절이 머릿속을 둥둥 지나간다. 전쟁이나 해 볼까 하고 가볍게 툭 내뱉으려는 황태자의 말을 막으며 최대한 화사하게 웃음을 지었다. 먹혀라, 미인계.

“좋은 날, 좋은 자리에서 굳이 피 냄새 나는 대화를 나눌 필요가 있을까요. 제가 서쪽의 춤에는 조예가 없어 괜한 흉내로 여러 귀한 분들의 심기를 상하게 할까 염려됩니다. 하여 눈에 익은 춤은 아니겠으나 새로운 춤을 선보일까 합니다.”

“말이 통하는군. 새롭다. 그래, 좋지. 삶이란 것은 늘 새로움을 찾아 떠나는 것이 아닌가. 흥미롭군.”

“경이 아는 춤이 있던가?”

전하, 제발. 누구 때문에 이 사달이 났는데 그런 말을 하십니까. 물론 백프로 황태자의 잘못이라고 할 순 없지만 그래도 인과 관계라는 것이 있는데 저렇게 약 올리듯 한발 물러서 아는 춤이 있냐고 태연히 말씀하시면 안 되죠. 요즘 들어 부쩍 삐딱선을 타는 청소년처럼 돌발 행동이 부쩍 늘어난 황태자를 보며 속으로 눈물을 삼켰다. 다분히 충동적이고 감정적인 행동 패턴의 변화는 전생과 현생을 통틀어 처음 보는 것이었다.

황태자의 질문을 조용히 흘리며 머릿속으로 펜싱 스텝을 떠올렸다. 그리고 그대로 몸을 움직여 바닥에 박힌 칼의 손잡이로 손을 뻗었다.

서쪽 지배자가 선심 쓰듯 손잡이로 손을 뻗는 것을 못 본 척하고 손잡이를 단단히 잡았다. 너만 힘자랑 할 줄 아냐? 나도 힘 좀 쓴다!

“헉!”

“세상에. 어쩜, 어쩜 저렇게!”

사방에서 탄성과 놀람의 비명이 터져 나왔다. 마나를 이용해 칼을 뽑아 올리는 것을 본 사람들이 놀라 내는 소리였다. 혹시나 뽑히지 않으면 무슨 망신인가 했는데 다행히도 뽑히는 과정은 순조롭기 그지없었다.

절대 뽑히지 않게 박아 넣겠다는 각오로 박아 넣은 것도 아니었거니와 그냥 성질부릴 겸, 힘을 과시할 겸 해서 박아 넣은 것이니 크게 어려울 것이 없었다.

날이 서지 않은 칼은 그야말로 장식용으로 별다른 위협감을 주지는 않았다. 아무리 마나의 힘을 빌린다고 해도 사람을 쉽게 관통할 만한 재질도 아니었다. 신기할 정도로 가벼운 칼은 앞선 무희들이 어떻게 이 칼을 들고도 그런 유연한 춤을 출 수 있었는지를 설명하고 있었다.

칼이 뽑히자 갈라진 바닥이 보인다. 아, 이거 보수 비용 꼭 서쪽 저기에 청구했으면 좋겠다. 칼에 붙은 먼지를 마나로 가볍게 튕겨 내자 서쪽의 그 남자가 제법이라는 표정을 짓는다. 첩자는 다시 군중들 사이 몸을 숨겼는지 눈에 보이지 않았다.

"그럼, 한 곡 하겠습니다."

무대 중앙으로 나와 입을 열기 무섭게 서쪽의 독특한 가락으로 연주되는 음악이 시작되었다. 검을 넓게 휘두르며 레이피어를 연습할 때 배운 스텝을 조금 더 리듬감 있게 밟았다.

팡뜨(길게 찌르기), 데쁠라스망(이동), 발레스트라(앞쪽으로 짧은 점프).

보이지 않는 상대를 공격하는 것처럼 유연하게 몸을 휘며 다양한 움직임으로 무대를 누볐다. 가벼운 칼은 강한 힘을 주며 움직이자 물결처럼 휘기 시작했다.

그러자 넓은 모양을 해 다소 이질감이 느껴졌던 펜싱 자세가 보다 멀끔하게 느껴졌다. 유연하게 허리를 휘며 공격과 방어를 이어가는 모습은 그 자체가 흐르는 물 또는 춤 같아서 기사들이 펜싱 연습하는 광경은 가히 장관이었다.

허리에 동전들이 가득 달린 벨트에서 움직일 때마다 나는 소리는 서쪽의 음악과 어우러져 기이한 리듬감을 만들고 있었다. 넋을 놓고 바라보는 일반 참석자들의 시선 사이로 매섭게 관찰하는 시선이 느껴져 흘긋 눈을 돌리다 첩자의 검은 눈동자와 마주쳤다.

뭘까, 저놈은. 유연하고 우아한 펜싱 동작을 이어 가다 보니 갑자기 아이디어가 떠올랐다. 나는 첩자를 목표 삼아 걸음을 옮겼다.

"어머나!"

"어이쿠, 맙소사."

둥그렇게 에워싼 관중들로 한 걸음씩 전진하며 칼을 휘두르자 칼이 지나가며 생긴 바람에 놀란 숨을 내뱉는 관중들이 늘어났다.

목적지는 서쪽의 지배자. 그리고 경유지는 첩자다. 첩자가 있는 곳으로 한 걸음 이동했다. 하나, 둘. 발레스트라. 칼날이 관중 사이로 휘어 들어가 첩자 코앞을 지나 되돌아온다. 살짝 뒤로 피하며 부릅뜬 눈이 제법 놀란 기세라 속으로 웃음을 참았다.

다음 행선지를 향해 스텝을 옮기며 마나를 이용해 동전 간의 부딪힘을 극대화했다. 점점 소리가 커지고 그 소리에 맞춰 악단의 음악도 거칠어진다.

자잘한 스텝으로 전진과 후진을 반복하며 서쪽 지배자 앞을 알짱거리던 나는 큰 음악소리가 절정을 알리기 무섭게 남자의 옷자락 끝을 가르며 칼을 아래로 내리꽂았다.

마나의 힘을 빌려 대단히 빠르고 강한 속도로 내려간 칼은 종전보다 더 깊숙이 바닥을 파고들었다.

"흐억!"

자신도 모르게 낮은 비명을 뱉은 남자가 애써 표정 관리를 한다. 칼은 원래 박혀 있던 바닥을 지나 깊숙한 곳에 박혀 손잡이 끝이 파르르 떨리고 있었다.

잘려 나간 옷자락 끝이 허공을 나풀거리며 떨어지기 무섭게 그것을 남는 손으로 재빠르게 낚아챘다. 이 힘없는 칼날로 대리석 바닥을 가른 것은 가히 대단한 무위라고 할 수 있겠지만, 마나를 제법 사용하는 기사들에겐 크게 어려운 일까지는 아니었다. 물론 그 마나를 잘 사용하는 기사들이 흔하지 않다는 점을 빼면 말이다.

음악이 잦아들고 침묵과 충격으로 고요하던 무도회장이 제국 참석자들이 친 박수로 요란스러워졌다. 전쟁의 여지는 유연하게 피했으며 자존심 또한 지킨 모양으로 끝이 난 셈이니 더욱 그럴만했다.

칼에서 완전히 손을 떼고 몸을 일으켜 가볍게 인사를 건네자 이상한 표정을 짓고 있던 서쪽의 그 남자가 이내 큰 소리로 웃음을 터트렸다.

"장미에는 가시가 있는 법이지. 대단하군. 정말이지, 제국이 왜 제국인지 알 수 있는 기회였소. 이런 꽃 같은 여인까지 수준 높은 무위를 구사하니 그 누가 국경을 탐하겠소."

"뭐, 허튼짓을 벌이는 자에게 이성이랄 게 있겠소? 그리고 말한 대로 한낱 꽃이라 한들 우리 제국을 위해서라면 이토록 사나우니 부디 알아 두길."

첩자가 있는 곳을 의미심장하게 바라보며 대답하는 황태자를 두고 서쪽의 지배자가 호쾌한 웃음을 짓는다. 다혈질에 기분파인 만큼, 지금의 상황이 제법 즐거운 모양이었다.

황태자의 시선을 따라 첩자가 있던 방향을 보니 이내 멀리서 등을 보이며 사라지는 그가 보인다. 저 뒤에 뭐가 있는 것이고 그 속셈은 무엇인지. 불편한 속내가 부글부글 끓는다. 그러나 앞의 상황이 우선이기에 화사한 미소로 천진하게 답했다.

"미비한 가시에 시선을 두기보다는 그 꽃잎에 시선을 두심이 어떠실지. 어설픈 재간에 기분 상하실까 걱정했는데 즐겁게 받아 주셔서 감사할 따름입니다. 말씀대로 칼라한을 수호하는 꽃이 될 수 있다면 그 또한 영광이지요."

화내면 소인배. 요약하자면 그런 내용의 말을 태연스럽게 하고는 소름이 돋는 것을 참으며 살짝 눈웃음을 지었다. 내 말뜻을 빠르게 이해한 서쪽의 남자가 이내 큰 소리로 웃는다.

나름 일이 잘 풀렸다고 생각하는데 황태자나 에카이트나 둘 다 표정이 영 별로다. 뭐야. 진짜 전쟁 냈어야 하는 상대였는데 괜히 계획을 꼬아 놓은 건가? 고민에 빠지려는데 서쪽 지배자가 주머니에서 무엇인가를 꺼내 내밀었다. 뭐야, 사탕이야?

"이것이면 되려나?"

"예?"

뭐가? 알 수 없다는 표정으로 그를 바라보자 그가 뻗은 손을 다시 위아래로 흔든다. 받으라는 제스쳐였다.

받으라면 뭐. 반사적으로 남자가 내미는 것을 받으려고 두 손을 뻗으려는데 왼팔은 에카이트, 오른팔은 황태자가 잡아채 그대로 뒤로 당기는 것이 아닌가. 이게 무슨? 어이없는 표정으로 두 사람을 번갈아 보자니 앞에 선 남자가 크게 웃는다.

"그대는 이게 뭔지 모르는 눈치로군. 보지."

남자가 아래로 움켜쥔 주먹을 돌려 쥐고 손을 쫙 폈다. 큰 손에 가득 들린 것은 엄청난 크기의 보석 원석들이었다. 주변에서 탄성과 감탄이 터져 나온 것으로 봐선 그 값이 상당한 것 같았다.

하긴, 뭘 모르는 내가 봐도 비싸고 좋아 보이는데 오죽 좋은 걸까. 근데 왜 이걸 내게? 영문을 알 수 없어 서쪽 지배자를 빤히 보자 그가 끔찍하게도 귀여운 무언가를 보는 표정을 지으며 입을 열었다.

에카이트나 황태자는 날을 세운 채 불쾌한 분위기를 풍기고 있었다.

"청옥, 적옥, 녹옥. 이 정도면 가치를 매길 수 없을 정도로 대단한 귀중품이지. 내 하렘에서 날 기다리는 여자가 되어 달라 청하는 뜻이기도 하고. 보통 이 중 하나만 내놓아도 어지간한 여자는 한 번에 넘어오네만……. 역시 제국 제일의 미인인 그대를 얻기엔 부족한가 보군."

아, 하렘! 아는 단어가 나왔다고 반가워하다가 이내 그 내용에 얼굴이 싹 굳었다. 고작 저 돌덩이를 들고 누구를 사? 이 기막힌 심정을 토로하기도 전에 황태자의 입이 먼저 열렸다.

"제국 제일의 미인이 폰디체리 공작가의 외동딸이란 것도, 또 베이야드 공작가의 외동아들과 약혼한 것도 모두 모르는 눈치로군. 그들에게 그런 보석쯤 침대에도 몇 개 박혀 있을 것 같은데. 아, 없으면 말들 하고. 내가 세 개씩 박아 줄 테니."

그야 그렇죠. 뭐가 언제 아쉬워 봤어야지 탐이 나지. 내가 무도회 첫날 진주를 거의 소쿠리로 사용한 드레스를 입은 걸 못 봤나?

황태자의 말에 남자가 너털웃음을 지었다. 자존심이 상한 듯, 아닌 듯, 그런 미묘한 웃음이었다.

"제국이 괜히 제국이 아니군. 훌륭한 구경거리가 있었는데 보답을 안 할 수도 없고 말이지."

"보답이 아니라 배상을 잘못 말한 것이 아닌가."

"뭐, 먼저 칼을 내려쳐 바닥을 망친 것은 사실이나 아예 박살 낸 쪽은 제국의 공녀가 아닌지? 거기에 내 옷은?"

서로 얄밉게 주거니 받거니 하던 두 남자는 이내 대화에 흥미를 잃었는지 시들한 표정이다. 곧 두 사람이 무도회장을 뜰 것 같은 기류를 보이자 사람들도 웅성웅성 눈치를 보며 흩어지려 했다.

그래, 다들 가라. 그래야 나도 가지. 아무리 생각해도 속옷만 입고 있는 것 같은 기분을 떨칠 수 없어서 빨리 벗고 싶을 뿐이었다.

이미 마음만은 집인 나를 알 만하다는 표정으로 쳐다본 황태자가 살짝 목례하곤 먼저 등을 돌렸다. 그 뒤를 따라 자리를 뜨려던 나는 손목이 당겨져 뒤로 끌려갔다. 손을 잡은 이는 에카이트였다.

"잠시 보지."

아까 혼자 화내고 난리를 하더니 아직도 할 말이 남았나. 이제는 제법 한산하게 변한 무도회장을 가로지르는 에카이트를 따라 걸으며 나름의 이유를 짐작해 보았으나 전혀 생뚱맞은 것들만 떠올랐다.

테라스로 가려나 했는데, 에카이트는 휴식의 방이 있는 곳으로 걸음을 옮겼다. 이야기하는 내내 춥지는 않을 것 같다.

"들어와."

제일 무도회장에서 멀고 작은 방을 열어 안을 살핀 에카이트가 아무도 없음을 확인하고 문 옆으로 비켜섰다. 일단 앉고 싶은 마음이 제법 간절했기에 방으로 쑥 들어가 소파에 몸을 깊숙이 기댔다.

앉자마자 온몸이 노곤해지는 것이, 이런 무도회가 얼마나 사람을 피로하게 만드는지 새삼 느낄 수밖에 없었다.

"용건은?"

"그대가 가는 게 어때, 아카데미."

오만 방법을 다 동원해서라도 내가 갈 생각이니 걱정 마시지. 마음의 소리를 툭 내뱉을 뻔한 입을 앙다물고 에카이트를 가만히 바라봤다.

무슨 심산일까. 도무지 무슨 생각을 하는지 알 수 없었다. 내가 가만히 바라보기만 하자 그가 한숨을 쉬며 먼저 입을 열었다. 에카이트는 내 맞은편 소파에 가볍게 걸터앉아 있었는데 보는 사람이 피로할 정도로 지친 표정이었다.

"첩자가 활동하고 있다는 것은 익히 알고 있겠고……."

"물론. 하지만 대체 무엇 때문에 나를 노리는지는 좀처럼 모르겠어. 이유를 알려 줘. 노려지는 입장에선 황당하기 그지없다고. 봤다 하면 므네모쉬의 딸이니 뭐니 알 수 없는 소리를 하면서 사람을 궁지로 모는데 영문을 알 수가 있어야지."

내 말에 에카이트의 눈이 날카롭게 반짝였다. 그리고 몸을 앞으로 내밀며 내가 한 말을 되풀이했다.

"그대를 두고 므네모쉬의 딸이라고 했다고?"

"그렇다니까. 계속 그냥 별별 알 수 없는 소리를 해 대니 답답해서 견딜 수가 없을 지경이라고."

"그대를 두고 므네모쉬의 딸이라고 지칭했다라……. 하. 허를 찔린 기분이로군."

에카이트가 허탈한 표정으로 얼굴을 쓸었다. 그러고는 고개를 들어 나와 눈을 맞추며 입을 열었다.

"이제야 대충 실마리를 찾은 기분이로군. 전하께서 왜 그대가 앞에 나서는 것을 갑작스럽게 막아섰는지도. 그대를 노린다는 것만 알았지 그 이유는 미처 다 파악하지 못했었는데 므네모쉬의 딸이라. 그들에게 므네모쉬가 누구인지는 몰라도 그가 아펠리아, 그대의 어머니를 므네모쉬라고 여기는 것 같아. 일리는 있어. 그래, 확실히 일리는 있어. 그렇다면 말이 되는군."

저기, 혼잣말을 할 거였으면 난 좀 보내 놓고 하지. 춥고 피곤하고, 심지어는 슬슬 허기도 지는 게 딱 집 없는 거지꼴이라 따뜻한 방에서의 휴식이 간절한 터였다.

생각에 빠져든 에카이트를 바라보다 몸을 일으켰다. 집에 가고 싶었다. 생각에 빠진 에카이트는 내가 일어나는 줄도 모르는지 미동도 없다. 작은 헛기침 소리를 내도 듣지 못하는 눈치이기에 조금 더 큰 헛기침 소리를 냈다. 그제야 에카이트가 고개를 들어 이미 일어선 나를 올려다본다.

"생각이 많은가 본데, 할 말이 더 남아 있다면 다른 날 다시 보지."

"……그래야겠군. 시간 뺏어 미안했네."

"알면 앞으론 조심하길."

에카이트의 수긍과 사과에 톡 쏘듯 응대하며 등을 돌려 방문으로 향하는데 그가 따라붙는 것이 느껴졌다. 뭐야, 같이 나가게? 의외의 행동에 내가 몸을 돌리려는 중, 어깨 위로 뭔가가 툭 떨어졌다. 숄이었다.

"밖은 추울 것 같아서. 걸치고 가지. 아까도 이걸 주려던 생각이었는데……. 그럼 조심히 들어가도록. 나는 좀 더 남아 생각을 정리할 필요가 있어서."

서쪽 예복을 갖춰 입었던 에카이트가 어깨에 두르고 있던 두툼한 천을 어깨에 숄처럼 걸쳐 주자 몸이 한결 따뜻해짐과 동시에 노출된 부위가 가려져 부담이 줄었다.

제법 고마운 짓도 할 줄 아네. 지금 상황에 필요한 배려였기에 진심으로 고마움을 담아 고개를 끄덕이고 방을 떠났다. 그 첩자가 나를 두고 므네모쉬의 딸이라고 말한 것이 그렇게 충격적인 일인가도 새삼 다시 생각하게 되는 밤이었다.

“전하. 이번 무도회가 네 차례나 열리는 무도회였는지는 미처 몰랐습니다.”

“기안부터 계획까지 다 에카이트 공이 한 일이니 따지려면 거기에 따지지.”

“승인은 전하께서 하셨습니다.”

“힘없는 황태자가 뭘 하겠나. 도장이나 찍는 거지.”

누가요. 자기 마음껏 하고 싶은 대로 다 하는 사람은 아마 황태자 말고는 없을 텐데.

아마 이번 대륙 회의 참석자들을 모두 모아 놓고 투표라도 하면 만장일치로 저 ‘힘없는 황태자’라는 말에 반대표를 던졌겠지만 당사자를 포함하여 고작 세 명 있는 자리에서 투표는 무의미했다.

서로 책임 전가에 바쁜 두 사람을 불만스럽게 바라보자 황태자가 몸을 뒤로 기대며 양손을 들어 항복 신호를 보냈다.

“나도 다 때려치우고 어디로 숨고 싶으니 나한테 따지지 말고 에카이트한테 따지지. 내가 제일 하기 싫어, 내가.”

황태자의 진실된 답변에 내 날카로운 시선은 최종적으로 에카이트를 향했다.

그래, 어디 입이 있으면 말해 봐라 이 쓸데없는 외교관아. 이글이글 불타는 눈빛으로 에카이트를 바라보자 황태자 집무실 소파에 앉은 그가 태연자약하게 입을 연다.

"세 차례의 무도회에서 모두 별다른 실적이 없었던 국가들이 원체 간청을 해야 말이지."

"고작 그런 걸로 열흘 이후에 다음 무도회를 열겠다니, 이게 무슨 말도 안 되는 일이란 말입니까? 열흘이나 밀려서 이어지는 계획 밖의 무도회에 참석할 나라가 있겠냔 말입니다. 안 하느니만 못한 무도회입니다."

"누가 무도회장 바닥을 두 동강 내지만 않았어도 일주일이면 충분했을 것인데 하필 바닥이 박살 나서 수리하는 데에만 열흘이 걸리는 것을 어쩌겠나. 개최하면 참석하겠다는 국가들만 해도 절반은 한참 넘거든."

아니, 다들 본업이 없으신가요. 놀고먹는 것이 업인가요. 나만 죽자고 일하면서 살았나요. 허탈함에 헛웃음을 짓는데 에카이트가 단호하게 무시하며 입을 열었다.

"문제는 그것이 아닙니다. 이미 알고 있는 내용이지만 그 첩자의 목적이 아펠리아라는 점. 그리고 그 목적을 정한 배경은 아펠리아의 모친 되시는 폰디체리 공작 부인일 것이란 점이 이번 무도회를 열 때 고려해야 하는 가장 큰 문제이지요."

"앵무새도 아니고 같은 말만 여러 번이군."

황태자가 에카이트를 바라보자 에카이트가 짧게 대답한다.

"그만큼 중요한 내용이니까요."

"아니, 뭐 중요하지 않다는 것은 아니지. 그런데 그렇다고 아펠리아 경에게 뭘 믿고 맡기기엔 걱정스럽다는 거지. 뭐만 했다 하면 다 탄로 나서 뭘 해 보기도 전에 당하기만 하다가 사고로 이어질 것 같지 않나?"

저기요, 거기 두 분. 당사자가 여기 있어요. 당사자가 듣고 있어요.

너무 적나라하게 내 눈치 없음을 지적하는 황태자나 진지하게 고개를 끄덕이며 동의하는 에카이트나. 둘 다 너무한 거 아닙니까.

황당한 시선으로 쳐다보는데도 두 사람은 그들만의 대화를 주고받고 있다.

"상당 부분 동의하는 바입니다만, 모르는 채로 자기 마음대로 하게 내버려 두자니 사고 칠 것 같습니다. 지금까지만 해도 돌발행동만 몇 번이었습니까?"

"……심각하게 동의하는 바일세. 저런 성격인 줄은 또 몰랐지."

"저기, 바로 앞에서 당사자가 듣고 있다는 것은 알고 계십니까?"

적나라한 평가에 민망함을 참지 못한 내가 제지에 나섰다. 전생과 달리 이것저것 해 보겠다고 나서고 말 그대로 돌발행동을 몇 번씩 감행했던 것은 사실이었기에 얼굴은 뜨거웠지만 부정할 수는 없었다.

아무리 그래도 저건 너무한 것 아닌가? 내 항의에 두 사람 모두 다소 진정한 듯 신랄한 평가는 잠시 소강상태에 접어들었다.

"결과적으로, 시엘라 폰디체리 공작 부인께서 제국에 속하시기 전, 외부와 어떤 관계였는지 알 수 없는 상황에서 그 첩자가 원하는 바가 무엇인지 제대로 짐작하기도 어렵습니다. 아, 아펠리아. 악의를 가지고 하는 말은 아닌데 혹시 불쾌하다면 사과하지."

돌아가신 어머니에 대해서 논해지는 만큼 마음이 마냥 편하지는 않았지만 악의를 담은 말투는 아니었기에 평이하게 고개를 끄덕여 괜찮다고 답했다. 그러자 에카이트가 말을 계속했다.

"예로부터 지키는 사람이 열 명이라도 훔치려 마음먹은 사람이 있다면 반드시 훔쳐진다고 했습니다. 다른 미끼는 소용없습니다. 아펠리아가 놈의 확실한 목적이라면요."

"그래서?"

"이렇게 해도 훔치려 들고 저렇게 해도 훔치려 든다면 최소한 왜 훔치려는지 이유를 알아야 그 원인을 제거하든 무엇을 하든 할 수 있지 않겠습니까?"

일리는 있네. 외교관이 왜 외교관인지 알만한 구절이었다. 설득력 있는 에카이트의 언변에 나도 모르게 고개가 끄덕여졌다. 하긴, 첩자가 나를 노리는 이유를 제대로 알지 못하는 상황에선 뜬금없이 당하기 더 쉬울 것이다. 동의를 표하는 나와 황태자를 짧게 바라본 에카이트가 다음 말을 이었다.

"그러려면 당장은 위험할 수 있겠지만 아펠리아가 정면에 나서야 한다고 생각합니다."

"저는 좋습니……."

"안 돼."

내가 선뜻 동의를 표하는 와중 황태자가 단호하게 거부 의사를 표현했다. 아니, 대체 왜? 영문을 알 수 없는 반대에 황태자와 에카이트를 번갈아 보는데 딱딱하게 굳은 황태자의 표정만큼이나 에카이트의 표정이 심상치 않다.

나 몰래 싸운 건 아닌지 걱정이 될 지경이었다. 같은 편끼리 이렇게 잡음이 많아서야 될 일도 안 되겠다.

"전하. 요즘 이상하십니다. 사실 이런 제안은 제가 아니라 전하가 먼저 나서서 하시고도 남을 사안입니다. 아펠리아에 관한 일이라면 요즘 지나치게 과민 반응하고 계시는 것은 아십니까?"

하긴 그것도 그렇다. 요즘 황태자가 부쩍 예민해진 것도 느끼고 있었으니까. 시선을 완전히 튕겨 내며 모른 척하는 황태자를 답답하게 보고 있는데 에카이트가 다시 날카롭게 파고든다.

"혹시 다른 마음이라도 있으십니까?"

“하! 다른 마음? 누가 자네와 아펠리아의 약혼을 성사시켰는지 벌써 잊었나 보지?”

“둘 다 진정하시지요. 과열됐습니다. 에카이트, 괜한 소리 하시려거든 그 입 다무는 게 좋을 겁니다.”

내 중재에 둘 다 입을 꾹 다물었다. 아니, 나만 빼놓고 사이좋게 지내던 것이 어제 일처럼 생생한데 이제 와서 왜 저러는지 모르겠다. 전생에선 진짜 단짝도 저런 단짝이 없더만. 잠시간의 침묵이 흐른 뒤 먼저 입을 연 것은 황태자였다.

“……자넨 몰라. 잃기 싫은 것을 억지로 잃는 것을.”

예? 못 가진 것 없고 큰 실패도 겪은 적 없는 황태자가 할 만한 얘기는 아니었기에 둘 다 영문을 알 수 없는 표정으로 시선을 교환했다.

황태자는 입을 꾹 다물고 더 말을 잇지 못하고 있었다. 마치 곧 울 것 같은, 한 번도 본 적 없는 표정에 당황하고 있는데 황태자가 다시 입을 열었다.

“이번에도 잃으면 끝이야. 완전히 끝이라고. 그런데 지금 상황이 그때들과 비교해서 더 나을 것이 없다니…….”

“전하, 무슨 말씀이신지 도무지…….”

내 질문에 고개를 저은 황태자가 이내 평소의 표정으로 돌아왔다. 더 이상 말할 의사가 없어 보이는 그 표정에 이번에는 에카이트가 먼저 말문을 열었다.

“일단 아펠리아. 이번 무도회에 보다 신경을 써 줬으면 하는데. 노골적으로 첩자 앞에 나서서 얼쩡거려 보는 것은 어떨까 싶기도 하고. 원래 말이 많을수록 정보는 새는 법이니까.”

“……이미 봉뒤프베 부인이 동방 예복을 성심성의껏 만들고 있으니 무도회 날 보는 것으로 하지요. 그리고 제발 이번에는 무기 소지 못하게 잘 지키라 하시고요. 저번에 무도회에서 칼춤 추는 것을 보고 전쟁 난 줄 알았습니다."

"주의하지."

나와 에카이트가 주거니 받거니 하는 동안 침묵을 지키던 황태자가 자리를 털고 일어나며 한마디 툭 던진다.

"당일은 내가 에스코트하러 가지. 세 번 다 혼자 입장하게 만들었으니 마지막은 선심 좀 써야 내 마음이 편하겠어. 에카이트는 먼저 입장해서 놈을 관찰하고 있는 편이 좋을 듯하고."

에카이트도 이번엔 큰 반발 없이 가볍게 고개를 끄덕여 수긍했다. 마지막 무도회가 목전으로 다가오는 것이 새삼 느껴진다. 아, 빨리 다 끝내고 쉬고 싶다. 휴가 가고 싶다.

나는 깊은 한숨을 쉬며 몸을 일으켜 이만 가 보겠노라 인사를 남겼다. 전생에 비해 뭔가 변하고 있다는 것을 명백히 느끼며, 이러한 변화가 과연 좋은 것인지 진지하게 고민해 보기로 했다. 물론 시간이 난다면 말이다.

간만에 보는 집안 어른은 반가운 한편 어색하기도 했다. 아버지와 사촌 관계인 애쉬우드 대공이 이 시기에 공작가를 방문해 이렇게 앞자리에 앉아 차를 홀짝이는 모습은 전생에 없던 풍경이었다.

"대공께서는 여전하신 듯합니다. 건강하십니까?"

"말하는 것을 보니 정말 다 컸구나 싶다. 어린 공녀가 목검을 들고 천방지축으로 돌아다니는 꼴이 귀엽기도 하고 가상하기도 했는데 벌써 다 자라 약혼까지 하다니 말이다. 네 아버지가 그토록 못마땅해하는 베이야드 공작가 외동아들과 약혼한다는 소식을 듣고 얼마나 황당하던지."

대공이 너털웃음을 지으며 나를 흐뭇한 표정으로 바라보았다. 그 미소가 왠지 부담스러워서 시선을 살짝 피해 어설픈 미소를 지었다.

"네 아버지도 기사는 기사인 게다. 주군의 명은 절대적인 법이지. 뭐, 그만하면 아주 나쁜 선택도 아니니 말이다. 에카이트라고 했었나. 약혼자와는 잘 지내고?"

아뇨. 약혼 연회에서 제가 약혼자 발등을 박살 냈는데요. 보통 서로에게 의도적으로 상해를 입히는 관계를 두고 잘 지내는 관계라고는 하지 않는다. 나는 대공의 마지막 질문에 어색한 미소를 지었다. 그것을 본 대공이 알 것 같다는 표정으로 씩 웃는다.

"하긴, 네 아버지는 네 어머니를 처음 만났을 적에 뺨을 얻어맞았단다, 허허."

네? 절절한 로맨스 스토리를 예상했는데…… 의외의 말에 입을 떡 벌리자 대공이 괜한 말을 했다며 말을 돌린다. 더 듣고 싶기는 했지만 돌아가신 어머니는 아버지의 역린이기도 했기에 모른 척 대화에 집중했다.

"기껏 제국까지 왔는데 아들 녀석이 영 사고만 쳐서는 원. 무도회도 못 보고 그냥 가기 아쉬워 들러 봤네."

"잘하셨습니다. 무도회가 다 무슨 소용이랍니까. 애쉬우드 공은 여전하신 것 같군요."

"잘 지내나 싶으면 사고를 치고 뭐 그 나이대 애들처럼 크고 있네만 부모 입장에선 걱정이지. 너처럼 어려서 어미를 잃은 녀석이라 뭘 해도 마음이 짠한 것이 있어서 너무 버릇없게 키우고 있나 싶기도 하고.”

“사내아이들은 철이 늦게 든다고 합니다. 막상 철이 들어 독립하려 들면 또 서운하다고 한탄하시겠습니다. 지나간 시간은 돌아오지 않으니, 지금을 즐기시는 것이 어떠신지요.”

지나간 시간은 ‘어지간해선’ 돌아오지 않는다. 의도치 않게 시간을 역행한 내가 진지하게 말하자 대공이 웃는다.

“팔십 노인이 할 법한 말을 네게 들으니 너도 이제 제법 나이를 먹었구나 싶다. 무도회 일정이 촉박해서 다들 준비에 바쁘다고 난리인데 너무 오래 잡아 둘 수는 없지. 조만간 또 볼 수 있었으면 좋겠구나.”

“네, 다음엔 제가 찾아뵙겠습니다. 살펴 가십시오.”

“아차, 우리 공국에서는 그 녀석을 아카데미로 보내게 될 것 같더군. 혹시 너도 가게 된다면 잘 부탁하겠네.”

나와는 육촌 되는 대공자가 아카데미에 가게 될 것 같다는 정보를 머릿속에 남기며 애쉬우드 대공을 배웅했다.

아버지와 닮은 듯 다른 듯, 혈육이란 이런 것일까. 그를 배웅하고 잠시 생각을 정리하고 있는데 노크 소리와 함께 유모의 목소리가 들렸다.

요즘 유모 목소리만 들어도 철렁하는 것이, 무도회 때문에 너무 시달린 결과물이 아닐까 싶다.

“아기씨, 봉뒤프베 부인이 잠시 와 보셔야겠다고 하는데 어떻게 할까요?”

“내가 부인이 있는 방으로 갈 테니 기다리라고 전해 줘.”

내 말에 알겠다고 답한 유모가 멀어지는 소리가 들린다. 이제 정말로 마지막 무도회다. 이번엔 부디 첩자의 비밀을 최대한 많이 캐내어 보람찬 결말을 얻었으면 좋겠다.

검은색 차이나 카라에 '치파오'라고 불리는 동방의 의복이 마네킹에 정리되어 걸려 있었다. 단기간에 완성된 것치고는 상당한 완성도를 보여서 감탄이 절로 나왔다.

앞선 두 지방의 것들은 봉뒤프베 부인 특유의 센스와 실력으로 짧은 시간 내에 제법 훌륭한 완성도를 낼 수 있었지만 아무래도 '흉내' 그 이상이라고는 부르기 힘들었다.

최고급 재료를 사용하고 제작 과정에 있어서 아낌이 없었기에 고급스러운 분위기를 낼 수 있었던 것인데 이것은 달랐다. 제대로 만든 옷이라는 것은 패션을 잘 모르는 내가 보아도 한눈에 알아볼 수 있을 정도였다.

그 의복 옆에는 마네킹이 하나 더 있었는데, 거기에는 푸른색 예복이 걸려 있었다. 이 예복을 보고 있자니 확실히 검은색 예복이 눈에 띄게 돋보이는 것 같았다.

단조로운 자수만 놓인 푸른색 예복과는 달리 화려한 자수가 놓인 검은색 예복은 은이나 백금으로 자수를 놓은 것인지 고급스러움을 자랑하고 있었다.

"검은색 예복은 뭔가요?"

"안 그래도 그것 때문에 불렀답니다. 누군가가 저에게 보내는 것이라고 폰디체리 공작가로 물건을 보내서 방금 검열을 거쳐 받았는데 열어 보니 저 예복이 들어 있었답니다. 의복 사이즈도 거의 영애의 사이즈와 같아요. 조금 이상하다 싶은 부분이 있기는 한데, 선불리 말씀드리긴 아무래도……."

봉뒤프베 부인의 표정이 심각해졌다.

"제가 동방의 예복에 대해 잘 모른다지만, 이 예복이 상당한 고급품이란 것 정도는 알 수 있어요."

그렇지. 검은색 예복은 만지기 조심스러울 정도로 노골적인 고급품이었다. 옷을 만드는 것을 직업으로 삼고 있는 봉뒤프베 부인이 봐도 고급품이라면 정말 고급품이 맞을 것이다.

이것을 대체 누가? 황태자? 에카이트? 떠오르는 인물들과 옷을 맞춰 봤지만 아무리 생각해도 너무 뜬금없다. 생각을 거듭할수록 복잡해지는 상황에 고개를 절레절레 흔들며 입을 열었다.

"대체 누구죠? 일단 황궁이나 베이야드 공작가 쪽으로 연락을 넣어 봐야겠네요."

"그쪽에서 온 것이었다면 굳이 황궁이나 공작가에 소속된 사용인을 사용하지 않고 발송자 미상으로 보내진 않았을 것 같지만, 그래도 혹시 모르니 확인해 보는 것이 좋겠어요."

봉뒤프베 부인의 합리적인 추론에 완벽히 동의하는 바였지만 그래도 혹시 몰라 양쪽으로 급한 서신을 보내고 침묵 속에서 조용히 시간을 보냈다.

둘 다 생각에 잠겨 시간이 지나는 줄도 몰랐다. 방에 진 그림자 방향이 바뀐 것을 보고 차라도 마셔야겠다는 생각에 유모를 부르려던 찰나 먼저 노크 소리가 들렸다.

"아기씨, 에카이트 님입니다."

응? 아니, 서신으로 맞다, 아니다 답하면 될 일을 가지고 왜 왔대? 황당한 표정으로 자리에서 일어나자 봉뒤프베 부인도 황급히 자리에서 일어났다.

"들어오시라고 해. 아니, 내가 뭘 잘못 써서 보냈나?"

직접 오라는 얘기로 오해할 만한 구절이 있었던가? 서신 내용을 곱씹으며 혼잣말을 했다. 들어오라는 허락에 열린 문을 통해 들어오는 에카이트는 평소와 다르게 흐트러진 모습으로 뭔가 정돈되지 않은 모양새였다.

"저건가, 그 옷이?"

"그…… 렇긴 한데, 직접 오라고 부른 적은 없습니다만. 혹시 제가 말을 잘못 전한 것은 아닌지 모르겠습니다."

봉뒤프베 부인을 의식한 공손한 어조에 에카이트가 힐끗 눈치를 살피더니 가볍게 목례를 건넸다. 봉뒤프베 부인도 가볍게 허리를 숙이는 것으로 정식 예법을 대신했다. 에카이트는 내 떨떠름한 말에 대답하지 않은 채 검은 예복이 입혀진 마네킹을 천천히 돌아보며 인상을 찌푸렸다.

"동방의 비단이로군."

"그걸 보시면 바로 아십니까? 어떻게 아시는 것인지 물어도 될지요."

의복과 관련된 학구열이 뛰어난 봉뒤프베 부인이 즉각 질문했다.

"최근 교류를 시작한 나라이기에 압니다. 이건 그곳에서 보냈던 비단과 재질이 아주 똑같군요. 자수도 동일한 방식이고요. 동방에서 만들어진 것이라고 봐야 할 것 같습니다."

"역시, 천이 본 적 없는 방식으로 짜인 것 같아 혹시나 했는데 그쪽 나라 것이었군요."

두 사람이 주거니 받거니 하는 대화를 멍하게 들으며 입을 떡하고 벌렸다. 에카이트가 왜 서신으로 답하지 않고 득달같이 달려왔는지 알 것 같았다. 동방에서 만든 옷을 선물로 보낼 사람은 단 한 명이었다. 첩자.

'벌컥-.'

"고, 공녀님…… 황태자 전하가 오셨습니다."

뭐? 누가? 아니, 진짜 내가 서신을 잘못 썼나. 왜 다들 몸소 달려오고 난리지. 유모의 말과 동시에 방문을 열고 들어온 사람은 조금 흐트러진 모습의 황태자였다.

다들 당황해서 우왕좌왕하고 있는데, 목표를 분명히 한 황태자가 성큼성큼 검은색 예복으로 다가왔다. 살벌한 기세만 봐서는 당장에 옷을 갈가리 찢어발긴다고 해도 어색하지 않을 판이었다.

"미쳤군."

……예? 황태자의 빈정거리거나 약 올리는 화법은 익히 들어 익숙해져 있었지만 저런 거친 욕설은 전생과 현생을 통틀어 처음이었다. 당황한 내가 어찌해야 좋을지 몰라 안절부절못하는 와중 에카이트가 나선다. 그래, 잘한다. 너라도 뭔가 해 봐라.

"맞습니다. 돈 것 같군요. 믿는 구석이 뭐길래 이렇게 당돌하게 행동하는 건지 반드시 알아내고야 말 겁니다."

아니, 같이 장단 맞춰서 열 내라는 게 아니잖아. 황당함에 머리가 지끈지끈 울려 저절로 찌푸려지는 미간을 의식적으로 폈다.

봉뒤프베 부인은 갑작스럽게 들이닥친 황태자를 어떻게 대해야 할지 고민하며 발을 동동거리고 있었다. 같이 동동거릴까. 서슬 퍼런 두 남자를 한 발 떨어져 지켜보던 나는 결국 궁금함을 이기지 못하고 대화에 꼈다.

"뭡니까? 그러니까, 이걸 그 첩……."

"봉뒤프베 부인, 죄송한데 자리를 잠시 비켜 주시겠습니까."

"아, 네, 네. 물론이죠. 제가 눈치 없이 괜히……. 그럼 이만 물러나겠습니다."

내가 아직 말도 다 끝내기 전에 에카이트가 단호하게 말을 자르며 봉뒤프베 부인에게 양해를 구하고 자리를 비켜 달라고 청했다. 아차. 편한 나머지 실수할 뻔했다.

에카이트의 말에 봉뒤프베 부인은 갑자기 찬물을 뒤집어쓴 사람처럼 화들짝 놀라 고개를 끄덕이며 허겁지겁 방을 나갔다. 분위기를 제대로 파악한 봉뒤프베 부인은 예의를 지켜 인사하는 대신 그냥 잽싸게 방을 떠나는 편을 선택했다. 현명한 선택이었다. 봉뒤프베 부인이 나가자마자 험한 말 대잔치가 벌어졌기 때문이다.

"전하, 부디 진정을……. 그렇게 화를 내시다간 혈압 오릅니다."

"하, 감히 제국 수도에서 이런 헛짓거리를 한단 말이지. 만만하다 못해 우습게 보는 것이 아니고서야 어떻게 이런단 말이냐."

진정하라고 청하는 말이 무색하게 황태자는 시간이 지날수록 점점 더 분해하는 느낌이었다.

"전하. 이게 첩자의 짓이라고 생각하셔서 이리도 화를 내시는 겁니까?"

"물론. 저 비단. 동방의 비단이 아니냔 말이지. 제작하는 데만 몇 달은 걸릴 것 같은 옷을 누가 만들겠는가. 그것도 이제 막 교역을 시작한 나라에서. 그리고 이 옷, 분명 새 옷은 아니로군."

새 옷이 아니라고? 멀끔하고 고급스러운 자태에 감히 옷이 중고일 것이란 생각은 미처 하지 못했다. 나는 어벙한 표정으로 옷과 황태자를 번갈아 살피고는 옷으로 시선을 돌렸다. 중고라고 칭했는지를 보여 주는 것들이 하나둘씩 눈에 들어오기 시작했다.

봉뒤프베 부인이 뭔가 이상하다고 했던 이유도, 또 섣불리 말하기 곤란하다고 했던 이유도 동시에 이해가 되었다.

"아……. 옷이 참 반들반들하네요. 부드럽고, 또 자수도 뭔가 오래

된 듯한 느낌이군요. 새 옷의 자수라면 천이랑 실이 잘 어울리지 못해 그 부분이 좀 어색한 느낌을 주는데 이 옷은 안 그렇군요."

고개를 끄덕이며 이야기를 듣던 황태자가 말이 끝나기 무섭게 에카이트를 바라본다.

뭐가 더 있어? 제법 날카롭게 관찰했다고 생각했는데! 혼자 뿌듯해하던 것을 멈추고 에카이트를 보자 그가 기다렸다는 듯 입을 열었다.

"냄새. 옷을 상하지 않게 하기 위해 보관 처리 할 때의 냄새가 납니다."

"그렇지. 난 아펠리아 경이 찾아낸 것들은 아예 몰랐다네. 듣고 보니 그렇군 싶었지. 내가 느낀 것은 냄새라네. 어느 누가 새 옷을 만들면서 그런 향냄새가 배도록 두겠나. 누군가가 입던 옷일 가능성도 있어."

와, 소름 돋아. 나는 검은색 예복을 질린 표정으로 바라보았다. 진짜 제정신은 아닌가 보다. 차라리 불태울까? 난장판으로 옷을 망쳐서 돌려줘? 옷을 가지고 있는 것조차 꺼림칙해 골몰하고 있는데 에카이트가 입을 연다.

"검은색은 왕족의 옷을 나타낸다고 합니다. 정확히 어떤 의미에서 이 옷을 보낸 것인지는 모르겠지만 우선 옷을 입고 참석하는 것이 좋을 것 같습니다."

그랬나? 그랬던 것 같기도 하다. 저 옷을 입어야 할 것 같다는 에카이트의 의견에 순간 꺼림칙한 느낌이 들었지만 일단 끝까지 들어보기로 했다. 의외로 황태자 역시 아직까지 묵묵히 듣고 있다.

"아마 아펠리아가 이 옷을 입고 있는 것을 보면, 분명 알아보는 누군가가 있거나 첩자의 태도로 뭔가를 알아낼 수 있을 겁니다. 저희끼리 이야기를 나누어 봤자 어떤 의미를 가졌는지 알아낼 수 없을 겁니다."

일리가 있다. 단순히 불쾌하다고 해서 피할 일은 아니었다. 한 조각이라도 실마리가 될 만한 단서를 찾을 수 있다면 해 봐야 한다. 정말 나를 노리고 있는 것이 맞는지. 어째서 나를 노리고 있는 것인지. 그리고 나를 노림으로서 얻는 것은 무엇인지.

빠르게 마음을 정한 내가 입을 열었다.

"입겠습니다, 전하."

"아니, 그 이전에 확인해 볼 것이 있다."

황태자가 내 말을 저지하며 방의 천장에 매달린 끈을 당기자 가벼운 종소리가 들리더니 잠시 후 노크 소리가 울렸다.

"부르셨습니까."

"공녀와 체형이 비슷한 사람을 구해 와, 당장."

"네, 찾아서 방으로 들이겠습니다."

들어온 하녀가 재빠르게 명령을 받고 방을 빠져나갔다. 나랑 체형이 비슷한 사람? 체형이 비슷하다고 해서 대신 무도회에 참석시킬 것도 아니고, 그게 다 무슨 의미가 있다고.

이해할 수 없는 상황에 묵묵히 침묵을 지키는데 에카이트가 이해했다는 듯 가만히 고개를 끄덕였다. 아니, 나만 몰라, 나만. 혼자 바보가 되어 가는 것 같은 기분에 꿍해서 얌전히 기다리자니 멀리서 허겁지겁 가까워지는 기운들이 있다. 하녀가 돌아오고 있었다.

'똑똑-.'

"들어와."

"아주 똑같지는 않으나 급한 대로 공녀와 가장 비슷한 아이를 찾아보았습니다."

그곳에는 키와 체형이 비슷한 하녀 하나가 다소곳이 서 있었다. 나와 비교해서 더 마른 느낌이었지만 크게 덩치가 달라 보인다거나 하지는 않았다.

황태자가 먼저 들어온 하녀를 내보내자 영문도 모르고 불려온 하녀만 남았다. 잔뜩 얼어붙은 것이 눈에 보이는 그 하녀를 두고 에카이트가 먼저 입을 열었다.

“드레스룸으로 들어가 여기 걸린 검은색 예복을 입고 나와 보거라.”

“예?”

“지금 당장 입어 보도록.”

영문을 알 수 없는 명령에 다소 얼떨떨했지만 하녀는 빠르게 마네킹에서 옷을 벗겨 들고 드레스룸으로 사라졌다. 입는 방법이 생소했던지 시간은 조금 걸렸지만 이내 드레스룸의 문이 열리고 엉거주춤한 표정의 하녀가 나타났다. 검은색 예복을 입은 채였다. 옷은 약간 큰 느낌이었지만 고급스럽게 빛나고 있었다.

“안에 뭔가 입었나?”

“몸을 닦는 천으로 몸만 닦았습니다. 따로 다른 것을 걸치지는 않고 바로 입었는데……. 죄송합니다, 죽을죄를 지었습니다.”

질책당한다고 생각한 하녀가 거의 눈물을 흘릴 기세로 사죄하자 마음이 불편해진 내가 헛기침을 했다. 그러자 에카이트가 고개를 저으며 입을 열었다.

“아니다, 잘했다. 의도대로 되었다. 불편하거나 혹은 갑자기 아픈 부위는 없더냐.”

“예? 아니요, 전혀 없습니다. 옷이 매우 고급스러워 살에 닿는 느낌이 부드럽다 뿐이지 다른 것은 전혀…….”

“그래, 잘 알겠다. 다시 갈아입고 그만 나가도 좋다.”

에카이트의 허락에 허겁지겁 드레스룸으로 돌아간 하녀가 순식간에 옷을 갈아입고 뒷걸음질로 방에서 물러났다. 잠시 침묵이 흐르던 방에서 황태자가 먼저 입을 열며 침묵이 깨졌다.

"저주라든가, 뭔가 처리가 된 옷은 아닌가 보군."

"그래도 혹시 모릅니다. 아직 시간이 며칠 남았으니 저 하녀에게 별일 없는지 면밀히 관찰해 보고 확정해도 늦지 않습니다."

뭐? 저주? 처리? 오고 가는 말을 듣다가 뇌리를 스친 기억들에 입을 쩍 벌리고야 말았다. 그러고 보면 동방의 첩자는 알 수 없는 종이 쪼가리를 찢어 가며 희한한 주술을 부렸었다. 그런 재주는 우리에게 너무나도 낯선 것이었고, 그 재주의 종류나 한계에 대해서는 아는 바가 없었다.

그러니 미지에 대한 우려와 경계는 너무나도 당연한 절차인 셈이다. 주의성이 이 정도밖에 되지 않아서야. 새삼 반성하는 시간을 가진 내가 고개를 끄덕이며 그들의 의견에 동의했다.

하지만 영문도 모르고 불려 들어온 그 하녀를 생각하면 잘한 일인지는 모르겠다. 만약 정말 저주가 걸린 옷이었다면? 그 얼마나 끔찍한 일이 벌어졌을지 상상도 되지 않았다.

인명을 대함에 있어서도 냉정하고 망설임이 없는 두 사람을 보고 있자니 긴장감이 흘렀다. 물리적인 힘을 겨루며 상대와 목숨을 걸고 싸우는 기사인 나보다도 더 죽음에 익숙하고 가까운 태도에 그동안 너무 안일하게만 살아왔나 싶기도 하다.

생각이 어떻든 인정할 부분은 인정해야 했기에 고개를 끄덕이며 입을 열었다.

"죄송합니다, 식견이 부족해서 이제야 그 뜻을 파악했습니다."

"중요하지 않다. 지금부터 분명히 말하지만, 안전이 최우선이다. 아펠리아, 정말로 완전히 배제되고 싶은 것이 아니라면 주의하도록."

황태자의 경고에 깊게 고개를 숙였다. 안 그래도 모든 일에서 후

방으로 빠지라는 경고와 명령을 들은 지 얼마 되지 않은 상태라 이런 식으로 어떤 임무에 끼워 넣어 준다는 것 자체가 감개무량한 상황이었다. 앞으로 일을 제대로 해내지 못하면 정말 완전히 배제될 수 있는, 마지막 기회이기도 해서 마음이 초조했다.

잘해 내야 한다. 반드시.

내 비장한 표정을 힐끔 본 황태자가 에카이트에게로 고개를 돌렸다.

"자, 정말로 입을지 말지는 아펠리아가 이 옷을 입고 나섰을 때에 생기는 득과 실을 제대로 따져서 결정해 보지."

네? 입는 걸로 결정된 것 아니었나요.

에카이트의 말에 황태자와 그의 치열한 설전이 시작되었다. 결론만 말하자면 입는 쪽으로 기울었다.

다시 불려 들어온 봉뒤프베 부인이 준비에 대해 신신당부의 말들을 들으며 전의를 불태웠다. 비록 마지막 무도회이긴 했으나 가장 피곤한 무도회가 될 것 같아 도무지 기운을 낼 수가 없었다.

"자, 한번 돌아보실래요?"

봉뒤프베 부인의 요청에 따라 가볍게 몸을 한 바퀴 돌리니 그녀가 만족한 표정으로 고개를 끄덕였다.

검은색 비단이 살에 감기는 느낌이 묘했다. 오른쪽 허벅지 중간부터 발목까지 길게 트여 있었는데, 몸을 돌리자 천이 가볍게 들리며 속이 비쳤다.

검은색 예복으로 결정된 뒤, 봉뒤프베 부인은 의복이 아닌 액세서

리, 화장법, 그리고 머리 스타일링 연구에 남은 시간을 쏟았는데, 그 결과물은 가히 감탄할 만했다. 그녀가 가져온 것은 백금으로 만든 긴 막대였는데, 동방에서는 이것을 '비녀'라고 부른다고 했다. 우아하게 쭉 뻗은 막대 끝에는 녹색 보석을 달아 포인트를 주었다.

그 밑으로 붉은색 긴 술이 달려서 찰랑거리고 있었는데, 봉뒤프베 부인이 직접 디자인하여 보석상에 의뢰한 작품이었다.

그 비녀로 머리를 틀어 올리고 끝에 붉은색 보석이 붙은 짧은 비녀 몇 개를 더해 머리를 고정하자 단정하니 이전과는 다른 아름다움을 뽐내고 있었다. 뭘 해도 아름답…… 흠흠.

머리는 독특한 모양을 만들며 우아한 듯 화려한 느낌으로 변했다. 가운데 가르마가 어색하지 않게 당겨져 평소와는 다른 이미지를 주고 있었다.

귀에도 화려한 붉은 술로 만든 귀걸이를 걸고 눈가를 붉게 화장한 나는 그간 느끼지 못했던 것을 느끼고 있었다. 그것은 내가 혼혈이라는 것. 화장법이 바뀐 것뿐이었는데, 우리 칼라한 제국 출신들이 흔히 가지고 있는 인상의 특징이 거의 보이지 않아서였다.

붉게 칠한 입술과 창백한 피부, 짙고 가는 눈썹. 어색하지만 놀랄 만큼 어울린다. 이것은 나만의 생각은 아니었는지 봉뒤프베 부인이 먼저 입을 열어 칭찬했다.

"정말이지, 영애를 모르는 사람이 본다면 칼라한 제국 사람이라고 생각 못할 것 같아요. 완전히 이국적인 미인이 되셨어요."

"모두 부인의 노력 덕분이지요. 매번 감사하고 있답니다."

아무것도 모르고 한 말이겠지만 순간 놀랐다. 마음을 가다듬으며 겸손과 감사의 인사를 건네자 봉뒤프베 부인이 가볍게 고개를 젓고는 상자에서 검은색 비단 신을 꺼냈다. 마치 두껍고 목이 짧은 화려한 양말 같았다. 신발 코에는 진주가 달랑 매달려 제법 귀여웠다.

그 신발까지 신고 나니 완전한 외국인의 모양이다. 이리저리 스스로를 살피며 신기해하고 있는데 문 두드리는 소리가 들렸다.

"아기씨, 황태자 전하께서 도착하셨습니다. 이제 내려오셔야 해요."

이미 준비의 막바지였기에 두꺼운 여우 털로 만든 숄을 걸치며 방을 나섰다. 봉뒤프베 부인에게는 각별히 감사의 인사를 전한 후였다.

"혼혈은 확실히 혼혈이로군. 그동안 전혀 생각해 보지 못했는데."

함께 마차에 탑승한 황태자가 나를 보자마자 제일 먼저 한 말이 저것이다. 하긴, 나도 놀랐는데 남이라고.

이번 일을 통해 그 첩자가 그토록 말하던 '므네모쉬의 딸'이라는 칭호가 가깝게 느껴졌다.

그가 말한 것이 진실일 수도 있다는 생각이 들기 시작한 것이다. 내가 침묵으로 묵묵히 동의하자 황태자는 깊은 생각에 잠긴 눈치였다.

건너편에 앉은 그는 짙은 남색으로 된, 소매는 넓고 밑은 길게 떨어지는 치마 같은 옷을 입고 앉아 있었다. 재질만 아니었으면 목욕가운 같아 보일 수도 있겠다. 그 위로 긴 카디건 같은 붉은 겉옷을 걸치고 허리에는 두꺼운 비단 벨트를 차고 있었다. 이국의 의상을 걸쳤음에도 전혀 낯설지 않은 느낌. 여전히 칼라한 제국 사람으로 보이는 황태자를 보며 혼혈인 나와는 다르다는 것을 확실히 느꼈다.

"전하, 므네모쉬라고 혹시 아십니까?"

"……뭔 쉬?"

네, 모르시는 것으로. 고개를 짧게 끄덕이고는 다시 침묵을 지켰다. 무도회장이 가까워질수록 심장이 두근거리기 시작했다.

쏟아지는 시선 끝에 들리는 목소리들은 감탄과 놀라움이었다. 그리고 그 속엔 '어떤 사실'에 대해 수군거리는 목소리도 있었다.

내가 걱정했던 부분은 이런 부분이었다. 내 어머니의 출신과 신분에 대한 각인. 외국의 옷을 마치 현지인처럼 소화하는 것을 두고 다들 그 생각을 떠올렸을 것이다.

어머니가 만약 정말로 저 동쪽 나라 출신이라면, 대체 무슨 사연으로 이 먼 나라까지 흘러들어 오게 된 것일까.

잠시 생각에 잠긴 나는 이내 다시 현실로 의식을 끌어 올렸다. 옆자리의 황태자는 평소와 같이 느긋한 자태로 서 있었다. 하지만 전생을 포함해 제법 긴 시간을 모셔 온 내게는 매우 심기가 불편하고 곤두선 것이 느껴졌다.

"전하, 시장하진 않으십니까?"

"……저쪽이로군."

내 질문에 전혀 집중하지 않은 황태자가 한쪽으로 시선을 고정한 채 툭 내뱉었다. 그가 지칭한 저쪽을 향해 고개를 돌리자 익숙한 기운이 느껴졌다. 첩자였다.

마치 처음부터 이곳을 바라보고 있었던 것인지, 고개를 돌리기 무섭게 눈이 마주쳤다. 소름 돋을 정도로 깊고 음침한 눈동자는 자연스레 거부감을 불러일으켰다.

가만히 그를 노려보고 있는데 황태자가 성큼성큼 먼저 그쪽으로 걸음을 옮긴다.

"소감이 어떤가? 예정에 없이 그대들을 위한 무도회를 하루 더 연 셈인데."

옷을 만드는 재료 자체도 구하기 힘들고 귀해서 확연히 적은 인파만 참여한 마지막 무도회는 동방에서 급히 데려온 귀족들이 눈에 띌 만큼 전체적인 참석자의 수가 부족한 상황이었다.

이미 조기에 귀국한 사절단들도 제법 있고 말이다. '중매'의 목적이 있는 무도회였으나 아직 어떤 곳인지 알려진 것이 없는 동방 국가와 결혼을 맺고 싶은 귀족은 없었을 것이니 더더욱 그랬다.

황태자의 날 선 생색에 첩자가 비스듬히 웃는다. 상대적으로 짙은 피부색에 검은 눈동자. 대륙에서 볼 수 없는 어두운 조합이라 익숙하지 않아서 그런지 괜히 거부감이 든다. 그냥 이 사람에 대한 거부감인가?

"감사하게 되었소. 덕분에 좋은 구경할 기회를 얻었지. 잘 맞는군, 그 옷."

이질감이 드는 억양으로 위아래로 훑어보며 노골적인 평가를 내는 첩자를 보고는 나도 모르게 주먹이 나갈 뻔했다. 와, 치안대를 부르고 싶을 만큼 변태 같았다.

에카이트는 먼저 와 있겠다고 했던 것 같은데 대체 어디에 숨어 있는 건지. 내가 주먹을 움찔거린 것을 아는지 모르는지 황태자는 더 큰 빈정거림으로 대답했다. 하긴, 황태자보자 더 잘 빈정거리는 사람을 본 적이 없다.

"나야말로 덕분에 좋은 구경하고 있지. 역시 아펠리아는 칼라한 제국의 옷을 입었을 때에 빛이 나더군. 이런 낡은 비단으로 만든 고루한 의복 말고 말이지."

황태자의 말에 놀랄 만큼 인상을 구긴 첩자가 순간 살기를 내보냈다. 옷을 폄하한 것에 대한 분노인지, 아니면 그 소속에 대한 말 때문인지는 모르겠다.

아무튼 분명한 것은 그가 분노를 여실히 드러내고 있다는 점이었다. 하지만 이내 그 살기를 감쪽같이 감춘 그가 다시 여유로운 목소리로 돌아와 입을 열었다.

“뭐, 그거야 생각하기 나름이 아닐지. 본인이 보기에는 이쪽이 더 어울리니 말이오.”

두 사람이 계속해서 신경전을 이어 가고 있는데 뒤에서 쏟아지는 시선들이 특이하다. 놀라움과 분노, 질투가 섞인 여자들의 표정과 경악한 표정의 남자들. 뭘까. 분명 무엇인가 있었다.

살펴보았지만 답이 떠오르지 않았다. 시선을 돌려 끝날 것 같지 않은 두 사람의 신경전을 제지하기로 했다.

“제가 어디 옷이 더 어울리는 것이 무슨 대수입니까. 어차피 칼라한 제국에 뿌리를 둔 귀족에 불과한 것을요. 아무리 ‘장미 같다.’, ‘해바라기 같다.’ 비유를 해 봐야 결국 사람은 사람일 뿐. 그렇지 않은가요?”

내 정리에 황태자가 이겼다는 승리의 표정을 짓는다. 반대로 첩자는 입을 꾹 다문다.

“그렇다는군.”

“그거야 끝날 때까진 모르는 법이 아닐까 하는데 어찌 생각하시려나 모르겠습니다.”

와, 집요해. 저 집착. 포기를 모르는 첩자를 바라보다 나와 내 옷에서 시선을 놓지 못하는 동방의 손님들을 보며 묘한 확신을 얻기 시작했다.

이 옷, 혹시 중요한 의미를 가진 옷인가? 유명한 누군가의 옷이거나……. 분명한 것은 흔한 옷은 아니라는 것이었다.

여기에 더해 내 얼굴을 바라보는 시선들까지. 막연한 추측이기는 하지만, 그들이 아는 누군가를 닮아서 그렇게 보는 걸지도 모른다는 생각이 들었다. 호기심과 긴장감에 등이 곧추서는 것이 느껴졌다.

첩자와 황태자의 팽팽한 대치가 지속되는 중 들리는 단어가 있었다.

므네모쉬.

다른 말들은 현지어로 속닥거리고 있어서 알아듣지 못했지만 그 중 '므네모쉬'라는 단어가 간간이 귀에 들어왔다.

단순히 저 첩자의 착각이 아니라 저들이 보기에도 나와 그 므네모쉬라는 사람이 서로 연관되어 보인다는 것일까. 혼란에 접어들기 직전에 익숙한 목소리가 들린다. 에카이트였다.

"혹시나 했지만 역시나. 다들 제 약혼녀에게 옷을 선물하는게 취미신가 봅니다. 무슨 일만 있다 하면 옷을 한 벌씩 보내오니 말입니다. 보낸 성의를 생각해서 입으라고 했는데 그 뜻이 그처럼 불쾌한 줄 알았으면 말렸을 겁니다."

직선적인 비난에도 첩자는 눈 하나 깜짝하지 않고 받아친다.

"언제 내가 그대의 약혼녀에게 옷을 선물했다는 것인지 모르겠군. 물건이 돌고 돌아 원래의 주인을 찾아간다는 말을 알고 있는지 모르겠군. 혹시 아나. 저 옷이 돌고 돌아 주인을 찾아간 것일지."

황태자의 입가가 씰룩거리는 것이 심각하게 심기가 불편해 보였다. 말하는 투나 태도나, 정말 최악의 상성을 자랑하는 것 같다. 에카이트와도 딱히 좋은 상성은 아닌지 그의 표정도 무뚝뚝한 무표정에 가깝다.

할 말, 못할 말 가리지 않고 내뱉는 상대를 오랜만에 봐서 더욱 그런 것 같다. 하고 싶은 말을 다 한 첩자는 세상 편한 표정으로 우리를 바라보고 있었다.

"재미있는 논리로군. 그러다 도둑질도 합법이라고 하겠어. 교역에 대해 다시 생각해 봐야겠군."

"황태자께서 도둑질에 대해 논하다니 기가 다 막히는군."

두 사람 다 살벌한 미소를 짓고 있었지만, 멀리서 이 사태를 관망하는 참석자들은 화기애애하게 웃으며 대화를 나누는 줄 알겠지.

왜인지 모르겠지만 동방 사람들은 이젠 대놓고 나에게 삿대질을 하기 시작했다. 내가 뭐, 왜! 난감한 표정을 지었지만 아무도 신경 쓰지 않는 것 같다.

가까이 있는 사람뿐 아니라 무도회장의 모두가 내게 주목할 기세라 에카이트가 나섰다.

"참된 도둑질이 무엇인지를 논하기 전에 부디 자국 참석자들의 행실부터 어떻게 좀 해 주었으면 하는데, 지나친 부탁입니까?"

찬물을 끼얹는 에카이트의 말에 황태자와 첩자의 대화가 잠시 멈추었다. 노골적으로 손가락질하는 자국민을 발견한 첩자가 인상을 찌푸렸다. 그 기회를 놓치지 않고 황태자가 얄밉게 톡 쏜다.

"그렇다는데?"

"다들 뭐 하는 짓이지?"

황태자의 얄미운 말과 거의 동시에 첩자가 낮은 음성으로 말을 내뱉었다. 그것은 놀랄 만큼 살기 어린 음성이었다. 전혀 알아들을 수 없는 언어였지만 그가 강한 분노를 표출한 것은 충분히 알 수 있었다.

그의 말에 소스라치게 놀란 사람들은 바닥에 이마가 닿을 정도로 몸을 낮추고 있었다.

이렇게 여러 국가가 모인 무도회장에서 우리랑 이야기하다가 그런 식으로 나오면 다른 사람들이 어떻게 생각하겠어?

뭐, 아까부터 대놓고 삿대질까지 해 대며 난리를 부린 사람들이 그런 것을 생각했을 리 없지.

일단 사태를 수습하는 것이 먼저다. 나는 다급하게 첩자를 불렀다.

"그만두게 하십시오. 자국민이 타국에서 추태를 부리는 것을 막는 것이 최소한의 예의이자 지도자의 역할이 아니겠습니까."

내 말에 첩자가 낮은 음성으로 뒤도 돌아보지 않고 일어나라는 말을 툭 내뱉었다. 그의 말에 바닥에 몸을 납작 숙인 남자가 엉거주춤 몸을 세워 똑바로 섰다. 그를 본 다른 사람들도 함께 몸을 일으켰다. 자세를 바로 한 사람들을 돌아보던 첩자가 날 바라보며 말했다.

"우리에겐 당연한 예의이고 지켜야 할 덕목이나 그대가 그만하라고 하니 어쩔 수 없지. 감히 분수를 모르고 행동하는 자들이 그 목숨을 부지할 방법은 납작 엎드려 공손히 보이는 것밖에 없지 않은가."

잔인하고 원초적인 그의 통치 논리가 엿보이는 대목이었다. 황태자와 에카이트를 바라보던 우리 제국식 인사를 건넨다. 과장된 몸짓이 마치 희극처럼 불쾌한 여운을 남긴다.

"오늘의 대화를 통해 제국은 내가 돌려받고 싶어 하는 것이 무엇인지 알고 있으나, 자발적으로 돌려줄 생각이 없음을 확인했소. 그렇다면 내 능력껏 되찾는 수밖에."

"오르지 못할 나무에 침을 흘리는 꼴이 추하군. 다시 보지 않길 바라네."

매섭게 받아치는 황태자를 무시한 첩자가 나를 뚫어져라 바라보며 또박또박 말한다.

"다시 보지, 므네모쉬의 딸."

"아펠리아 폰디체리입니다. 볼 일 없었으면 좋겠군요."

"글쎄, 그건 두고 볼 일이지."

감출 수 없이 사나워진 분위기 끝에 오늘 무도회의 주요 인물들인 황태자와 동방의 사신들이 일제히 퇴장하는 것으로 상황은 마무리 되었다. 그 모습을 본 다른 참석자들도 슬금슬금 자리를 뜨면서 무도회는 아주 이른 시간에 끝나게 되었다. 이 정도면 실패라고 봐야겠지.

많은 것을 알아낸 무도회는 아니었으나 확인하기엔 충분한 무도회였다.

그렇게 마지막 무도회가 정리되고 모든 사신들이 자국으로 돌아갔을 무렵, 아카데미로 떠날 사람들의 명단이 공지되었다.

나와 같은 기사단 소속의 넬슨, 앤드류, 그리고 황제를 수호하는 제 1 기사단의 조슈아였다.

예상했던 바와 같이, 그리고 기대했던 것과는 달리 나는 거기에 없었다.

물론 그렇다고 해서 가만히 있을 생각은 없다. 반드시 갈 거다. 왜냐하면 에카이트가 실수한 척 슬쩍 보여 준 각국의 아카데미 인물 목록에 그 첩자가 있었기 때문이다. 거기에 의하면 그자의 신분이 동쪽 나라의 왕자이자 군부 총사령관으로 나와 있던데. 생각보다 높은 신분이었다. 보통 이 정도 고위직은 아카데미에 참여하지 않는다. 분명 무슨 다른 꿍꿍이가 있다는 말이리라.

호랑이를 잡으려면 호랑이 굴에 들어가라고 했다. 다음 교대 시간이 넬슨과 겹치는 것을 계산하며 기사단복으로 갈아입었다.

09. 약속 이행

09. 약속 이행

작전 개시다. 교대 시간이 되어 인수인계를 마친 넬슨이 소지품을 챙기고 있다. 은근히 옆에 다가가 소지품을 정리하는 척하면서 의도적으로 인기척을 내자 넬슨이 힐끗 내 쪽을 바라본다. 우연을 가장해 고개를 돌리자 눈이 마주친다. 지금이다.

"넬슨 경, 요즘 아버지는 어떠십니까?"

"……늘 그렇듯 좋진 않으십니다. 걱정해 줘서 고맙습니다."

차마 대답하지 못하던 넬슨이 입을 열었다 닫았다를 반복하다 한숨과 같이 대답한다.

마음의 준비가 되어 있을 것 같지만, 실상은 그렇지 않다. 오랜 시간 간호를 하면서 언제 어떻게 될지에 대한 불안감을 계속 안고 있을 것이다. 마음고생 많았겠지.

하필이면 이때 병석을 지키기는커녕 아카데미라는 먼 중립 구역으로 보내져서 외출도 쉽지 않은 여건에 처하다니 갑갑해 죽을 노릇일 것이다. 미안하지만 그런 넬슨의 사정을 이용할 계획이다.

"이런 상황에서 먼 길을 가야 한다니 영 마음이 좋지 못하군요. 병문안을 겸해 술이나 한잔할까 하는데 괜찮으실 때 초대를 부탁드려도 될까요."

"배려는 고맙습니다만 말 그대로 상황이 좋지 않아서……."

계획이 어긋나는 건 아닐까 속이 타들어 갔지만 애써 티 내지 않고 순순히 고개를 끄덕였다. 너무 질척거리면 다른 목적이 있나 의심받을 수도 있고 특히 내가 그를 유혹하려 했다는 엉뚱한 소문이 돌 수도 있기 때문이었다.

"그럼요, 경의 마음 십분 이해합니다. 괜찮다면 저택으로 약을 좀 보내드리고 싶은데……. 부상의 위험이 큰 기사다 보니 치료에 대한 것이 잘 갖춰져 있어 도움을 줄 수도 있지 않을까 해서요."

내 말에 솔깃한 기색을 숨기지 못한 넬슨이 잠시 망설인다. 옳지, 옳지!

"그렇게 말씀해 주시니 가까운 시일 내에 초대장을 보내겠습니다. 염치 불고하지만 그 도움, 감사히 받겠습니다."

그를 대신해 가는 방법이 가장 좋을 것이라 판단한 나는 넬슨을 흔들 수단으로 그의 아버지를 노렸다. 미리 넬슨의 아버지가 앓고 있는 병환에 도움이 되는 약재를 찾아 구해 둔 것이다.

경우를 중요시하는 기사들에게 이런 식의 호의를 베풀면 반드시 그에 상응하는 호의를 되돌려 주려 한다. 한 번 거절하기에 걱정했는데 생각보다 쉽게 방문을 승낙하는 넬슨을 보며 속으로 쾌재를 불렀다.

그렇게 말한 지 삼 일째. 넬슨에게서 초대장이 날아왔다. 아카데미로 가는 날이 정해져 있어서 그런지 빠르고 신속한 움직임이었다.

그만큼 아버지의 상태가 심각하고 절실한 것은 아닌지 걱정도 함께 든다. 개인의 계획과 목적 때문에 시작된 호의이지만 부디 그 호의가 정말로 도움이 되길 바랄 뿐이었다.

겨울이 거의 끝나 갈 무렵이지만 아직은 바람이 차가워 옷을 단단히 여미고 나왔는데도 코끝이 찡할 정도로 바람이 매섭다.

"생각보다 멀구나……. 방한구를 제대로 챙길걸. 제법 춥네."

희미하게 보이기 시작한 넬슨의 자택을 보며 혼잣말을 중얼거렸다. 그리고 하얀 갈기를 휘날리며 콧김을 씩씩거리는 클로버를 독촉해 길을 서둘렀다. 클로버도 제법 추웠는지 평소보다 빨리 걸음을 옮겼다.

"이 추운 날씨에 먼 곳까지 오시느라 고생 많으셨습니다."

머리가 희끗한 집사가 겸손하게 말하며 말에서 내리는 나를 에스코트했다. 동시에 추위에 고생한 클로버를 마구간으로 옮겨 쉴 수 있게 해 주었다. 노련한 집사다.

"따뜻하게 맞이해 주어 고맙네. ……바로 넬슨 경을 만나 볼 수 있겠나?"

"지금 의원에게 진료받고 있는 자작님 곁에 계십니다. 당장 부르겠습니다."

추워서 서두르다 보니 약속한 시간보다 일찍 도착하고 말았다. 그러다 보니 아직 앞선 일정을 마치지 못한 모양이다.

다른 일도 아니고 아버지의 병환과 관련된 일이라니 차마 재촉할 수 없었다. 저택 구경하며 기다리지 뭐. 하지만 내가 저택에 도착하자마자 그에게 소식이 간 모양인지, 평소보다 편안한 복장의 넬슨이 빠른 걸음으로 다가오고 있는 것이 보였다.

에고, 괜히 미안하네.

"아펠리아 경. 기다리게 했습니다."

"아닙니다. 제가 날씨가 춥다고 너무 서둘러 움직인 바람에 공연히 폐를 끼쳤습니다."

서로 정중한 인사를 주고받은 뒤 응접실로 안내를 받았다. 당연한 얘기지만 우리 공작가나 황궁에 비해 규모가 작아 금방 목적지에 닿았다. 다소 낡고 소박하지만 그 세월에 새겨진 기품이 느껴지는 저택이었다.

"앉으십시오. 무엇을 드시겠습니까?"

"네, 종류는 상관없으니 차로 부탁합니다."

취향을 묻는 넬슨의 질문에 단호하게 차를 부탁하며 소매에 숨겨 온 비장의 도구를 확인했다. 그 비장의 도구는 다름 아닌 수면초 가루였다.

계획은 이렇다. 우선 넬슨에게 아카데미 입학장을 보여 달라고 조른다. 그가 자리를 비운 사이 차에 수면초 가루를 타, 차를 마신 그가 잠들면 그대로 입학장을 들고 아카데미로 향하는 것이었다.

에카이트도 넬슨 대신 내가 가는 것이 옳다고 동의하긴 했지만 딱히 그 방법에 대해서는 힌트조차 주지 않았다. 그 힌트를 받고자 그에게 아쉬운 소리를 하는 것도 빈정이 상해서 홀로 계획을 세우다

보니 이런 어설픈 계획이 완성된 것이다.

여하튼 공들여 세운 이 계획을 위해 추운 날씨를 탓하며 클로버의 안장 아래 방한복을 한 벌 더 챙기고 장거리 승마를 위한 장비도 챙겼다. 그런 묵직한 짐에다 날씨까지 추웠으니 성격 나쁜 클로버가 협조적으로 목적지에 도달한 것은 사실 기적에 가까웠다.

아카데미까지는 육로로 일주일, 먼저 출발한 일행과 벌어진 거리는 만 하루.

날씨가 추워 선발대의 움직임이 느리다고 가정해도 금방 따라잡을 수 있는 거리는 아니었다. 이렇게 여기서 시간을 지체하고 있을 여유는 없다.

"아버지께서는 좀 어떠십니까? 곧 멀리 가셔야 하는데 차도가 있으면 좋을 텐데요."

"……마음 써 주셔서 감사합니다. 먼저 떠난 아내도 그렇고, 어머니도 그러셨듯이 딱히 나쁘지도 좋지도 않은 상태로 시간만 끌고 있어 조마조마합니다."

"경의 마음이 느껴져 마음이 아픕니다. 부디 제가 준비한 약재가 조금이나마 도움이 되었으면 좋겠습니다."

말을 꺼내며 품에서 작은 약재를 꺼내자 넬슨이 흥분한 기색을 다 감추지 못하고 선뜻 받는다.

공작가에서 쓴다는 약재라면, 그간 사용해 본 약재와는 다른 약재가 아닐까, 더 효능이 더 좋지는 않을까 하는 기대감이 있을 터였다. 그리고 그 기대감은 다행히 실망으로 이어지지 않았다. 잠시 양해를 구한 그가 약재를 풀어 보고 밝은 표정을 지은 것을 보며 확신했다.

"약재가 참 좋아 보입니다. 이것 참, 감사합니다. 아펠리아 경에게 이런 신세를 질 줄은 몰랐습니다."

"아닙니다. 같은 기사단에 있으면서 너무 늦게 아는 척해서 미안합니다. 혹시 효과가 괜찮다면 편히 말씀해 주시지요. 넉넉히 보내드리겠습니다."

오늘 가져온 약재는 가격이나 희소성이 엄청나서 어지간한 귀족도 쉽게 구할 생각을 하지 못하는 것이었다.

짧게 회복을 위해 쓰는 것이라면 몰라도 오랜 병을 앓고 있다면 오히려 쓸 엄두가 나지 않는 약이기도 하다. 좋은 약을 쓰다가 다시 그보다 떨어지는 약을 쓸 때 오는 반작용이 무섭기 때문이다. 그런 약을 몸에 맞기만 하면 계속 주겠다고 하니 얼마나 고마울까. 물론 그 약을 약점 삼아 무언갈 요구할 확률이 있지만, 지금 그런 것을 가릴 만큼 여유로운 상황은 못 될 것이다.

거기에 준다는 사람이 재력에 부족함 없는 동료 폰디체리 공녀이니 부담도 덜할 것이고 말이다.

약재를 살피던 넬슨이 노크 소리에 고개를 들자 준비시켰던 차가 방으로 들어온다. 나는 소매에 숨긴 비장의 무기를 다시 한 번 손가락으로 쓸며 아까부터 마르기 시작한 입가를 혀로 핥았다.

"제가 우릴 테니 경은 의원에게 약재를 전달해 주고 오시지요. 의원이 아직 있을 때 자작께 드리는 것이 좋을 것 같습니다."

내 말에 넬슨이 움찔한다. 아직까지 의원이 저택에 남아 있을 것 같아 던진 말인데, 반응을 보아하니 정말 그러한가 보다. 확신에 찬 나는 그를 독려했다.

"한시가 급한 일이 아닙니까. 곧 아카데미로 떠나실 텐데, 하루라도 빨리 약을 드시고 건강해진 모습을 봐야 하지 않겠습니까."

"……맞습니다. 그럼 염치 불고하고 다녀오지요. 부디 차는 그대로 두십시오. 제가 다녀와서 다시 내겠습니다. 면목 없게 됐습니다."

"아닙니다. 애초 약재를 전해드리려고 온 것인데요, 뭘. 천천히 다녀오십시오."

내 호의적인 반응에 깊이 머리 숙여 인사한 그가 허겁지겁 방을 나섰다. 방문이 굳게 닫힌 것과 그의 기운이 멀어지는 것을 마나로 감지한 나는 신중하게 소매에 숨긴 수면초 가루를 꺼내 넬슨의 차에 탔다.

녹색 가루가 갈색 찻물에 흐릿하게 녹아서 사라진 것을 확인하고는 곁들여 나온 우유와 꿀을 한 스푼씩 넣었다.

녹색 가루 자체에 쓴맛이 있어 차를 그냥 두었다간 금세 들킬 것이다. 나를 의심하지 않더라도 사용인을 의심하게 될 텐데, 괜한 사람 곤란하게 만들 순 없어 꿀을 한 스푼 더 넣었다.

'똑똑.'

"네, 들어오십시오."

"미안합니다. 방금 막 의원이 떠나려던 차라 다행히 전달할 수 있었습니다."

"그것참 다행입니다. 아직 차가 따뜻합니다. 함께 드시죠."

내가 마나로 찻주전자를 가볍게 덥히는 것을 보던 넬슨이 고개를 끄덕이며 문제없다는 표정으로 다시 자리에 앉았다. 내가 찻잔에 잔을 따르기 전에 막 기억났다는 태도로 움직임을 멈추고 넬슨을 바라봤다.

"아, 그러고 보니 넬슨 경. 혹시 아카데미에서 온 초청장을 볼 수 있을까요? 궁금한데 누구에게 보여 달라 청할 수가 없어서……."

"제 방에 보관해 두었는데 잠시 기다리시면 가져오겠습니다."

다소 부담스러울 수 있는 부탁임에도 바로 들어주겠다고 하는 넬슨을 보며 속으로 만세를 외쳤다. 방을 나선 넬슨이 다시 돌아왔을 때엔 양손에 이것저것 들려 있었다. 나는 천천히 찻잔에 차를 따르며 그를 반겼다.

"이번 아카데미 입학과 관련하여 온 서류들입니다. 궁금하면 한 번 쭉 보셔도 좋습니다."

"이런 호의를……. 감사합니다. 차, 드시지요."

찻잔을 앞으로 밀어 주며 그가 내민 서류들을 천천히 훑어보았다. 받아 보니 입학장과 초대장, 그리고 학과 과정이 적힌 서류로 총 세 개였다.

서류를 열어서 내용을 확인하니 딱히 넬슨을 지목한 것이 아니라 서류 하단에 본인의 신상명세 등을 직접 기입하고 서명을 하는 방식이었다. 하긴, 시간도 촉박한데 누가 보내질지도 잘 모르는 아카데미, 미리 이름을 써 놓고 서류를 만들 순 없었겠지. 이 모든 상황이 내 계획과 너무도 잘 맞아 도리어 걱정이 될 지경이었다.

이 서류만 들고 아카데미에 무사히 도착하면 된다. 순조롭게 진행되는 계획에 흐뭇하게 웃고 있는데 시선이 느껴졌다. 아차, 넬슨이 아직 있었지. 고개를 들자 찻잔을 든 채 가만히 앉아 있는 넬슨이 보였다.

삼 분의 일이나 줄었을까, 차의 양이 거의 그대로다. 아차. 가루의 맛만 가리면 뭐 하는가. 충분히 다 마셔야 효과가 있는 거지. 눈이 마주치자 은근슬쩍 찻잔을 내려놓는 넬슨을 보며 다급해진 내가 먼저 선수를 쳤다.

"흥미로운 서류로군요. 잘 봤습니다. 그런데 차가 입에 안 맞으십니까? 별로 드시지 않았군요."

"……아, 그런 것이 아니라. 맛은 괜찮습니다."

내 말에 당황한 넬슨이 고개를 저으며 냉큼 차를 마저 마신다. 입맛을 쩝쩝 다시는 모양이, 맛있게 먹는 척을 할 수준도 못 되나 싶어서 조금 민망해졌다. 빈 찻잔을 내려놓는 넬슨을 보며 말을 걸었다.

완전히 약발이 돌 때까지 시간을 끌어야 했다.

"준비물이 제법 많던데, 다 준비하셨습니까?"

"많다고 할 것도 없습니다. 반년에 한 번꼴로 잠시 집에 돌아올 수 있다는 걸 생각하면 저 정도만 챙기라는 것이 오히려 다행이지요. 대부분은 제공하겠다는 얘기인 것 같습니다. 뭐, 가서 보고 영 아니면 가문에 부탁해 받아 쓰면 되는 것이니까요."

아, 그렇구나. 그 말에 고개를 끄덕이며 인정했다. 챙겨야 할 준비물 아래에는 '아카데미 제공 가능'이라는 메모가 함께 붙어 있었다. 기본적인 것은 제공해 주지만, 까다로운 취향을 가졌다면 개인 물품은 알아서 챙겨 오라는 뜻이겠지.

내가 이해했다는 듯 고개를 끄덕이자 넬슨도 더 말하지 않았다. 약발이 도는지 그가 미간을 찌푸리는 모습을 포착했다. 하지만 맛없는 차 때문에 그러는 것인지 정말 약발이 돌아 그러는 것인지 확신할 수 없어 다른 이야기를 꺼내 좀 더 시간을 끌기로 했다.

"기억하기로 다른 형제는 없었던 것 같은데, 외동이십니까?"

"……지금은 그렇습니다."

아이고. 잘못 건드렸다. 지금은 그렇다는 한정 용법으로 지금은 형제가 없다는 것을 표현한 넬슨을 보며 난감한 미소를 지었다. 아니, 이 가문에는 무슨 저주라도 내렸나. 명색이 귀족 가문치고는 단명한 사람도, 병에 걸린 사람도 많은 것이 정말 불운의 아이콘이라고 해도 무관할 지경이었다.

하긴 그래서 아카데미에 보내질 인력으로 추려진 것일 수도 있다. 배경은 좋지 못하나 직책은 제법 그럴싸해 보이기 좋고 문제가 생겨도 큰 뒤탈은 없는.

자원한 황제 기사단 소속의 조슈아를 제외하고 앤드류 또한 사업이 망해 빚이 많이 늘어난 가문의 막내아들이었다. 내가 난감한 미소를 짓는 것을 본 넬슨이 피식 웃으며 가볍게 말을 덧붙였다.

"세상의 빛도 보지 못한 아이였으니 그리 염려치 않아도 됩니다. 임신 중인 어머니께 갑작스레 병환이 닥쳐 그대로 돌아가셨지요."

"……유감입니다."

유감이라는 말 말고는 달리 할 수 있는 대꾸가 없어 애도의 표정을 지으며 잠시 고개를 떨궜다. 신경초 가루는 단순한 신경 안정성 수면제에 불과했는데 마치 자백하는 약을 마신 듯, 넬슨이 다음 말을 꺼낸다.

물론 신경 안정성 성분과 자백을 돕는 약의 주요 성분은 크게 다르지 않았다. 아무튼 넬슨이 무덤덤하게 이야기하는 것치고 너무 내용이 무거웠던지라 듣는 내내 속으로 눈물을 흘렸다. 화제 전환 실패다.

"아시겠지만 제가 일찍 결혼한 아내를 먼저 보내지 않았습니까. 경이 아직 어렸을 때의 일이라 잘 모르시겠지만……. 태어날 아이의 성별이 무엇일지 함께 고민하던 게 아직도 엊그제처럼 느껴집니다."

"……아, 임신 중이셨던 건 몰랐습니다."

이미 세상을 떠난 지 몇 년 된 넬슨의 아내 이야기까지 나오자 그가 약에 취해 잠드는 걸 기다리기보다 목덜미를 후려치는 편이 낫지 않을까 고민하게 되었다. 내 침울한 응대에 넬슨이 고개를 끄덕이며 슬쩍 미소를 짓는다. 씁쓸한 웃음에 마음이 더욱 무거워졌다.

"너무 오래된 이야기니까, 경이 모르시는 것도 당연합니다. 마지막 순간 아내는 울며 부탁했습니다. 아이를 낳다가 선택의 기로에 서면 꼭 아이를 선택해 달라고."

여자는 약하지만 어머니는 강하다고 했다. 얼마나 강한 모성인가. 내 어머니도 크게 다르지 않았다고 한다. 쇠약해진 몸이 출산을 견디지 못할 것 같자, 자신보다는 아이를 우선해 달라는 당부 끝에 간신히 출산을 마치고 오래지 않아 세상을 떠났다고 했다. 그 이야기가 떠올라 내 입맛도 씁쓸해졌다.

"이해합니다. 제 어머니도 그러셨다고 들었습니다."

내 씁쓸한 대답에 넬슨이 고개를 끄덕이며 자조적인 미소를 지었다.

"병환 초반에 약을 썼다면 금방 나았을지도 모르지요. 하지만 아이 때문에 약 한번 제대로 써 보지 못하고 세상을 떠났습니다……."

아……. 임신하면 약을 못 쓰는구나. 잘 몰랐던 사실을 알게 된 나는 그만 울컥했다.

우리 어머니도 그랬을까? 약을 썼으면 충분히 나았을 병을, 배 속의 내가 잘못될까 봐 참고 버티다 병을 키우고, 결국 그 병 때문에 세상을 떠난 것은 아닐까?

만약 그렇다면 그 모든 과정을 본 아버지는? 내가 얼마나 밉고 원망스러울까. 어떻게 날 사랑할 수 있었던 걸까. 내 혼란스러운 표정을 본 넬슨이 빈 찻잔을 만지작거린다. 이번엔 내가 먼저 질문을 던졌다.

"만약에 말입니다, 경. 만약에……. 정말 만약에 아이만 살았다면 어땠을 것 같습니까?"

"……미울 것 같습니다. 아니, 아니. 모르겠습니다. 너무 혼란스러워서 차마 아이를 볼 용기가 없을 것 같아서요. 아내가 그토록 애를 쓰며 지킨 아이니까 소중하면서도, 그 아이 때문에 아내를 그렇게 보냈다고 생각하면……."

생각만으로도 혼란스러워 보이는 넬슨을 묵묵히 바라보는데 그가 찻잔에 헛손질하는 모습이 눈에 들어왔다. 약발이 돌기 시작한 것이다. 기다렸던 결과이기는 하나 물었던 질문의 답을 듣고 싶었기에 그를 독려했다.

“아이를 사랑할 수 있었을까요? 그 아이가 예뻤을까요?”

“……모르겠습니다. 사랑하기도, 미워하기도, 너무 힘들었을 것 같습니다. 사랑하려니, 그 아픈 기억이…….”

“넬슨 경?”

이제야 약발이 도는지 넬슨이 휘청거리는 몸을 뒤로 기대며 잠들었다. 고른 숨소리를 들으며 그를 지그시 바라보았다.

증거를 남겨선 안됐기에 주전자에 남은 차를 마나의 힘으로 가열해 증발시키기 시작했다. 공기 중에 퍼지는 약물을 피하고자 소매로 입과 코를 가렸다.

모든 것이 사라진 것을 확인하고는 입과 코를 가린 손을 내린 다음 서류를 품 안에 갈무리했다. 두툼한 겨울 코트에 짐승의 털로 만든 털옷을 두르니 서류는 보이지도 않는다.

태연하게 자리를 정리하고 밖으로 나섰다. 혼자 나가는 모습을 본 집사가 잽싸게 뒤를 따라왔다.

“벌써 가십니까.”

“넬슨 경이 피곤했던 모양인지 대화 중에 잠들어 버렸네. 차마 깨우기도 미안해서 조용히 일어나던 참이니 가서 이불이라도 좀 덮어 주게.”

내 말에 놀란 집사가 허리를 굽신거리며 대신 사과한다. 아니, 이건 내가 사과할 일인데. 공연한 사과를 받으니 민망하다. 당장 그에게 돌아가 이불을 덮어 줄 기세인 집사를 붙잡기 위해 입을 열었다. 할 건 해 주고 가야지.

“넬슨 경에게 가기 전에, 내 말 좀 꺼내 주고 가시게.”

“네, 물론입니다. 기다리고 계시면 바로 준비해 드리겠습니다.”

기다리고 있자니 마구간에서 제법 좋은 대접을 받았는지 기분이 좋아 보이는 클로버가 나를 반겼다.

클로버의 등에 올라타 집사의 배웅을 받으며 빠르게 저택을 빠져나갔다. 그리고 익숙한 길로 걸음을 돌리는 클로버의 고삐를 당겨 집과는 정반대 길로 달리기 시작했다. 의심이 많은 녀석이 투레질을 종종 하였으나 손꼽히는 명마라 그런지 금방 상황에 적응해 내가 모는 대로 달려 나갔다.

겨울의 해는 짧다. 곧 해가 질 것을 감안해 빠르게 수도를 빠져나갈 계획을 세우며 속도를 더욱 높였다.

"알았어, 알았다고. 곧 쉴 거니까 조금만 더 참자."

급한 마음에 밤에도 쉬지 않고 말을 달려 단숨에 수도 옆 마을에 도착할 수 있었다.

추운 날씨에 찬바람을 계속 맞아 머리도 띵했고 클로버도 단순한 고집을 넘어 육체적 한계에 닿은 듯 미적거리고 있었기에 더 나아가는 것은 무리였다.

여관, 여관을 찾자. 너무 늦은 시간이라 아직 주인이 깨어 있는 여관이 있을지 모르겠다.

공녀라는 것을 들키지 않기 위해 가문의 문장을 숨기긴 했는데, 어디서 어떻게 들킬지 모를 일이다.

"얼굴은 어떻게 가리지. 완전 다 가리면 완전 수상할 거 같은데."

이대로 들어가면 폰디체리 공녀가 나타났다는 소문이 동네방네

퍼질 것이다. 어떻게 몰래 나왔는데, 그럴 순 없어! 노숙을 할 수도 없고 고민은 점점 더 깊어졌다.

"이럴 줄 알았으면 텐트라도 하나 챙길걸."

후회하던 끝에 멀리서 여관 간판이 흔들리는 것을 보고 밑져야 본전이라는 생각으로 클로버를 몰았다.

'끼익.'

오랜 세월 여닫히느라 길이 든 문이 미미한 소음을 내며 열렸다. 다행히 잠겨 있지는 않네. 여관 중 몇몇 곳들은 보안이나 치안의 문제로 일정 시간이 지나면 문을 안에서 잠그곤 했다.

희망을 가지고 안으로 들어서자 카운터에서 졸고 있는 한 중년 남자가 보였다. 다행이다. 카운터가 비어 있으면 정말 손 쓸 방법이 없었을 건데.

카운터로 다가가 큼큼 헛기침 소리를 냈다. 하지만 제법 깊게 잠든 모양인지 일어날 기미가 보이지 않아 아예 크게 발을 굴렀다.

'쿵쿵!'

"어이쿠, 세상에!"

자리에서 벌떡 일어나는 남자를 보고 꽤 놀랐지만 내색하지 않고 묵묵히 서 있자 그제야 앞에 선 날 인식한 남자가 잠이 덜 깬 눈을 비빈다.

추운 겨울이니 털옷으로 온몸을 꽁꽁 싸맨 차림이어도 의심받지 않을 것이다.

"숙박하시게요?"

"……가능한 방이 있습니까."

"마침 하나 비었습니다만 넓진 않습니다요."

"그건 상관없습니다만 말이 있습니다. 마구간이 있습니까."

있어라. 제발 있어라! 이 추운 날씨에 클로버를 밖에 덩그러니 세워 둘 수도 없거니와, 워낙 눈에 띄는 외관을 가진 녀석이라 자칫 잘못하면 소문이 돌아 뒤를 밟힐 수도 있다. 내 간절함이 통했는지 남자가 고개를 끄덕인다. 좋았어!

"있긴 한데, 돈은 따로입니다."

"물론입니다. 다 해서 얼마입니까?"

"몇 박 하십니까요?"

"오늘 밤만 자고 아침 일찍 떠날 겁니다."

내 대답에 남자가 고개를 끄덕이며 숙박계로 보이는 공책에 무언가를 기록한다. 얼핏 보니 시간과 성별, 대략적인 외모 묘사, 그리고 몇 박을 하는지 기록하는 것 같았다. 한참 기록하던 그가 다시 고개를 들어 질문을 하나 덧붙인다.

"아침 식사는 어떻게 하실 건가요? 하신다면 몇 시에……."

"해 뜨기 직전에 부탁합니다. 방 앞에 놓고 문 두드려 주시면 알아서 챙겨 먹지요. 말에게도 건초를 좀 먹여 주십시오."

"그거야 말 맡기는 값에 다 포함됩니다요."

나는 조용히 고개를 끄덕이며 품에서 금화를 한 닢을 꺼냈다. 보통 수도의 여관이 은화 세 닢에서 많게는 여섯 닢까지 받으니 이 정도면 충분히 쓰고도 남을 것이다. 열쇠와 함께 잔돈을 주려는 남자를 저지하고 주문을 더 넣었다.

"도시락을 챙겨 줄 수 있으면 두 끼 분량을 같이 챙겨 주시오."

"문제없습니다요. 그럼 은화 한 닢이 남습니다. 달리 더 필요하신 것은 없고요?"

"없습니다. 잔돈은 됐으니 식사에 더 신경 써 주십시오. 말은 밖에서 있는 흰 말입니다."

남자는 허리를 굽신거리고는 손짓으로 내가 묵을 객실을 알려 줬다. 계단을 올라가서 바로 오른쪽 방이라고 했다. 어두운 복도 벽에 작은 램프가 간격을 두고 매달려 주변을 밝히고 있었다.

등 뒤로 남자의 하품 소리와 함께 오늘따라 말을 맡기는 손님이 많다는 소리가 들렸다.

근래 무역이 활발해지며 혼자 다니는 여자가 드물지만 있는 편이라 그런지 크게 이상하게 보진 않은 것 같았다. 남자의 말대로 계단을 올라가 오른쪽 방의 방문을 열자 낡고 작지만 제법 깔끔한 침대와 단출한 탁자, 옷장이 눈에 들어왔다.

대충 방한구를 탁자와 의자에 걸치듯 벗어 놓고 침대에 엎어졌다. 내일 새벽같이 출발해야 하니 한시라도 빨리 쉬는 것이 정답이다. 멀리서 세수도 안 하고 잠자리에 들었다고 난리법석을 떠는 유모와 봉뒤프베 부인의 목소리가 들리는 것 같았다.

'똑똑똑.'

작은 노크 소리에 제법 깊이 자던 잠에서 깨어났다. 사방이 어두컴컴하다. 유모가 내 얼굴에 뾰루지가 나고야 말았다고 대성통곡하는 꿈을 꾼 것 같았는데 더듬어 본 얼굴은 맨들맨들 부드럽기 그지없다.

피부는 타고 나는 것이라던데 까짓것 하루 안 씻었다고 큰 탈이 나려고. 투덜거리며 찌뿌둥한 몸을 일으켰다. 제법 멀쩡한 여관이라고 해도 최고급품 중에서도 최고급만 골라 썼을 공작가의 침구에 비할 바가 아니다.

집에서 잤을 때만큼 편하게 잘 순 없었다. 그래도 실내에서 잤다는 것에 의의를 두기로 했다. 이 추위에 노숙했을 것을 상상하니 끔찍했다.

문 앞에는 김이 모락모락 나는 감자 스튜와 투박한 빵, 베이컨과 삶은 계란, 그리고 우유 한 잔이 놓여 있었다. 아마 돈을 더 준 덕에 제법 그럴듯한 식사를 챙겨 준 것 같다.

"오, 이거 괜찮네."

뜨끈한 감자 스튜가 고소한 맛을 내며 입 안에 스몄다. 약간 짭짤하게 간이 되어 있었는데, 같이 나온 딱딱한 빵을 뜯어 함께 먹으니 제법 궁합이 좋았다. 크게 맛있는 식사는 아니었지만 충분히 배를 채울 수 있어 좋았다. 마지막으로 들이켜며 식사를 마쳤다. 슬슬 해가 뜰 것처럼 멀리서 밝아지고 있는 느낌에 서둘러 방한구와 겉옷을 챙겨 입기 시작했다.

"아펠리아 경?"

"어, 앤드류 경?"

짐을 챙겨 밖으로 나서니 투레질을 하며 나를 기다리는 클로버가 보였다. 그리고 그 옆에 눈에 익은 말이……. 어째서 익숙한 말이 서 있는 걸까. 가만히 생각하고 있는데 막 밖으로 나온 남자가 익숙한 목소리로 내 이름을 부르는 것이 아닌가.

빨리 따라잡아 합류해야겠다고 생각은 했지만 이렇게 빨리 합류하게 될 줄은 몰랐기에 조금 얼떨떨했다.

"아펠리아 경이 맞습니까? 아니, 대체 여기서 뭐 하십니까?"

"아펠리아 경을 왜 여기서 찾는 거지? 아직도 잠이 덜 깬……. 아펠리아 경?"

뒤늦게 여관 밖으로 나오면서 뜬금없이 내 이름을 부르는 앤드류에게 면박을 주려던 조슈아가 클로버와 나를 번갈아 바라보다가 당황한 표정으로 내 이름을 불렀다.

하긴, 황당하긴 하겠다. 넬슨과 만날 거라 생각했을 텐데, 내가 나타나서 얼마나 당황했을까. 나는 황급히 변명의 말을 늘어놓았다.

"넬슨 경의 아버지가 위독해지셔서 당분간 자리를 비우기 어렵게 됐습니다. 해서 제가 자원하게 되었습니다. 늦게 출발하는 바람에 두 분과 합류하기 어려울 것이라고 생각했는데 이렇게도 마주치는군요."

"이것 참, 기막힌 우연이로군요. 분명 우리보다 늦게 출발했을 것인데 용케 쫓아오셨습니다. 그런데 대체 숙소는 어떻게 알고 이곳으로 잡은 겁니까?"

입을 떡 벌리고 있던 앤드류가 이내 반가운 기색으로 말을 걸었다. 그러나 금세 조슈아가 차가운 말투로 이를 저지한다. 하기야 이렇게 수다를 떨고 회포나 풀려고 새벽같이 일어나 길을 재촉한 것은 아니니까 이해하는 바이다. 이럴 거면 졸려 죽겠는데 잠이나 더 잤지.

"일단 지금은 출발하고 점심 무렵 쉴 때에 마저 얘기하지요. 늦겠습니다."

조슈아의 말에 암묵적인 동의를 표하고는 말에 올라타 박차를 가했다.

자연히 선두는 가장 연장자이자 황제 기사단 소속인 조슈아가 되었다. 새벽이라 그런지 더욱 매서운 바람을 이기며 달리자 마을과 외곽을 구분 짓는 성벽이 보인다.

이른 시간이라 그런지 다행히 사람이 거의 없어 빠르게 통과해 지나갈 수 있었다.

“코 떨어졌는지 좀 봐 주십시오.”

“……유감스럽지만 잘 붙어 있습니다.”

점심시간이 지나는 것도 있고 한참을 말을 달리다가 문득 배가 고파져 들판에 자리를 잡았다. 두 사람도 나처럼 여관에 부탁해 도시락을 챙겨 왔다. 가방에서 꺼내고 보니 샌드위치였다. 허기가 진 나머지 말없이 샌드위치를 먹고 있는데 앤드류가 말을 건다.

“어? 아펠리아 경, 아펠리아 경 것은 좀 다릅니다?”

말을 듣고 보니 내 것에만 토마토가 들어 있었다. 아마 추가금을 낸 덕에 인심을 쓴 듯했다. 말을 꺼낸 앤드류도 토마토를 발견한 것인지 내 샌드위치와 자신의 샌드위치, 조슈아의 샌드위치를 번갈아 본다.

“이런, 아펠리아 경이 미인이긴 하죠. 서비스가 후하네요.”

“방한구를 다 뒤집어써서 얼굴도 못 봤을 텐데 미인인지 아닌지 알 길이 있나.”

조슈아의 날카로운 지적에 앤드류가 입술을 삐죽거린다. 어색하게 웃은 내가 고개를 끄덕이며 설명했다.

“맞습니다. 추가금을 조금 주었더니 신경을 써 준 것 같습니다.”

“아, 그런 것도 가능하다니. 그럴 줄 알았으면 저희도 그렇게 할 걸 그랬습니다. 토마토라니.”

한동안 토마토 이야기를 하다가 다시 묵묵히 샌드위치를 먹기 시작했다. 식사가 어느 정도 마무리되자 앤드류가 다시 입을 연다.

아침에 물어보려다 미처 물어보지 못한 것을 물어보려는 거겠지. 나는 침착하게 생각을 정리하기 시작했다. 허점이 있어서는 안 됐다.

"그런데 어떻게 된 것입니까? 저는 전혀 몰랐습니다. 당연 넬슨 경이 오리라고 생각했는데요."

"넬슨 경의 아버지께서 생각보다 많이 위독하십니다. 급한 일이 생겼을 때 다시 집까지 돌아가기에 거리가 너무 멀기도 하고요."

"하긴 많이 안 좋다고는 들었습니다. 하필 가족들이 죄다 병치레로 떠난 터라 마음이 좋지 않기도 하고요. 아펠리아 경은 아직 나이가 어리고 기사단에 들어온 지 오래되지 않아 잘 모르겠지만 부인되시던 분도 정말 안타깝게 떠나셔서."

앤드류의 말에 담담히 답하며 먹은 자리를 천천히 정리했다. 날 따라 자리 정리를 시작하며 고개를 끄덕이며 알아서 이야기를 만들어 주는 앤드류는 큰 부담이 없었으나 지그시 나를 바라보며 재보는 시선을 보내는 조슈아는 과히 부담스러웠다.

"흐음, 이상하군요. 위에서 정하실 때에 그런 것을 모르고 정했을 리 없는데. 그리고 저희가 떠난 지 오래되어 상황이 바뀐 것을 몰랐다고 하기에도 떠난 지 고작 하루 이틀밖에 시간이 지나지 않았는걸요."

정곡을 찔린 내가 어색한 웃음을 흘렸다. 하긴, 고작 하루 만에 그 큰 소식에 대해 전혀 들은 바가 없다는 것도 이상하긴 했다. 하지만 그렇다고 대답 없이 넘기기엔 그게 더 이상한 상황이라 재빨리 궁색한 변명을 덧붙였다.

"제가 자원하겠다고 강력히 주장하였습니다."

내가 그렇게까지 말하자 딱히 뭐라고 더 몰아붙여 물어보기 애매했던지 조슈아가 그냥 고개를 끄덕이며 더는 말하지 않았다. 침묵 속에 자리 정리가 마무리되자 앤드류가 나서서 분위기를 환기시킨다.

개인적으로 조금 지치게 하는 스타일이라고 생각해서 딱히 가깝게 지낼 생각을 못했었는데, 이런 상황에서 보니 여러모로 도움이 되는 동료였다.

"먹고 바로 말을 탔다간 말 등 위에 뭘 먹었는지 고백하게 될 것 같군요. 조금 쉬다 갔으면 하는데, 어떠십니까?"

"시간이 넉넉하지 않으니 오래 쉴 순 없겠지만 일단 조금은 움직이고 타는 데에는 동의하네."

연장자인 조슈아가 자연스럽게 하대를 하며 앤드류가 제안한 일정에 동의했다. 아무래도 나는 소속된 기사단이나 나이보다도 소속된 가문으로 평가받는지라 최소한의 예우는 갖추어야 해서 내게는 존댓말을 사용하는 것 같았다.

그럴 필요 없다고 제지하려다가 서열 싸움의 온상이 될 아카데미에 입성할 테니 굳이 밑지고 들어갈 필요는 없어 보였다. 그가 하는 대로 내버려 두기로 했다.

"그래도 해가 떴을 때에는 제법 견딜 만하군요. 해가 지고는 바람이며 기온이며 이동하기 최악이었습니다."

먼저 걸음을 옮기며 입을 열었다.

진심으로 어제저녁 클로버를 타고 장거리 이동을 시도하다가 왜 남들이 겨울에 멀리 가려 하지 않으며 밤에는 이동하지 않고 쉬는 것인지 뼈에 새길 수 있었다. 내 말에 앤드류가 호들갑스럽게 동의를 표했다.

"최악이죠. 정말 최악입니다. 만에 하나 제가 누군가에게 쫓길 일이 생겼다고 해도 그것이 겨울밤이라면 그냥 그자와 결투를 해서 그 상황을 피할 것입니다. 아, 물론 제게 승산이 있다는 전제하에 그렇겠지만요.”

“약삭빠르군. 경의 말대로면 승산이 없는 경우엔 도망치는 편을 선택한다는 것인데, 그렇다면 대게의 경우 도망치는 쪽으로 결론이 나겠군.”

조슈아가 빈정거리며 툭 던진다. 두 사람이 크게 신경 쓰지 않는 걸 보면, 그에게 악의가 있다기보다 원래 말하는 투가 저런 것 같았다.

“그러고 보면 조슈아 경. 경도 아카데미에 지원한 것으로 들었는데 어째서 그리하셨는지 물어도 되겠습니까?”

“그러고 보니 그렇군요. 보통은 등 떠밀려 가는 경우가 많은데 말이지요. 저도 뭐, 요즘 가문의 빚이 많고 위태로운 데다 대를 이을 아들도 아니라 차출됐다고 생각해서 피할 수 있다면 피할 수 있는 게 최고라는 생각입니다. 하하, 너무 솔직했나요?”

그러게, 방금 건 너무 솔직했다. 솔직한 김에 더 솔직해져 보자는 마음으로 편하게 답했다.

“네, 엄청 솔직하시네요. 깜짝 놀랐습니다. 뭐, 그래도 궁금하기는 하군요. 듣기 불편하실지 모르겠지만, 대부분 이런 일에는 쉽게 내칠 수 있는 사람들을 고르니까요.”

“우와, 아펠리아 경. 본인을 앞에 두고 너무 직설적인 것 아닙니까? 아무리 제가 먼저 말을 꺼냈다곤 하지만 너무합니다.”

앤드류에게 장단을 맞추며 조슈아가 대답하길 기다렸으나 그는 쉽게 입을 열지 않았다. 뭐, 짐작 가는 바가 없는 건 아니었지만 여기서 아는 척을 하는 것도 이상하니 그냥 모르는 척하기로 했다. 더 이상 여기서 시간을 지체했다간 겨울밤의 추위에 발이 묶일지도 모른다.

"이제 슬슬 가실까요?"

"좋습니다. 혹시 조는 것 같다면 돌멩이라도 하나 던져 주시면 감사하겠습니다."

식곤증을 장난스럽게 걱정하는 앤드류의 말에 내가 제법 큰 짱돌을 지그시 바라보며 그러겠노라 답하자 앤드류가 호들갑을 떨며 펄쩍 뛴다.

유쾌한 그의 모습에 조금은 편해진 마음으로 출발했다. 해가 점점 기우는 모습을 보며 서둘러 갈 길을 재촉했다.

"골병 날 것 같습니다. 아, 정말이지 겨울에 말을 타고 장거리 이동을 한다니. 너무 쉽게 생각하고 출발한 것 같아 과거의 저를 원망하고 싶을 뿐입니다."

겨우 새로운 여관을 잡아 식탁에 둘러앉기 무섭게 앤드류가 입을 열었다. 나 역시 그의 말에 백 프로, 아니 이백 프로 동감한다.

벌써 사흘째. 매일 새벽같이 일어나 밤낮으로 말을 달려 이동하는 일정은 정말 최악이다.

"식사 나왔습니다."

"여기부터 놔 주시오."

첫날 추가금을 통해 좋아진 식사의 품질을 경험한 우리는 그 이후로 여관에서 식사할 때만 되면 얼마가 되든 돈을 더 쥐여 주며 식사에 더 신경을 써 달라고 했다.

오늘은 쥐여 준 돈이 아깝지 않게 역대급으로 좋은 식사가 나왔다.

개인 식사 외에도 구운 닭 한 마리가 식탁 한가운데 등장한 것이다.

“만찬이로군요. 아, 어째 아카데미에 가까워질수록 더 추워지는 것 같습니다.”

“달리 말하면 이제 곧 도착한다는 뜻이지.”

“또 달리 말하자면 도착하기 전까지 더 추워진다는 뜻이지요.”

앤드류의 말에 조슈아가 응수하고, 조슈아의 말에 내가 토를 달았다. 그렇게 우울한 결론으로 끝이 난 추운 날씨에 대한 대화는 기름진 닭고기를 조금씩 각자의 접시에 덜어 먹으며 한동안 잠잠해졌다.

어느 정도 배를 채운 뒤, 각자 조용하고 신속하게 방으로 이동해 제대로 씻지도 못하고 침대에 누워 깊은 수면에 빠져들었다.

“당신을 닮아서 그런지 너무 예뻐요.”

“날 닮았으면, 글쎄. 이 정도로 예쁘진 않을 텐데. 이목구비가 당신을 닮았어.”

꿈이다. 꿈속이라는 것은 바로 인식했지만 피로가 누적된 탓인지 쉽게 잠에서 깨지 못하고 멍하니 그 광경을 바라보았다.

두 사람 중 한 사람은 젊은 시절의 아버지였다. 다른 한 사람은 흐릿하게나마 기억 속에 남아 있는 어머니의 얼굴을 하고 있었다. 그녀는 검고 탐스러운 머리카락을 틀어 올리고 사랑스럽다는 표정으로 나를 내려다보고 있었다.

“그렇다면 동생을 하나 낳아 줘야겠어요. 당신을 닮은 아이면 정말 예쁠 거예요.”

"……이 아이 하나로도 난 이미 충분해. 제발 건강부터 회복하자고."

아버지의 울컥한 표정. 지금보다 더 혈기왕성한, 그야말로 젊은 시절의 아버지는 지금보다도 더 표정을 감출 줄 모르셨다. 당장이라도 눈물을 흘릴 듯 상처받고 겁먹은 표정은 너무도 낯설게 느껴졌다. 이 꿈이 진짜 기억의 일부라도 되는 걸까?

"이 정도면 제법 건강한 편이지요. 고향을 떠나 정처 없이 헤매면서 건강이 너무 나빠졌었어요. 점점 회복되어 가고 있으니 걱정 마셔요."

"괜히 아이를 가지게 한 것 같아."

"여보!"

"……아펠리아를 사랑하지 않는 것은 아니오. 당신을 이렇게 빼닮았는데 어떻게 사랑하지 않고 배길 수 있겠나. 보기만 해도 심장이 벅차오르고 세상 귀한 모든 것을 줘도 아깝지 않은데. 이래서 그렇게들 혈육에 집착을 하나 보오."

아버지가 참지 못하고 뱉어 낸 후회의 말에 어머니가 내 귀를 막으며 소리를 질렀다. 어머니의 호통에 침울해진 아버지가 어설픈 변명의 말을 뱉는다.

아버지가 한 말에 심장이 잠시 철렁했지만 그 감정을 이해할 수 있었다. 얼마나 미웠을까. 얼마나 원망스러웠을까. 나를 원망하지도 못하고, 그저 경솔했던 자신을 탓할 수밖에 없었을 아버지의 감정이 슬프게 다가왔다.

"당신이 그런 말을 할 때마다 저는 저를 탓할 수밖에 없어요. 내가 부족해 건강 하나 제대로 챙기지 못해서 엄한 아이를 밉게 보시는 거 같아서요. 남들 다 건강하게 잘만 낳는 아이를 혼자 유별 떠는 것 같아 민망하기도 하고요."

아버지가 이제 거의 눈물을 흘리기 직전인 어머니를 꽉 껴안으며 말을 멈추게 했다. 껴안은 두 사람의 뒷모습이 가늘게 떨린다. 적어도 내가 아는 아버지는 단단하고 강한 분이셨다. 그런데 꿈속의 아버지는 울고 있었다. 머지않아 다가오게 될 끝없는 이별을 직감하고 그렇게 겁이 나서 울고 있었다.

마치 어머니가 먼 길을 떠나게 되면 같이 떠날 것만 같은 느낌에 덜컥 겁이 나 그만 울음을 터트리고 말았다.

어린아이의 울음소리를 들은 두 사람이 서로에게서 떨어져 황급히 나를 안아 달랬다.

[사랑하는 내 아이야, 달님도 해님도 없는 곳에서 편하게 잠들렴. 달님이 반짝, 해님도 반짝, 예쁘기도 하구나. 내 달님아, 해님아.]

이국의 말로 자장가 같은 노랫말을 낮게 흥얼거리는 어머니의 품에서 어린 내가 울음을 멈춰 간다. 노랫말은 어쩐지 첩자가 쓰던 이국의 말과 닮아 있었다. 꿈이라 끼워 맞춰진 것인지, 아니면 정말로 그러한 것인지는 알 길이 없었다.

왜냐하면 품에 안긴 어린 까무룩 잠이 들면서 점점 의식이 멀어졌기 때문이다. 깜깜한 시야를 느끼며 드디어 다시 정상적인 잠에 들었다고 생각했는데, 사방에서 우는 소리가 들려 다시 깨어났다.

무거운 눈꺼풀을 들어 겨우 눈을 떠 보니 아주 어린 시절의 내가 쓰던 침대 위에 홀로 누워 있었다. 짧은 팔다리를 겨우 움직여 몸을 일으키니 소파에 앉아 눈물을 닦고 있던 유모가 벌떡 일어나 나에게로 다가온다.

“아기씨, 어쩜 좋을까요. 우리 불쌍한 아기씨. 세상에 하늘도 무심하시지.”

유모의 흐느낌에 어린 나도 함께 칭얼거린다.

아, 이날이 바로 어머니가 돌아가신 날인가 보다. 꿈속의 어린 나도 그 사실을 알아챈 것인지 이내 목 놓아 울기 시작한다. 세상을 모두 잃은 것과 크게 다를 것이 없는 상실감 속에서 우는 어린아이의 감정이 고스란히 지금의 나에게도 전해진다.

이런 기억은 없던 기억인데. 괴롭다. 깨고 싶다.

“……싫어. 싫어. 싫단 말이야!”

싫다고 몸부림치며 소리를 지르고 보니 현실의 나로 돌아와 있었다.

얼마나 시달린 건지 식은땀으로 침대가 축축하게 젖어 있었다. 머리가 다 아프다. 지끈거리는 이마로 손을 올리는데 손가락에 물기가 느껴졌다. 눈물이었다.

“……와, 이제 별일이 다 있구나.”

가지가지 한다, 정말. 황당함을 떨쳐 내려 거칠게 눈물을 훔치고 자리에서 일어났다. 밖을 보니 아직 깜깜한 것이 출발 시각 전인 것 같았다. 다행이다. 너무 땀을 흘려 찝찝하니 목욕을 한 뒤 움직이고 싶었다. 나는 그대로 방을 나서 깨어 있는 종업원이 있나 돌아다녀 보기로 했다.

“아, 저기.”

“헉. 아이고, 네, 네. 말씀하십시오.”

갑작스러운 내 등장에 화들짝 놀란 직원은 금세 침착하게 대응했다. 그는 목욕물을 부탁하는 내게 추가금을 달라 말했다.

품에서 돈을 꺼내 넉넉하게 지불하자 잘 준비하겠다고 친절하게 대답해 주었다. 역시 돈이 최고다. 그런 그를 뒤로하고 여관 밖으로 걸음을 옮겼다. 목욕물이 준비되기까지 시간이 걸릴 것은 자명했기에 자리를 비워 주는 편이 준비에 도움이 될 것 같았다. 밖은 문을 열기 무섭게 살이 에일 듯한 추위로 몸을 움츠리게 만들었다.

"마나가 좋기는 좋지."

말을 타던 중도 아니고 달리 신경 쓸 게 없는 상황인지라 마나를 힘껏 사용해 추위로부터 몸을 보호했다. 아주 완벽한 보호는 아니었지만 그래도 최소한 몸을 덜덜 떨 지경은 아니었다.

혼잣말을 중얼거리며 밤거리를 눈으로 살폈다. 아무리 제국이 평화롭다지만 내부의 치안이 완벽한 것은 아니었기에, 황실에서 직접 치안을 관리하는 수도가 아닌 이상 밤늦게까지 돌아다니는 사람은 없었다. 수도에선 흔한 가로등조차 드문 거리는 조용히 빛을 내며 적막에 휩싸여 있었다.

"어머니……. 흠. 므네모쉬. 동방. 아버지. 첩자. 문제는 어머니의 신분인데. 출신을 짐작할 만한 단서는 일절 남아 있지 않으니 평범한 방법으로는 알아낼 수도 없고."

아버지의 의도였는지 아니면 다른 누군가의 의도였는지, 어머니의 신분을 짐작할 만한 유품은 거의 흔적을 찾아볼 수 없을 정도였다.

어머니가 돌아가신 지 십여 년이 훌쩍 넘은 상황에서 그 지워진 흔적들을 뒤쫓으면 끝에 아버지가 나올 것 같았다. 아버지의 역린을 건드린다 생각하니 본능적인 거부감이 든다.

"아무래도 유일한 혈육이고 가족이니까……. 잃고 싶지 않은걸."

"뭐, 저는 크게 공감할 수 없군요."

갑자기 뒤에서 들리는 목소리에 너무 놀라 펄쩍 뛰었다. 목소리의 주인은 조슈아였다. 와, 기절할 뻔했다. 마나를 사용하고 있어서 기척에 예민해진 상태인데. 황실 제 1 기사단의 위명이 괜한 것은 아니구나.

"지금 날씨에 그런 옷차림이라니. 그러다가 얼어 죽겠습니다. 아카데미에 도착하기 전에 무덤가에 먼저 도착하실 요량이 아니라면 옷을 두껍게 입고 다시 나오거나 아예 들어가는 것이 낫겠습니다."

"아, 미안합니다. 목욕물이 데워지길 기다리며 잠시 나와 있는다는 것이 이렇게 됐습니다. 마나를 쓰고 있어서 그런지 추운 줄은 몰랐습니다. 출발에 늦지 않게 채비하겠습니다."

"누군가 마나를 쓰는 기척을 느끼고 나와 봤는데, 그대였군요. 중간에 흐름이 약해지던데 무슨 생각을 그리 하신 건지요. 제 기척도 못 느낄 정도였다면 분명 마나 운용이 흐트러진 듯한데, 지금은 몸이 찰 겁니다. 들어가시죠."

그의 말을 듣다 보니 갑자기 한기가 느껴져 몸을 부르르 떨었다. 진짜 언제부터 마나를 멈추고 있었지? 체면 불고하고 몸을 잔뜩 웅크린 채 여관으로 후다닥 뛰어 들어갔다.

어우, 춥다. 매우 춥다. 엄청 춥다! 빠르게 방으로 돌아가자 나무로 만든 욕조에서 나는 은은한 나무 향과 열기가 느껴졌다. 허겁지겁 옷을 벗고 아직 온기가 남아 있는 목욕물에 몸을 담갔다.

"아, 살겠다."

목욕을 마치자 몸이 따뜻하니 나른해져 왔다. 다시 침대에 눕고 싶은 마음이 들었지만 애써 다스리며 몸을 정돈하고 옷을 갖춰 입었다. 문을 열자 아침 식사와 점심 도시락이 나를 반겼다. 식사를 방 안으로 가지고 들어가며 이 고된 여정이 언제쯤 끝날지 가늠해 보았다.

죽겠다. 아, 진짜 여기서 더 추워지면 어떻게 살라고.

준비를 대충 해서 급하게 나선 바람에 제대로 준비를 마치고 나선 조슈아와 앤드류에 비해서 방한구가 초라했다. 추위에 벌벌 떠는 나를 본 두 사람은 모처럼 의견을 모아 내게 방한구를 나눠 주었다. 아, 이제 좀 살 것 같다.

극도로 추워진 날씨는 아카데미가 가까워진 것을 실감하게 했다.

"보이는군요."

선두에 선 조쥬아의 목소리가 차가운 공기를 가르고 귓가에 꽂혔다. 입을 방한구로 모두 가려서 선명한 소리는 아니었으나 가장 듣고 싶었던 소식이기에 정확하게 들을 수 있었다.

조슈아의 시선을 따라 고개를 돌리니 저 멀리 둥근 막이 보이는 것을 확인할 수 있었다.

중립 구역이자 마나의 보호를 받는 구역, 아카데미였다.

과거 아카데미 중앙에 설치한 어떠한 마법구 덕분에 아카데미가 위치한 구역은 어떠한 계절의 영향도 받지 않고 상시 같은 날씨를 유지한다고 했다. 이렇게 추운 겨울에도 그 영향을 받지 않는 공간. 멀리서도 쉽게 알아볼 수 있었다.

"그렇네요. 늦지 않게 도착해서 다행이군요."

"아펠리아 경이 생각보다 잘 따라와 준 덕분이지요."

"실례될 말을 잘도 하는군. 아펠리아 경보다는 촐싹거리는 경의 입이 더 걱정이었지."

앤드류의 무신경한 칭찬을 조슈아가 예리하게 받아치며 무안을 준다. 하긴, 같은 기사이고 동료라고 생각했으면 나를 짐처럼 표현하면서 칭찬하기보단 다 같이 수고했다고 말하는 것이 더 옳다.

그러나 제법 익숙한 대접이었기에 크게 울컥하지도 기분이 상하지도 않았던 나는 당황해서 어쩔 줄 모르는 앤드류에게 괜찮다는 말을 전했다. 잠시 어색했던 시간이 지나고 다시 말을 몰자 화려한 아카데미 입구가 우리를 반겼다.

“초청장이나 입학서를 꺼내야겠습니다. 검문입니다.”

조슈아의 말에 말을 멈추고 짐 속에서 서류를 꺼냈다. 춥지만 손에 꼭 쥐고 조금 더 말을 달려 아카데미 정문에 도착했다. 경비단은 면밀히 서류들을 검토하고, 가짜는 아닌지 마법 도구를 활용해 검사한 끝에 문을 열어 주었다. 경계를 지나 아카데미로 입성하기 무섭게 바깥과는 달리 한층 따뜻한 공기가 우리를 반겼다. 드디어 아카데미 입성이다.

몇 날 며칠을 추위에 떨며 고생하다 겨우 도달한 아카데미는 그야말로 지상 낙원처럼 보였다. 하지만 그 단꿈은 고작 하루 만에 산산이 부서졌다.

아카데미에는 밤과 낮이 따로 없었다. 일정 시간이 되면 마법 도구를 이용해 인위적으로 어둠을 만들었고, 그 어둠은 가로등이나 등불 같은 조명으로 밝혀 주었다.

“뭐, 놀러 온 것도 아니고 불평할 일은 아니지.”

마음을 다잡으며 배정된 숙소를 훑어보았다.

귀족 신분으로 아카데미에 입성한다고 해서 배려해 주는 건 아닌지 평범한 침구에 좁다면 좁은 그런 방이었다.

물론 제국의 공녀라는 신분으로 들어왔다면 분명 다른 방을 배정받았겠지만 애초에 아카데미 측이 알고 있는 입학자는 넬슨이었으니, 그의 집안이나 출신으로 볼 때 적절한 대우였다.

배정받은 방으로 가기 전에 본 조슈아의 방이나 앤드류의 방이 훨씬 좋았던 걸로 보아 내 가정이 맞을 것이다

한참 동안 입학 예정자 리스트와 내 신분증을 번갈아 보던 담당자가 오랜 시간 고민한 끝에 겨우 입학에 무리가 없다고 답해 주었다.

높은 분께 불려 갈 것까지 각오했는데 정말 다행이었다.

"어디 보자, 그래도 기본 지급품들 상태가 생각보다 양호하네."

구부터 간단한 옷가지까지 지급품을 뒤적거려 보며 영 못 쓸 정도는 아니라는 것에 안도했다. 촉박한 일정이라 조슈아와 앤드류도 물품을 챙기지 못했는데, 둘 다 다음 주쯤 집에서 마차를 통해 물건을 받는다고 했다. 나도 집에 물품을 요청해 다음 주쯤 받게 되면 크게 문제 될 건 없는 것 같다

"제발 입학식만 무사히 끝나게 해 다오."

아카데미에 입성해 입학을 허가받았다는 것은 보호받는 신분이 되었다는 것을 의미했다. 이제 와서 착오가 있었으니 다시 돌아가라 주장한들 그럴 수 없다는 말이다. 그래도 확실히 인정받아야 안심할 수 있는 법. 입학식을 마치고 누가 봐도 확실한 아카데미 소속이 되는 일만 기다리는 것이다.

"아이고, 모르겠다. 밥은 또 왜 나와서 먹으래."

방에 찾아와 친절하게 안내해 준 앤드류 덕분에 아침 식사를 식당에서 한다는 걸 알았다. 기사단에서도 점심만 단체로 먹었던지라 아침도 식당에서 먹으려니 다소 어색했다. 더는 앤드류를 기다리게 할 수 없어 떨어지지 않는 발을 떼 문밖으로 나섰다.

'쿵.'

"미안합니다. 혹시 다치셨습니까?"

문을 여는 순간 큰 소리가 났다. 서둘러 나가야겠다는 생각에 밖에 누군가 있다는 것을 느끼지 못했다. 반사적으로 사과를 건넸지만 상대의 반응은 영 좋지 못했다.

"주의력이라곤 없네. 쓸데없이 제국에서 신입들을 쓸어 보낸 덕분에 가뜩이나 기분이 엉망인데."

아카데미 학생복을 입고 있는 남자는 앤드류와 또래 정도로 보였는데, 말투로 보아 재학생 같았다. 하긴 아직 입학식 전이라 신입생들은 아카데미 옷을 받지 못했으니, 자연스러운 가정이었다.

재학생 입장에선 잠잠하던 아카데미에 갑자기 늘어난 신입생들이 마음에 들지 않겠지. 이미 짐작하던 부분이라 크게 당황하지 않고 정중히 사과했다.

"정말 미안합니다. 고의는 아니었으니 이해해 주시면 감사하겠습니다."

"이번 한 번은 봐드리지요. 부러진 곳도 상한 물건도 없으니까요. 다음부터는 조심 또 조심하십시오."

앞으로의 아카데미 생활이 순조롭지 못할 것이라는 것을 예견하는 듯했다.

나는 고개를 저으며 앤드류의 방으로 걸음을 옮겼다.

"식사가 영 별롭니다."

"아무거나 잘 먹나 보군. 별로라니. 이 정도면 끔찍한 수준인데."

앤드류의 불평에 조슈아가 포크를 내려놓으며 빈정거렸다.

나는 조용히 풀 조각에 포크를 꽂고 기계적으로 식사를 계속했다. 아침 식사 때는 잠이 덜 깨서 입맛이 없는 나머지 별 맛을 못 느꼈나 싶었는데 그냥 맛이 없었던 건가 보다.

세상에, 푼돈 주고 먹었던 여관에서의 식사가 훨씬 더 정갈하고 맛있게 느껴졌다. 그간 얼마나 대충 운영되어 왔는지 새삼 체감하는 바였다.

"아펠리아 경은 먹을 만합니까?"

"……뭐. 필수 영양소는 섭취해야 하니 적당히 먹고 있는 중입니다."

솔직히 첩자와 같은 공간에서 접전을 벌이게 될 경우를 가정해 최상의 컨디션을 유지해야 한다는 목적만 없었어도 나 또한 딱히 손을 대고 싶은 식사는 아니었다.

"다른 것들은 밖에서 가지고 들어온다고 쳐도, 음식은 정말 방법이 없는데……. 암담하군요."

"말로 안 해도 다 알고 있는 내용인데, 그걸 굳이 말로 꺼내서 분위기를 더 암담하게 만들어야 속이 시원하겠나?"

"괜한 걸로 언쟁을 벌일 필요 있겠습니까. 일단 드시지요. 먹다 보면 적응이 되겠죠."

두 사람이 또다시 언쟁을 벌일 것 같아 최대한 평화로운 목소리로 중재에 나섰다. 조슈아와 앤드류는 금방 진정되었지만…… 문제는 의외의 곳에서 벌어졌다.

"하! 이젠 하다 하다 음식 투정이라니. 곱게도 컸군."

아까 방문에 부딪혔던 사람과 같은 목소리였다. 등 뒤에서 들린 날카로운 빈정거림에 나를 비롯해 앤드류와 조슈아의 시선이 휙 돌아갔다. 단체 식당이니 우리만 있는 것도 아니었고 식탁 간의 거리가 먼 것도 아니니 충분히 들을 만했다.

이 사태를 어떻게 유하게 넘기나 고민하기도 전에 조슈아가 냅킨으로 입가를 닦으며 비웃음 섞인 말투로 응수하고야 말았다. 평화를 바라는 마음 자체가 욕심이었을까. 나는 속으로 눈물을 머금었다.

"뭐, 이 정도로 곱게 컸다고 할 정도면 알 만하군."

"하! 아직도 자기 영지에 앉아 보호받는 줄 아나 본데, 여긴 아카데미라고. 엄연히 선후배 관계가 있는 곳이고 그런 계급의 논리가 아니라 실력의 논리가 있는 곳이지."

"그걸 아는 사람이 잘도 입을 놀리는군. 실력에 자신이 있나 보지?"

아이고, 아버지. 아득히 멀어지는 정신을 애써 붙들며 이 사태를 빠르게 수습할 방법을 생각하기 시작했다.

기본적으로 기사는 절제된 행동과 뛰어난 자제력을 자랑하지만 그것도 다 필요할 때의 얘기다. 주군이 없는 곳이라면 이야기는 달라진다. 힘의 논리를 증명할 수 있다면 금세 호전적으로 변한다. 실력에 대한 증명은 주군에 대한 또 다른 충성심의 증명이기도 했으니 더더욱 그러했다.

상대가 먼저 걸어온 싸움을 마다할 리 없다. 식당의 모든 사람들이 관심을 보이니 수습은커녕 더욱 크게 번질 분위기였다. 아, 다 필요 없고 그냥 집에 가고 싶다.

"그만하시죠. 보는 눈이 많습니다."

"그렇죠, 보는 눈이 많으니 여기서 그만하기도 우습지 않겠습니까."

……아니, 얘기가 또 왜 그렇게 되는데요. 조슈아를 말리는 것에 실패한 나는 우울해서 죽을 것 같은 표정을 애써 감추며 먼저 싸움을 건 상대를 면밀히 살폈다.

외모는 제법 준수한 편에 기사 지망생답게 다부진 몸의 소유자였다. 뭐, 근육질이라는 게 실제 실력과 상관있는 건 아니니까 넘어가기로 하자.

"대단한 자신감이로군. 가문의 배경만 있으면 기사 서임 정도는 쉽게 받을 줄 아나 본데."

"어떻게 봤는지는 모르겠지만 조슈아 경은 이미 기사라서 굳이 서임을 다시 받을 필요가 없네. 본인 걱정부터 하는 건 어떤가."

“고맙군, 앤드류.”

아직 입학식을 제대로 거행한 것이 아니기에 신입생들의 신분이 제대로 알려지지 않은 상태였다. 상대는 우리가 모두 기사 출신이라는 걸 몰랐던 것 같다. 외부와 고립된 아카데미에서 생활하며 새로운 소식을 바로바로 듣는 것은 어려운 일이었으리라.

방어하는 것인지 놀리려는 것인지 다소 의도가 헷갈리는 앤드류의 참전에 조슈아가 빈정거리면서 고마움을 표했다. 두 사람의 대화에 재학생의 표정이 딱딱하게 굳는다. 그가 안쓰러워 보이기도 하고, 사태를 원만하게 수습하고 싶었기에 부드러운 미소와 함께 입을 열었다.

“저를 포함해서 여기 조슈아 경, 앤드류 경 모두 칼라한 제국 기사 출신이랍니다. 저는 아펠리아 폰디체리, 부족하지만 칼라한의 황태자 기사단 소속 기사입니다.”

“기사라고? 그것도 칼라한 제국의? 대체 기사가 왜 아카데미에 온 거지?”

혼란스러운 표정의 남자가 나와 앤드류, 조슈아를 번갈아 본다. 교복을 입은 재학생들 사이에서 웅성거림이 퍼진다.

“글쎄요. 배움에 끝이 있겠습니까. 다들 더 많은 배움을 얻기 위해 아카데미에 온 것 아니겠습니까.”

“……말만 그렇게 하는 건 아닌지, 두고 보면 알 일이지.”

남자가 마지막 자존심을 세우듯 한 마디 받아치고 자리에서 일어났다. 하아, 이제 숨 좀 쉬겠다. 조슈아와 앤드류는 그 남자의 뒤통수에 구멍이라도 낼 기세로 날카롭게 쳐다보고 있었다. 작게 헛기침을 해 두 사람의 시선을 끌었다.

“두 사람 다 이번 일을 통해 작은 교훈이라도 얻었으면 좋겠네요.

생각보다 좁은 곳입니다. 그리고 여러 사정이 있는 곳이고요. 굳이 나서서 논란의 중심이 될 필요는 없지요."

"인정합니다. 앞으로는 자제하도록 하겠습니다."

내 말에 조슈아가 간결하게 동의를 표했고, 앤드류는 다소 못마땅해 보였지만 느릿하게 고개를 끄덕이며 동의를 표했다. 아, 힘들다. 벌써부터 지치는 마음이라 조용히 고개를 절레절레 흔들었다.

시간이 촉박했음에도 많은 사람이 아카데미로 모였다. 아카데미는 이 정도 인원은 충분히 수용하고도 남을 정도로 넓어 쾌적했다.

"입학식, 오래 걸리려나."

방을 심란하게 바라보며 시간을 가늠했다. 나름대로 깔끔한 성향이라고 생각했는데 착각이었나 보다. 아카데미에는 사용인이 없어 방 청소는 직접 해야 했다. 방 청소라니. 한 번도 스스로 방을 치워 본 적 없는 나는 혼란 속에서 방을 점점 엉망으로 만들고 있었다.

"그러니까 일단 옷은 옷끼리 두고, 침구만 정리하고 나가지 뭐."

몇 벌 겨우 챙겨 온 옷을 옷장에 걸고 자고 일어난 침구를 정리하고 나니 제법 정돈돼 보였다. 방을 둘러보다가 문득 벽에 걸려 있는 신입생용 아카데미 교복을 바라보았다. 재학생은 검은색 교복을, 신입생은 흰색 교복을 입는다고 했다.

모든 과정을 수료하고 졸업하는 선배의 검은색 교복을 받아야만 재학생으로 인정받는다고 했는데, 졸업생 수가 적은 바람에 신입생의 수가 상대적으로 많아 입학한 첫해에 검은색 교복을 받긴 어렵다고 들었다.

아무튼 지금 내가 입어야 하는 교복은 흰색 교복이었는데, 기사단복과 색상이 같아서인지 별다른 거부감 없이 빠르게 착용했다.

"그래도 황실 기사단 단복이 더 좋은 것 같네."

당연한 소리를 중얼거리다가 머리를 빗으로 대충 빗어 높은 포니테일로 묶어 올렸다. 백금발이 찰랑거린다. 요 며칠간 첩자는 발견하지 못했다. 하지만 아카데미에 들어왔다면, 입학식까지 피할 수는 없을 것이다.

어머니의 유품이 박힌 검 손잡이를 천으로 단단히 감싸 묶어 각오를 다지며 방을 나섰다

"……해서, 우리 아카데미는 이번에 입학한 신입생을 진심으로 환영하는 바이며 위에서 끌어 주고 밑에서는 받쳐 주는 마음으로 한 방향을 향해 나아가고."

영혼 없이 서 있는 학생들이 보이지 않는지 교장의 연설은 끝도 없이 이어지고 있었다. 사열식도 이렇게 오래는 안 서 있겠다. 속으로 그렇게 투덜거리며 주변을 마나로 훑었다. 가까운 곳에서 조슈아와 앤드류의 기척이 느껴졌다. 두 사람 역시 짜증을 내고 있었다. 했던 말 또 하고 또 하는데 짜증 내지 않을 사람이 있을까.

'탁!'

뭐야? 무언가가 뒤통수로 날아들었다. 기분이 나빠 뒤를 확 돌아보자, 자기들끼리 신나서 시시덕거리는 검은색 교복의 재학생들과

눈이 마주쳤다. 뭐야, 유치하게.

나는 태연하게 그들을 위아래로 훑어보고 기도 차지 않는다는 표정으로 피식 웃으며 다시 고개를 돌렸다. 내 우습다는 반응에 약이 오른 것인지 뒤가 소란스럽다.

한번 우습게 보이고 무시당하기 시작하면 끝도 없다. 기선 제압이다. 의도적으로 업신여기는 표정을 짓자 발끈하여 반발하는 목소리가 커졌다.

"아, 그리고 이번 해에는 아카데미 역사상 최초로 여학생이 입학했습니다."

뭐야, 최초였어?

떨떠름한 표정으로 앞을 바라보는데 교장이 나에게 단상에 올라오라 손짓을 했다. 와, 가기 싫어. 못 들은 척 외면하려 했으나 이미 모든 시선을 한 몸에 받고 있었다. 나는 사형장에 끌려가는 죄수의 심정으로 단상을 향했다.

"무려 우리 아카데미의 운영국이자 대륙의 지배자인 칼라한 제국의 단둘밖에 없는 공작가의 공녀이자 황실 기사단의 일원, 최초의 여학생! 아펠리아 폰디체리 경입니다. 따뜻한 박수로 맞이해 주십시오."

이런 거 하지 말라고……. 이렇게 촌스러운 환영식이라니 상상도 못했다. 썩어 들어가는 표정을 애써 감추고 단상 아래에서 버티니 교장도 더는 올라오라 권하지는 않았다.

비웃음 섞인 박수 세례를 받으며 앞으로의 아카데미 생활이 순탄하지 않겠다는 생각이 들었다.

이러지도 저러지도 못하는 상황은 지금과 같은 상황이 아닐까. 계획했던 바는 분명했다. 황태자도 그러한 계획에 적극적으로 동참했으며 심지어 방향을 지시하며 명령을 내리기까지 했다. 그런데 어느 순간부터 계산에 없던 위험들이 발생하기 시작했다.

그러한 위험들을 계산하지 않았던 것은 아니었기에, 아펠리아가 위험에 처할 때마다 당황하여 이성을 잃지 않을 수 있었다. 물론 심장이 철렁하는 불안과 공포를 느끼기는 했지만.

하지만 황태자는 아니었던 것 같다. 어느 순간부터 이성을 잃고 당황하는 모습을 보이더니 이젠 아예 소극적으로 변하여 이전에 없던 행동 양식을 보이고 있었다. 황태자가 변수가 될 거라곤 생각도 못 했는데……. 당황스럽고 곤란했다.

평소라면 만류할 정도로 극단적인 계획을 아무렇지도 않게 툭툭 던지고 강행하는 데에 거리낌이 없었을 분이 지금은 크게 위험해 보이지도 않는 계획에도 반대표를 던지고 있었다.

"사람이 갑자기 행동 양식을 바꾸는 이유는 몇 개 없지."

죽을 날이 다 됐거나, 아니면…….

"감정적인 변화가 있었을 때."

아니라고, 그럴 리 없다고 계속해서 부정하고는 있지만 황태자가 아펠리아, 자신의 약혼녀를 애지중지하고 있음은 요즘 들어 매우 노골적일 정도로 티가 나고 있었다.

오죽하면 황후가 혹시 마음이 있는 것은 아니냐고 물었다는 소문까지 돌까.

질문을 들은 황태자가 아주 기가 막힌다는 웃음소리를 터트리며 '자네라면 형제와 사귀겠는가.' 하는 대답으로 상황을 일축했지만…….

사람 마음은 또 모르는 것이라고, 아직 감정을 자각하지 못한 게 아니냐는 기막힌 소문이 그 뒤를 이어 돌기 시작했다.

"하기야, 좋은 소문거리이지. 공녀이자 여기사로 황태자 곁을 수호하는 제국 제일의 미인."

원래 방해받는 사랑과 장애물이 있는 관계란 관심을 자극하는 법이다.

자극적인 이야기를 기대하는 대중에겐 뒷이야기가 기대되는 로맨스 소설과도 같은 상황이니 황태자의 태도 변화는 모두에게 아주 흥미진진한 가십일 것이다.

황태자도 아펠리아도, 어느 한 쪽의 마음도 짐작할 수 없는 상황에선 단언할 수 있는 것이 아무것도 없었다. 에카이트가 복잡한 심경을 담아 깊은 한숨을 쉬었다.

"아펠리아. 도대체 무슨 생각인 건지."

예상 안에 들어온 것 같다가도 금방 예상 밖으로 튀어 나가 버리는 아펠리아의 행동 양식은 늘 계산 밖의 일이었다.

나 역시 변하고 있었다. 약혼자로서 가지는 막연한 호감. 그 감정은 때때로 아펠리아가 제 소유인 양 생각하게 만들었다. 아무래도 아펠리아에게 매력을 느끼고 있다는 거겠지. 어쩌면 지금의 감정은 단순히 약혼자로서 가지는 막연한 호감을 넘어섰을 수도 있겠다.

한번 자각한 감정과 황태자의 급작스러운 태도 변화, 대의를 위한 계획의 붕괴가 상황을 혼란스럽게 했다.

"일단 떼어 놓기는 해야 할 것인데. 그리고 어쩌면 갇힌 공간인 아카데미가 더 안전할 수도 있고…….”

혼잣말을 중얼거리며 생각을 정리했다. 하지만 아카데미에는 첩자 그 빌어먹을 작자가…….

어디서 어떻게 튀어나올지 모르는 대상을 사방에 가시를 세우고 대비하는 것보다 한정된 장소에서 대비하는 것이 훨씬 유리할 것 같았다.

아펠리아와의 대화를 통해 그녀가 아카데미에 가고 싶어 몸이 달아 있다는 것은 이미 확인했다. 기사는 기사라고, 아무리 사교계에 나서서 영애의 모습을 보이고 있다지만 그 호전성은 감출 수는 없었다.

황태자와 자신의 계획이 흐트러지기 시작한 원인은 아펠리아에게 있었다.

꼭두각시처럼 계획을 감추고 적당히 장단만 맞춰 주면 되게끔 상황을 구성했더니 자기 나름대로의 계획을 들이밀어 변수를 만드는 것을 보면 말이다.

저 사고 치는 성정을 보면 분명 어떻게든 가려고 괴상망측한 수를 쓸 것도 같았다. 그렇게 하느니 차라리 안전한 방법을 던져 주고 그 방법을 따라가게 의도하는 것이 나을 것 같은데…….

“넬슨 경을 좀 봐야겠군.”

결론을 내린 에카이트가 고개를 끄덕이며 전령을 불렀다.

가만히 이야기를 듣던 넬슨이 잠시간의 침묵이 지나고 무겁게 입

을 열었다.

“저에게 너무 유리한 조건이라 사실 제안하신 이유를 모르겠습니다만.”

“굳이 그 이유까지 알 필요가 있을까. 다 경의 행운인 것이지.”

“단순한 행운이라고 생각하고 받아들이기엔 도무지 이해가 가지 않아서 드리는 말씀입니다.”

넬슨에게 자세한 사정은 감춘 채 모종의 이유로 아펠리아가 아카데미에 가야 하니 협조를 부탁한다고 말했다. 그는 한참 고민한 끝에 이렇게 되물었다. 예상했던 반응이기도 해서 고개를 끄덕였다.

하기야 그러한 사정이 있으면 공식적으로 일정을 조정하면 될 것을 왜 굳이 이러한 경로를 통하겠는가. 논리적인 의심이었다.

그러나 이러한 이상함을 면밀히 따지고 합당하지 않다고 거절할 만한 사정이 아니었다.

그것을 알고 있기에 여유를 잃지 않았다. 애초에 외교관이 일개 기사에게 언변으로 밀린다는 것부터 말이 되지 않는다.

에카이트가 다시 뱀의 혀를 놀리기 시작했다. 태연자약한 어투 그 어디에서도 거짓은 느껴지지 않았다.

“뭐, 석연찮은 부분이 있어 싫으실 수는 있습니다. 자세히 말씀드리긴 어렵지만 아펠리아 경이 합류한다는 건 마지막까지 숨겨야 할 정도로 중요한 일입니다. 당장 정식 절차를 밟진 못하지만, 추후 제대로 절차를 밟을 것이니 경께서는 걱정하지 않아도 됩니다.”

“……오늘 말씀하신 모든 내용은 황태자 전하께서도 아시는 내용입니까?”

원초적이고 예리한 질문에 에카이트는 잠시 말을 멈추고 애매한 미소를 지었다. 예상했던 질문. 모든 경우의 수를 계산해 답을 준비해 두었다. 바로 지금이 그 거짓을 말해야 할 때다.

"뭐, 칼라한 제국에서, 그분이 모르는 일이 있으려고요."

"……그렇다면 그렇게 하겠습니다. 염치없는 상황이기는 합니다만 아시다시피 거절할 만한 여건이 되지 못합니다."

"자작의 일은 유감입니다. 아마 아펠리아 경의 성격이면 경을 대신해 아카데미로 가는 대가로 자작님 몸에 좋은 약재를 챙겨 주지 않을까 하는데, 혹시 주는 것이 아무것도 없다면 말씀하십시오. 제 쪽에서 마련해서 드리지요."

에카이트의 제안에 넬슨이 염치 불고하고 고개를 끄덕인다. 먼저 자리에서 일어나자 넬슨도 따라 일어났다.

에카이트는 넬슨을 돌아보며 그가 해 줘야 할 일들을 천천히 읊었다.

"아펠리아 경이 먼저 접근하면, 너무 단방에 수락하지는 마십시오. 그래도 아주 의심이 없는 성격은 아니니 말입니다. 가능하다면 조금 뜸을 들이다 수락하시고. 아마 어떠한 수단을 통해 경을 기절시키고 필요한 서류를 챙겨 떠날 것인데, 성격이 물러서 사람한테 해가 될 짓은 못할 겁니다. 믿고 계시면 모든 것이 끝나 있겠죠."

"……알겠습니다. 일단은 고맙습니다."

"천만의 말씀."

아펠리아가 아카데미로 떠나면, 그 뒤를 따라나설 채비도 순조롭게 진행되고 있었다.

사람 마음이라는 것이, 곁에 있다 보면 깊어질 수밖에 없는 법이다. 황태자가 설사 아펠리아에 대한 감정을 헷갈리고 있다고 해도 멀리 떨어져 있다 보면 자연스레 멀어질 것이다.

왠지 답답했던 마음이 한결 편해지는 느낌에 괜히 기분이 이상해졌다. 조급하게 생각할 것 없다. 다짐하듯 말하며 고개를 저어 감정을 떨친 에카이트는 공작저로 향했다.

신음 소리조차 내지 못하고 침상에 누워 있는 남자는 이승과의 연결고리가 거의 끊어진 것이 아닐까 싶을 정도로 쇠약해져 있었다. 넬슨의 아버지인 콘테 자작은 중병을 앓는 사람치고는 제법 오래 살아가고 있었다. 하지만 이제 더는 그러한 요행을 기대하기 어려울 정도의 상태에 달해 있었다.

넬슨은 침울한 표정을 감추지 못한 채 병상 곁의 의원에게 물었다.

"그래서 차도는 좀 있으신 겁니까."

"자작님의 건강이 하루 이틀 사이에 나아질 법한 것이었다면 이렇게 걱정을 하시겠습니까. 송구스럽지만 큰 기대는 하시지 않는 편이……."

의원의 말은 매번 비슷했다. 아버지까지 돌아가시고 나면 정말 이 세상에 홀로 남게 된다. 정말, 완전한 혼자가 된다.

그 두려움을 받아들이는 것이 여간 쉬운 일이 아니어서 깊은 한숨을 쉬고 있는데 노크 소리와 함께 늙은 집사의 목소리가 들린다.

"손님이 오셨습니다. 폰디체리 공작가의 아펠리아 경입니다. 조금 일찍 오시기는 했습니다만 공녀를 오래 기다리게 할 수도 없으니, 지금 오시는 게 좋을 것 같습니다."

아펠리아 폰디체리. 이 모든 상황의 전환점이 되어 줄 수도 있는 사람.

넬슨은 에카이트의 당부를 천천히 곱씹으며 아펠리아가 기다리는 응접실로 걸음을 돌렸다.

"이런 호의를……. 감사합니다. 차, 드시지요."

독살이 아닐까. 그것은 아펠리아가 건네준 차를 한 모금 머금었다 힘들게 삼키며 든 첫 번째 생각이었다.

에카이트가 말했던 사람한테 해가 될 짓은 못한다고 했는데, 의도적으로 해가 될 짓은 못한다는 말로 걸러 들었어야 했나 보다. 쓰기는 삼킬 때 인상이 저절로 구겨질 정도로 쓴데, 달기는 또 왜 이렇게 단지.

이렇게 상반된 두 가지 맛을 한 번에 내기도 어려울 것이다. 아펠리아는 가져다 준 서류에 온 정신이 팔려 자신은 신경도 쓰지 않는 것 같았다.

버릴까? 넬슨이 차를 놓고 진지하게 고민하는데 아펠리아가 고개를 들어 찻잔을 보더니 얼마 줄지 않은 것을 보고 낭패라는 표정을 짓는다.

수면초구나. 차에 수면초를 타고 그 맛을 가린다고 이것저것 더 넣다 보니 이런 맛을 만든 모양이었다.

넬슨은 장단을 맞춰 주기로 하고 차를 마저 털어 넣었다. 목을 타고 넘어가는 순간조차 끔찍하다.

그가 찻잔을 완전히 비운 것을 확인한 아펠리아가 시간을 끌 셈인지 이런저런 이야기들을 꺼낸다. 기분 탓일까 나른해진 몸을 따라 평소라면 하지 않았을 이야기들을 털어놓았다. 눈을 감았다 뜨면 사라질 이야기. 멀어지는 의식을 애써 잡지 않으며 천천히 눈을 감았다.

"고생하셨습니다."

"아닙니다. 다만 아펠리아 경의 차가 정말……."

아펠리아가 수도를 벗어나고 수면초의 영향에서 온전히 깨어난 넬슨을 맞이한 것은 에카이트였다. 고생했다고 치하의 말을 건네는 에카이트에게 겸양의 대답을 건네려던 넬슨은 입에 남아 있는 차 맛에 결국 차 이야기를 꺼내고야 말았다.

넬슨의 말에 에카이트가 알 만하다는 듯 고개를 끄덕였다.

"그런 쪽으론 딱히 솜씨가 좋지는 않은 것 같더군요. 어지간하면 그런 말을 하지 않는 경이 그런 말을 꺼내다니…… 미안합니다."

"아닙니다. 사실 제가 차 맛에 대해 말할 입장도 아니지요."

넬슨의 말에 고개를 저은 에카이트는 일전에 대접받았던 어떤 끔찍한 뭔가가 떠올라 잠깐 인상을 찌푸리다 이내 미소를 지으며 본론으로 들어갔다.

"정식적인 절차는 모두 정리될 예정이니 크게 걱정하지 않으셔도 좋을 겁니다. 그리고 듣자 하니 아펠리아 경이 약재를 주었다고……."

"아, 네. 맞습니다. 흔하다면 흔한 약이지만 귀하다면 한없이 귀한 약이라고 하지요."

"한 번 쓰기에는 무리가 없지만, 주기적으로 복용하기에는 부담되는 것이지요. 그녀다운 선택입니다."

마치 에카이트는 모든 것을 다 알고 있는 것 같았다.

정중하게 인사를 건네는 에카이트를 보며, 어째서 자신의 약혼녀를 그 먼 곳으로 보내려 하는지 궁금증이 들었다. 하지만 입 밖으로 내어 봤자 소용없을 걸 알기에 굳이 말하지 않고 속으로 꿀꺽 삼켰다.

이 무렵 아펠리아는 이미 한창 말을 달리며 혹시나 누가 쫓아올까 전전긍긍하고 있었다. 아마 전혀 그럴 일이 없다는 것을 알았으면 제법 억울해하지 않았을까.

10. 입학 전통 (1)

10. 입학 전통 (1)

입학식 때 예상하기는 했지만 괴롭힘의 정도가 이 정도로 극악할 줄이야. 전통을 빙자해 재학생이 신입생을 괴롭히는 장난이 있었는데, 장난으로 넘기기에는 그 정도가 조금 심했다. 방을 잠시라도 비웠다 하면 방 안이 온통 엉망으로 변해 있었다.

"왜 그간 기사 서임을 받지 못했나 알만 하군요."

처음에는 새로 입학한 신입생들의 배경이 너무나 쟁쟁한 나머지 감히 이런 전통을 빙자한 장난질이나 괴롭힘을 시작할 생각도 못했던 것 같은데, 어느 순간 누군가가 주축이 되어 가장 신분이 한미한 신입생을 찾아내 장난질을 치기 시작하면서 차츰 자신감을 얻은 것인지 그 빈도와 정도가 점점 더 심해지고 있었다.

"그냥 밖에서 노숙할까요? 날도 따뜻한데. 전 청소랑 인연이 없는 것 같습니다."

내 해탈한 말투에 두 사람이 묵묵히 방을 바라보며 침묵을 지켰다. 어마어마한 아버지의 잔소리와 황태자의 욕이 적힌 편지가 짐과 함께 도착했다. 그것들을 풀어 놓기 무섭게 어지럽혀지는 방을 보고 반송할 걸 그랬나 후회스러운 마음도 들었다.

"아니면 재학생들을 하나하나 다 찾아다니면서 운신을 못하게 두드려 패 놓으면 이런 짓을 할 기력이 없을 테니까……."

"하긴, 이 난장판을 하루에도 몇 번이고 정리하는 체력 소모를 생각하면 그게 나을 수도 있겠네요."

내 헛소리를 진지하게 받아들이며 긍정적인 반응을 보이는 앤드류를 보다 조슈아에게로 시선을 돌렸다. 그나마 머리는 앤드류보다 조슈아가 낫다는 그간의 경험에서 비롯된 기대였다. 그런데 의외로 당한 것이 있어서인지 조슈아마저 괜찮은 생각이라며 긍정해 왔다.

"……농담이었으니 부디 진지하게 생각하진 마십시오. 그래도 최소한의 양심들은 있는 것 같네요."

나는 조용히 한숨을 쉬며 그만 나가 달라 요청했다.

"경들이 계속 정리를 도와주면 제 마음이 편치 않습니다. 정리에 익숙한 사람이 어디 있겠습니까. 하도 정리를 해서 이골이 나 금방 할 것 같으니 잠시 후 식사 시간 때 식당에서 보시죠."

"아펠리아 경, 그래도 이건……."

"아닙니다. 어찌 되었든 제 일. 같은 기사로 봐야지 계속 레이디로 보면 저도 불편합니다."

내 단호한 거절에 두 사람이 서로 시선을 교환하다가 잠시 후에 보자는 말만 남기고 방을 떠났다. 반드시 대갚음해 주겠다. 마나를 응용해 본때를 보여 주기로 마음먹으며 다시 엉망이 된 방을 청소했다.

"이것 참. 토끼 같군요."

"……당장 내려놓지 못해?"

방문 앞에 거꾸로 매달린 세 명의 남자를 보며 히죽 웃는 내 모습은 스스로가 생각해도 마귀 같았다. 전쟁에서나 쓰는 마나를 이용해 부비트랩을 설치했더니 단방에 걸렸다. 피가 쏠려서 얼굴이 파랗고 벌겋고 난리가 난 세 사람을 여유롭게 바라보던 내가 모르는 척 말을 건넸다.

"대체 왜 여기서 이러고 계십니까?"

"몰라서 물어? 네가 수작질을 한 덕분에 이렇게 된 거잖아! 당장 우릴 내려놔!"

예상대로 갈색 머리 남자가 주동자인 듯, 혼자 제일 독이 올라서 소리를 지르고 난리가 났다. 그러나 한동안 정리에 시달린 나 역시 독이 오를 대로 오른 것은 마찬가지. 순순히 내려 줄 생각은 전혀 없었다.

"수작질이라니. 이상한 소리를 하시는군요. 요즘 방에 자꾸 도둑이 들어서 방범 장치를 설치해 둔 것뿐입니다. 방을 단순히 지나가는 것으로 발동하지 않는 조건인지라 딱히 제가 생사람을 잡았단 생각은 들지 않네요."

"도둑이라니! 우리는 아무것도 가져간 것이 없다고!"

"아하. 그러니까 방을 이렇게 엉망으로 만든 게 당신들이다?"

그 말에 꿀 먹은 벙어리처럼 아무 말도 하지 않는 세 사람을 바라보던 내가 다시 입을 열었다. 가져간 것이 없다고?

"제 방의 청결을 가져가지 않았습니까? 정리하고 청소하느라 수련 시간까지 줄여야 할 판입니다."

이 세 명을 어떻게 해야 잘 처리했다고 소문이 나려나. 제대로 된 예시를 보여 줘야 불필요하게 엉겨 붙는 사람들이 앞으로 없을 것인데. 어찌 요리해야 잘했다고 소문이 나서 앞으로 있는 동안 좀 편하려나?

즐거운 고민에 저절로 올라가는 입꼬리를 내리느라 애를 써야 했다.

"딱히 자랑할 만한 실력들은 아닌가 봅니다. 허접한 마나 트릭에 세 사람 모두 당하다니."

내 빈정거리는 말에 딱히 반박할 말이 없었는지 셋 다 얼굴을 시뻘겋게 물들인 채 씩씩거리기만 했다.

사실 마나 트릭을 사용할 정도의 실력이면 일반 기사 중에서는 단장급, 황실 기사단에서는 중급 기사 정도는 되어야 한다. 고작 견습생 수준인 그들이 이 트릭을 파악하긴 힘들었을 것이다. 하지만 나는 그들의 기를 죽이는 것이 목적이었기에 양심의 가책을 무시하며 비웃었다.

"누가, 누가 실력이 떨어진다는 거냐! 신입생 주제에!"

"신입생 주제에 선배들을 마나로 동동 매달 수 있다는 점은 제법 높게 평가받을 수 있을 것 같은데. 다른 곳에 가서 한번 물어나 볼까요?"

눈앞의 세 사람을 보자니 도무지 이해가 가지 않는 점이 있어 먼저 입을 열어 질문을 건넸다.

"그런데 당신들은 내가 무섭지도 않습니까?"

"무섭다고? 왜? 하! 곱상하게 제국 제일의 미인이니 뭐니 낯간지러운 칭찬에 좋다고 헤벌쭉해서 부채질하는 모양이?"

내가 언제! 울컥해 큰 소리로 받아치려다 애써 이성을 찾고 목소리를 낮춰 말했다.

"폰디체리 공작가의 위명을 모를 정도로 세상 물정에 어둡지는 않을 것이고, 그 공작가의 외동딸에 황실 기사단의 기사로 알려져 있는데. 어느 것 하나 쉽게 보일 것이 없지 않습니까? 한마디로 만만하게 보고 덤빌 상대는 아니라는 거지요."

내 말에 갈색 머리 남자가 콧방귀를 뀌며 들으라는 듯 비아냥거렸다.

"하! 고작 남작 가문의 영애한테 밀려 약혼자한테 무시당하고 그 탓에 이곳까지 오게 된 걸 모르는 사람이 없다고! 착각하지, 억!"

'퍽!'

방금 뭐라고 한 거지? 잊고 있던 그녀에 대한 이야기를 이렇게 듣게 될 줄이야. 헛소리를 지껄이던 남자는 뒤에서 날아온 무언가에 뒤통수를 맞고 엎어져 있었다.

남자의 뒤에서 콧김을 뿜으며 서 있는 것은 애쉬우드 대공을 꼭 빼닮은 소년이었다. 나보다는 한 살 내지 두 살가량 어려 보였는데, 한눈에도 내 친인척임을 알 수 있는 외관이었다.

"입을 뜯어다 까마귀밥으로 줘야 바른말을 할 테냐?"

……저 사나운 말버릇도 우리 아버지 판박이인 것을 보아 애쉬우드 대공자임에 분명했다. 여기에 온다는 얘기는 없었는데? 의외의 만남에 눈을 동그랗게 뜨고 바라보자 그가 가까이 다가와 툴툴거린다.

"아니, 성격도 좋습니다. 큰아버님 성격이 그야말로 성격 파탄자라고 불릴 만큼 막무가내인데 누님은 어떻게 이걸 다 참고 계십니까."

……아니, 저 사람들 조금 전까지 거꾸로 동동 매달려 있었는데. 친근하게 말을 건 그는 금세 사나운 표정으로 돌아가 세 사람을 노려보았다. 키는 나보다 조금 큰 정도였지만 그 사나운 기세나 위압감은 마치 애쉬우드 대공이 이곳에 있는 것 같은 느낌을 주었다. 세 사람은 언제 그랬냐는 듯 쉴 새 없이 떠들던 입을 다물고 얌전히 있었다.

"어디서 그런 되지도 않는 헛소문, 그것도 한물간 헛소문을 듣고 시건방지게 굴지? 하여튼 한 번만 더 내 눈에 띄었다간 기사가 되기 전에 무덤 흙냄새부터 맡을 줄 알라고."

애쉬우드 대공자의 사나운 말버릇에 엉거주춤 앉아 있던 세 사람이 몸을 일으켜 뒤도 안 돌아보고 도망간다.

허, 참. 나보다 어리고 아직 기사도 아닌 대공자의 말 몇 마디에 저렇게 도망갈 작자들이 대체 뭘 믿고 나한테 그런 짓을 할 수 있었던 건지. 그리고 대체 그 소문은 왜 아직도 퍼지고 있단 말인가.

혼란스러운 표정으로 멍하게 서 있자니 애쉬우드 대공자가 어깨를 툭툭 치면서 아는 척을 한다.

"누님. 한눈에 알아봤지 뭡니까? 너무 오래전에 봐서 얼굴을 까먹을 지경이었는데, 이번에 아버지가 초상화를 가져오셔서요. 큰어머님이 그렇게 미인이라고 하시더니 정말인가 봅니다."

"윌리엄. 마지막에 본 것은 요람에 누워 있던 아기였는데 몰라보게 컸구나. 네 말처럼 정말 간만에 보는 것인데 이런 모습이라 민망하군."

친밀하게 인사를 건넨 윌리엄의 호의가 무색하지 않게 부드러운 표정과 말투로 인사를 받았다.

서로 주거니 받거니 웃음 섞인 대화를 계속 나누다 보니 문득 사람을 너무 밖에 세워 두었다는 생각이 들어 민망하게 웃으며 방에 들어갈 것을 권했다.

"반가운 나머지 예의도 잊었어. 들어오렴. 앉아서 얘기나 더 하자."

"왜 들어가잔 소리가 없나, 조금 섭섭해지려던 차였습니다. 그럼 사양하지 않고."

흔쾌히 웃으며 따라 들어오는 윌리엄을 돌아보며 이 아카데미 생활이 마냥 외롭고 답답하지만은 않을 것 같다는 생각이 들기 시작했다.

왜 입학식에서 못 봤나 했더니……. 애쉬우드 대공이 억지로 가라고 떠미는 것을 안 가겠다고 버티다가 내가 갔다는 이야기에 쏜살같이 달려온 것이라고 했다. 버티고 버티다 출발한 것이라 도저히 입학식 일정에 맞출 수는 없었다고.

너무 호의적인 태도에 처음엔 좀 미심쩍은 마음이 들었는데 대화를 나누고 나니 그 이유를 알 것 같았다.

외로움. 그와 같이 나 또한 어린 시절 어머니를 여의고 바쁜 아버지 밑에서 그 외로움을 이기고자 필사적으로 검에 매달렸었다. 하지만 검에도 큰 관심이 없고 모든 것을 잊고 전념할 만큼 좋아하는 무언가를 찾지 못한 윌리엄에겐 사람이 그 안식처인 듯했다.

"누님. 그런데 방이 너무 협소합니다. 다른 국가 출신도 아니고 칼라한 제국의 공녀가 묵을 방을 이런 식으로 준비하다니요."

속사정을 알고 있는 나는 어색한 웃음을 지으며 고개를 저었다.

안 그래도 교장이라는 작자가 와서 '공녀가 오는 줄 미리 알았으면…….' 하고 한바탕 변명을 늘어놓고 갔다. 물론 방 배치도 이미 끝났겠다 넬슨을 대신해 갑자기 온 것이니 이보다 더 좋은 방을 내어 줄 순 없었겠지.

심지어 늦게 도착하기까지 했으니 먼저 도착해 좋은 방을 배정받은 다른 입학생을 좋은 말로 구슬려 방을 양보하게 하는 것은 요원한 일이었을 것이다. 상황을 이해하고 받아들인 지 오래인지라 그저 어색하게 웃으며 그를 달랬다.

"뭐, 사정이 있었지. 그리고 네 말처럼 내가 언제 이런 방에 묵어 보겠어. 값진 경험을 하는 셈 쳐야지."

"……아무래도 누님 성격은 큰어머니 쪽인 것 같습니다. 큰아버지는 성격이 정말 불같으시더군요. 예전에 몇 번 대공령에 오신 적이 있으신데, 그 앞에서 까불거리다가 거꾸로 매달려서 엉덩이를 맞기도 했답니다."

아버지. 대체 그 먼 곳까지 가셔서 애는 왜 때리고 오셨나요. 생각만 해도 엉덩이가 아픈 모양인지 윌리엄이 엉덩이를 만지는 척하며 호들갑을 떨었다.

아버지 성격이면 그보다 더한 짓도 하셨을 법해서 어색한 웃음으로 대답을 대신했다. 주거니 받거니 편하게 대화를 계속하다 보니 정말 친형제와 대화하는 듯 친근한 느낌이 들어 마음 한편이 따뜻해지는 기분이었다.

'똑똑.'

"아펠리아 경? 안에 있습니까? 괜찮습니까?"

"아펠리아 경. 무슨 일 있는 것은 아니지요?"

아차. 밖을 보니 해가 질 무렵이다. 아마 조슈아와 앤드류가 식사

시간이 돼도 올 생각을 안 하는 내가 걱정되어 같이 방으로 찾아온 모양이다. 괜한 걱정을 끼친 것 같아 미안한 마음이 들었다.

방문을 열기 위해 빠르게 일어나는 나를 손으로 저지한 윌리엄이 태연한 목소리로 밖에까지 들리게 또박또박 말했다.

"들어오시지요. 식사는 뭐. 제 방에서 하시렵니까?"

윌리엄과 두 사람은 통성명을 하기 무섭게 우호적인 관계를 맺고 화기애애한 분위기로 윌리엄의 방으로 걸음을 옮겼다. 칼라한 제국의 귀족들은 애쉬우드 가문에 우호적일 수밖에 없었다. 당장 공작가 중 하나인 폰디체리 공작가와 혈연에 황실과도 혈연이니까 말이다.

대공령으로 분리된 지 그리 오래된 것도 아닌지라 아직 제국적 성향이 강한 편이었다. 우호적인 관계는 사실 두 사람의 선택이라기보단 윌리엄의 배려이자 아량인 셈이었다.

윌리엄의 방에 도착하기 무섭게 왜 윌리엄이 내 방을 두고 협소하다고 평가했는지 바로 이해할 수 있었다. 물론 공작가에 비할 바는 아니었지만 제법 규모 있는 방에다 식사를 할 만한 테이블까지 따로 있었기 때문이다.

아카데미가 평등한 공간이라는 말은 말 그대로 이상 속의 말에 불과하다는 것을 새삼 느낄 수밖에 없었다. 내 감상을 알 리 없는 윌리엄이 테이블을 가리키며 앉으라고 권한다. 윌리엄이 먼저 자리에 앉자 나와 조슈아, 앤드류가 차례로 자리에 앉았다.

"살면서 밥이 그렇게 중요하다는 걸 여기 와서 깨닫는군요. 맛없는 식사는 정말이지."

"뭐, 긍정적으로 생각하자면 다이어트에 도움이 된다고 할 수 있겠지요. 다이어트를 신경 써야 하는 사람은 여기서 저 한 명뿐이라 문제지만."

누구라고 맛없는 식사를 즐기겠는가. 가벼운 미소로 동의를 표하면서 그나마 긍정적인 부분을 짚고 넘어가려 했으나, 해당되는 사람이 나밖에 없어서 어색하게 웃었다.

조슈아와 앤드류는 이미 윌리엄의 말에 크게 고개를 끄덕이며 동의를 표했다. 이곳까지 사용인을 데려올 수도 없는 일이고 달리 방법이 없는데 도대체 무슨 생각으로 이렇게 둘러앉힌 것인지 궁금해질 무렵, 노크 소리와 함께 문이 열리면서 제법 맛있는 음식 냄새가 흘러들어 왔다.

어떻게 된 일인가 궁금해 눈을 동그랗게 뜨는데 윌리엄이 천연덕스럽게 입을 연다.

"뭐, 돈이면 안 되는 게 없더라고. 누님도 알아 두셔요. 꼭 식당이 아니더라도 다 방법이 있습니다."

그런 방법이. 두 사람은 식당에서 일하는 사용인 몇 명이 그럴싸한 식사를 챙겨서 식탁에 올려놓고 나가는 뒷모습을 입을 떡 벌린 채 바라보며 왜 그동안 자신들은 그런 생각을 못한 건지 자기 비판을 하기 시작했다.

그러다 이런 호사를 누리기 위해 윌리엄이 생각 없이 사용한 비용을 듣고 빠르게 마음을 접었다. 공녀인 나조차도 저만하면 낭비가 아닐까 고민되는 액수였으니, 저 둘에겐 터무니없이 비싼 금액이리라.

아무래도 지리적으로 고립되어 있는 아카데미다 보니, 식재료 수급이 힘들어 식당에서 먹는 음식 종류에도 한계가 있었다. 하루 한

끼 괜찮게 먹는 것이 얼마나 큰일인지 깨닫는 요즘, 괜찮은 식사를 따로 챙기는 대가로 윌리엄이 지불한 어마어마한 금액이 터무니없이 비싼 건 아니라는 생각이 들었다.

간만의 제대로 된 식사에 감사하며 모두가 조용히 식사에 집중했다. 다음 주면 정식으로 수업 일정이 나오게 된다. 어떤 과목을 배우게 될 것이며, 누가 강의를 할지. 궁금한 일이 가득이다.

“사실 이렇게 단체로 뭔가를 배우고 경쟁해 본 적이 없어서 다음 주가 기대됩니다. 윌리엄, 이전에 기사 수업을 들은 적은 있고?”

“뭐, 수업을 듣기는 했는데 딱히 취향은 아니더군요. 딱히 땀을 흘리는 것이 상쾌한 것인지 잘 모르겠어서. 그리고 특히 큰아버지가, 아, 폰디체리 공작 말입니다. 그분과 대련을 한번 했는데, 엄청난 기세로 검을 휘두르시는 모습에 이대로 죽겠구나 싶어서 바로 포기했습니다.”

……아버지. 애쉬우드 대공을 만나러 가셔서 대체 조카를 얼마나 들볶고 오신 겁니까. 애쉬우드 대공과 우리 아버지가 사촌 관계인 것을 익히 알고 있을 조슈아와 앤드류가 애매한 미소를 지으며 고개를 끄덕여 그를 이해한다는 시늉을 했다.

딸인 나도 십분 이해가 될 지경이니 남들이라고 오죽할까. 다혈질인 아버지가 분을 참지 못해 검을 들고 쫓아오는 모습을 본다면……. 아마 심장마비로 그 자리에 주저앉았으리라.

딱 봐도 황태자를 닮아 천하태평하고 느긋한 성미로 보이는 윌리엄이 겁을 먹을 정도면 알 만했다. 모두의 동의를 얻은 윌리엄이 만족스러운 표정을 지으며 말을 이었다.

“검도 모르는 일반인한테 검을 들이밀 정도로 잔악무도한 기사는 없을 테니 일반인으로 남아서 보호받는 쪽을 선택했지요. 뭐, 돈도 많은데 기사야 고용하면 될 테고."

윌리엄의 말에 조슈아와 앤드류가 다시 한번 고개를 끄덕여 수긍했다.

사실 윌리엄은 겉모습만 봐도 운동을 좋아하는 부류와는 확연히 차이가 났다. 결 좋은 금발에 딱히 근육이 붙은 것 같진 않은 평범한 몸. 하얀 피부. 가끔 황태자의 형상이 겹쳐 보이는 것만 보아도 운동과는 영 인연이 없어 보이는 것이다.

윌리엄이 그토록 아카데미행을 반대했던 이유도 아마 흥미도 없는 기사 놀음에 긴 시간을 소모하고 싶지 않아서가 아닐까. 하지만 혈육이 하는 일 없이 시간을 낭비하는 것은 뭔가 안타까워 짧은 조언을 하기로 했다.

"그래도 취향이 아니라고 있는 기간 내내 의욕적이지 못하게 시간을 보내는 것보단 경험 삼아 여기서 뭐라도 배워 가는 것도 좋겠구나."

"……잔소리는 집안 내력인 것 같습니다. 일단 누님이랑 친해질 기회가 생긴 것만 해도 이 무의미한 시간이 유의미해질 수 있다고 생각해서 저는 괜찮습니다."

"윌리엄 대공자의 말이 맞습니다. 기사 서임을 목표로 모여든 자들을 양성하는 기관이 아닙니까. 거른다고 걸렀겠지만 그 수준이라는 것은 어쩔 수 없는 법. 어쩌면 교사들보다 이번에 입학한 신입생들이 더 우월할 수도 있습니다."

조슈아의 단언에 내가 뭔가 반박할 말을 찾던 중, 앤드류가 당연한 소리를 한다는 어조로 응수했다. 그래도 배움의 터인데 그 지경으로 수준이 떨어질 리 없다고 너무 기대했나 보다.

내 실망한 표정을 본 세 사람이 급격히 아카데미의 장점들을 애써 찾아 읊었지만 끝끝내 내 기대를 되돌려 놓지는 못했다.

지난주에 논한 아카데미 교사의 실력과 수준에 대한 이야기의 승자는 당연하게도 조슈아였다.

그래, 애초에 이곳에 온 목적은 첩자였으니까. 다른 기대는 말자. 스스로를 다독이면서도 수업에 앉아 있는 것 자체가 고문과도 같다는 것에 충격을 받을 수밖에 없었다.

"……해서, 마나는 몸과 마음이 모두 준비가 되었을 때에 사용할 수 있으니 수련을 게을리하지 말고 계속해서 정진할 수 있도록 합시다. 오늘은 여기까지."

뭔 소리래. 물론 몸과 마음이 모두 준비가 되어야 사용할 수 있는 것은 맞지만, 그건 아주 기본적인 필요 충족 요건인 셈이다. 저런 추상적인 개념만 짚어 줘서는 아무리 타고난 천재라고 해도 쉽게 마나를 다룰 수 없을 것이다.

이런 수업들을 들으며 내가 정말 행운아라는 것을 느꼈다. 나는 전생부터 내 실력과 능력은 대부분 내 노력을 통해 이룬 성과라고 생각해 뿌듯해했는데, 노력이 꽃 필 수 있는 좋은 환경이 있었다는 사실을 몰랐던 것 같다.

아무리 나라고 해도 저런 환경에서 뭔가를 배우고 습득하라고 하면 지금보다 몇 배는 더 오랜 시간이 걸리거나 그 과정에서 질린 나머지 흥미를 잃어버리거나 하지 않았을까.

우울한 가정을 하며 옆을 돌아보니 앤드류와 윌리엄은 아직도 꿈

나라다. 앤드류는 참다가 결국 잠든 모양새였고 윌리엄은 아예 잠을 잘 작정으로 수업에 들어왔다고 해도 과언이 아닐 정도로 안정적인 자세로 잠들어 있었다.

"조슈아 경. 수업이 너무 구립니다."

"……방심하고 듣다가 하마터면 큰 소리로 웃을 뻔했습니다. 이거야 뭐, 일반 귀족 가문에 기사 수련생으로 들어가면 한 10분 정도 듣고 끝날 이론을 며칠째 반복해서 듣고 있으니 그럴 수밖에요."

"……저 교수는 매번 수업 5분씩 일찍 끝낸단 말이야. 월급을 받았으면 시간을 꽉꽉 채워 가면서 해야지 왜 조금씩 빼먹고 난리야?"

나와 조슈아의 대화를 자르고 부스스한 눈을 부비며 일어난 윌리엄은 5분 덜 잔 것이 불만인 듯 툴툴거리면서 자리에서 일어났다. 아예 교제며 필기구며 일절 지참하지 않은 모양새가 처음부터 수업을 들을 의사는 없었던 것 같다.

그나마 재학생들은 마지막까지 교수가 한 필기를 노트에 옮겨 적고 있었다.

"이봐. 그만 일어나지. 도대체 잠드는 것은 시키지도 않았는데 잘만 하면서 깨는 것은 왜 이렇게 못하는 거지?"

"조슈아 경도 가만 보면 참 정이 많아. 그냥 버리고 가면 되지, 그걸 또 깨운다니까."

윌리엄이 그렇게 빈정거리며 먼저 자리에서 일어났다. 그러자 조슈아도 무언가 깨달았다는 듯 윌리엄을 따라 나갔다. 아니, 그렇게 휙 가 버리면 어쩌자고? 여기 한 사람 자고 있다니까?

윌리엄이야 친해진 지 얼마 안 돼서 그렇다 치더라도 조슈아 경은 그러면 안 되지. 홀로 남은 나는 그나마 책임감을 느끼고 잠든 그를 흔들어 깨웠다. 같은 기사단 소속이니 최소한의 인정은 베풀어야지.

"앤드류 경. 후려치기 전에 일어나세요."

"……와, 살기 때문에 잠을 깨 본 것은 거의 처음인 것 같습니다."

주섬주섬 짐을 챙겨 일어나는 앤드류를 기다리며 앞에 서 있자니 주변에서 힐끗거리는 시선들이 제법 노골적이다. 우호적인 시선이라기보단 탐색과 경계의 시선. 저절로 굳어지려는 표정을 애써 다잡았다.

"다음 수업은 실기입니다. 서두르지 않으면 그늘은 고사하고 땡볕 아래에서 몇 시간을 보내야 할 겁니다."

내 지적에 앤드류가 허겁지겁 교실을 빠져나갔다. 기사도 땡볕은 무섭다. 교실을 빠져나가던 중 귓가로 낯익은 목소리가 들렸다.

"므네모쉬의 딸. 어미와는 다르게 제법 용감하구나."

고개를 돌린 곳엔 아무도 없었다. 걸음을 멈추고 주위를 두리번거리자 앞서 나가던 앤드류가 되돌아와 걱정스러운 표정으로 나를 살핀다. 그 첩자의 목소리라 분명했다. 나는 그 흔적을 찾기 위해 마나를 사용하기 시작했다.

"아펠리아 경, 괜찮습니까? 뭐 떨어트린 것이라도 있습니까?"

"……아닙니다. 그냥 잠시 착각했습니다."

앤드류의 염려에 더 시간을 끌기도 애매해 간결하게 해명했다. 앤드류는 마지막으로 한번 더 주위를 살피고는 다시 밖으로 걸음을 옮겼다.

복도를 지나 건물 밖으로 나가자 제법 넓은 연무장 곳곳에서 몸을 풀고 있는 학생들이 보였다.

"귀족이 대수는 아닌가 보네. 허접하기는. 아, 어디 붙어 있는지도 모르는 왕국의 귀족이라면 차라리 제국의 평민이 더 나으려나, 껄껄."

시건방진 빈정거림을 듣자 하니 제국의 평민 출신 재학생인 듯했다. 아니 무슨 저런 시건방진 논리를 입 밖으로 툭툭 내뱉을 수 있지? 제국의 귀족으로서 심히 민망하고 얼굴이 홧홧해 그의 뒤통수를 지그시 노려봤다.

감히 조슈아나 윌리엄이 들을 만한 거리에선 저러지 못할 것이라는 계산이 서서 주변을 둘러보니 아니나 다를까, 조슈아가 멀리서 몸을 푸는 것이 보인다.

"그리고 제국의 평민보다는 제국의 귀족이 더 나은 팔자일지도 모르지."

앤드류가 시건방진 발언으로 신입생을 핍박하려는 재학생을 향해 내가 뭐라고 나서기도 전에 툭 던지듯 말하며 빈정거렸다. 제국의 평민이라는 것만으로 저렇게 목에 힘을 줄 수 있다니.

"정말이지 실감이 안 나는군요."

"……믿고 싶지 않은 것인지 실감이 안 나는 것인지는 면밀히 구분해 보는 건 어떤가."

앤드류의 말을 받아치는 조슈아의 냉정한 말투에 나도 모르게 고개를 끄덕일 뻔했다. 나야 첩자가 입학한다는 첩보를 듣고 자발적으로 움직인, 그야말로 속내가 따로 있는 사람이었고 나머지는 대게 어떠한 야망을 품고 혹은 보내지기 적합한 사람이라 왔을 것이다.

이 아카데미 자체가 제법 큰 의미를 가지고 있을 것인데 기대 이하는 고사하고 이런 수준이라니.

아카데미가 아무리 중립 구역으로 관리되고 있다곤 해도 제국의 체면이 있지. 우리 칼라한 제국이 운영하는 곳이 고작 이런 수준으로 운영되고 있다고 하니 돌아가서 할 일은 확실해진 셈이다.

"정말이지 창피할 지경입니다. 우리 제국에서 관리하는 곳에서 이런 일이 벌어지고 있다는 것이."

"누님은 책임감이 너무 강하셔서 탈입니다. 제국의 영토가 어디 토마토밭도 아니고 그 광활한 곳을 모두 관리하는 것도 일인데 이런 작은 구역, 그것도 지난 세월 동안 거의 잊힌 유명무실한 공간을 철두철미하게 관리하기 위해 인력을 투입하고 시간을 투자하는 것은 오히려 낭비입니다."

윌리엄이 위로와 함께 정확한 현실을 지적하자 동의할 수밖에 없었다. 틀린 말은 없었기 때문이다. 윌리엄의 말 뒤로 조슈아도 말을 덧붙였다.

"저도 마찬가지. 제국 출신으로 이런 광경을 보면 마음이 편하지는 않습니다. 하지만 지난 몇 세기 동안 대륙이 평화를 누리면서 기사에 대한 필요나 수요가 높지 않았으니 어찌 보면 당연한 일입니다. 전쟁도 분쟁도 없는 시국에 누가 개인 기사를 늘리고 병력을 증강한답니까. 자칫 잘못하면 역모하는 줄 알고 고초를 치를 수도 있을 겁니다."

……그렇구나. 우리 제국이 어쩌면 이렇게 무신경하게 일을 해 왔을까 비난하고 속상해하던 마음이 사르르 녹는 기분이었다.

내 표정이 편해진 것을 본 윌리엄이 조슈아의 어깨를 툭툭 두드리며 잘했다는 듯 칭찬했다.

"주목! 모두 주목!"

연무장 가운데로 성큼성큼 걸어 나온 교수가 학생들의 주의를 끌었다. 백발이 성성하고 다부진 몸을 한 교수는 한때 작은 왕국의 백작가 기사단장으로 일하다 은퇴 후 후학을 양성하기 위해 아카데미에 자원했다고 했다.

딱히 실력이 기대되는 수준은 아닌 것 같았으나 그래도 노련함과 오랜 시간 누적된 훈련의 성과는 제법 신뢰를 줄 만했다. 앤드류도 같은 생각을 했는지 작게 귓속말을 한다.

"그나마 제일 교수 같은 인물 아닙니까? 세상에, 검술 이론 수업은 정말 최악도 그런 최악이 없었는데요."

"한 번도 제대로 들은 적이 없는 것 같은 자네가 그런 말을 하니 감명 깊군."

조슈아가 기가 막힌다는 표정으로 앤드류를 지적했다. 같은 의견이었기에 애써 웃음을 참으며 침묵으로 동의를 표했다. 우리끼리 사이좋게 수다를 떠는 것이 주변의 시선을 끈 것인지 검은색 교복 차림의 누군가가 잘난 척하는 기사들 꼴도 보기 싫다며 큰 소리로 빈정거린다.

아, 진짜. 재학생이 신입생을 못살게 구는 이 입학 전통은 대체 언제까지 계속되는 건지 궁금할 지경이었다. 앞서 빈정거린 말투와는 좀 다르지만 정확한 항의성 목소리도 들려왔다.

"이미 기사 작위도 있는 사람들은 굳이 수업을 왜 듣나 모르겠습니다, 교수님! 면학 분위기에 도움이 되질 않습니다."

……저건 창피하지만 맞는 말이다. 너무 잘난 척하면서 수업에 비협조적으로 나왔나 반성하는 와중 교수가 묵직하게 고개를 끄덕이더니 목을 가다듬고 입을 열었다.

"주목! 이번 신입생들은 그간 없었던 특이한 사례로 조금 색다른 기준을 두고 뽑혀 온 것으로 알고 있네. 원래대로라면 조금이라도 많이 배우고 길게 배운 재학생들의 실력이 더 앞서는 것이 맞겠지만 지금은 그렇지 않다는 것도 다들 알 것이네."

그의 말에 모두가 침묵으로 긍정을 표했다. 조용한 좌중을 돌아보며 그가 강하고 절도 있게 말을 이었다.

"실력이 떨어진다고 해서 무시받을 이유도, 출중하다고 해서 무시할 이유도 없네. 이 아카데미는 배움의 장소일세. 이곳 밖이 실전인 것이지. 지금 누가 더 잘하고 누가 더 뒤처지고를 두고 자존심 싸움을 해 봤자 아무 의미가 없다는 뜻이기도 하네. 재학생들, 듣고 있나?"

"예!"

그의 부름에 재학생들이 짧고 굵게 대답했다. 입학한 지 얼마 안 된 신입생들, 그것도 현직 기사들이 대부분인 집단이 느끼기에도 제법 교수답다고 생각할 정도이니 이미 그 밑에서 최소 1년은 배웠을 기사 지망생들에겐 제법 큰 존경을 받는 것이리라.

"이것은 기회일세. 보시게. 지금 내 눈에 이곳은 천국일세. 칼라한 제국의 황실 기사단의 현직 기사만 셋이 있지 않은가."

그가 나와 조슈아, 그리고 앤드류를 지그시 바라보며 힘 있게 말했다. 사방에서 쏟아지는 시선이 민망했지만 그래도 묵묵히 견뎠다. 교수는 말을 계속했다.

"여러 왕국의 쟁쟁한 기사들이 이렇게까지 한자리에 모여 기사의 길을 배우는 것은 아마 수백 년이 지난다고 해도 다시없을 엄청난 기회일세. 좀 더 아카데미에 오래 다녔다고 해서 선배 대접을 받으려 해서도, 먼저 기사가 되었다고 무시하려 해서도 안 될 일이란 말일세."

그가 조용해진 좌중을 다시 카리스마 있는 눈초리로 훑어보며 말을 이었다.

"재학생이라고 신입생에게 배우지 말라는 법은 없는 것이고 아무리 이미 기사 서임을 받은 기사라고 해서 새롭게 배울 것이 없다는 뜻은 아닐세. 서로 배우고 가르치고 지식을 교환할 수 있는 절호의 기회이거늘 서로의 자존심 때문에 날려 버리는 것은 어리석은 일이야."

교수의 말이 이어지자 배울 것이라곤 하나 없는 시간 낭비의 장소, 그러나 첩자 때문에 어쩔 수 없이 머물러야 하는 장소라고만 생각하고 있었던 스스로의 자만심과 짧은 식견이 부끄러워 절로 고개를 숙였다.

“이 아카데미에서 교수로 일한 지는 제법 되었네만 요즘 재학생들이 신입생에게 입학 전통이랍시고 하는 일들은 그간 본 적 없던 양상이더군. 가벼운 장난으로 선후배 간의 어색함을 풀고 친분을 쌓을 기회로 생겨난 전통이 그런 식으로 이용되다니. 진정 그런 마음으로 기사가 되고 싶다면, 당장 여기서 나가 주게.”

교수의 매서운 비난에 이번엔 대부분의 재학생들이 고개를 떨궜다. 잠시간의 침묵이 흐른다. 교수가 학생들을 하나하나 바라보는 바람에 눈이 마주친 내가 살짝 고개를 숙이며 사죄의 뜻을 표했다. 그가 묵묵하게 그 사과를 받아 넘기며 시선을 옆으로 옮기는 것이 느껴졌다.

“부디 날 더 실망시키는 일이 없었으면 좋겠네. 기사도는 그런 비열하고 저급한 마음에선 자랄 수도, 자라게 해서도 안 되는 고귀한 것일세. 오늘은 따로 더 수업을 하지는 않을 것이니 이후 시간은 오늘 내 말의 의미를 잘 생각해 보는 시간으로 썼으면 좋겠네. 알겠나?”

“예!”

이번에는 재학생과 신입생 모두 입을 모아 대답하는 바람에 합쳐진 목소리가 제법 우렁차게 들렸다. 교수가 다소 만족한 표정으로 고개를 끄덕이며 자리를 떴다. 그가 자리를 뜨자 연무장은 어색하고 민망한 분위기로 가득 찼다.

민망함에 머리를 긁적이는데 일전 내 방을 엉망으로 만든 갈색 머리의 남자와 그 일행이 성큼성큼 다가오고 있었다. 뭐야, 교수가 저렇게까지 얘기했는데 할 말이 더 있나?

내가 인상을 찌푸리며 그들을 바라보자 같이 시선을 돌려 그들을 발견한 윌리엄이 마치 쪼아 먹을 지렁이를 발견한 닭처럼 형형하게 눈빛을 빛냈다.

"어디 더 할 말이 있어서 온……."

"미안하다!"

내 앞까지 엄청난 기세로 다가온 세 남자를 본 윌리엄이 사납게 뱉은 말을 마무리하기도 전에 남자가 허리를 푹 숙이며 큰 소리로 사과했다. 뒤의 둘도 덩달아 허리를 숙인다.

"여자의 몸으로 제국 황실 기사단에 이름을 올렸다는 사실 자체가 너무 부러우면서 아직 기사 서임은 고사하고 제대로 된 실력도 쌓지 못한 스스로가 창피해서 부끄러운 짓을 하고야 말았다. 남을 깎아내린다고 내가 높아지지 않는 것은 너무도 당연한 일인데 어리석었다."

이런 건 생각해 본 적이 없는데. 어안이 벙벙해 멍하니 있자, 그가 아예 무릎까지 꿇을 기세라 일단 허겁지겁 입을 열어 그를 저지했다.

"아닙니다. 살면서 실수하는 사람은 헤아릴 수도 없이 많습니다. 그 실수를 알아채고 고치려 드는 것이 가장 힘든 일인데, 그 힘든 일을 이토록 빨리 결심하여 많은 사람 앞에서 사과할 수 있다는 것은 정말로 대단한 일이라고 생각합니다. 아시겠지만 저는 칼라한 제국의 아펠리아 폰디체리입니다."

손을 내밀어 먼저 악수를 청하자 그도 쭈뼛쭈뼛 손을 내밀어 내 손을 맞잡아 흔들었다. 그리고 본인도 이름을 말했다.

"아젤 왕국의 패트릭 몬트리오다. 평민이라고 생각했겠지만 일단 몬트리오 백작가의 막내지. 몰락 귀족이 된 지금 이 성이 무슨 의미가 있겠냐만은."

아. 몰락 귀족이라는 그의 말에 이 모든 상황이 이해가 됐다.

작은 왕국인 아젤의 백작가 막내. 그럭저럭 걱정 없이 지낼 만했을 것이다. 애초에 없었던 것보다 가진 것을 뺏긴 것이 더 모질다. 무거워진 상황을 반전시키고자 살짝 웃으며 입을 열었다.

"아닙니다. 그 애기는 이제 그만하시지요. 굳이 말하자면 저 또한 대처가 너무 강경하지 않았나 조금은 반성하고 있었답니다."

내 장난스러운 마지막 말에 벌떡 허리를 편 그는 내가 어떤 대처를 했는지 말할까 노심초사하는 표정으로 안절부절못하고 있었다. 대중의 어색한 분위기도 풀 겸, 장난스럽게 말을 이었다.

"아무리 방을 좀 어지럽혔다고 해서 선배들을 마나 트랩으로 거꾸로 매달아 흔들었던 것은 조금 반성합니다."

내가 먼저 나서서 그들을 선배라고 부르는 것을 들은 주변이 소란스러워졌다.

"뭐, 용서를 바란다고 하시니 저도 가벼운 보복이나 해 볼까요."

"보복? 무슨, 으억!"

마나를 이용해 그의 몸을 허공으로 확 들어 올리자 사방에서 감탄과 웃음소리가 동시다발적으로 터져 나왔다. 벌겋게 변한 그의 얼굴색이 과연 몸이 거꾸로 들려서인지 부끄러워서인지는 알 길이 없었다.

잠시 그를 이리저리 흔들다가 이번에는 제법 조심스럽게 그를 바닥에 내려놓고 좌중을 향해 상쾌한 어조로 외쳤다.

"전통이 있다면 해야지요. 이번에는 부디 원래의 전통을 훼손하지 않는 선에서 신입생들에게 아카데미의 전통을 알려 주시면 좋겠습니다."

다음 날 아침, 방문을 열자마자 꽃 세례가 쏟아졌다. 그것을 시작으로 '나는 천하에 둘도 없는 먹보입니다.'라는 메모를 붙이고 다니는 앤드류에 교실이 바뀌어 5층을 왔다 갔다 고생하는 일까지. 하루

종일 소란스러운 일로 정신이 없었다. 괜히 전통을 알려 달라고 한 것 같아 후회로 한숨이 나왔다.

왜 이렇게 춥지. 뭔가 쌀쌀한 느낌에 몸을 움직이다가 밑으로 푹 떨어지는 다리에 화들짝 놀라 잠에서 깼다. 그 와중에 몸에 말린 이불이 흘러내리는 느낌이 들어서 이불을 잡아당겼다.

"뭐야. 키 크는 꿈인가?"

다시 잠이 들려던 순간, 뭔가 평소와 다른 풍경에 부스스 눈을 떴다. 인위적인 어둠 속에 저 멀리 등불하고 풍성한 나무들이랑 잔디가 보인다. 등허리가 뭔가 딱딱하게 배기는 것 같고, 바람도 불…… 응?

"엥? 여기가 어디, 으악!"

놀라서 벌떡 몸을 일으키다가 푹 꺼지는 다리 밑에 사방을 둘러보니 야외다. 내가 밖에서 잤었나? 아마 아직 꿈속인 것 같다. 그럼 그렇지, 밖에서 잘 리가 없지 않은가. 하지만 주변을 둘러보자니 분명한 야외다. 몽유병이 있는 것도 아니고 그렇다고 누가 자는데 건드리는 것을 모를 정도로 둔하지도 않은데 이건 말도 안 된다. 그저 고개를 끄덕이며 지금 상황을 꿈이라고 결론지었다.

설사 여기가 정말 나무 위면 어떠랴. 지금 일어나서 부산을 떨면 오늘 잠은 다 잔 거다. 자고로 잠은 잘 수 있을 때 자야 한다. 간편하게 결론을 내리기 무섭게 의식은 점점 멀어졌다.

그리고 그다음 날 사람들의 웅성거리는 소리에 잠에서 깰 수밖에 없었다. 꿈이 아니었구나. 민망하지만 애써 천연덕스럽게 나무에서 내려오며 잠에 굴복했던 나를 원망했다.

"누님. 거기서 잠이 옵니까?"

"아펠리아 경. 정말 존경합니다. 그게 가능합니까?"

"……저는 개인적으로 한번 깨서 나무 위에서 자고 있다는 걸 확인까지 해 놓고 그대로 다시 잔 점을 높이 사고 싶습니다."

정식 학기가 시작하고 검술 실전 교수의 따끔한 지적 이후로 윌리엄도 뭔가 느낀 모양이다. 방에서 하던 식사를 그만두고 아쉬운 대로 식당에서 식사를 하게 되어서 지금은 모두 아침 식사를 위해 식당에 앉아 있는 중이었다.

아침에 깨 보니 나무 밑에서 재학생들 여럿과 앤드류, 조슈아, 윌리엄이 나를 부르며 황당해하고 있었다. 이후 나무에서 내려와서 나무 위에서 잔 것이 꿈인 줄 알고 그냥 다시 잠든 거라고 설명을 해 보았지만 아무도 공감해 주지 않았다.

내 일행들은 내 설명 정도론 본인들의 황당함이 풀리지 않았는지 식당에서 자리에 앉은 후에도 거듭 어제의 일을 다시 물어보며 사실 관계를 확인하려 하고 있었다. 에이, 이럴 줄 알았으면 그냥 깼을 때 방에 가서 잘걸. 다시금 과거의 판단을 후회했다.

"보통은 자던 곳이 아닌 데에서 일어나면 난리가 납니다. 아무리 봐도 누님은 큰어머니를 닮은 것 같습니다. 큰아버지였으면 그 새벽에 칼부림 났을 겁니다."

"폰디체리 공작이라면 충분히 그럴 수 있겠군요."

입 안 가득 소시지를 물고 있는 앤드류만 침묵을 지킬 뿐 조슈아와 윌리엄은 만약 이 상황에 처한 것이 아버지였다면 기록될 만한 난리가 났을 거라고 맞장구를 치고 있었다.

내가 생각해도 아버지가 자던 중 나무 위로 옮겨졌다고 하면 주동자의 생명을 보장할 수 없다는 걸 알기에 조용히 고개를 끄덕일 수밖에 없었다.

"그나저나 이거 뭐. 앞으로 어떻게 될지 모르겠군요."

소시지를 급하게 삼킨 앤드류가 더 이상은 참지 못하고 입을 열었다. 뭐가 어떻게 돼? 내가 고개를 갸웃거리자 역시 이 중에 제일 눈치가 없는 것은 나였던지 나머지 둘은 알겠다는 표정을 짓고 있었다.

"하긴 그것도 그렇군요. 반응이 이렇게나 없으니 포기하거나, 반응할 때까지 계속하거나."

아. 저기까지 듣고 무슨 말을 하는지 이해한 내가 침통의 신음을 흘렸다. 아무래도 후자가 가능성 있게 들렸기 때문이다. 그리고 이러한 짐작은 며칠이 더 지나고 나서야 확정으로 결론이 나고야 말았다.

네가 이기나 내가 이기나 신경전으로 번진 입학 전통은 워낙 반응이 둔하고 무덤덤한 내 성향 때문에 점점 더 극한으로 달려가며 많은 이들에게 볼거리를 제공하고 있었다.

수건돌리기를 한다고 하면 보통 귀엽고 깜찍한 광경을 떠올리기 쉬운데, 지금의 광경은 그러한 종류의 깜찍함과는 상당히 거리가 있어 보였다.

기사 서임을 받은 대다수의 신입생은 등 뒤에 뭐가 놓이는 것을 모른 척하는 것이 더 힘들 정도로 기본적인 감이 발달해 있었고, 기사 수련생 수준인 재학생들은 그런 감을 속일 정도로 실력이 뛰어나지 못했다.

"악!"

그 예로 지금 막 수건을 놓고 도망가려던 재학생이 그 수건이 땅에 닿기도 전에 낚아챈 신입생에게 수건으로 등을 맞고 장렬한 비명을 냈다.

내 등 뒤로도 한 번 수건이 놓였었다. 노력이 가상하기에 바로 잡지 않고 그 선배가 거의 한 바퀴를 뛰고 올 때까지 기다려 주었다.

그리고 나에게 가까워질 무렵, 그 선배가 뛰기 시작한 방향으로 수건을 공처럼 말아서 집어 던졌다.

빠르게 원을 그리며 그 선배가 뛰어온 길을 지나온 수건이 그를 정통으로 맞췄다.

맞자마자 단말마 비명과 함께 무릎을 꿇고 넘어졌다.

힘 조절을 잘못했나 싶어서 그다음부터 잘해야겠다고 다짐했는데 다음이 없다. 하긴, 저걸 보고도 도전할 사람은 없겠지.

"지루합니다."

"누가 아니랍니까."

벌칙은 둥근 원을 그리고 앉은 사람들 가운데로 나와 세 가지 음료 중 한 가지를 골라 마시는 것이었다. 표정과 반응을 보아하니 매운맛, 신맛, 짠맛인 것 같다.

걸린 사람들의 표정은 하나같이 모두 일그러졌다.

세 가지 맛 중에 고를 수 있는 것이 아니라 그냥 무작위로 골라 마셔야 했기 때문에 입 안에 음료를 넣기 전까지는 이게 매운맛일지, 신맛일지, 아니면 짠맛일지 알 길이 없는 것이다.

지금 걸린 사람은 아무래도 매운맛을 고른 것 같았다.

"허억. 물, 물을. 헉."

온 얼굴이 벌겋게 달아올라 물을 찾는 모습을 보니 절로 동정심이 생겨났다.

얼마나 매우면 콧물까지 훌쩍일까. 안 걸리는 것이 최선이었지만, 말처럼 쉬운 일이 아니었다.

대다수의 재학생들이 벌칙에 희생되어 혀를 빼물고 헉헉거리고 있었다.

"정말이지 지루해 죽겠는데 그냥 들어가면 안 되나."

윌리엄의 투덜거림에 나와 조슈아, 앤드류가 황당한 표정을 지었다.

기사가 아닌 데다 그다지 게임에 집중하고 있지 않는 윌리엄은 제법 좋은 표적이었다.

아무렇지 않게 태연한 표정으로 벌칙을 수행하고 자리에 돌아가 앉은 윌리엄을 두고 웃을 수 있는 사람은 아무도 없었다.

미각을 상실한 것은 아닐까 걱정이 될 지경이었다. 놀리고 웃는 것도 반응이 재미가 있어야 하지.

"자, 이렇게 해 보는 것은 어떨까요?"

림국에서 온 것으로 알고 있는 한 신입생이 지루해진 대중을 향해 제안을 하나 내놓았다.

다들 돌파구가 필요하다고 생각했는지 집중하는 것이 느껴졌다. 오죽하면 반쯤 졸던 윌리엄이 눈을 다 떴을까.

"팀으로 할 수 있는 종목으로 바꾸는 겁니다."

그의 말에 주변이 웅성거리기 시작했다. 하긴. 개인전으로 해서는 이 격차를 도무지 좁힐 수 없음이 명백해 보였다.

"재학생 두 명, 신입생 두 명. 이렇게 4인 1조가 돼서 꼬리 자르기 게임을 하는 건 어떻습니까?"

오. 괜찮은데? 누가 앞에 서고 뒤에 서는지는 팀 재량이 될 것이고, 잘하고 못하고의 차이도 없을 듯했다.

다들 솔깃한 표정으로 주변을 살피다 이내 팀을 어떻게 나눌 것인가로 화제가 옮겨갔다.

간단하게 재학생, 신입생을 줄 세워 순서대로 팀을 나누게 됐는데 무슨 일인지 나는 옆으로 빠져 있다.

"누님. 아무리 기사라고 하지만 남녀가 유별한데, 허리를 잡고 잡히는 난장판에 누님이 끼는 것은 좀 아닌 것 같습니다."

"동의합니다. 그리고 아펠리아 경의 약혼자도……. 이 사실을 에카이트 공이 알게 된다면…… 저는 뒷감당을 할 자신이 없습니다."

이럴 때엔 도움이 좀 되는구나. 그 말에 어쩔 수 없다는 표정을 지으며 고개를 끄덕였다.

잘 모르는 남자들 틈에서 허리를 잡으며 난리를 치는 경험은 그다지 해 보고 싶지 않았다.

그렇기에 성질 나쁜 약혼자의 존재는 큰 도움이 되었다. 옆으로 빠진 나는 자연스럽게 심판으로 자리를 잡았다.

강 건너 불구경이라고, 좋은 기회다.

"……우승은 5조입니다. 축하드립니다."

아무런 보상도 없는 경기에서 1등에 무슨 의미가 있을까.

그래도 이겨서 좋은지 먼저 이 게임을 제안한 림국의 신입생과 그의 팀원들이 승리자의 미소를 짓고 있었다.

윌리엄은 결국 앤드류의 극성에 이리저리 끌려다니며 고생은 고생대로 다 하고 장렬하게 패배하고 말았다.

앤드류의 극성과 윌리엄의 불만 사이에서 마음고생을 하던 꼬리는 안타깝게도 패배한 후에야 한결 편해 보였다.

조슈아는 요령 좋게 최후의 다섯 팀에 올라 머리로서 혁혁한 공을 세웠지만 최후의 세 팀에서 더 이상 올라가지 못했다.

"식사 시간입니다. 모두들 샤워실에서 가볍게 땀을 씻어 내고 식당에서 보도록 합시다."

여전히 소란스러운 인파를 향해 식사 시간을 알리자 다들 웅성거리며 샤워실로 이동한다.

아무래도 방과 연무장 사이에 거리가 있는 만큼, 바로 옆에 붙은 샤워실을 이용하는 편이 편리할 것 같았다.

제법 괜찮은 방에 묵고 있는 인원들을 제외하면 샤워실을 공동으로 이용하고 있으니 가까운 것이 최고겠다.

딱히 땀을 흘리지 않은 내가 손과 얼굴이나 좀 씻을까 싶어 텅 빈 연무장을 쓱 둘러보고 걸음을 옮기려는데…….

"므네모쉬의 딸. 보면 볼수록 탐이 나는군."

익숙하면서도 거북한 첩자의 목소리가 등 뒤에서 들려왔다.

나는 삽시간에 몸을 돌려 목소리가 난 방향으로 방어 자세를 취했다.

어렴히 첩자의 형상이 보일 것이라고 생각했던 나는 텅 빈 공터를 보고 당황을 감출 수 없었다.

"어디냐! 숨어 있지 말고 나와!"

내 목소리에도 사방은 조용하기 그지없었다. 탁 트인 연무장은 누구 하나 모습을 숨길 수 있는 구조가 아니었다.

분명 바로 지척에서 들렸는데……? 너무도 황당한 상황에 또 꿈을 꾸고 있는 건 아닌지 어안이 벙벙해졌다.

주변을 경계하며 마나를 통해 혹시 다른 인기척이 있나 주변을 돌아보던 중, 등 뒤에서 무언가 툭 하고 떨어지는 소리가 났다.

"헉!"

그 소리에 빠르게 뒤를 돌아보며 거리를 벌렸다. 폭탄일지도 모른다는 생각에서였다. 뒷걸음질 쳐 거리를 벌린 상태로 바닥을 살펴보니 의외로 아주 익숙한 물건이 있었다.

영상석이다.

"영…… 상석?"

"훌륭한 물건이야. 제국에서 만든 것이니 이용할 줄은 알겠지."

주변에 아무것도 없는 연무장에서 몸을 숨길 만한 것은 전혀 보이지 않았다.

"내가 궁금할 테지. 물어보고 싶은 것도 많을 거다."

"비겁하게 몸을 숨기지 말고 정체를 드러내!"

첩자의 목소리가 들리는 방향을 추적하려 애써 보았지만 느껴지는 기척은 전혀 없었다.

"가져가도록. 나와 대화할 수 있는 매개가 되어 줄 테니. 피한다고 해서 답이 나오는 건 아냐. 현명하고 용맹한 기사라면 용기와 도전 없이는 아무것도 얻을 수 없다는 것을 가장 잘 알 것이다."

"시끄러우니까 당장 나와! 아니면 이대로 사라져서 두 번 다시 나타나지 말든가."

첩자가 하는 말에 더 이상 신경 쓰지 않고 마나를 더욱 세심하게 사용하기 시작했다.

분명 존재한다면 어떠한 방식으로든 기척을 남기고 있을 것이다. 삽시간에 끌어올린 집중력과 섬세하게 움직이는 마나가 원하는 것을 찾게 해 주었다.

찾았다. 이상한 흐름이 있는 곳.

“보면 볼수록 우리에게 어울리는 사람이다, 그댄. 원래 있던 곳으로 돌아와야 완성되는 것이지. 그럼 므네…….”

“핫!”

나는 말을 멈추지 않은 첩자를 두고 이상한 흐름이 있는 곳을 향해 검을 휘둘렀다.

이 아카데미의 가장 큰 장점은 기사 양성 학교인 만큼 상시 개인 무기를 지참해도 상관없다는 것이었다.

기사 서임을 받기 전까진 정식 검을 가질 수 없기에 재학생들은 모두 가검을 개인 무기로 지참했지만, 이번에 신입생으로 들어온 사람들은 사정이 달랐다.

기사에게 개인 무기란 진검이었다. 전생과 현생을 통틀어 나와 오랜 시간 함께한 검이 날카로운 공명음을 내면서 허공을 갈랐다.

“윽!”

“거기군!”

무언가 살짝 베이는 느낌이 들었다. 그대로 찔러 들어갔지만, 허공을 가르는 느낌만 남았다.

허공에서 바닥으로 투두둑 핏방울이 선명하게 떨어졌다.

“제법이구나, 므네모쉬의 딸. 아쉽지만 이만 가 봐야겠군. 다음에 또 보지.”

“비겁한 놈.”

모습을 숨긴 채 사람의 약을 올리는 첩자에게 비겁하다 빈정거리자 그가 큰 소리로 웃는다.

그가 완전히 사라지자 몸의 긴장이 풀린다. 아마 본능적으로 느끼던 타인의 존재감이 사라져서인 것 같았다.

연무장 바닥에 떨어진 영상석과 핏자국만이 이 모든 일이 꿈이 아니라는 것을 증명하고 있었다.

늦은 저녁, 식사를 마치고 몸을 씻은 후 책상 위에 둔 영상석을 이리저리 굴려 보았다.

"영상석. 음. 이렇게 봐선 통신용인지 기록용인지 모르겠네."

첩자로부터 영상석을 받아 면밀히 관찰하고 있다는 걸 알면 황태자든, 에카이트든 난리가 날 것이다.

'아펠리아! 미쳤군. 미쳤어! 이젠 더 할 말도 없네!'

'……겁이 없는 건지, 바보인 건지.'

잠깐 상상만 했을 뿐인데도 두 사람의 잔소리가 들리는 것 같아 몸을 부르르 떨었다.

"근데, 이거 영상석은 맞겠지?"

나는 영상석으로 보이는 것을 손가락으로 톡톡 건드려 보면서 석연찮은 표정을 지었다.

상대는 '첩자'다. 그가 하는 말을 곧이곧대로 믿을 수도 없지 않은가.

"근데 그렇다고 다른 거라면 뭐지?"

단순히 마나만 불어 넣어도 금방 작동할 물건이지만 어떻게 작동하는지 알 길이 없으니 섣불리 확인을 이유로 작동시킬 용기가 없었다.

마나를 넣었다가 펑 터지거나 하면 큰일이다.

"아, 미치겠네. 버릴까?"

영상석을 거의 애물단지 보듯 째려보던 나는 발을 굴렀다.

그 덕분에 책상 위의 영상석이 잠깐 움직였는데, 그 작은 움직임에 혼자 놀라서 잠시 굳었던 나는 민망함에 얼굴을 붉힐 수밖에 없었다.

입학 전통이 모두 끝나 드디어 재학생들의 장난이 가라앉았다. 이 어수선한 환경에서도 틈틈이 앤드류와 조슈아랑 번갈아 대련을 하며 수련을 게을리하지 않았다.

전용 샤워실에서 샤워를 하면서 혼자만의 시간을 보내게 되니 자연 여러 생각을 하게 되었다.

제국을 떠난 뒤로 제법 시간이 흘렀다.

그날 넬슨은 잘 일어났겠지? 그 약초가 효과가 있었으면 좋겠다.

그리고 아버지……. 많이 화나시진 않았겠지. 아버지에게까지 생각이 닿자 왠지 어마어마하게 분노한 표정이 떠올라 황급히 생각을 멈췄다.

여러 생각 끝에 샤워를 마치고 나온 나는 눈앞의 광경에 황당한 표정을 지을 수밖에 없었다.

다 끝났다고 생각했는데, 아직도 그 입학 전통인지 뭔지를 하는 건가. 갈아입을 옷은 물론이고 벗어 둔 옷도 없어졌다.

"여기다…… 둔 것 같았는데? 분명 여긴데?"

옷을 둔 자리는 텅 비어 있고 원래 걸려 있던 샤워 가운과 수건 하나가 전부다.

수건으로 대충 머리와 몸을 닦고 샤워 가운을 걸친 채 주변을 잘 찾아보았지만 아무리 보아도 찾는 것은 없었다.

"반성한 줄 알았는데 아직 멀었군."

씻는 중에 느껴졌던 인기척은 아카데미의 사용인밖에 없었는데…….

설마.

누군가가 그를 매수해 옷을 훔치도록 시킨 것은 아닌가 하는 생각까지 들었다.

누군가가 치운 것이 아니고서야 혼자 쓰는 샤워실에서 물건이 없어질 리 없다.

"그러니까, 일부러 치운 거란 말이지?"

씻고 나와서 같이 식사를 하기로 한 이상 다들 앞에서 기다릴 텐데, 이를 어쩌면 좋을까.

"……음. 거울이 어디 있지? 옷은 이렇지만 얼굴까지 엉망으로 나갈 순 없지."

구석에 위치한 전신 거울을 보니 하얀 피부에 열이 올라 빨간 볼을 한 백금발의 소녀의 모습이 보였다. 긴 머리가 구불거리며 물기를 머금고 무겁게 떨어진다.

"음. 안 보이지? 이렇게 보니 그냥 코트 같기도 하네."

이 정도면 뭐. 노출이라고 할 것도 없다. 빙빙 돌면서 세심하게 관찰하고는 이대로 나가도 되지 않을까 잠시 고민했다.

그러던 중 샤워실 안쪽에서 알 수 없는 연기가 흘러나오기 시작했다.

뭐야, 불이야?

점점 연기가 짙어지는 꼴을 보니 안에서 계속 있을 상황도 아닌 것 같다.

눈이 매워지는 것이, 일단 밖에 나가 이 사실을 알리고 도움을 받아야 될 것 같다. 하지만 다시 생각해 봐도 옷 꼴이 말이 아니다.

그렇다고 샤워 가운을 입은 채 질식한 시체로 발견되고 싶지는 않은데…….

이러지도 저러지도 못하고 발만 동동 구르는데 연기가 문밖으로도 새어 나갔는지 밖에서 문을 두드리는 소리가 나기 시작했다.

"누님! 안에 계십니까?"

"아펠리아 경, 괜찮습니까!"

"죄송하지만 대답이 없으면 강제로 들어가겠습니다!"

밖에서 들리는 고함에 입을 열다가 연기를 마시는 바람에 기침을 뱉어 냈다.

내 대답을 듣지 못한 일행들이 강제로 들어오려는지 문을 거세게 두드리는 소리가 들리더니 이내 문이 열리는 소리가 났다.

거울 옆에 몸을 기대고 샤워 가운 소매로 입가를 가린 나를 발견한 윌리엄이 아연실색한 표정으로 부축하여 밖으로 나간다.

연기에 시야가 흐린 내가 윌리엄의 손에 이끌려 밖으로 나가니 사람들이 기겁을 하며 놀란다.

"으헉!"

"헉!"

문 앞에서 연기에 놀라 서성이던 사람들이 샤워 가운 차림으로 뛰어나온 나를 보고 굳었다. 이내 비명과 함께 고개를 돌리거나 얼굴을 가리느라 난리가 났다.

왜들 저러지? 내 차림이…… 흠흠, 저렇게 반응하는 것도 이해가 간다. 잠시 후 소란이 잠잠해질 무렵 변명하듯 입을 열었다.

"아니, 그게……. 무슨 일인지 갈아입을 옷은 안 보이지, 갑자기 연기가 나지, 도무지 안에 더 있을 수가……."

내 변명에 삽시간에 사방이 조용해졌다. 무슨 말을 잘못했나 싶어 주변의 눈치를 봤다.

안에서 연기가 나는 걸로 봐선 불이 난 것도 같은데 저러다 아카데미 건물 홀랑 태워 먹는 건 아니겠지?

이 상황을 어찌해야 하나 고민하고 있는데 익숙한 목소리가 들렸다.

"간만에 참 대단한 모습으로 다시 만나는군, 아펠리아."

이 목소리는…… 에카이트였다.

왜 에카이트가 여기에? 어안이 벙벙해진 나는 그저 멍하니 그를 바라보았다. 그의 서늘하고 날카로운 목소리는 좌중을 차갑게 식히기에 적합했다.

곁으로 다가온 에카이트가 어깨 위로 망토를 툭 얹었다. 망토가 주는 무게가 이 상황이 현실임을 다시 한 번 일깨운다.

나는 그저 당황스러워 망토만 만지작거렸다.

"언제부터 이렇게 엉망진창으로 운영됐는지는 면밀히 따져 볼 필요가 있겠군."

"따지긴 뭘 따져? 자네가 에카이트 베이야드로군. 속도 좋지. 나 같으면 내 약혼녀의 이런 모습을 본 사람 눈을 다 따 버렸을 거야."

우리 아버지 조카가 맞기는 맞나 보다. 살기등등한 윌리엄의 말에 침이 절로 꿀꺽 넘어갔다.

사방을 가득 채운 침묵과 살기로 죽겠다 싶었는데 소란스러운 무리를 헤치고 나오는 사람이 있었다.

패트릭이었다. 사람들 틈으로 나선 그와 시선이 마주치자, 패트릭이 목을 가다듬고 입을 열었다. 그런데 그보다 빠른 사람이 있었다.

"죄송합니다! 정말 죄송합니다! 제가 실수를……. 죽을죄를 지었습니다. 잘못했습니다!"

눈물 콧물 범벅이 된 여자가 웬 보따리를 들고 엎어져 울기 시작했다.

입은 옷을 보니 아카데미에서 일하는 사용인 같았다. 어리둥절한 상황에도 전혀 동요하지 않은 에카이트가 서릿발 같은 음성으로 그녀를 다그쳤다.

"죽을죄를 지었다면 응당 죗값을 치러야겠지. 그래, 무슨 죄인지 들어나 보지."

와, 잔인해. 저렇게 싹싹 빌면서 우는 사람 앞에서 매정하게 말할 수도 있구나.

나는 새삼 에카이트의 매정함에 감탄하면서 귀를 쫑긋 세웠다.

"그게…… 공녀님의 옷을 다른 옷으로 바꿔치기해 달라는 부탁을 받았습니다."

그녀는 벌벌 떨면서도 최대한 차분히 설명을 이어 나갔다.

"그래서 원래 옷을 치우고 다른 옷을 가지고 오려 했는데 갑자기 다리가 바닥에 붙은 것처럼 움직여지지 않고 목소리도 나오지 않아서……."

뭐? 어딘가 익숙한 내용이었다. 동방의 첩자를 떠올리게 하는 이상한 술수.

에카이트 또한 나와 같은 생각인지 입을 꾹 다무는 것이 느껴졌다. 흐느끼던 여자는 허겁지겁 다음 말을 이었다.

"이렇게 죽나 싶었는데 갑자기 몸이 움직이더군요. 옷이 없어 곤란해하실 공녀님 생각에 허겁지겁 뛰어왔지만 이미 상황이 이렇게 되어 있었습니다……."

벌벌 떨며 힘들게 설명을 마친 여자가 다시 바닥에 납작 엎드려 용서를 빌기 시작했다.

“정말 잘못했습니다. 한 번만 용서해 주세요. 어린 동생들한텐 아직 제가 필요합니다. 한 번만, 딱 한 번만…….”

여자는 이제 아예 목 놓아 서럽게 울기 시작했다. 누구도 먼저 말을 꺼낼 생각을 하지 못한 채 침묵만이 흘렀다. 그때 패트릭이 입을 열었다.

“부디 그녀를 탓하지 말아 주십시오. 일전에 제가 아펠리아 경을 곤란하게 한 적이 있어 사과의 의미로 뭔가 주고 싶었는데 저택의 누이한테 물어보니 여자에겐 옷이 최고라고 해서…….”

사건의 전말은 이랬다.

옷이 최고라는 말에 선물을 주려 했으나 아무런 이유도 없이 주기에는 민망했다. 하긴, 나라도 민망했겠다.

게다가 공녀인 나를 만족시킬 드레스를 살 수 있는 형편도 아니어서, 장난치듯 옷을 건네주고 싶었다는 거다.

장난을 칠 게 있고, 안 칠 게 있지. 쯧쯧……. 나도 나지만 저렇게 여자를 몰라서야.

내 한숨을 들은 것인지 윌리엄이 살짝 뒤를 돌아보며 걱정스러운 표정을 지었다.

아이고, 걱정도 많다. 걱정하지 말라는 뜻으로 살짝 웃어 줬지만 윌리엄의 표정은 더욱 심각해질 뿐이었다.

패트릭이 잠시 숨을 고르고 말을 이었다.

“이렇게 곤란을 겪게 될 줄은 몰랐습니다. 아펠리아 경에게 진심으로 사과합니다.”

앞으로 나서서 사과를 받으려는 내 앞을 윌리엄이 막아섰다.

이미 앞에 나서서 좌중을 노려보던 에카이트가 나보다도 먼저 입을 열었다.

"약혼자 되는 에카이트 베이야드일세. 미안하지만 그 사과, 못 받겠네."

아니, 누구 마음대로 사과를 받네, 못 받네, 난리야?

멋대로 사과를 안 받겠다는 에카이트를 두고 울컥하여 입을 열려는데 이번에도 에카이트가 빨랐다.

"고의는 아니라곤 하나 결과적으로 그대의 잘못된 계산이 지금의 이런 사태를 야기한 것이나 다를 바 없으니 말이야."

"……할 말이 없습니다. 정말 미안합니다, 아펠리아 경."

그가 고개를 푹 숙이며 사과했다. 결과는 이렇게 되었지만 이렇게 되기까지의 과정은 결국 사고였다.

용서하지 못할 수준의 큰 잘못은 아니라고 생각한 내가 이번에는 에카이트보다 먼저 움직였다.

"아닙니다. 저야말로 괜한 사고에 휘말려서 모두를 곤란하게 했습니다. 이쯤 하시고 다들 해산하시지요. 전 간만에 보는 약혼자와 나눌 말이 많을 듯합니다."

내 말에 다들 웅성이다가 눈치껏 하나둘씩 자리를 뜨기 시작했다.

남은 것은 나와 에카이트, 윌리엄, 조슈아, 그리고 앤드류까지 다섯 명. 일단 급한 볼일이 있는 내가 먼저 입을 열었다.

"샤워실에 들어가 보죠."

"누님, 샤워실에는 왜……."

"갑자기 그런 자욱한 연기가 날 정도면 화재라고 생각되는데……. 내가 샤워실을 나서고 더는 연기가 나지 않더구나. 정말 화재였는지 이 눈으로 봐야겠어."

이유를 묻는 윌리엄에게 간단히 설명하고 앞장서 샤워실 문을 열었다.

아까의 연기가 정말 화재였다면, 밖에서 이야기를 나누는 동안 누군가는 눈치챘을 것이다.

역시 내 생각이 맞았는지 안쪽은 연기 하나 없이 깔끔하기 그지없었다. 은은한 샤워용품 냄새만이 여기가 샤워실임을 알리고 있었다.

내 표정이 굳은 것을 본 에카이트가 주변을 둘러보며 있을 리 없는 화재의 흔적을 찾고 있는 세 사람에게 양해를 구했다.

"간만에 약혼녀를 만나서인지 할 얘기가 많군요. 애쉬우드 대공자, 조슈아 경. 그리고 앤드류 경. 양해를 부탁드리겠습니다."

"약혼자 같은 소리 하네. 나는 귀 없는 줄 아나? 이 천하의 파렴치……."

"윌리엄. 부탁할게. 나도 그래. 그와 단둘이 이야기를 좀 나누고 싶구나."

불퉁한 윌리엄의 대꾸를 막아서며 부드럽게 부탁하자 불만스레 입을 삐죽인 그가 휙 돌아서 샤워실을 나갔다.

그 뒤를 이어 조슈아와 앤드류도 에카이트에게 가볍게 고개 숙여 인사하고는 자리를 떴다.

문 닫히는 소리가 나고 단둘이 샤워실에 남았다. 먼저 입을 열려는데 이번에도 에카이트가 빨랐다.

"말랐군."

"아무래도 여기 밥이, 아니, 지금 그게 문제가 아니라."

뜬금없이 말랐다고 툭 던진 에카이트의 말에 당황해 횡설수설하고 말았다. 다시 정신을 차리고 말하려는데 가까이 다가온 에카이트의 품에 안기고 말았다. 뭐야, 뭐지?

"내 생각이 잘못된 건 아닌지 후회하고 있는 중이다. 황태자의 마음이 이해가 될 줄이야. 내가 생각보다…… 그대를 많이 아끼는 것 같아."

……예?

뜬금없는 말에 몸을 움직여 그 품에서 빠져나오려 용을 썼지만 꽉 붙든 에카이트의 팔은 생각보다 단단했다.

요즘 운동하나? 한참을 꼼지락거리던 내가 포기하자 에카이트도 금세 힘을 풀었다. 사람 약 올리나, 정말.

툴툴거리는 내 어깨를 감싼 에카이트가 샤워실 밖으로 이끌며 입을 열었다.

"방에 가서 이야기하지. 그 꼴로 서 있는 걸 보고 있으려니 영 기분이 이상하군."

"그야 이상하게 망토를 얹어 놔서 우습게 보이겠지만."

"이상하게 지금 모습이 첫날밤을 기다리는 신부처럼 느껴져서 말이야."

너무 놀라 잠시 입을 벌리고 있던 나는 정신을 차리고 외마디 비명을 질렀다. 뭐냐고, 정말!

울고불고 난리를 치던 여자를 시켜 옷을 다시 가져오게 했다. 여자는 벌벌 떨면서도 사과하는 것을 멈추지 않았다.

엄밀히 말하면 그녀도 피해자였기에 그만 됐다고 손사래를 쳤다.

그러자 마치 죽다가 살아난 것 같은 표정으로 몇 번이고 감사 인사를 반복하고는 순식간에 복도를 지나 사라졌다.

샤워 가운에서 내 옷으로 갈아입은 나는 에카이트와 함께 식당으로 가 때 지난 식사를 시작했다.

처음 먹어 보는 아카데미의 식사일 텐데, 에카이트는 간간이 눈썹을 꿈틀거리는 걸 제외하고는 제법 평화로웠다.

그럭저럭 배를 채울 정도로 식사를 마친 우리는 식당을 나서서 조용한 복도를 거닐었다.

"이제 서로 대화를 좀 나눠야겠군."

"음. 수업 하나가 있기는 한데."

방으로 장소를 옮길 것을 제안한 에카이트였지만 오후에 보충 수업이 하나 있었다.

그러나 경중을 따지자면 수업보다는 이쪽이 더 중요했기에 에카이트의 행동에 별다른 토를 달지 않고 조용히 그를 따라 걸었다. 얼마나 걸었을까. 제법 넓은 복도와 함께 큰 방문이 나타났다.

교수들의 방이 모여 있는 구역인 듯했다.

권력으로든 재력으로든 뭐 하나 빠지는 구석이 없는 사람이니 이 정도 수완을 발휘하는 것은 놀랍지도 않다. 나는 묵묵히 그를 따라 열린 방으로 들어갔다.

그리고 익숙한 듯 익숙하지 않은 방을 보고 정신이 아득해졌다. 대체……. 그는 내 시선에도 아랑곳 않고 태연자약하게 의자가 딸린 테이블에 앉아 차를 따랐다.

"이게 다 뭡니까?"

"뭐, 임시라지만 교수로 왔으니까 방이 넓고 좋은 것은 당연할 수밖에."

"교수? 누군 학생인데 교수, 아니, 지금 그걸 물은 것이 아니잖습니까."

수완이 좋아서 교수 방을 받은 것이 아니라 교수로 와서 교수 방을 받은 것이라고?

너무도 기가 막혀 그를 허탈한 표정으로 바라보았다. 이럴 줄 알았으면 나도 교수로 올걸.

뻔뻔한 표정으로 원하는 것과는 다른 대답을 하는 에카이트를 노려보던 나는 다시 방 안을 휙 돌아보았다.

제법 넓은 방은 소파가 놓인 공간과 침대가 놓인 공간, 드레스룸이 구분될 정도였다.

윌리엄의 방과 비교해서 결코 손색이 없을 정도이니 손꼽히게 좋은 방인 것은 분명했다.

아니, 지금 중요한 건 이게 아니지.

지금 문제는 에카이트가 좋은 방을 쓴다는 것이 아니라 내 물건들이 왜 이 방에 놓여 있느냐다.

더 이상 말장난으로 대화를 미룰 수 없다는 것을 눈치챈 에카이트가 입을 열었다.

"듣자 하니 보통 험한 일들을 당한 것이 아니더군. 내가 여기 있는데 그런 방에 홀로 두는 것도 이상하고. 다른 방은 더 없다니 별수 있나. 같이 지내는 것이지. 교장에겐 잘 얘기해 두었으니 걱정하지 말도록."

……이건 무슨 헛소리래.

누가 누구랑 방을 같이 써? 그리고 교장 나부랭이한테는 나도 말할 수 있어, 이 사기꾼아.

아마 내가 당장 여기서 앞구르기를 하라고 해도 할 거다.

내가 흉흉한 눈빛으로 자신을 노려보는 것을 태연하게 무시한 에카이트가 자리를 권했다.

"앉지. 할 얘기가 많을 텐데."

실제로 할 얘기가 많았던 나는 뭔가 지는 기분이라 한 번에 앉지 못하고 움찔거리다가 뒤늦게 자리에 앉았다.

그리고 이번에도 선수를 빼앗길까 먼저 입을 열었다.

"아까 제가 괜히 그 꼴로 나온 것이 아닙니다. 샤워실에서 연기가 나기 시작해서 밖으로 나온 것이지요. 그런데 다시 들어가 보니 언제 그랬냐는 듯 아무것도 없었어요."

나는 잠시 말을 쉬면서 에카이트를 바라보았다. 그는 신중한 표정으로 경청하고 있었다.

"누가 무슨 수를 썼거나, 모두가 잘못 느꼈다는 건데……. 하지만 저뿐만 아니라 그 많은 사람들이 다 잘못 느꼈을 가능성은 지극히 낮습니다. 그리고 그 여자가 겪었다는 일 또한 익숙하더군요."

내 말에 표정을 굳힌 에카이트가 가만히 다음 말을 기다렸다.

"첩자가 사용하는 술수와 제법 비슷합니다. 뭔가 종이를 사용해서 희한한 술법을 부렸었는데, 마법이랑은 뭔가 달랐습니다. 허공에서 소리가 들리기도 했고, 피를 멈추게도 했습니다."

"그간 왜 그런 말을 제대로 하지 않았지?"

에카이트의 말에 속으로 움찔하면서도 티를 내지 않으려 애쓰며 말을 이었다. 왜 말을 안 했겠냐. 확실하지도 않을 때 말부터 했으면 더 난리를 치면서 말렸을 게 분명하니 그렇지.

"아무튼 그 첩자가 쓰던 방법과 느낌이 비슷합니다. 그놈 짓이 분명합니다."

"……일단 넘어가지. 학생 명단에 동방에서 온 학생은 없다. 최종 참석자에서 그의 이름이 지워졌어. 갑자기 불참하겠다고 나오더군. 그대가 아카데미로 떠난 후였지."

에카이트가 상황을 정리해 주며 잠시 말을 쉬었다가 다시 입을 열었다.

"그 이름은 모로스였다. 특이하게도 성이 없는 나라라 외우기는 쉽더군."

"모로스……. 하지만 분명 놈의 목소리를 들었습니다. 제대로 보지는 못했지만 그 기운은……!"

첩자의 이름을 곱씹어 따라 읊다가 그가 아카데미에 없다, 있을 수 없다는 식으로 말하는 에카이트에 그만 울컥하고 말았다.

아니, 그럼 내가 그동안 헛것을 보고 들었단 말이야?

순간 격양되어 목소리를 높였으나 순간 에카이트의 얼굴에 떠오른 사나운 표정에 입을 다물었다.

"마주쳤다고? 목소리를 들었다고? 무슨 일 있으면 연락하라고 영상석도 줬는데, 왜 내게 말하지 않은 거지? 영상석은 그렇다 치고 서신은?"

"……벌어진 지 얼마 되지 않은 일이라. 그리고 그렇게 중요하게 생각하지 않았습니다."

큰일도 아닌데 사사건건 보고하기도 곤란했고 그렇다고 그런 사소한 소식을 전하기도 이상해 그만두었던 것인데, 에카이트가 생각할 때엔 그런 일들이 사소한 일이 아니었나 보다.

변명처럼 중얼거리는 나를 보며 깊게 한숨을 쉰 에카이트가 진지한 눈빛으로 이쪽을 바라본다.

왠지 찔리는 마음에 시선을 피하자 그가 다시 한숨을 쉬고는 입을 열었다.

"하나하나 다 중요하니까 이제부턴 매일 저녁, 자기 전에 나랑 티타임을 가지지. 그때 그날 하루 무슨 일이 있었는지 말하면 되겠군."

"무슨 어린아이도 아니고, 싫습니다."

"싫고 자시고 할 문제가 아닌 것을 알지 않나. 약혼자 간에 서로 친해질 필요도 있고. 안 그런가?"

안 그런데요. 난 너랑 친해질 의사가 없어요.

속으로 불퉁한 말을 뱉으면서도 실제로 그렇게 말을 하자니 너무 유치할 것 같아 입을 꾹 다물었다.

내 침묵을 어떻게 이해한 것인지 에카이트가 피식 웃음을 터뜨렸다.

"아펠리아. 아펠리아?"

"왜 부르십니까?"

에카이트가 나를 부르며 시선을 맞추려 드는 것이 아닌가. 너무 놀라 눈을 굴리다가 결국 시선이 마주쳤다. 놀랍게도 그는 지금까지 본 적 없는 다정한 표정을 짓고 있었다.

뭐야, 왜 이래?

얼굴에 열이 확 오르는 것 같아 나도 모르게 양 볼을 두 손으로 감싸 쥐다가 화들짝 놀라 손을 뗐다.

그 모습을 못 봤을 리 없는 에카이트가 낮게 웃는다.

"제법 귀여운 짓을 하는군. 그대가 왜 이렇게 나에게 경계가 심한지 사실 잘 이해가 되진 않지만…… 솔직히 말하지. 난 그대가 좋아."

뭐? 단 한 번도 에카이트의 입에서 나올 것이라 생각도 못한 말을 들어 버린 나는 그대로 얼어붙었다.

내가 굳은 것을 본 에카이트는 다시 낮은 목소리로 웃더니 처음보다 더 부드러운 어조로 말을 이었다.

"처음엔 글쎄, 스스로도 잘 몰랐던 것 같아. 그런데 시간이 갈수록 확실해지고 있어서 말하는 거니 진지하게 들어 줬으면 좋겠네. 난 그대가 제법 사랑스러운 약혼녀라고 생각하고 있네."

"그, 대체 지금, 무슨 말을 하는지……."

무슨 말이든 해야 한다는 의무감에 입을 연 나는 마치 금붕어처럼 입만 뻥끗거리면서 제대로 된 말은 하지 못하고 있었다.

그리고 그 꼴이 우스웠는지 에카이트가 제법 큰 소리로 웃기 시작했다.

평소라면 에카이트가 웃는 것이 못마땅해서 불퉁한 표정을 지었겠지만 지금은 제대로 당황한 탓에 얼굴을 붉히기 바빴다.

"그대가 내 마음을 너무 모르고 있는 것 같아서 제대로 말해 주고 싶었네."

"……황태자 전하께서 주선해서 시작된 인위적인 관계. 그리고 애초부터 나한테 큰 관심도 없었잖습니까?"

그렇게 반박하자 에카이트가 난감한 표정을 지으며 한참을 고민하다 조심스레 입을 열었다.

"그렇게 생각하고 있을 줄은 또 몰랐군. 내가 생각보다 표현에 서툴러. 과거엔 어떠했을지 몰라도 지금은 절대 아니니 그런 걱정은 말지."

에카이트가 잠시 말을 쉬며 나를 바라보았지만 민망한 마음에 시선을 맞추지는 못했다. 피식 웃는 소리와 함께 다음 말이 이어졌다.

"오죽하면 내가 아카데미까지 왔을까. 설마 단순히 업무 때문에 왔다고 생각하는 건 아니겠지?"

과거라는 단어에 나도 모르게 움찔하고 말았다.

약혼 전후로부터 지금 이전까지를 두고 과거라고 말했겠지만 내가 기억하는 과거는 또 다른 것이었으니 말이다.

더 많은 일이 벌어졌던 전생. 지금은 이름도 흐릿해진 리디아 펠튼과 그 지옥 같던 나날들.

하루하루 커져 가던 에카이트를 향한 마음이 가슴에 상처를 남기고 스스로를 비참하게 만들었다.

두 번 다시 사랑하지 않으리라. 설사 다시 사랑하게 되더라도 이 사람만은 사랑하지 않으리라.

생각해 보지도 못한 조롱과 멸시, 그리고 무시 끝에 과거로 돌아온 내가 했던 결심이기도 했다.

과거를 회상하느라 그의 뒷말을 제대로 듣지 못했다. 나는 걱정스러운 표정을 짓고 있는 에카이트와 눈이 마주친 뒤에야 현실로 돌아올 수 있었다.

"아펠리아. 표정이 너무 안 좋은데. 혹시 몸이 불편하기라도 한 건가?"

"아니, 그냥 좀 피곤한 것 같기도 하고……."

대답을 피하며 말을 얼버무리자 에카이트가 고개를 끄덕이며 인정했다.

긴 하루이긴 했다. 피로를 인정하자 더 피로감이 몰려오는 것 같다. 꽤 졸린 표정이었는지, 주변을 살핀 에카이트가 입을 열었다.

"아직 저녁 시간까지 제법 시간이 남았는데, 일단 눈을 좀 붙이는 것은 어떨까."

"애도 아니고 낮잠은……."

말꼬리를 흐리면서도 괜히 졸린 생각이 들기 시작한 몸은 달콤한 유혹에 넘어가기 직전이다.

망설이는 모습을 보며 피식 웃은 에카이트가 손을 들어 드레스룸을 가리켰다.

"그대로 자기엔 불편할 것 같은데 옷부터 갈아입지."

"……여기 계실 겁니까?"

경계 어린 표정에 에카이트가 큰 소리로 웃음을 터트렸다.

"있겠다고 하면 기를 쓰고 깨어 있을 기세인데 어떻게 있겠다고 하겠나. 옷 갈아입고 편히 자도록. 그사이 교장을 만나고 오면 딱이겠군."

아주 잠깐만 잠들었다가 일어나야지. 가장 중요한 몸 컨디션 회복을 위해 반드시 필요한 일이라고 스스로를 다독이며 드레스룸으로 향했다.

물건만 옮겨 온 줄 알았는데 드레스룸까지 완벽했다. 익숙한 잠옷으로 갈아입은 나는 그대로 침대에 엎어졌다. 침대가 참 좋았다.

잠깐은 무슨. 밖이 어둑하다 못해 껌껌하다. 너무 기가 막혀서 침대에서 몸을 일으켰다.

얼마나 잤으면 머리가 띵하다. 몸을 움직이는데도 침대는 크게 흔들리지 않았다.

그간 잠자던 내 방 침대에 비해 월등히 좋은 침대였다.

아마 그동안 알게 모르게 불편하게 자면서 쌓인 피로가 편한 침대에 누우면서 제대로 해소된 것 같다.

"에카이트는 대체 어딜 간 거야? 날도 어두운데 왜 아직도 안 돌아오는 거지?"

"일어나자마자 찾을 줄은 몰랐군."

하마터면 비명을 지를 뻔했다. 나는 화들짝 놀라 몸을 일으키며 목소리가 들린 방향으로 고개를 돌렸다.

그러자 어둠 속에서도 소파에 기대어 나를 바라보는 에카이트가 선명하게 보였다.

깜짝 놀랐네. 내가 자기 이름 부른 거, 들었겠지?

민망함에 얼굴을 붉히다가 멀거니 앉아 있는 그의 모습을 보고 인상을 찌푸렸다.

그러고 보니 대체 왜 저러고 있데?

“기절할 뻔했습니다. 거기서 뭐 합니까?”

“보다시피. 약혼녀가 곤히 자는 모습을 넋을 놓고 바라보며 일어나길 기다리던 중이었지. 생각보다 일찍 일어나서 다행이군.”

이게 생각보다 일찍 일어난 거면 일어날 거란 기대가 없었다는 소리인가 싶다.

내가 민망한 표정을 지으며 침대에서 슬금슬금 내려오자 에카이트가 테이블 위에 놓여 있던 불룩한 천을 당겨 치우고 방의 조명을 켰다.

갑작스러운 불빛에 눈이 부셔 눈을 살짝 찌푸린 나는 침대 옆 옷걸이에 걸린 실내 가운을 걸쳐 입고는 가운을 잘 여미고 에카이트가 있는 테이블로 다가갔다.

테이블 위에는 제법 그럴싸한 한 끼 식사가 차려져 있었다.

“저녁 시간은 애초에 지났거든. 혹시나 해서 식사를 방으로 부탁했는데 썩 맛있어 보이지는 않는군.”

에카이트의 앞자리에 앉자 그가 식사가 담긴 트레이를 내 앞으로 밀어 주었다.

그의 말대로 딱히 맛있어 보이는 식사는 아니었고 잠에서 깬 지 얼마 되지 않아 딱히 식욕이 느껴지지 않았다.

트레이 위에 놓여 있는 물 잔을 먼저 들어 올려 목부터 축였다. 미지근한 물이 목을 타고 넘어간다.

“아, 살겠다.”

“생각보다 잘 자서 놀랐네. 대체 뭘 얼마나 긴장하고 지냈으면 그렇게 정신없이 잘 수 있는 거지?"

에카이트의 말에 민망해져 머리를 긁적이며 변명하듯 입을 열었다.

"아니, 뭐……. 집이 아니기도 하고. 신경 쓸 만큼 큰일은 아니지만 계속 자잘한 일들이 있다 보니까. 일단 침대도 그렇게 편한 편은 아니었고."

"그랬군. 생각보다 고생한 것 같아 마음이 안 좋아. 괜히 부추겼나."

내 변명에 고개를 끄덕인 에카이트가 놀랄 만큼 다정하게 응대한다. 거기다 뒤에 말은 너무 작게 말해서 잘 들리지도 않았다.

뭐야, 얘. 적응할 수 없을 정도로 과거와는 다른 에카이트의 행동에 당황해 눈앞에 놓인 빵을 집어 잘게 뜯기 시작했다.

"민망하게 만든 건가?"

"알면 적당히 하시는 게 어떻습니까?"

에카이트의 웃음 섞인 질문에 퉁명스럽게 대답했다. 아니 진짜, 사람 놀리는 것도 아니고 왜 저렇게 갑자기 태도를 바꿨느냐 말이지.

잠들기 전에 나눴던 낯간지러운 대화들이 떠올라 민망해서 고개를 저어 생각을 떨쳐 냈다.

뜯은 빵을 대충 한 조각 집어서 입 안에 넣고 보니 퍽퍽하기 그지없다.

눈 감고 먹었으면 나뭇조각인 줄 알았을 거다.

살짝 인상을 찌푸렸다가 천천히 먹는 모습을 면밀히 관찰하던 에카이트가 고개를 절레절레 흔들었다.

"아무래도 아카데미 식당 개선이 시급한 것 같군. 식사가 이렇게 부실해서야."

"뭐, 환경상 쉽지 않다는 거 알지 않습니까. 그냥 그러려니 하고 먹어야죠. 먹으려고 온 것도 아니고."

내 무덤덤한 대답에도 에카이트는 단호하게 고개를 저었다.

아, 그러고 보니 교수로 왔다고 했었지. 갑자기 잠들기 전에 나눴던 대화가 떠올라 그를 바라보며 입을 열었다.

"교수로 왔다고 했지요? 무슨 교수입니까?"

"군사학 교수로 왔지. 내가 검이나 무술에 조예가 깊은 것도 아니고, 특히나 기사가 절반 이상인 상황에서 어중간하게 가르치겠다고 나서면 꼴만 우습지."

에카이트의 말에 고개를 끄덕여 동의했다. 아마 기존의 교수 수준이면 아쉽지만 그런대로 재학생들을 지도할 수 있었을 것인데, 이번 신입생들의 수준이 어지간한 교수급을 넘어서는 바람에 가르친다고 교단에 선 교수도, 배운다고 자리에 앉은 학생들도 상호 어색하고 민망한 상황이 발생한 것이다.

에카이트가 군사학이라. 나는 고개를 갸웃거리며 생각했다.

전쟁이랑은 완전히 거리가 멀어 보였는데, 가르칠 만한 수준이 된다는 건가? 그러니까 군사학 교수로 온 거겠지?

내 표정을 본 에카이트가 피식 웃으며 입을 열었다.

"기사 입장에서 외교부 소속인 내가 무슨 군사학을 얼마나 잘 알아서 기사들을 가르치려 하나 싶겠지만, 우리 제국의 외교부만큼 군사학에 통달한 부서도 없을 거다."

"그렇습니까? 하지만 외교부인데……."

자신 있어 하는 에카이트의 말에 고개를 끄덕이면서도 미심쩍은 마음이 남아 말끝을 흐렸다.

이상할 정도로 친절해진 에카이트의 모습은 괜히 다른 계획이 있는 게 아닌가 의심이 들 정도로 어색하니 적응이 되지 않았다.

아, 진짜 왜 저러지. 그냥 하던 대로 해. 속으로 투덜거리고 있는데 에카이트가 입을 열었다.

“그렇지, 아펠리아. 실제 전쟁이 나면 검을 들고 무력으로 제국을 지키는 것은 기사들이다. 그건 부정할 수 없는 사실이야. 하지만 그 기사들이 전략으로 전투를 치를지, 나아가 전투를 할지 말지를 결정하는 것은 우리들이지.”

“전술을 짜고 전투를 결정하는 것은 지도관의 소관이라고 배웠는데, 그럼 기사의 지도관이 외교관이란 뜻입니까?”

뭔가 부당한 설명을 들은 것 같아 울컥해서 따지듯 물었다.

주군 명령으로도 모자라 너희 명령까지 받아야 하나. 그것도 후방에 안전히 앉아서 탁상공론이나 펼치는 너희들의 명령을?

내 불퉁한 질문에도 에카이트는 인내를 가지고 여전히 친절한 음성으로 답변을 내놓기 시작했다.

“아니, 그건 아니지. 내가 오해하게 말했나 보군. 외교부에선 큰 그림을 그린다고 봐야지. 전체적으로 보았을 때에 상대 국가와의 관계, 그들이 가지고 있는 재원, 전투 능력 등을 상시에 파악하고 있다가 유사시에 전투에 나서는 기사들과 정보를 교환하며 상황에 따른 전술을 제안하는 것이지.”

나는 입을 꾹 다물고 이미 딱딱해진 빵 조각을 입 안으로 밀어 넣었다.

실제로 전쟁에 참여했던 경험은 없었던지라 모르던 사실이었다. 실제로 전쟁이 났으면 기분 상하는 일이 많았겠다 싶다.

“물론 실제로 고생하고 목숨을 걸어야 하는 입장에선 기껍지 않겠지. 이해하네. 말 그대로 이론만 보고 설교하며 명령하니.”

“이해하신다니 다행이군요. 만약 그 외교관이 잘못된 정보를 알고 있다면…… 또는 틀린 결정을 내린다면 결국 목숨을 잃는 것은 기사들이 아니겠습니까."

내 말에 에카이트가 고개를 끄덕여 동의를 표했다. 그리고 단호하게 말했다.

"그래서 황태자 전하께서 그대와 나를 약혼시키려 하신 거겠지. 국방부와 외교부가 혼약 관계로 맺어지는 것이 아닌가. 만약 차후 전쟁이 벌어진다면…… 혈육의 목숨을 무엇보다 중요하게 생각할 테니 더욱 신중해지겠지."

"그러니까, 자연스레 보다 면밀하고 안전한 전략을 구상할 수밖에 없는 구조로 만들겠다."

"정확하게 이해했군."

와. 진정한 흑막은 첩자가 아니라 황태자가 아닐까. 모든 것이 철저한 계산속에 이루어진 일이었다니, 등골이 오싹했다.

질린 표정을 한 내가 우스웠는지 에카이트가 작게 웃고는 말을 덧붙였다.

"최종 전략을 결정하고 관철시키는 것은 국방부야. 외교부도 상시 관련 정보를 국방부와 공유하게 되어 있고. 다만 타국과의 관계와 단순한 힘의 논리 외에도 고려해야 할 것들이 많아. 그런 것을 반영시키기 위해 적극적으로 참여하는 것이라고 이해하면 좋을 것 같군."

"……일단은 알겠습니다."

내 수긍에 에카이트가 시원하게 웃으며 다시 입을 열었다.

"다시 본론으로 돌아가지. 그래서 나도 제법 군사학에 조예가 있다는 말이야. 아마 그대가 듣는다고 해도 크게 지루하지만은 않을 거라고 장담하지."

"그렇게까지 말하니 기대하는 것이 예의겠군요."

내 대답에 에카이트가 시원스럽게 고개를 끄덕였다.

"그렇지. 기대하도록."

상쾌하게 잠을 깬 나는 어제 낮잠을 그렇게 자고도 밤잠까지 잘 잘 수 있다는 사실에 살짝 민망했지만 겉으로 티를 내지는 않았다.

에카이트는 '설마 침대에 올라오려는 것은 아니겠지, 당연히?'라는 내 말에 침대 앞에서 큰 소리로 웃음을 터트렸다.

생각했다는 말에 화들짝 놀라자 그 모습을 보고 또다시 큰 소리로 웃음을 터뜨리는 것이 아닌가. 진지한 얼굴로 그런 농담하지 말란 말이다.

한바탕 웃은 그가 넓은 소파에 몸을 눕히는 모습을 보니, 괜히 자리를 뺏은 것 같아 죄책감이 들었다.

하지만 말도 없이 내 방을 없앤 건 에카이트인걸. 자신이 저지른 일엔 책임을 져야지.

애써 그렇게 납득하고 먼저 일어나 준비를 마친 에카이트를 보며 괜히 게을러진 것 같은 패배감에 입맛을 다셨다.

대체 얼마나 일찍 일어나는 거야. 나도 아침 수련 때문에 거의 해가 뜨기 전의 새벽 시간에 눈을 뜨는데, 내가 눈을 떴을 땐 이미 준비가 다 되어 있다니.

혹시 안 잔 거 아냐? 의심의 눈초리로 보는 것을 전혀 눈치채지 못한 에카이트가 몸을 휙 돌려 침대에서 막 일어나 앉은 날 보며 미소를 지었다.

"일어났군. 원래 이렇게 일찍 일어나나?"

"누가 할 소리. 원래 이렇게 일찍 일어납니까?"

내 반문에 에카이트가 낮게 웃으며 고개를 끄덕였다.

"외교부는 그대가 생각하는 것보다 바빠. 읽어야 할 서류가 많아서 당장 해 뜰 때까지 자는 것을 선택하면 앞으로 며칠간의 잠을 포기해야 하지."

최악이다. 서류를 읽고 사인하는 일련의 작업을 그다지 선호하지 않는 나는 그 실체를 알고 부르르 몸서리를 쳤다.

역시 기사가 천직인가 보다. 그런데 아카데미까지 와서 이렇게 일찍 일어나는 이유는 뭐지?

궁금증을 참지 못한 나는 바로 입을 열어 질문을 던졌다. 나갈 채비를 거의 마친 에카이트가 다시 자리에 앉았다.

"여긴 외교부가 아니라 아카데미인데도 그렇습니까?"

"아카데미에 왔다고 내 일이 없어진 것은 아니니까."

에카이트가 나를 보고 의미심장하게 말하더니 얄밉게 덧붙였다.

"호위 대상이나 연무장은 따라올 수도, 들고 올 수도 없지만 서류는 다르거든."

일 많아서 좋으시겠습니다. 아니꼬운 표정으로 바라봤지만 전혀 신경 쓰지 않는 것 같았다. 에카이트는 빠르게 남은 준비를 마친 뒤 친절한 설명을 덧붙였다.

"제국과 아카데미는 약간의 시차가 있어서 지금 시간에 가야 아침 회의에 참석할 수 있거든. 교수실에서 아침 회의가 끝나면 바로 식당으로 갈 테니 그 앞에서 보지."

"……좋으실 대로."

내 말에 에카이트가 고개를 끄덕이며 덧붙였다.

"만약 식당 앞에 왔는데도 내가 없으면 기다리지 말고."

"애초에 기다릴 생각도 없었으니 걱정 마시지요."

마치 내가 당연히 기다릴 것처럼 말하다니. 기가 막혀 걱정 말라고 받아치자 그가 웃기다는 듯 소리 내어 웃었다.

에카이트는 불퉁한 내 표정을 뒤로하고 짧은 인사와 함께 방을 떠났다.

해가 뜨기 전에 연무장을 달리며 아침 공기를 들이켜는 것이 하루의 시작이었던 나는 아카데미에 와서도 동일한 일정을 고수하고 있었다.

평소 달리던 만큼 다 달린 후 숨을 고르며 스트레칭을 했다.

의외의 성실파인 앤드류도 거의 비슷한 타이밍에 달리기를 마치고 옆에서 숨을 고르고 있었다.

"확실히 인공적인 공간이기는 하네요. 아펠리아 경, 몸은 괜찮습니까?"

어제의 소동을 기억하는 앤드류가 안부를 물어본다. 어제 있었던 그 일련의 소동들보다 그 끝에 벌어진 에카이트의 만행, 그러니까 자기 마음대로 방을 합쳐 버린 일이 너무 커서 소동은 까맣게 잊고 있었다. 나는 어색하게 고개를 끄덕이며 물음에 답했다.

"물론 저는 괜찮습니다. 인공적인 공간이라…… 그 말에 동의합니다. 둔한 저조차도 못 느낄 정도니까요."

에카이트와 관련된 질문이 나올까 봐 일부러 말을 돌리며 동의를 표하자 앤드류도 더는 물어보지 않는다.

아카데미는 곳곳에 설치된 인공적 조명을 시간에 조절하는 시스템으로 낮과 밤을 구분 지었다.

얼핏 보면 늘 일정한 날씨의 낙원 같은 곳이지만 동시에 지루하고 갇힌 공간이기도 했다.

시간 변화에 따라 온도까지 조절하는 것은 무리였는지, 아카데미는 늘 일정한 온도를 유지하고 있었다.

덕분에 이른 새벽, 이슬을 머금은 찬 공기를 들이켜는 상쾌함을 느껴 본 지도 오래다.

“아펠리아 경이 둔하다니, 그렇다면 여기 있는 다른 사람들은 모두 기사 실격입니다.”

연무장으로 걸어들어 오는 조슈아가 우리의 대화를 들은 것인지 내 말에 토를 달았다. 내가 손사래를 치며 웃자 그가 제법 진지하게 답한다.

“마나를 다루고 느끼는 것에 있어 아펠리아 경만큼 섬세하고 예민한 사람이 없다고 들었습니다. 물론 아주 높은 경지에 오른 기사들도 있다지만, 아펠리아 경은 아직 나이도 어리지 않습니까?”

“맞습니다. 몇 년 후면 실력을 견주지도 못할 겁니다.”

조슈아가 진지한 표정으로 나를 보며 칭찬의 말을 한다. 앤드류도 지지 않고 덧붙이니 민망해져 헛기침을 했다.

뭐, 아주 틀린 말은 아니었다. 과거로 돌아오기 직전의 실력은 지금과 비교하여 한참 위였다. 실력이 단계별로 차근차근 상승하는 거라고 가정한다면 불가능한 성과였다.

마나는 한 번 그 사용에 눈을 뜨면 순식간이다. 하지만 실력에 있어 그 끝은 없다고 했다. 지금 상황이 좀 낫다고 오만할 필요는 없다.

“그냥 제가 마나에 민감했을 뿐이죠. 경들보다 뭐가 특별히 잘난 것은 없습니다."

"겸손의 말도 과하면 실례입니다, 아펠리아 경."

"맞습니다. 아 참, 그러고 보면 폰디체리 공작께선 마나보다는 기술 쪽이시죠?"

무언가를 깨달은 표정의 앤드류가 아버지의 특기를 물어본다.

사실 대대로 무가인 경우 집안 특유의 교육적 성향이나 유전적으로 같은 계통의 기술을 사용하는 경우가 많았다.

아버지의 경우 마나엔 섬세하지 못하셨으나 힘이나 기술 쪽에 강점을 가지고 있었다.

그 예로 아버지와 사촌 간인 애쉬우드 대공도 힘과 기술을 주로 쓰는 기사이니 집안 성향이 능력에 영향을 끼친다고 봐야겠다.

늘 생각하던 부분이기에 바로 고개를 끄덕였다.

"그렇지요. 보통 같은 집안이면 그 성향이 비슷한 것이 일반적인데. 제가 조금 예외이기는 합니다."

"그런 방향으론 생각해 보지 못했는데, 앤드류 경, 제법이군요."

"흠, 흠. 제가 그런 쪽으로 관심이 많습니다. 폰디체리 공작가라면 대대로 힘과 기술을 사용하는 전통파 기사로 유명하거든요."

앤드류의 말에 다소 놀란 표정을 지었다. 저 정도로 심도 있는 내용을 자신 있게 말한다는 것은 폰디체리가에 관심이 있다는 뜻이기 때문이다.

이론적인 부분이나 학술적인 부분엔 영 관심이 없는 줄 알았는데, 내 오판이었나 보다.

"제법 관심이 많으신가 봅니다. 맞습니다."

"사실 제 가문은 대대로 상단을 운영하면서 부를 축적하는 데에만 관심이 많아서요. 제가 기사에 관심을 가지고 입문을 위해 이런저런 노력을 하다 보니 그런 점이 많이 부럽더라고요."

앤드류가 말을 하면서도 쑥스러운 듯 고개를 숙이고 머리를 긁적였다. 그 말에 조슈아가 고개를 저으며 입을 열었다. 조슈아의 가문도 제법 유명한 무가였다.

"딱히 그럴 필요는 없습니다. 그것도 잘 전수되어 내려왔을 때의 얘기니까요. 누가 잘하고 못하고를 두고 분란이 벌어지기도 하고, 또 진로 선택에 있어 자율성도 별로 없죠."

조슈아의 뼈 있는 말에 둘 다 묵묵히 고개를 끄덕였다.

조슈아의 가문은 나름 유명한 무가였지만 그 아버지나 조슈아의 형은 무술에 일절 흥미도, 재능도 없었다.

물론 재능이야 있을 수도 있겠지만 흥미가 없어 아예 시도조차 하지 않았으니, 그 재능이 있는지 없는지 알 길이 없을 것이다.

그런 집안 분위기에서 조슈아만 무술에 두각을 나타내어 기사 서임을 받아 제법 높은 자리까지 올라갔으니, 경사라면 경사지만 어떻게 보면 부담스러운 상황인 것이다.

친척들은 무가인 집안의 내력을 다시 살려내려는 조슈아를 지지하고 있고, 그 아버지와 형은 그런 조슈아가 불만스럽고 부담스러운 것이다.

욕심 많은 장남 밑에 유별나게 잘난 차남은 분란거리다. 주제가 무거워질 것 같아 화제를 바꾸기 위해 가볍게 입을 열었다.

"결국 가문이니 뭐니 해도 결국은 본인의 의사가 중요합니다. 떠먹여 준 것을 먹는 것에도 한계가 있는 법이죠."

"아펠리아 경은 그런데 왜 제2 기사단에 지원한 겁니까?"

맨몸 전투 수련에 돌입한 조슈아가 이어지는 동작들을 마치고 입을 열었다.

왜 제2 기사단에 지원했냐고? 음……. 내가 어색한 미소를 짓자 앤드류가 웃음을 참지 못하고 킥킥거리기 시작했다. 그에 조슈아가 살짝 인상을 찌푸렸다.

하지만 아마 조슈아도 그 전말을 알게 된다면 웃을 수밖에 없으리라.

내가 입을 다물고 있자 앤드류가 내 눈치를 보면서 입을 열었다.

"뭐, 지원이라고 하긴 좀 그렇죠. 지원당했으니까요."

"무슨 뜻입니까?"

먼저 말을 꺼낸 앤드류가 그 뒷말을 잇지 않자, 조슈아가 나를 돌아보며 그 의미를 물었다. 말 그대로지 뭐. 내가 어색하게 웃으며 답했다.

"사실 아직 기사 서임을 받기엔 좀 이르다 싶기도 했고 실력도 그만큼 되는지 확신이 없었거든요. 그랬는데 황태자 전하께서 제 지원서를 친히 작성해서 넣어 주신 덕분에 생각보다 일찍 입단 시험을 치른 거예요."

자신을 섬기고 싶냐고 물어보는 질문에 그렇다고 답했을 뿐인데, 그 결과가 그렇게 즉각적으로 나올 줄은 몰랐지.

어느 날 아버지가 집에 돌아오시기 무섭게 언제 몰래 황실 기사단에 지원했냐고 섭섭해 어쩔 줄을 몰라 하셨다.

눈을 동그랗게 뜨고 그런 아버지를 바라보던 기억이 어제와 같이 선명하다.

"기사단의 첫 여성 지원자인 데다 어린 공녀라니. 모두 걱정도 호기심도 많았습니다."

"그럴 것 같습니다. 저라도 그럴 것을요."

앤드류의 말에 동작을 마치고 호흡을 돌리며 고개를 끄덕여 동의를 표했다.

완전 인맥과 배경으로 밀고 들어오기 좋은 구성이니까 말이다.

"그렇게 말씀하시니 인사 청탁으로 어울리지 않는 사람이 뚝 떨어진 느낌이지 않습니까."

"어이쿠. 그렇게까지 말하진 않았는데. 뭐, 아펠리아 경이 먼저 그렇게 말씀해 주니 말하는 건데, 그렇게 생각한 사람들도 제법 있었습니다. 저도 그랬고요."

앤드류가 놀란 시늉을 하면서도 솔직하게 동의를 표했다. 그리고 바로 다음 말을 이었다.

"그런데 그 어린 공녀가 검을 보는 표정이 얼마나 진지하던지. 입단 시험을 치르러 왔을 때, 다들 자신의 생각이 틀렸다는 걸 알았지요. 동작 하나하나에 정성과 성의, 노력이 묻어나더군요."

"대단하군요. 남의 눈에 그런 것이 보일 정도면 정말 엄청난 노력을 했다는 거겠죠."

앤드류의 말에 조슈아가 격한 동작을 마치고 숨을 몰아쉬며 감탄했다. 민망해진 내가 못 들은 척 방금 막 조슈아가 마친 격한 동작을 시작했다.

이러면 수련에 집중해 말을 못하는 것으로 보이겠지? 수가 너무 뻔히 보였는지, 둘 다 나를 보고 피식 웃고는 다시 수련에 몰두하기 시작했다.

찜찜했지만 문제의 샤워실에서 샤워를 마친 내가 일행들과 만나서 식당으로 향했다.

이제 제법 밝아진 것이 본격적인 하루의 시작이었다.

아, 어떡하지. 괜히 초조해진 마음에 손끝을 만지작거렸다. 식당에 가까워질수록 에카이트가 문 앞에서 기다린다는 것이 의식되기 시작한 것이다.

내 동요를 눈치채지 못한 앤드류와 조슈아, 그리고 막 일어나서 일행에 합류한 윌리엄은 평화롭게 식당으로 발걸음을 옮기고 있었다.

"아, 누님. 베이야드 공자랑 얘기는 잘했습니까?"

"그러게요. 안 그래도 물어보고는 싶었는데 혹시나 실례가 될까 물어보지도 못했습니다."

윌리엄의 말에 앤드류가 고개를 과하게 끄덕이며 동의했다. 하긴, 어제 그러고 사라져서 다들 궁금하기는 했겠다.

아까 새벽 수련 시간에도 단호하게 말을 돌렸으니 말이다. 세 사람의 시선에 어색하게 웃으며 고개를 끄덕였다.

아직 방을 합친 것은 아무도 모르는 눈치라 알려질 때까지 굳이 나서서 말하지 말자고 마음먹었다.

물론 딱히 감출 생각이 없어 보이던 에카이트를 생각해 보면 오래 가지 못할 결정 같기는 하다.

"싸우지는 않았으니 잘 얘기한 것이겠지요. 간만에 만난 것이라 그런지 이것저것 할 말이 많았습니다."

"역시. 사실 약혼 때 이런저런 일들이 많아서 폰디체리 공녀가 베이야드 공자와 약혼했다는 것은 익히 알고 있었는데, 그게 또 아펠리아 경이 약혼했다는 거랑은 잘 연결이 안 되더군요. 그래서 어제 에카이트 공의 모습을 보고도 아펠리아 경이랑 바로 연결이 되지 않더군요."

앤드류가 허허, 크게 웃는 모습에 어색한 미소를 지었다.

화려한 화장과 옷에 온갖 유난을 떤 공녀와 머리를 질끈 올려 묶고 땀을 흘리며 수련장을 누비는 여기사가 동일인이라고 여기기는 쉽지 않았을 것이다.

식당이 보이는 코너를 돌자마자 식당 앞쪽에 서 있는 에카이트가 보였다.

그를 발견한 것은 나 하나만이 아닌 듯, 일행들이 모두 나를 힐끗거린다.

에카이트가 시선을 느낀 것인지 고개를 돌리다 나와 눈이 마주쳤다.

"아펠리아. 아침부터 너무 무리하는 거 아닌가?"

"몰라서 하시는 말입니다. 매일 하던 일이라 안 하는 편이 더 어색합니다."

우리 쪽으로 성큼성큼 다가온 에카이트가 안부를 물어보자 일행의 시선이 묘해진다.

내가 눈을 피하며 방어적으로 답하자 일행들에게로 고개를 돌린 에카이트가 가벼운 고갯짓으로 인사를 대신한다.

"다들 아침부터 고생이 많군요."

"난 딱히. 일어난 지 얼마 안 됐거든."

아이고, 윌리엄. 어제부터 에카이트에게 불만이 많다는 것을 만천하에 드러내던 윌리엄이 여과 없이 틱틱거린다. 그러나 에카이트는 그런 윌리엄을 보고도 눈 하나 깜빡하지 않고 고개만 끄덕인다.

연륜에서 오는 차이가 이런 것일까? 하긴 두 사람의 나이 차이는 7~8살로 열 살에 가깝다.

"원래 성장기 땐 충분히 자는 편이 좋습니다. 현명한 선택입니다, 애쉬우드 대공자."

거의 비슷한 수준으로 윌리엄을 놀려 먹는 에카이트를 보며 앞선 생각을 정정했다.

윌리엄에 비해선 한참 키가 큰 에카이트가 비죽 웃으며 윌리엄을 슬쩍 내려다본다. 그러자 윌리엄의 표정이 와장창 일그러진다.

앤드류와 조슈아는 갑작스러운 공격에 평정심을 잃고 웃음을 터트리지 않기 위해 각고의 노력을 기울였다.

하지만 눈치는 그 누구보다도 빠른 윌리엄이 그런 기색을 놓칠 리 없었다.

사나워진 윌리엄의 표정에 재빨리 입을 열었다.

"아버지를 닮았다면 분명 키가 더 크겠구나, 윌리엄. 애쉬우드 대공은 원체 장신이잖니. 그래서 그런가? 지금도 나보다 큰걸?"

"……당연한 것 아닙니까? 전 남자인걸요."

윌리엄이 불퉁한 표정으로 대답한다. 나는 윌리엄을 달래면서 어색한 미소를 지으며 모두를 식당으로 이끌었다.

식당은 아직까지 한산한 편이었다. 보통 지금 이 시간이 모두 한창 수련에 몰두할 시간이라 그런 듯했다.

식사는 여전히 별다른 맛은 없었지만 그래도 적응이 됐는지 그럭저럭 먹을 만은 했다.

그간 별말 없이 잘 먹던 윌리엄은 오늘따라 오만상을 쓰고 음식을 깨작거리다가 결국 에카이트에게 한마디 한다.

아니, 전에 벌칙으로 희한한 음료들을 마실 땐 잘만 마시더니 왜 이런데. 그 음료들에 비하면 대단히 정상적인 것이 분명한 음식들인데 말이다.

"베이야드 공자. 이거 좀 심한 거 아닌가? 칼라한 제국에서 관리하는 기관에서 이런 식사라니. 예산을 너무 박하게 짰거나 예산이 세거나, 둘 중 하나가 아닌가 싶은데?"

"예산이 박하다 생각하신다면 아카데미에 얼마라도 기부하고 말씀하시면 좀 더 도움이 되지 않겠습니까?"

그래, 싸워라. 잘한다. 다시 설전을 시작한 둘을 단념한 표정으로 번갈아 보다가 마음의 평화를 되뇌며 포크질을 계속했다.

그런 둘과 나를 번갈아 보던 앤드류와 조슈아가 이내 작은 한숨을 쉬곤 식사에 몰두했다.

에카이트를 볼 때마다 황태자와 상성이 영 별로다 싶었는데, 지금 윌리엄을 대하는 모습을 보니 그간 황태자를 대하면서 많이 참았겠다 싶다.

아니면 황태자한테 맺힌 걸 그와 성격과 외모까지 닮아 있는 윌리엄에게 푸는 걸까?

나름 일리 있는 추측에 속으로 고개를 끄덕이며 살벌한 식사 시간을 마쳤다.

—2권에서 계속—

BLACK LABEL CLUB 035
타란텔라 1

초판 인쇄 2019년 4월 5일
초판 발행 2019년 4월 22일

지은이 바람속정열
펴낸이 신현호
편집부장 예숙영
편집 박상희 이세련
편집디자인 한방울
영업 · 관리 김민원 조인희
물류 이순우 최준혁 박찬수

펴낸곳 ㈜디앤씨미디어
출판등록 2002년 5월 1일 제117-90-51792호
주소 서울시 구로구 디지털로 26길 111 JnK디지털타워 503호
대표전화 (02)333-2513 팩스 (02)333-2514
전자우편 dncbooks@dncmedia.co.kr
디앤씨북스 블로그 http://blog.naver.com/dncbooks

ISBN 979-11-264-4683-4 (04810)
ISBN 979-11-264-4682-7 (SET)